LES PILIERS DE LA TERRE

Du même auteur

L'ARME À L'ŒIL, Laffont 1980.
TRIANGLE, Laffont, 1980.
LE CODE REBECCA, Laffont, 1981.
L'HOMME DE SAINT-PÉTERSBOURG, Laffont, 1982.
COMME UN VOL D'AIGLES, Stock, 1983.
LES LIONS DU PANSHIR, Stock, 1987.

Ken Follett

Les Piliers de la terre

★★

ALIENA

TRADUIT DE L'ANGLAIS

PAR

JEAN ROSENTHAL

Illustrations de Petra Röhr-Rouendaal,
assisté de John Wormald

Stock

Titre original :

THE PILLARS OF THE EARTH
(McMillan Ltd, Londres)

ILLUSTRATION DE LA COUVERTURE : Andrew Wheatcraft
DOCUMENT DE COUVERTURE : Jérôme Lo Monaco

Pour Marie-Claire,
la prunelle de mes yeux.

TROISIÈME PARTIE
1140-1142

III

1

La putain que choisit William n'était pas très jolie, mais elle avait des seins lourds et sa masse de cheveux bouclés le séduisit. Elle s'approcha de lui en balançant les hanches et il vit qu'elle était un peu plus âgée qu'il ne l'avait cru, peut-être vingt-cinq ou trente ans. Si sa bouche avait un sourire innocent, ses yeux étaient durs et calculateurs. Ce fut ensuite à Walter de faire son choix : une fille petite, à l'air vulnérable – silhouette garçonnière et poitrine plate. Quand William et Walter se furent décidés, les quatre autres chevaliers entrèrent.

William les avait amenés au bordel parce qu'ils avaient besoin de détente. Ils ne s'étaient pas battus depuis des mois. L'inaction leur pesait et les rendait nerveux.

La guerre civile qui avait éclaté un an plus tôt entre le roi Stephen et sa rivale Maud – la prétendue impératrice – connaissait maintenant une pause. William et ses hommes avaient suivi Stephen dans tout le sud-ouest de l'Angleterre. Sa stratégie était énergique, mais capricieuse. Plein d'un formidable enthousiasme, il attaquait une place forte de Maud mais, s'il ne remportait pas une victoire immédiate, il se lassait et abandonnait. Côté rebelles, ce n'était pas Maud en personne qui dirigeait les troupes, mais son demi-frère, Robert, comte de Gloucester. Stephen n'avait pas encore réussi à lui imposer une confrontation. La guerre se traînait, indécise, avec beaucoup de mouvements et peu de vraies batailles. Les hommes finissaient par s'impatienter.

Des paravents divisaient le bordel en petites chambres, meublées chacune d'une simple paillasse. William et ses chevaliers y

11

entraînèrent les femmes qu'ils avaient choisies. La putain de William ajusta les rideaux, puis aussitôt baissa le haut de sa chemise. Elle avait une poitrine lourde, marquée de veines apparentes comme celle d'une femme qui a nourri des enfants. Un peu déçu, William l'attira néanmoins vers lui et commença à la caresser, pressant ses seins, pinçant les boutons. « Doucement », protesta-t-elle. Elle l'enlaça, se blottit contre lui, et bientôt glissa la main entre ses cuisses.

William lâcha un juron. Son corps ne réagissait pas.

« Ne t'inquiète pas », murmura la putain. Ce ton d'indulgence le mit en colère. Cependant, il ne dit rien et la laissa agir : elle s'écarta de lui, s'agenouilla puis, relevant la tunique de William, elle le prit dans sa bouche.

Tout d'abord, il aima la sensation qu'elle lui donnait et s'abandonna au plaisir naissant. Mais soudain, de nouveau il perdit tout intérêt. Même le fait de regarder la fille en train de s'activer – ce qui l'excitait d'habitude – n'eut aucun effet. Il s'énervait, ce qui n'arrangeait rien.

La fille releva la tête. « Essaie de te détendre », dit-elle gentiment. Elle reprit son action, mais avec tant d'énergie qu'elle faillit le blesser. Il la gifla du revers de la main et elle tomba de côté, le souffle coupé.

« Sale maladroite », grommela-t-il. La fille, recroquevillée sur la paillasse à ses pieds, le regardait avec crainte. Incapable de maîtriser son irritation, il lui lança un coup de pied au hasard, qu'elle reçut en plein ventre. Il y mit plus de force qu'il ne croyait et elle se plia en deux de douleur.

C'est alors que William sentit que son corps réagissait enfin.

Il s'agenouilla, fit rouler la fille sur le dos et la chevaucha. La jupe retroussée jusqu'à la taille découvrit une toison épaisse et bouclée. Peu à peu, tandis que William se caressait en regardant le corps offert, la crainte se dissipa dans les yeux de la fille. Mais sa passivité exaspéra William qui lui envoya un coup de poing en pleine figure.

Elle poussa un hurlement et fit un mouvement pour se dégager, mais il pesait sur elle de tout son poids, la clouant au sol. Devant le spectacle de sa victime qui hurlait et se débattait, il eut enfin une érection. Il voulut lui ouvrir les cuisses, mais elle résista.

A cet instant, on écarta le paravent et Walter entra, vêtu en tout et pour tout de ses bottes et d'une camisole, sous laquelle son sexe dardait, énorme. Deux autres chevaliers le suivaient : Gervase le Vilain et Hugh la Hache.

« Tenez-la-moi ! » ordonna William.

Les trois hommes s'agenouillèrent autour de la prostituée et l'immobilisèrent. William s'apprêta à la posséder, mais il suspendit son mouvement, savourant d'avance son plaisir.

« Que s'est-il passé, seigneur ? demanda Walter.

– Elle a changé d'avis quand elle a vu la taille de mon arme », dit William avec un sourire satisfait.

Ils éclatèrent tous de rire. William, excité par la présence des spectateurs, pénétra brutalement la fille et se mit à la besogner.

« Vous m'avez interrompu, dit Walter, juste au moment où j'allais opérer.

– Utilise sa bouche, proposa William. Elle aime ça.

– Bonne idée ! »

Walter empoigna la fille par les cheveux pour lui soulever la tête. Terrifiée, incapable de lutter, la prostituée se laissa faire. Il n'était plus nécessaire de la maintenir, aussi Gervase et Hugh s'écartèrent-ils et se contentèrent de regarder, fascinés par le spectacle. Ils n'avaient sans doute jamais vu une femme travaillée par deux hommes en même temps. William non plus, du reste. Il était terriblement, étrangement excité. Walter semblait aussi au paroxysme du plaisir. Haletant, il ne tarda pas à jouir, suivi de près par William qui explosa avec un cri rauque.

Ils se relevèrent les yeux brillants, William proposa aux deux chevaliers de prendre leur tour : il avait envie d'assister à une nouvelle performance.

Gervase et Hugh hésitèrent. « J'ai une petite qui m'attend », dit Hugh. « Moi aussi », ajouta Gervase.

La prostituée se redressa et rajusta sa robe. Son expression était impénétrable. William lui tapota l'épaule : « Ce n'était pas si affreux, tout de même ? » Elle se planta devant lui et, les yeux dans les siens elle plissa les lèvres et cracha. William sentit sur son visage couler un liquide tiède et poisseux, la semence de Walter qu'elle avait gardée dans sa bouche. Pris de rage, William leva la main pour frapper la fille mais elle disparut derrière le paravent. Walter et les deux chevaliers éclatèrent de rire. A contrecœur, William se résigna, pour préserver sa dignité, à prendre la chose à la légère et il se força à rire aussi.

13

Ils sortirent ensemble de la petite chambre, sous le regard anxieux des filles du bordel qui avaient entendu des cris et redoutaient la violence des chevaliers.

L'un des écuyers de William attendait près de la porte, mal à l'aise. Ce jeune garçon n'avait sans doute jamais mis les pieds dans un bordel. Ne sachant s'il devait se joindre à l'hilarité générale, il se mit à sourire nerveusement.

« Que fais-tu là, tête d'idiot? demanda William.

— Un message est arrivé pour vous, seigneur, dit l'écuyer.

— Eh bien, qu'est-ce que tu attends? De quoi s'agit-il?

— Je suis désolé, seigneur, murmura le garçon, affolé.

— Pourquoi es-tu désolé, petite merde? rugit William. Donne-moi ce message!

— Votre père est mort, seigneur », balbutia l'écuyer qui éclata en sanglots.

William se figea, abasourdi. Mort? se répéta-t-il intérieurement. « Mais il est en parfaite santé! » cria-t-il sans réfléchir. Même s'il n'était plus capable de se battre sur les champs de bataille, ce qui n'avait rien de surprenant chez un homme de près de cinquante ans, il n'était pas malade! William se rappelait Père la dernière fois qu'il l'avait vu : robuste, le visage rouge, sanguin et coléreux, plein de vie... Il se rendit compte, avec un serrement de cœur, qu'il ne l'avait pas vu depuis près d'un an.

« Que s'est-il passé? demanda-t-il à l'écuyer. Que lui est-il arrivé?

— Une attaque, seigneur », sanglota l'écuyer.

Une attaque. William commençait à cerner la réalité. Père était mort. Ce grand gaillard solide et irascible gisait, impuissant et glacé, quelque part sous une dalle de pierre.

« Il va falloir que je rentre, murmura William.

— Vous devez d'abord demander au roi de vous libérer, fit doucement Walter.

— C'est vrai, répondit William d'un ton absent. Il faut que je demande la permission.

— Si vous voulez je vais m'occuper de la tenancière, proposa Walter.

— D'accord. » William lui tendit sa bourse. Quelqu'un lui jeta son manteau sur les épaules. Walter murmura quelque chose à la propriétaire du bordel et lui donna l'argent. Hugh la Hache ouvrit la porte; ils sortirent tous les quatre.

14

En silence, ils traversèrent les rues de la petite ville. William se sentait étrangement détaché, comme s'il marchait sur un nuage. La réalité de cette mort lui échappait. Mais il devait se reprendre. Le quartier général du roi était proche.

En l'absence de château ou d'hôtel de ville, Stephen tenait cour dans l'église, une simple petite bâtisse en pierre, dont les murs intérieurs étaient peints en rouge vif, bleu et orange. On avait allumé un feu et le beau roi à la chevelure fauve était assis devant, sur un trône de bois, les jambes allongées dans son attitude habituelle. Il portait une tenue de soldat, hautes bottes et tunique de cuir, mais une couronne remplaçait le casque.

William et Walter se frayèrent un chemin au milieu de la foule des quémandeurs massés près de la porte de l'église, adressèrent un signe de tête au garde qui tenait le public à l'écart et pénétrèrent au sein du cercle des intimes. Stephen parlait avec un comte nouvellement arrivé, mais, en apercevant William, il s'interrompit aussitôt.

« William, mon ami, tu es au courant ? »

William s'inclina. « Oui, mon roi. »

Stephen lui tendit la main. « Je pleure avec toi », dit-il. Il prit William dans ses bras et l'embrassa. Ce témoignage d'affection fit venir les premières larmes aux yeux de William. « Il faut que je vous demande la permission d'aller chez moi, dit-il.

— Je te l'accorde, évidemment, mais pas d'un cœur joyeux, dit le roi. Ton bras solide nous manquera.

— Merci, seigneur.

— Je t'accorde aussi la garde du comté de Shiring et tous les revenus qui en proviennent jusqu'à ce que soit réglé le problème de la succession. Rentre chez toi enterrer ton père et reviens-nous aussi vite que tu le peux. »

William s'inclina et se retira, tandis que le roi, pensif, reprenait sa conversation avec le comte. Les courtisans se rassemblèrent autour de William, compatissant à sa peine. Tandis qu'il écoutait leurs condoléances, la signification des paroles du roi le frappa soudain. Il lui avait accordé la garde du comté *jusqu'à ce que le problème de la succession soit réglé.* Quel problème ? William était le seul enfant de son père. Où pouvait-il y avoir un problème ? Il aperçut parmi l'assistance un jeune prêtre, un des clercs les mieux informés de l'entourage du roi. Discrètement, il le prit à

15

part : « Joseph, savez-vous de quoi parle le roi, à propos de la succession de mon père?

— Il y a un autre prétendant au comté.

— Un autre prétendant? » répéta William stupéfait. Il n'avait pas de demi-frère, ni de frères illégitimes, ni de cousins... « Qui est-ce? »

Joseph désigna un personnage qui leur tournait le dos, au milieu de l'escorte du comte nouvellement arrivé. Il portait la tenue d'un écuyer.

« Mais ce n'est même pas un chevalier! lança William d'une voix forte. Mon père était le comte de Shiring! »

L'écuyer se retourna. « Mon père aussi était comte de Shiring. »

William d'abord ne le reconnut pas. Il vit un beau jeune homme aux larges épaules d'environ dix-huit ans, bien vêtu et armé d'une belle épée. Son attitude reflétait l'assurance, même l'arrogance. Mais, surtout, il fixait sur William un regard si brûlant, si haineux que celui-ci recula.

Le visage, il le connaissait. Les traits avaient changé, mais ils lui étaient familiers. Où l'avait-il vu? Soudain, William remarqua une vilaine cicatrice à l'oreille droite du jeune homme : on lui avait coupé le lobe. En un éclair il revit un petit morceau de chair blanche tombant sur la poitrine haletante d'une jeune fille terrifiée. Il entendit le hurlement de douleur du jeune garçon. C'était Richard, le fils du traître Bartholomew, le frère d'Aliena! Le petit garçon que William avait contraint à contempler le spectacle de sa sœur violée par deux fois était devenu un homme redoutable, dont le regard bleu clair luisait du désir de vengeance. Soudain William eut peur.

« Vous vous souvenez, n'est-ce pas? » dit Richard d'un ton volontairement neutre, incapable cependant de masquer la froide fureur qui l'animait.

« Je me souviens, reconnut William.

— Moi aussi, William Hamleigh, dit Richard. Moi aussi. »

William était assis dans le grand fauteuil, au bout de la table, où autrefois se tenait son père. Il avait toujours su qu'un jour il occuperait cette place et qu'alors, il se sentirait immensément puissant. En réalité, l'appréhension le tenaillait de se voir comparé à son père et de ne pas savoir imposer le respect à ses gens.

16

Il observa sa mère, assise à sa droite. Il avait souvent étudié autrefois la façon dont elle jouait sur les craintes et les faiblesses de son mari pour le manipuler à sa guise. Il se jura de ne pas la laisser agir de même avec lui.

A sa gauche se tenait Arthur, un homme grisonnant, aux manières douces, autrefois bailli du comte Bartholomew. Aussitôt devenu comte, Père l'avait engagé car il connaissait bien le domaine. William s'en était toujours méfié : ceux qui ont servi d'autres gens restent souvent trop attachés à leur premier maître et à leurs anciennes habitudes.

« Le roi Stephen ne peut pas accorder à Richard le titre de comte, c'est impossible, dit Mère d'un ton furieux. Un malheureux écuyer !

— Je ne comprends même pas comment il en est arrivé là, renchérit William avec agacement. Je croyais qu'Aliéna et lui n'avaient plus un sou. Mais il porte de beaux vêtements et une bonne épée. Où a-t-il trouvé l'argent ?

— Il s'est installé marchand de laine, dit Mère. Il a tout l'argent dont il a besoin. Ou plutôt sa sœur : il paraît que c'est Aliena qui dirige l'affaire. »

Aliena. Elle était donc derrière tout cela. William ne l'avait jamais complètement oubliée, mais, depuis qu'il avait rencontré Richard, elle occupait constamment ses pensées, elle l'obsédait, aussi fraîche et belle, aussi vulnérable et désirable que jamais. William la détestait pour l'emprise qu'elle gardait sur lui.

« Ainsi, dit-il en feignant le détachement, Aliena est riche aujourd'hui ?

— Plutôt, oui. Mais toi, voilà un an que tu te bats pour le roi. Il ne peut pas te refuser ton héritage.

— Apparemment, répliqua William, Richard ne s'est pas mal battu, lui aussi, j'ai fait mon enquête. Son courage a attiré l'attention du roi, malheureusement pour moi. »

L'expression de Mère passa du mépris à la réflexion.

« Alors il a vraiment une chance, déclara-t-elle.

— Je le crains.

— En ce cas, il faut trouver le moyen de le combattre.

— Comment ? » demanda William. Aussitôt prononcée, il regretta sa question. Lui qui avait décidé d'interdire à sa mère toute initiative, il lui en offrait l'occasion sur un plateau.

17

« Retournons auprès du roi avec un groupe plus nombreux de chevaliers, des armes neuves, de meilleurs chevaux, des écuyers et des hommes d'armes en quantité. »

William aurait aimé pouvoir la contredire, mais il reconnaissait qu'elle avait raison. Au bout du compte, le roi accorderait le comté à celui qui promettait d'être son partisan le plus efficace. Peu lui importerait de savoir qui dans l'affaire avait tort ou raison.

« Ce n'est pas tout, poursuivit Mère. Tu dois soigner ton apparence, adopter l'allure et le comportement d'un comte. Le roi te verra déjà dans le rôle et ta nomination coulera de source. »

William s'étonna naïvement : « L'allure et le comportement d'un comte? Que dois-je faire?

— Exprime plus souvent ton avis. Aie une opinion sur tout : sur la façon dont le roi doit poursuivre la guerre, sur la tactique appropriée à chaque bataille, sur la situation politique dans le Nord et — c'est le plus important — sur les compétences et la loyauté des autres comtes. Si tu parais puissant, le roi te donnera tout naturellement encore plus de puissance. »

Tant de subtilité laissait William sceptique. « Je crois que la taille de mon armée comptera davantage », dit-il. Il se tourna vers le bailli. « Combien y a-t-il dans mon trésor, Arthur?

— Rien, seigneur », répondit le bailli placidement.

William sursauta.

« Qu'est-ce que vous racontez? Il y a forcément quelque chose. Combien? »

Arthur ne se démonta pas, sûr de lui.

« Seigneur, répondit-il sans crainte, il n'y a absolument pas d'argent dans le trésor. »

William se retint de passer sa colère sur l'innocent bailli. « Nous parlons du comté de Shiring, s'écria-t-il assez fort pour attirer l'attention des convives. Le comté de Shiring est riche!

— Seigneur, dit Arthur calmement, l'argent arrive régulièrement, bien sûr. Mais il repart aussitôt, surtout en temps de guerre. »

William examina le visage pâle et bien rasé. Arthur n'était-il pas trop poli pour être honnête? Son teint lisse, sa calme assurance ne cachaient-ils pas une noire hypocrisie? Comment savoir? Les yeux de William, si perçants fussent-ils, ne possédaient pas le pouvoir de sonder le cœur d'un homme.

18

Mère, comme si elle devinait les pensées de son fils, le rassura :
« Arthur est de toute confiance, dit-elle à haute voix sans se préoc-
cuper de la présence du bailli. Il est vieux, paresseux et ancré dans
ses habitudes, mais il est honnête. »

Accablé, William constatait qu'à peine assis dans le fauteuil du
maître, déjà, comme par magie, il voyait fondre son pouvoir. La
malédiction tombait sur lui. D'une voix morne, il demanda :
« Comment mon père est-il mort ?

— Durant presque toute l'année, répondit Mère, il a été malade.
Je voyais bien qu'il laissait les choses aller, mais je n'arrivais pas à
lui redonner la moindre énergie. »

Avec surprise, William découvrait que le pouvoir de sa mère
avait ses limites. Elle n'était pas toute-puissante. Il se tourna vers
Arthur. « Nous possédons quelques-unes des meilleures terres du
royaume. Comment se fait-il que les caisses soient vides ?

— Certaines fermes ont des difficultés, et plusieurs locataires
n'ont pas payé leur loyer.

— Pourquoi ?

— Une raison que j'entends fréquemment citer, c'est que les
jeunes gens, plutôt que de travailler la terre, préfèrent partir pour
la ville.

— Il faut les en empêcher ! »

Arthur haussa les épaules, fataliste. « Sitôt qu'un serf a vécu un
an dans une ville, il devient citoyen. C'est la loi.

— Et les locataires qui ne payent pas ? Qu'en faites-vous ?

— Que peut-on faire ? dit Arthur. Si l'on confisque leur bétail,
ils ne pourront définitivement plus payer. On n'a pas le choix : il
faut attendre patiemment qu'une bonne récolte leur permette de
se rattraper. »

Décidément, Arthur acceptait l'échec avec une belle insouciance et trop de philosophie, songea William, profondément
contrarié. S'obligeant à rester calme, il insista : « Si tout le monde
s'installe en ville, nos loyers sur les maisons de Shiring devraient
rapporter de l'argent frais, il me semble ?

— Bizarrement, non, dit Arthur. Il y a beaucoup de maisons
vides à Shiring. Les gens doivent aller ailleurs.

— Ou bien ils vous mentent, rétorqua William. Vous allez
m'annoncer, je suppose, que le revenu du marché de Shiring et de
la foire aux toisons a baissé lui aussi ?

19

– Justement...

– Pourquoi n'augmentez-vous pas les loyers et les impôts?

– Nous l'avons fait, seigneur, sur l'ordre de votre défunt père, mais le revenu n'en a pas moins baissé. »

William explosa.

« Je ne comprends pas! Avec un domaine aussi peu productif, comment Bartholomew s'en tirait-il? »

A cette question encore, Arthur avait une réponse toute prête. « Il avait la carrière. Autrefois, elle rapportait beaucoup d'argent.

– Et maintenant, elle est aux mains de ce damné moine. » William tapa du pied. Juste au moment où il avait besoin d'afficher son prestige, il apprenait qu'il était sans un sou. La situation devenait très dangereuse pour lui. En lui confiant la garde d'un comté, le roi lui imposait une sorte de mise à l'épreuve. Qu'il se présente à la Cour avec une poignée de miséreux en guise d'armée, le roi l'accuserait d'ingratitude et d'infidélité, sinon de trahison.

Non. Le tableau peint par Arthur ne reflétait pas l'exacte réalité. William était sûr que les gens le volaient – et qu'ils en ricanaient sans doute derrière son dos. Il ne le tolérerait pas. On allait voir de quel bois il se chauffait. Le sang coulerait avant qu'il accepte la défaite.

« Vous avez une excuse pour tout, dit-il froidement à Arthur. Ce que je constate, c'est que vous avez laissé cette propriété décliner pendant la maladie de mon père, au moment où vous auriez dû être le plus vigilant.

– Mais, seigneur... »

William haussa le ton. « Taisez-vous, ou je vous fais fouetter. » Arthur pâlit et resta silencieux. « Dès demain, continua William, nous entamons une tournée du comté. Nous visiterons chaque village que je possède et nous secouerons tout ce petit monde. Vous ne savez peut-être pas comment traiter des paysans geignards et menteurs, mais moi, si. Nous allons bientôt découvrir si oui ou non mon comté s'est appauvri. Si vous m'avez menti, je jure devant Dieu que vous serez le premier de tout un cortège de pendus. »

Avec Arthur, il emmena son valet, Walter et les quatre chevaliers qui combattaient à ses côtés depuis un an : Gervase le Vilain, Hugh la Hache, Gilbert de Rennes et Miles les Dés. Quatre grands gaillards violents, toujours prêts à se battre, qui montaient les meilleurs chevaux et voyageaient armés jusqu'aux dents pour faire peur aux paysans. Un homme qui ne fait pas peur, estimait William, est un homme sans défense.

Dans la brûlante journée de fin d'été, le blé se dressait en lourds épis dans les champs. La profusion de toutes ces richesses visibles exaspérait la colère de William. Tant d'abondance et pas d'argent! On le volait, c'était sûr. Il allait faire peur aux paysans pour que personne n'ose plus s'y risquer.

Il avait décidé de commencer par Northbrook, un petit village situé à une certaine distance du château et peuplé à la fois de serfs et d'hommes libres. Les serfs qui appartenaient à William ne pouvaient rien entreprendre sans sa permission. D'autre part, ils lui devaient un certain nombre de jours de travail au cours de l'année, plus une part de leurs récoltes. Les hommes libres, eux, lui payaient simplement un loyer, en espèces ou en nature. Cinq locataires étaient en retard. Peut-être croyaient-ils échapper aux poursuites parce qu'ils étaient loin du château. Eh bien! On commencerait les opérations par eux.

Le soleil était haut lorsque, après une longue chevauchée, ils approchèrent du village. Vingt ou trente maisons se groupaient au milieu de trois grands champs, maintenant couverts de chaume. Quand William et ses hommes arrivèrent, ils trouvèrent la plupart des villageois réunis sous un groupe de trois grands chênes, en train de dîner à l'ombre des arbres. Les cavaliers, dans un nuage de poussière, s'immobilisèrent devant les paysans.

Ils se levèrent précipitamment, avalant de travers leur pain noir, les yeux irrités par la poussière qui les aveuglait. Le regard méfiant de William, cependant, observait un étrange manège. Un homme d'un certain âge, avec une barbe noire, s'adressait d'une voix douce mais pressante à une jeune fille bien en chair, accompagnée d'un bébé rondelet aux joues rouges. Un jeune homme vint les rejoindre, mais l'ancien eut tôt fait de l'écarter. A ce moment, la jeune femme s'éloigna vers les maisons et disparut dans le halo de poussière. Cette scène avait un caractère furtif qui intriguait fort William. Il regretta l'absence de Mère qui aurait su l'expliquer.

Ramenant son attention aux paysans, il déclara d'une voix forte : « Cinq de mes locataires, ici, ont des arriérés de loyer, n'est-ce pas Arthur ?

21

– Oui, seigneur.

– Qui est le plus en retard?

– Athelstan n'a rien payé depuis deux ans. Mais il a eu beaucoup de malchance avec ses cochons... »

William l'interrompit. « Lequel de vous est Athelstan? »

Un homme de haute taille, d'environ quarante-cinq ans, s'avança. Il avait les épaules voûtées, les cheveux clairsemés et les yeux larmoyants.

« Pourquoi ne paies-tu pas ton loyer? demanda William.

– Seigneur, c'est une bien petite terre. Je n'ai personne pour m'aider maintenant que mes garçons sont partis travailler en ville, et puis les cochons ont eu la fièvre... »

William l'interrompit.

« Tes garçons sont partis en ville, dis-tu. Où sont-ils allés?

– A Kingsbridge, seigneur, pour travailler à la nouvelle cathédrale. Ils veulent se marier et ma terre ne fera pas vivre trois familles. »

William rangea dans sa mémoire l'information concernant la cathédrale de Kingsbridge et reprit : « Ta terre est assez grande pour faire vivre une famille, en tout cas, et malgré cela tu ne paies pas ton dû. »

Athelstan se mit à expliquer le cas de ses cochons. William le fixait d'un œil mauvais sans écouter. Je sais pourquoi tu n'as pas payé, songeait-il; tu savais que ton seigneur était malade et tu as tenté de le duper en profitant de sa faiblesse. Les quatre autres délinquants avaient certainement fait le même pari. Eh bien, ils allaient recevoir une leçon. « Gilbert et Hugh, saisissez-vous de ce paysan et tenez-le solidement », ordonna-t-il.

Athelstan, désemparé, parlait toujours. Les deux chevaliers mirent pied à terre et s'approchèrent. Son histoire de fièvre porcine n'intéressait pas le seigneur. Les chevaliers le prirent par les bras. Il pâlit de frayeur.

Du même ton froid et coupant, William s'adressa à Walter. « As-tu tes gants en cotte de mailles?

– Oui, seigneur.

– Mets-les et donne une leçon à Athelstan. Mais assure-toi qu'il vivra pour répandre la nouvelle.

– Bien, seigneur. » Walter tira de sa sacoche de selle une paire de gantelets de cuir renforcés d'une fine maille métallique le long

22

des doigts. Il les enfila lentement. Les villageois, figés de peur, observaient Athelstan qui se mit à gémir.

Walter descendit de cheval, se dirigea vers l'homme et lui décocha au creux de l'estomac un coup de son poing couvert du gantelet. On entendit un bruit horrible. Athelstan se plia en deux, le souffle coupé au point de ne pouvoir même émettre un cri. Gilbert et Hugh le redressèrent et Walter le frappa au visage. Du sang coula de sa bouche et de son nez. Une des spectatrices, probablement son épouse, se mit à hurler en agrippant Walter : « Assez! Laissez-le! Ne le tuez pas! »

Walter l'écarta. Deux autres femmes la maîtrisèrent tandis qu'elle continuait de hurler et de se débattre. Les paysans regardèrent dans un silence révolté Walter rosser systématiquement Athelstan jusqu'au moment où celui-ci, le corps inerte, le visage couvert de sang, les yeux clos, perdit connaissance.

« Laisse-le », dit William.

Gilbert et Hugh lâchèrent Athelstan qui s'effondra sur le sol et ne bougea plus. Son épouse, libérée par les femmes qui la maintenaient, se précipita sur lui en sanglotant. Walter ôta ses gantelets, puis essuya le sang et les bouts de chair accrochés à la maille. William, qui ne s'intéressait déjà plus à sa victime, inspectait le village. Il aperçut une construction en bois de deux étages, apparemment neuve, bâtie au bord du ruisseau.

« Qu'est-ce que c'est? demanda-t-il à Arthur.

— Je ne l'ai jamais vue, seigneur », répondit le bailli avec nervosité.

William était persuadé qu'il mentait. « C'est un moulin à eau, n'est-ce pas? »

Arthur haussa les épaules, mais son indifférence ne trompa pas William. « Je ne vois pas ce que ça pourrait être d'autre, juste au bord du torrent », dit le bailli.

Comment osait-il montrer une telle insolence après avoir vu le paysan battu presque à mort sur les ordres du maître? « Est-ce que mes serfs ont le droit de bâtir des moulins sans ma permission? demanda William.

— Non, seigneur.

— Sais-tu *pourquoi* c'est interdit?

— Parce qu'ils doivent apporter leur grain aux moulins du seigneur et payer le meulage.

23

– Et que le seigneur en tire profit.

– Oui, seigneur. »

Avec le ton condescendant qu'on adopte pour expliquer quelque chose d'élémentaire à un enfant un peu niais, Arthur continua : « Mais s'ils paient une amende pour avoir bâti illégalement un moulin, le seigneur tirera tout de même son profit. »

William, irrité par la supériorité de son bailli, répliqua sèchement : « Mais non, il n'en profitera pas de la même façon. L'amende n'est jamais aussi élevée que les droits réguliers des paysans. C'est pourquoi ils préfèrent bâtir quand même des moulins. Et c'est pourquoi, d'ailleurs, mon père ne le leur permettait pas. » Sans laisser à Arthur le temps de répondre, il talonna son cheval et galopa jusqu'au moulin. Ses chevaliers suivirent, ainsi que le cortège des villageois effarés.

William sauta à terre. Le bâtiment était parfaitement reconnaissable : une grande roue à aubes tournait sous la pression du courant et entraînait un axe qui s'enfonçait dans le mur latéral du moulin. C'était une solide construction de bois faite pour durer. Son bâtisseur s'attendait manifestement à en user librement pendant des années.

Le meunier, planté sur le seuil de la porte ouverte, arborait une expression savamment calculée d'innocence blessée. Dans la pièce, derrière lui, s'entassaient des sacs de blé. Il s'inclina poliment devant son seigneur, mais n'y avait-il pas un rien de mépris dans son attitude ? Une fois de plus, William eut la pénible impression que ces misérables se moquaient de lui. Il interpella violemment le meunier. « Qu'est-ce qui t'a fait croire que tu pourrais t'en tirer ? Tu me crois stupide, sans doute ? C'est ce que tu penses ? » Il frappa l'homme au visage.

Le meunier poussa un cri de douleur, un peu forcé, et s'effondra théâtralement sur le sol.

William l'enjamba et entra. L'axe de la roue à aubes était relié par un jeu d'engrenages en bois à la meule qui occupait l'étage supérieur. Le grain par un conduit tombait sur l'aire. La partie qui supportait le poids de la meule était soutenue par quatre épais madriers (pris à n'en pas douter sans autorisation dans la forêt de William). Si on les sciait, tout l'édifice s'écroulerait.

William ressortit. Hugh la Hache portait, attachée à sa selle, l'arme qui lui avait valu son surnom. « Donne-moi ta hache d'armes. » Hugh obéit. William rentra dans le moulin et se mit à attaquer les madriers de soutien.

Une grande satisfaction le saisit quand il sentit la lame de la hache s'enfoncer dans le pilier élevé avec tant de soin pour le voler de son droit de meulage. Ils ne riront plus de moi, maintenant, songea-t-il avec rage.

Walter entra à son tour et regarda la scène. William avait taillé une profonde encoche dans le premier madrier et le second était bien entamé. La plate-forme supérieure commença à trembler sous l'énorme poids de la meule. « Trouve-moi une corde », dit William. Walter sortit.

William entailla encore les deux autres piliers aussi profond qu'il pouvait, à la limite du danger. L'édifice semblait prêt à s'écrouler. Walter revint avec la corde demandée, que William attacha à l'un des madriers, puis il tira l'autre bout dehors et le passa au cou de son destrier.

Les paysans ne disaient mot.

Une fois la corde fixée, William appela le meunier. Celui-ci s'approcha avec son air d'innocent injustement traité.

« Gervase, dit William, ligote-le et pousse-le à l'intérieur. »

Le meunier fit un bond pour s'échapper, mais Gilbert l'arrêta d'un croche-pied, puis lui lia les mains et les pieds avec des courroies de cuir. Les deux chevaliers l'emportèrent, se débattant et implorant miséricorde.

Un des villageois s'avança face à William. « Vous ne pouvez pas faire ça, déclara-t-il. C'est un meurtre. Même un seigneur n'a pas le droit d'assassiner les gens. »

William braqua sur lui un doigt tremblant de rage. « Si tu ouvres encore la bouche, je t'envoie dedans avec lui. »

L'homme, un moment, parut prêt à le défier, puis il se ravisa et rentra dans les rangs.

Les chevaliers sortirent du moulin. William fit avancer son cheval jusqu'à ce que la corde soit tendue. A l'intérieur, le meunier hurlait. C'était le cri d'un homme en proie à une mortelle terreur, un homme qui savait que dans un instant il serait broyé.

Le cheval secoua la tête, gêné par la corde qui lui serrait l'encolure. William le frappa sur la croupe pour l'obliger à tirer, puis ordonna à ses chevaliers : « Halez cette corde ! » Les quatre hommes saisirent la corde et tirèrent avec le cheval. Les villageois protestaient sourdement, mais la peur les empêchait d'intervenir. Arthur, un peu à l'écart, semblait en proie à un malaise.

Les cris du meunier redoublaient, de plus en plus aigus. William imaginait la terreur qui devait envahir le malheureux attendant sa mort horrible. Pas un de ces paysans n'oubliera jamais la vengeance des Hamleigh, songea-t-il avec satisfaction.

Le madrier craqua bruyamment, puis se brisa dans un terrible fracas. Le cheval bondit en avant et les hommes de William lâchèrent la corde. Un coin du toit s'effondra. Les femmes se mirent à gémir. Les murs de bois du moulin frémirent; les hurlements du meunier déchiraient l'air; dans une sorte d'explosion l'étage supérieur céda. Au même instant, le cri du meunier s'arrêta brutalement. Le sol entier trembla quand la meule atterrit sur l'aire de battage. Les murs se fendirent, le toit se creusa : le moulin n'était plus qu'un amoncellement de bois à brûler, recouvrant un cadavre. William commença à se sentir mieux.

Quelques villageois se précipitèrent vers les débris pour les fouiller frénétiquement. S'ils espéraient retrouver le meunier vivant, ils allaient être déçus. Son corps ne devait pas être beau à voir. Tant mieux.

William promena un regard circulaire sur l'assemblée et, de nouveau, remarqua la fille et le bébé potelé, un peu en arrière de la foule. De nouveau, il eut l'impression qu'elle essayait de ne pas se faire remarquer. Déjà tout à l'heure, l'homme à la barbe noire – sans doute son père – s'était efforcé de la cacher aux regards. Il faudrait résoudre ce mystère avant de quitter le village. Comme il croisait le regard de la jeune fille, il fit un signe dans sa direction. Machinalement, elle regarda derrière elle, espérant qu'il s'adressait à quelqu'un d'autre. « Toi, dit William. Viens ici. »

L'homme à la barbe noire poussa un grognement.

« Qui est ton mari, ma fille ? demanda William.

– Elle n'a p... », dit le père.

Mais il avait parlé trop tard, car la fille eut le temps de répondre : « Edmund.

– Tu es donc mariée. Qui est ton père ?

– C'est moi, dit l'homme à la barbe noire. Theobald. »

William se tourna vers Arthur. « Theobald est-il un homme libre ?

– C'est un serf, seigneur.

– Quand la fille d'un serf se marie, n'est-ce pas le privilège du seigneur à qui elle appartient de la posséder le soir du mariage? »

Arthur ne put s'empêcher d'exprimer son désaccord : « Seigneur! Cette coutume primitive n'est plus appliquée par ici de mémoire d'homme!

– Exact, dit William. A la place, le père paie un dédommagement. Combien Theobald a-t-il payé?

– Il n'a pas encore payé, seigneur, mais...

– Pas payé! Et voilà la fille déjà avec un gros bébé!

– Seigneur, intervint Theobald, elle attendait un enfant d'Edmund avant le mariage. De plus, nous n'avions pas l'argent. Mais nous pouvons vous payer maintenant car la moisson est rentrée. »

William sourit à la fille. « Fais-moi voir ce bébé. »

Elle le dévisageait avec crainte.

« Allons. Donne-le-moi. »

Paralysée de peur, elle n'arrivait pas à obéir. William s'approcha et lui prit doucement l'enfant. La mère, les yeux fous de terreur, ne résista pas.

Le bébé se mit à hurler. William le berça un moment, puis le saisit d'une main par les chevilles et d'un geste rapide, le lança en l'air aussi haut qu'il put.

Le père se précipita, bras tendus, pour le rattraper.

La fille poussa un hurlement de folie et regarda son bébé s'envoler dans les airs. William saisit sa robe à pleines mains et tira dessus, découvrant un corps rose et ferme.

Le père rattrapa le bébé qui n'avait pas de mal, la fille s'éloigna en courant, mais William la rejoignit et la jeta à terre. Le père tendit le bébé à une femme et se dirigea vers William.

« Comme on ne m'a pas donné mon dû le soir des noces et que le dédommagement n'a pas été versé, je vais prendre maintenant ce à quoi j'ai droit. »

L'homme se jeta sur lui. William tira son épée, l'homme s'arrêta.

William regarda la fille qui gisait sur le sol, s'efforçant de couvrir sa nudité de ses mains. Sa peur l'excitait. « Quand j'en aurai fini, mes chevaliers prendront ma suite », annonça-t-il avec un sourire satisfait.

2

En trois ans, Kingsbridge était devenue méconnaissable. William n'y était pas venu depuis le dimanche de Pentecôte où Philip et son armée de volontaires avaient déjoué les plans de Waleran Bigod. On comptait alors quarante ou cinquante maisons de bois groupées autour de la porte du prieuré ou bien étalées le long du sentier boueux qui descendait de la colline au pont. Aujourd'hui, les maisons étaient au moins trois fois plus nombreuses. Formant une frange brune autour du mur de pierre grise du prieuré, elles emplissaient entièrement l'espace entre le bâtiment et la rivière. Certaines paraissaient assez grandes. Dans l'enceinte même du prieuré, s'élevaient de nouveaux bâtiments de pierre. Quant aux murs de l'église, ils montaient rapidement. Deux nouveaux quais longeaient la rivière. Kingsbridge était devenue une ville.

Ce que William vit en entrant confirma un soupçon qui grandissait dans son esprit depuis son retour de la guerre. Tout au long de ses tournées de villages, tandis qu'il percevait les arriérés de loyers et terrorisait les serfs, il entendait incessamment parler de Kingsbridge. Les jeunes gens qui ne possédaient pas de terre allaient travailler là-bas; des familles prospères envoyaient leurs fils à l'école du prieuré; de petits fermiers vendaient leurs œufs et leurs fromages aux ouvriers du chantier; tous ceux qui le pouvaient s'y rendaient aux jours fériés, alors même que la cathédrale n'existait pas encore.

Justement, on était à la Saint-Michel, qui cette année tombait un samedi. La douce matinée du début de l'automne offrait un temps agréable pour voyager, il y aurait donc du monde. William comptait découvrir ce qui attirait les foules à Kingsbridge.

Ses hommes de main chevauchaient avec lui. A eux six, ils avaient fait du bon travail. La nouvelle de la tournée de William s'était répandue dans les villages avec une stupéfiante rapidité et, en quelques jours, les gens savaient à quoi s'attendre. Dès l'approche de William annoncée, on envoyait les enfants et les jeunes femmes se cacher dans les bois. Le seigneur Hamleigh était ravi d'inspirer tant de peur aux gens : ils resteraient à leur place.

Comme la troupe approchait de Kingsbridge, William mit son cheval au galop et les autres suivirent. Une arrivée spectaculaire qui impressionnait toujours. Les gens s'écartaient sur les côtés de la route ou sautaient dans les champs pour laisser la route libre aux puissants destriers.

Le groupe franchit la passerelle de bois sans se soucier du garde chargé de prélever le péage, mais se trouva vite forcé de marquer le pas car l'étroite rue, devant eux, était bloquée par une charrette chargée de barils de chaux et tirée par deux bœufs tranquilles.

Tout en suivant au ralenti l'attelage dans la pente, William examinait les alentours. Des maisons neuves, bâties à la hâte, occupaient les espaces entre les anciennes. Il remarqua une rôtisserie, une taverne, une forge et une échoppe de cordonnier. L'atmosphère de prospérité, incontestable, rendait William envieux.

Le groupe arriva à la suite de la charrette devant les portes du prieuré. Ce n'était pas le genre d'entrée auquel William était accoutumé et il eut un pincement d'angoisse à l'idée qu'on allait se moquer de lui. En fait, personne ne les remarqua.

Contrastant avec la ville peu animée, l'enceinte du prieuré bourdonnait d'activité. William tira sur les rênes. D'abord déconcerté par une telle foule et tant d'animation, il remarqua immédiatement le marché à l'ouest de l'enceinte. Les éventaires s'alignaient en rangées bien droites, délimitant des allées où grouillaient des centaines de personnes, achetant des vivres et du vin, des chapeaux et des chaussures, des couteaux, des ceintures, des canetons, des chiots, des marmites, des boucles d'oreilles, de la laine, du fil, de la corde et des douzaines d'autres articles. Ce marché débordait de prospérité.

Quoi d'étonnant, songea William avec amertume, que le marché de Shiring déclinât ? Les loyers payés par les marchands, les péages prélevés sur les fournisseurs et les impôts sur les ventes qui auraient dû aller grossir le trésor du comte de Shiring emplissaient les coffres du prieuré de Kingsbridge !

30

Un marché ne pouvait pas fonctionner sans une licence du roi. William aurait juré que le prieur Philip n'en avait pas. Sans doute escomptait-il qu'il pourrait la demander dès qu'il se ferait prendre, comme le meunier de Northbrook. Hélas, William savait bien qu'il ne donnerait pas une leçon à Philip aussi aisément qu'aux serfs de ses villages.

Au-delà du marché s'étendait une zone de calme. Jouxtant le cloître, à la place de la croisée de la vieille église, se dressait un autel sous un auvent devant lequel un moine aux cheveux blancs lisait des psaumes. De l'autre côté de l'autel, des moines chantaient des hymnes. Vu l'heure, il s'agissait des nones, un service réservé aux moines, songea William. Le travail et le commerce cesseraient pour la grand-messe de la Saint-Michel qui réunirait tout le monde.

A l'autre bout de l'enclos, on était en train de construire l'aile est de la cathédrale. C'était à quoi le prieur Philip dépensait les bénéfices du marché, songea William avec amertume. Les murs avaient déjà trente ou quarante pieds de haut et l'on commençait à distinguer les contours des fenêtres et le dessin de l'arcade. Des échafaudages compliqués s'accrochaient à la maçonnerie dans un équilibre précaire, comme des nids de mouettes sur une falaise abrupte. Les ouvriers s'affairaient sur l'étendue du chantier. Quelque chose d'inhabituel dans leur allure intrigua William, jusqu'au moment où il comprit que c'étaient leurs habits de couleur vive. Il ne s'agissait pas de travailleurs réguliers. Un jour de Saint-Michel, la main-d'œuvre payée était en vacances. Ces gens-là étaient des volontaires.

Mais combien étaient-ils ? Des centaines d'hommes et de femmes transportaient des pierres, taillaient des madriers, roulaient des tonneaux et soulevaient des chargements de sable. Jamais William n'aurait imaginé un tel nombre de gens prêts à s'échiner sans un sou de salaire, pour le seul pardon de leurs péchés.

Le malin prieur avait bien joué, reconnut William avec un certain dépit. Les volontaires qui venaient travailler à la cathédrale dépensaient leur argent au marché. Les gens qui fréquentaient le marché donneraient quelques heures à la cathédrale pour racheter leurs péchés. Une main lavait l'autre.

William poussa son cheval et traversa le cimetière pour atteindre le chantier, curieux de l'observer de plus près.

31

Les huit massives colonnes de l'arcade se groupaient de part et d'autre du site en quatre paires opposées. De loin, William avait cru deviner les arcs arrondis reliant chaque colonne à la suivante, mais il se rendit compte qu'ils n'étaient pas encore construits : ce qu'il avait vu, c'était le coffrage en bois, de la même forme, qui servirait de cadre provisoire où reposeraient les pierres le temps que le mortier sèche.

Parallèles à l'arcade, les murs extérieurs des bas-côtés montaient, coupés à intervalles réguliers d'ouvertures pour les fenêtres. A mi-chemin entre chaque ouverture, un contrefort jaillissait de l'alignement du mur. Les extrémités ouvertes des murs non terminés laissaient voir qu'il s'agissait de doubles parois séparées par un espace. La cavité était comblée avec des décombres et du mortier.

Quant à l'échafaudage, il était constitué de robustes poteaux reliés par des tréteaux transversaux en souples baliveaux et en roseaux tressés.

On avait dépensé là beaucoup d'argent, estima William.

Il poursuivait sa visite en contournant le chœur, suivi de ses chevaliers qui l'avaient rejoint. Contre le mur se dressaient des appentis de bois, des ateliers et ouvroirs pour les artisans. La plupart étaient fermés en ce jour férié chômé par les maçons et les charpentiers. Toutefois, le maître maçon et le maître charpentier assuraient la direction des travailleurs volontaires et leur indiquaient où entasser les pierres, le bois, le sable et la chaux qu'ils transportaient à partir du bord de la rivière.

A la réflexion, William conclut que le prieur Philip était grandement responsable du déclin du comté de Shiring. Les fermes perdaient leurs jeunes qui s'embauchaient au chantier de construction et Shiring – le joyau du comté – se trouvait peu à peu éclipsé par la nouvelle ville de Kingsbridge en plein développement. Les résidents payaient leur loyer à Philip et non à William ; quant aux utilisateurs du marché, ils produisaient des revenus pour le prieuré et non pour le comté. De plus, Philip avait à sa disposition le bois, les élevages de moutons et la carrière qui autrefois enrichissaient le comte Percy.

William et ses hommes revinrent jusqu'au marché. Il avait beau pousser son cheval dans la foule, les gens ne s'écartaient pas craintivement sur son chemin. Personne ici n'avait peur de lui, ce qui l'inquiétait et le troublait.

32

William était à mi-chemin de la dernière allée quand il aperçut Aliena.

Il s'arrêta brusquement, pétrifié.

Ce n'était plus la mince jeune fille en sabots, nerveuse, effrayée, qu'il avait vue ici même à la Pentecôte trois ans plus tôt. Son visage s'était épanoui, elle avait l'air sain, heureux. Ses yeux noirs pétillaient de bonne humeur et ses boucles dansaient autour de son visage lorsqu'elle bougeait.

Elle était si belle que William se sentit vaciller de désir. Elle portait une robe cramoisie, richement brodée et des bagues brillaient à ses doigts. Une femme plus âgée l'accompagnait un peu en retrait, comme une servante. Plutôt riche, avait dit Mère; voilà donc comment Richard était devenu écuyer et avait pu rallier l'armée du roi Stephen, équipé d'armes imposantes. Dire qu'il l'avait quittée sans ressources, littéralement sans un sou. Comment avait-elle fait?

Elle n'avait plus l'air de la jeune fille qu'il avait connue. Mais William avait vingt-quatre ans, elle devait donc avoir vingt et un ans aujourd'hui. Plus rien en elle ne subsistait de l'enfant. C'était une femme mûre.

Elle leva la tête et le vit.

La dernière fois qu'ils avaient échangé un regard, elle avait rougi de honte et s'était enfuie. Cette fois, elle ne cilla pas.

Il esquissa un sourire complice. Une expression d'indicible mépris se peignit sur le visage d'Aliena.

William se sentit mal à l'aise. Elle était toujours aussi hautaine, elle le méprisait, exactement comme cinq ans plus tôt. Il l'avait humiliée et violée, mais elle n'avait plus peur de lui. Il aurait voulu lui parler, lui dire qu'il la désirait autant que la première fois. Mais il n'osait pas. Horriblement gêné, il se détourna et fit repartir son cheval; la foule ralentissait son avance et il sentait sur sa nuque le regard d'Aliena qui le brûlait.

Lorsque, enfin, il sortit de la place du marché, ce fut pour se trouver devant le prieur Philip.

Le petit Gallois se tenait droit, les mains sur les hanches, le menton agressivement pointé. Il n'était pas aussi maigre qu'autrefois et ses rares cheveux viraient prématurément au gris, constata William. Il ne paraissait plus trop jeune pour sa tâche. Ses yeux bleus brillaient de colère. « Lord William! » cria-t-il d'un ton de défi.

William chassa de son esprit la pensée d'Aliena. Il avait d'autres chats à fouetter, concernant Philip. « Je suis heureux de vous rencontrer, prieur.

— Moi de même, dit Philip, mi-fâché, mi-intrigué.

— Vous avez ouvert un marché ici, dit William avec agressivité.

— Et alors?

— Je ne crois pas que le roi Stephen ait jamais autorisé un marché à Kingsbridge. A ma connaissance, ni lui ni un autre roi.

— Comment osez-vous?... commença Philip.

— Moi ou n'importe qui...

— Vous! cria Philip en lui coupant la parole. Comment osez-vous venir ici parler d'autorisation... vous qui au cours du dernier mois avez ravagé ce comté en brûlant, en volant, en violant et en commettant un meurtre, sinon davantage!

— Quel rapport...?

— Comment osez-vous pénétrer d'autorité dans un monastère et parler de loi? » hurla Philip. Il fit un pas en avant, le doigt tendu vers William, dont le cheval fit un écart. Subjugué, William ne trouva rien à répliquer. Une foule de moines, de travailleurs et de badauds s'étaient rassemblés, attirés par la discussion. Philip continuait sur sa lancée : « Après ce que vous avez fait, il ne vous reste qu'une chose à dire : Mon père, j'ai péché! Vous devriez vous agenouiller dans ce prieuré! Vous devriez implorer le pardon, si vous voulez échapper au feu de l'enfer. »

William pâlit. L'enfer l'emplissait toujours d'une terreur incontrôlable. Il essaya désespérément d'interrompre le flot de paroles de Philip. « Et votre marché? Et votre marché? » répétait-il machinalement.

Philip, en proie à une colère divine, ne l'écoutait pas. « Demandez pardon pour les horreurs que vous avez commises! cria-t-il. A genoux! A genoux, ou vous brûlerez en enfer! »

William perdit contenance. Il savait qu'il aurait dû se confesser depuis longtemps, car il avait tué bien des hommes à la guerre, sans parler des péchés qu'il avait commis durant sa tournée du comté. Oserait-il mourir sans confession?

Philip avançait vers lui. « A genoux! »

William fit reculer son cheval. Il lança alentour un regard désespéré. La foule se refermait sur lui. Ses chevaliers, derrière, ne bougeaient pas, déconcertés, incapables d'affronter une menace spirituelle lancée par un moine désarmé. William atteignait le comble de l'humiliation. Après la rencontre d'Aliena, c'en était trop. Il tira sur les rênes de son puissant destrier qui se cabra dangereusement. La foule s'écarta devant les redoutables sabots dressés. William l'éperonna et la bête plongea en avant. Les badauds s'écartèrent. Brûlant de honte, William s'enfuit par la porte du prieuré, escorté de ses chevaliers, comme une meute de chiens grondants chassés par un simple gourdin.

William confessa ses péchés, apeuré et tremblant, sur les dalles froides de la petite chapelle du palais de l'évêque. L'évêque Waleran l'écouta en silence énumérer les meurtres, les violences et les viols dont il se déclarait coupable. Tout en se confessant, William ne pouvait réfréner son mépris pour le dédaigneux évêque, avec ses mains blanches et soignées croisées sur son cœur, et ses narines translucides qui frémissaient comme si une mauvaise odeur flottait dans l'air poussiéreux. William était au supplice d'implorer l'absolution de Waleran, mais ses péchés étaient si lourds qu'aucun prêtre ordinaire ne les aurait absous. Agenouillé, vaincu par la peur, il écoutait Waleran lui ordonner de brûler à perpétuité un cierge dans la chapelle d'Earlscastle, avant de déclarer ses péchés pardonnés.

La peur se dissipa lentement, comme un brouillard qui fond au soleil. Ils sortirent de la chapelle dans l'atmosphère enfumée de la grande salle et s'assirent auprès du feu. L'automne tournait à l'hiver et il faisait froid dans la grande maison de pierre. Un aide cuisinier apporta du pain chaud aux épices, parfumé de miel et de gingembre. William commença enfin à sentir un certain bien-être l'envahir. L'éclaircie dura peu. Bientôt, il se souvint des autres problèmes. Richard, le fils de Bartholomew, revendiquait le comté et William était trop pauvre pour lever une armée capable d'impressionner le roi. Il avait ramassé beaucoup d'argent au cours de sa tournée, mais pas assez pour ses besoins. Il soupira. « Ce damné moine boit le sang du comté de Shiring », dit-il.

Waleran prit un peu de pain dans sa longue main pâle aux doigts longs comme des serres. « Je me demandais combien de temps il vous faudrait pour parvenir à cette conclusion. »

Waleran avait tout compris bien avant William. Il était tellement supérieur. William aurait préféré ne pas lui parler. Mais il lui fallait l'opinion de l'évêque sur un point de droit. « Le roi n'a jamais autorisé un marché à Kingsbridge, n'est-ce pas ?

— A ma connaissance, non.

— Alors, Philip viole la loi. »

Waleran haussa ses épaules osseuses drapées de noir. « En théorie, oui. »

Malgré le flegme de Waleran, William poursuivit : « Il faut l'arrêter. »

L'évêque eut un sourire délicat. « On ne peut pas le traiter comme on traite un serf qui a marié sa fille sans autorisation. »

William s'empourpra. Waleran se servait de la confession qu'il venait de faire. « Comment, alors ? » Waleran resta songeur. « Les marchés sont la prérogative du roi. A une époque plus paisible, sans doute aurait-il réglé ce problème lui-même. » William eut un rire méprisant. Malgré toute son habileté, Waleran ne connaissait pas le roi aussi bien que lui-même. « Serait-ce en temps de paix, le roi ne me remercierait pas de lui dénoncer un marché qui fonctionne sans son accord.

— Eh bien, son adjoint, pour régler les problèmes locaux, c'est le prévôt de Shiring.

— Que peut-il faire ?

— Assigner le prieuré devant la cour du comté. »

William secoua la tête. « C'est la dernière chose que je souhaite. Le tribunal imposerait une amende, le prieuré la paierait et le marché continuerait. Autant donner carrément une autorisation.

— Le malheur, c'est qu'il n'y a pas vraiment de raisons de refuser à Kingsbridge l'existence d'un marché.

— Mais si ! s'écria William avec indignation. Un marché à Kingsbridge retire une importante part de négoce au marché de Shiring.

— Shiring est à une pleine journée de voyage de Kingsbridge.

— Les gens ne reculeront pas devant une longue marche. »

Waleran hocha la tête sans conviction. William comprit qu'il n'était pas d'accord. L'évêque reprit : « Selon la tradition, un homme passe un tiers de sa journée à se rendre au marché, un tiers au marché et le troisième à rentrer chez lui. Un marché vaut donc pour les gens qui se trouvent à un tiers de journée de voyage, autrement dit quelque deux lieues et demie. Si deux marchés se trouvent à plus de cinq lieues l'un de l'autre, ils ne se font pas concurrence.

36

Shiring est à six lieues et demie de Kingsbridge. D'après l'usage, Kingsbridge a droit à son marché et le roi devrait l'accorder.

– Le roi fait ce qu'il veut », balbutia William, agacé. Il ne connaissait pas cet usage. La position du prieur Philip se renforçait.

« D'ailleurs, reprit Waleran, nous n'aurons pas affaire au roi, mais au prévôt. » Il fronça les sourcils. « Le prévôt peut donner l'ordre au prieuré de fermer un marché qui n'a pas l'autorisation du roi.

– Quel intérêt? riposta William. Personne ne se soucie d'un ordre qui ne contient pas de menace.

– Philip, peut-être. »

William haussa un sourcil. « Pourquoi le ferait-il? »

Un sourire moqueur se dessina sur les lèvres pâles de Waleran. « Comment vous l'expliquer? Philip croit à la loi. Pour lui, la loi est souveraine.

– Stupide, répliqua William avec impatience. Le roi est le roi.

– Je vous ai dit que vous ne comprendriez pas. »

Les sous-entendus de Waleran exaspéraient William. Il se leva et s'approcha de la fenêtre. Dehors, par-dessus la colline voisine, il aperçut les travaux de terrassement entamés par Waleran quatre ans plus tôt. Waleran espérait alors payer la construction de son château avec les revenus du comté de Shiring. Philip avait ruiné ses plans et l'herbe qui repoussait sur les monticules de terre, les broussailles qui envahissaient le fossé asséché témoignaient de son échec. Waleran avait espéré bâtir avec la pierre provenant de la carrière du comte de Shiring, carrière que Philip maintenant exploitait pour la cathédrale. « Si je reprenais ma carrière, songea tout haut William, je pourrais l'utiliser comme caution et emprunter de l'argent pour lever une armée.

– Pourquoi ne le faites-vous pas? » dit Waleran.

William secoua la tête. « J'ai déjà essayé.

– Et Philip vous a pris de court. Mais il n'y a plus de moines là-bas, maintenant. Vous pourriez envoyer une équipe d'hommes qui chasseraient facilement les tailleurs de pierres.

– Comment empêcherais-je Philip de revenir à la charge, comme il l'a fait la dernière fois?

– Bâtissez une haute clôture autour de la carrière et installez-y une garde permanente. »

Pourquoi pas? se dit William. Cela réglerait son problème une bonne fois pour toutes. Mais quel était le mobile de Waleran en lui conseillant cela? Mère l'avait prévenu de se méfier de cet évêque sans scrupules. « Ce qu'il ne faut pas oublier sur Waleran Bigod, avait-elle dit, c'est que tout ce qu'il fait est soigneusement calculé. Rien de spontané, rien de négligent, rien de superflu. Et surtout, rien de généreux. » Mais Waleran détestait Philip, il avait juré de l'empêcher de bâtir sa cathédrale. C'était un motif suffisant.

William regarda Waleran d'un air songeur. Depuis qu'il avait été nommé évêque très jeune, il n'avait pas progressé. Kingsbridge était un diocèse insignifiant et pauvre, sur lequel Waleran avait sûrement compté comme un premier pas vers de plus hautes destinées. Depuis c'était le prieur, et non l'évêque, qui amassait gloire et fortune. Waleran se fanait à l'ombre de Philip, exactement comme William. Ils avaient tous les deux de bonnes raisons de vouloir le détruire.

William se résolut encore une fois à surmonter le mépris que lui inspirait Waleran, préférant sauvegarder ses intérêts à long terme.

« Très bien, dit-il. Pourquoi pas? Mais imaginez que Philip aille se plaindre au roi?

— Vous prétendrez que vous vouliez punir Philip d'avoir ouvert un marché sans autorisation », insinua Waleran.

William hocha la tête. « Tous les prétextes seront bons si je peux réunir une armée suffisante pour retourner à la guerre. »

Les yeux de Waleran brillèrent de malice. « J'ai la conviction que Philip ne peut pas construire sa cathédrale en achetant la pierre au prix du marché. Que la construction s'arrête, et c'est le déclin de Kingsbridge. Voilà de quoi résoudre tous vos problèmes, William. »

William, pour rien au monde, n'aurait exprimé la moindre gratitude. « Vous détestez vraiment Philip, n'est-ce pas? dit-il, renvoyant la balle dans le camp de l'évêque.

— Il encombre mon chemin », dit Waleran. Mais William avait aperçu la farouche brutalité sous les manières calmes et calculatrices de l'évêque. Il revint aux problèmes pratiques. « Il doit y avoir trente carriers là-bas, certains avec leurs femmes et leurs enfants, dit-il.

— Et alors?

— Le sang va peut-être couler. »

Waleran fit la moue. « Vraiment? dit-il. Il faudra donc que je vous donne l'absolution. »

3

Ils partirent alors qu'il faisait encore nuit afin d'arriver à l'aube. Les torches allumées rendaient les chevaux nerveux. En plus de Walter et de ses quatre chevaliers, William avait emmené six hommes d'armes. Derrière eux marchaient une douzaine de paysans qui creuseraient le fossé et dresseraient la clôture.

William croyait fermement aux soigneux préparatifs militaires – c'était pourquoi ses hommes et lui étaient si précieux au roi Stephen – mais, cette fois, il n'avait pas préparé de plan de bataille. L'opération s'annonçait si facile qu'il trouvait ridicule, même humiliant, de la considérer comme un vrai combat. Quelle résistance opposerait une poignée de tailleurs de pierre et leurs familles ? D'ailleurs, William se rappelait avoir entendu dire que le chef carrier ne s'appelait-il pas Otto ? Oui, Otto le Noir avait refusé de se battre le jour où Tom le bâtisseur avait emmené pour la première fois ses hommes à la carrière.

Un frisquet matin de décembre se leva. Des lambeaux de brume s'accrochaient aux arbres comme de la lessive de pauvres. William détestait cette époque de l'année. Il faisait froid au réveil, sombre en fin d'après-midi et l'humidité imprégnait tout le château. On servait trop de viandes et de poissons salés. Sa mère était de mauvaise humeur, les domestiques maussades. Ses chevaliers devenaient querelleurs. Au fond, cette petite expédition leur ferait du bien. A lui aussi : il avait déjà pris ses dispositions pour emprunter deux cents livres aux Juifs de Londres, la carrière servant de garantie. A la fin de la journée, son avenir serait assuré.

Lorsqu'ils furent arrivés à une demi-lieue environ de la carrière, le convoi stoppa. William choisit deux hommes qu'il envoya devant, à pied, en éclaireurs. « S'il y a une sentinelle ou des chiens, recommanda-t-il, préparez-vous un arc et une flèche sur la corde. »

Un peu plus loin la route s'incurvait vers la gauche, puis s'arrêtait brusquement au pied du flanc abrupt d'une colline mutilée : la carrière. Quand le groupe arriva en vue du site, tout était calme. Au bord du chemin, les éclaireurs de William maintenaient un garçon affolé – un apprenti qu'on avait posté là en sentinelle – et à leurs pieds un chien saignait à mort, une flèche dans le cou.

Le petit groupe s'arrêta sans prendre de précautions pour se dissimuler. William du regard inspecta les lieux. Depuis la dernière fois qu'il l'avait vue, la colline avait sensiblement rétréci. Des échafaudages s'élevaient contre la paroi jusqu'aux zones inaccessibles et on devinait des échelles plongeant dans un puits profond ouvert au pied de la falaise. Les blocs taillés ou encore bruts s'entassaient au bord de la route, où deux solides chariots de bois, aux roues énormes, attendaient de partir avec leur chargement. Les alentours disparaissaient sous une couche de poussière grisâtre, même les buissons et les arbres. On avait déblayé une grande surface de bois – mes bois, enragea William – où se dressaient maintenant dix ou douze constructions – les unes flanquées d'un petit jardin potager, les autres d'une porcherie. En somme, un petit village.

William s'adressa à la sentinelle : « Combien y a-t-il d'hommes ici, mon garçon ? »

Bien qu'affolé, l'enfant avait l'air courageux. « Vous êtes lord William, n'est-ce pas ?

– Réponds-moi, garçon, ou je te fais sauter la tête avec cette épée. »

L'adolescent pâlit, mais répondit d'un ton vibrant de défi : « Vous comptez voler la carrière au prieur Philip ? »

William sentit la rage monter en lui. Comment, c'était tout l'effet qu'il faisait à un enfant décharné, au menton encore lisse ? Pourquoi tout le monde se croit-il capable de me défier ? pensa-t-il, furieux. « Cette carrière est à moi ! cria William. Le prieur Philip n'est plus rien. Oublie-le et ne compte plus sur lui, désormais. Alors, combien d'hommes ? »

Au lieu de répondre, le garçon détourna la tête et se mit à hurler : « A l'aide ! Attention ! Attaque ! Attaque ! »

40

William porta la main à son épée. Un visage effrayé apparu dans l'entrebâillement d'une porte le fit hésiter. Abandonnant l'apprenti, il arracha une torche à un de ses hommes et éperonna son cheval.

Au galop, brandissant sa torche, il atteignit les premières maisons, suivi de ses hommes qui le talonnaient. La porte de la cabane la plus proche s'ouvrit et un homme aux yeux rougis de sommeil, vêtu d'une camisole, apparut sur le seuil. William lança le brandon enflammé par-dessus sa tête : il atterrit sur le sol, derrière le villageois hébété, dans la paille qui s'enflamma aussitôt. Avec un cri de triomphe, William continua sa chevauchée.

Derrière lui, ses hommes chargeaient en poussant des hurlements. Les torches volaient sur les toits de chaume. Les portes s'ouvraient et, terrifiés, des hommes, des femmes et des enfants se jetaient dehors en criant. Ils tournaient en rond, les yeux fous, au milieu du martèlement des sabots, tandis que l'incendie se développait partout. William, à bout de souffle, s'arrêta un instant pour observer la scène. Les animaux domestiques s'étaient échappés : un cochon chargeait aveuglément pendant qu'une vache, plantée au milieu du désastre, agitait d'un côté et de l'autre sa tête stupide. Les jeunes gens les plus belliqueux, déroutés, affolés, ne réagissaient pas. L'aube était le meilleur moment pour de telles attaques. Les gens ensommeillés, à moitié dévêtus, perdaient toute contenance, tout pouvoir de réaction.

Un homme à la peau sombre et aux cheveux noirs ébouriffés sortit à son tour d'une cabane, ses bottes aux pieds, en lançant des ordres brefs. Ce devait être Otto le Noir. William n'entendait pas ce qu'il disait, mais il devinait à ses gestes qu'il indiquait aux femmes de regrouper les enfants et d'aller se cacher dans les bois. Et les hommes ? Que préparaient-ils ? William le sut très vite : deux jeunes gens se précipitaient vers une cabane bâtie à l'écart des autres, s'y engouffrèrent et en sortirent chargés de lourdes massues de tailleurs de pierre. Plusieurs autres les imitèrent. William en conclut qu'il s'agissait d'une remise à outils où les villageois allaient se fournir d'armes pour se battre.

Trois ans plus tôt, Otto avait refusé de combattre pour Philip. Pourquoi aujourd'hui changeait-il d'avis ? En tout cas, il se condamnait à mort : William eut un sourire sinistre et dégaina son épée.

41

Six ou huit hommes armés de massues et de haches à long manche lui faisaient face. William éperonna son cheval et chargea le groupe rassemblé devant la porte de la cabane à outils. Les hommes bondirent de côté pour l'éviter, mais en abattant son épée, il réussit à entailler profondément l'épaule d'un combattant. L'homme lâcha sa hache en hurlant.

William s'éloigna au galop, puis tourna bride dans une volée de poussière. Le souffle rauque, il exultait dans l'ardeur de la bataille, n'éprouvant aucune peur, rien que de l'excitation. Il fit signe à ses hommes de le rejoindre, puis chargea de nouveau les tailleurs de pierre. Les ouvriers ne pouvaient pas esquiver aussi facilement six chevaliers qu'un seul. William frappa deux d'entre eux et d'autres tombèrent sous les épées de ses hommes.

William n'eut pas le temps de voir combien, ni s'ils étaient morts ou seulement blessés.

Lorsqu'il revint à la charge, il vit qu'Otto avait ordonné à ses ouvriers de se disperser entre les maisons en feu. La tactique était habile : dispersés, ils obligeraient les chevaliers à se séparer pour les poursuivre et les éviteraient ainsi plus facilement, d'autant que les chevaux avaient peur des flammes.

Il fallait s'occuper d'Otto. C'était lui le cœur de la lutte. Il encourageait les tailleurs de pierre en même temps qu'il les organisait. Dès qu'il tomberait, tous les autres renonceraient.

William retint son cheval et chercha des yeux l'homme à la peau sombre. La plupart des femmes et des enfants avaient disparu, à l'exception de deux gosses de cinq ans plantés au milieu du champ de bataille et qui pleuraient en se tenant la main. Des silhouettes à pied, poursuivies par des chevaux, couraient entre les maisons en feu. Surpris et contrarié, William constata qu'un de ses hommes gisait sur le sol, ensanglanté, blessé d'un coup de marteau. Dans son orgueil, William n'avait pas imaginé qu'il puisse y avoir des victimes parmi les siens.

Une femme éperdue apparut entre les brasiers en criant quelque chose que William n'entendit pas. Quand elle aperçut les deux enfants, elle se précipita vers eux et les prit chacun sous un bras. Dans sa fuite, elle faillit heurter de plein fouet l'un des chevaliers de William, Gilbert de Rennes. Gilbert leva son épée pour la frapper. Mais Otto jaillit soudain de derrière une cabane en brandissant une cognée. Il la maniait avec habileté et la lame traversa de part en part la cuisse de Gilbert si fort qu'elle vint s'enfoncer dans le bois de la selle. La jambe tranchée glissa sur le sol et Gilbert tomba de cheval en hurlant.

Il ne combattrait plus jamais.

Gilbert était un précieux compagnon d'armes. Fou de rage, William éperonna sa monture. La femme et les enfants avaient disparu. Otto se débattait pour dégager sa hache de la selle de Gilbert. Il leva les yeux et vit William arriver. Il avait le temps de s'échapper, mais il s'acharna sur sa hache. Au moment où elle cédait, William atteignait le tailleur de pierre, l'épée levée. Sans reculer, Otto brandit son arme. En un éclair, William comprit que la hache allait blesser le cheval avant que lui-même fût en position de frapper. Il tira désespérément sur les rênes et le cheval se cabra, en détournant sa tête. Le tranchant de la hache s'enfonça dans les muscles puissants de l'encolure. Un jet de sang jaillit et le cheval s'écroula. William se dégagea juste avant que le corps massif ne heurte le sol.

Il écumait. Ce destrier qui lui avait coûté une fortune, qui avait survécu avec lui à toute une année de guerre civile, voilà qu'il le perdait sous la hache d'un carrier! Il sauta par-dessus le corps et plongea furieusement sur Otto, l'épée en avant.

Otto ne se montra pas un adversaire facile. Il tenait sa cognée à deux mains et se servait du manche en cœur de chêne pour écarter l'épée de William. Ce dernier frappait de plus en plus dur, cherchant à faire reculer le carrier. Malgré son âge, Otto n'était que muscles et les coups de William l'ébranlaient à peine. Le jeune seigneur brandit son épée à deux mains pour plus d'efficacité. De nouveau, le manche de la hache s'interposa, mais cette fois la lame de William s'enfonça dans le bois. Otto en profita pour avancer et William dut battre en retraite, tirant sur son épée avec l'énergie du désespoir. Enfin, il dégagea sa lame au moment où Otto arrivait sur lui.

Tout à coup William craignit pour sa vie.

Otto leva sa cognée. William esquiva. Son talon heurta une racine, il trébucha, bascula par-dessus le corps de son cheval et atterrit dans une mare de sang tiède, sans toutefois lâcher son épée. Otto se dressa devant lui, énorme, la hache au bout de ses bras tendus. Quand la lourde masse s'abattit, William, dans un effort surhumain, roula de côté. Il sentit le vent de la lame fendre

43

l'air au ras de son visage. Il se releva d'un bond et fonça sur le tailleur de pierre.

Un soldat se serait écarté avant de dégager son arme et de se ressaisir, sachant qu'un homme n'est jamais plus vulnérable que lorsqu'il vient de frapper un coup manqué. Mais Otto n'était pas un soldat, rien qu'un brave homme courageux. Une main sur le manche de sa cognée, il recherchait encore son équilibre, le corps entièrement exposé. Dans sa hâte William frappa sans ajuster et la chance le servit. La pointe de son épée transperça la poitrine d'Otto. William donna une poussée qui enfonça la lame entre les côtes. Otto ouvrit la main qui s'agrippait à la hache et sur son visage apparut une expression que William connaissait bien. Son regard s'agrandit de surprise, sa bouche s'ouvrit sur un cri muet et sa peau vira au gris. Ainsi réagissaient tous les blessés à mort. William appuya encore sur la lame, pour plus de sûreté, puis l'arracha. Les yeux d'Otto roulèrent dans leurs orbites, une tache rouge s'étala sur le devant de sa chemise et il s'écroula.

William se retourna vers le champ de bataille. Deux tailleurs de pierre s'enfuyaient, sans doute terrifiés par la mort de leur chef. Tout en courant, poursuivis par les chevaliers, ils interpellaient les autres. Le combat tournait à la retraite.

William, immobile, reprit son souffle. Ces maudits carriers s'étaient bien battus ! Son regard tomba sur Gilbert qui gisait dans une flaque de sang, les yeux fermés. William posa une main sur sa poitrine : le cœur ne battait plus. Gilbert était mort.

William fit le tour des maisons qui brûlaient encore, et compta les corps : trois tailleurs de pierre, plus une femme et un enfant qui semblaient avoir été piétinés par les chevaux. Trois des hommes d'armes de William étaient blessés, quatre chevaux tués ou estropiés.

En finissant son inspection, il revint auprès du cadavre de son destrier. Il avait aimé ce cheval-là mieux qu'il n'aimait la plupart des gens. Lui que les batailles excitaient, sombrait cette fois dans la mélancolie. Quel gâchis ! Il ne s'agissait que de chasser quelques travailleurs désarmés, et le résultat aboutissait à un carnage.

Les chevaliers qui avaient poursuivi les tailleurs de pierre jusqu'aux bois durent tourner bride, arrêtés par les broussailles que les chevaux ne pouvaient pas franchir. En rejoignant William, Walter découvrit le corps de Gilbert. Il se signa. « Gilbert a tué plus d'hommes que moi, dit-il simplement.

44

– Il n'en existe pas tellement comme lui que je puisse me permettre d'en perdre un dans une querelle avec un fichu moine, marmonna William d'un ton amer. Sans parler des chevaux.

– Quelle échauffourée, soupira Walter. Ces gens-là ont montré plus d'ardeur que les rebelles de Robert de Gloucester ! »

William secoua la tête avec écœurement en regardant les cadavres éparpillés autour d'eux. « Quel idéal servaient-ils donc en se battant ainsi ? » demanda-t-il.

4

Au lever de l'aube, quand la plupart des frères avaient gagné la crypte pour l'office de prime, il ne restait plus que deux personnes dans le dortoir : Johnny Huit Pence, qui balayait le sol d'un bout à l'autre de la longue salle, et Jonathan, dans un coin, qui jouait à l'école.

Le prieur Philip s'arrêta sur le seuil pour observer l'enfant. A bientôt cinq ans, c'était un petit garçon alerte et plein d'assurance, mais aussi d'une gravité enfantine qui charmait tout le monde. Johnny continuait à l'habiller en moine miniature. Aujourd'hui Jonathan imitait le maître des novices, faisant la leçon à un groupe imaginaire de disciples. « C'est mal, Godfrey! lança-t-il sévèrement aux bancs vides. Puni. Pas de souper pour toi si tu ne connais pas tes verbes! » Philip eut un sourire attendri. Il n'aurait pas aimé plus profondément un fils. Jonathan lui donnait une joie sans mélange, comme rien d'autre dans sa vie.

L'enfant courait dans le prieuré tel un jeune chiot, caressé et gâté par tous les moines. La plupart d'entre eux le traitaient comme un animal familier, un jouet amusant; mais pour Philip et Johnny, il était infiniment plus que cela. Johnny l'aimait comme une mère et Philip, bien qu'il essayât de le dissimuler, se sentait le père du jeune garçon. Le prieur lui-même avait été élevé dès son plus jeune âge par un abbé plein de bonté, et cela lui semblait la chose la plus naturelle du monde que de tenir le même rôle envers Jonathan. Il ne le taquinait pas comme le faisaient les moines, il lui racontait des récits bibliques, éveillait son esprit par des jeux intelligents et surveillait son éducation.

Il s'avança dans la pièce et en souriant vint s'asseoir sur le banc avec les élèves imaginaires.

« Bonjour, mon père », dit gravement Jonathan, habitué par Johnny à se montrer d'une scrupuleuse politesse.

« Ça te plairait d'aller à l'école? demanda Philip.

— Je sais déjà le latin, remarqua fièrement l'enfant.

— Vraiment?

— Oui. Écoute : *Omnius pluvius buvius tuvius nomine patri amen.* »

Philip se retint de rire. « Ça fait la musique du latin, mais ce n'est pas tout à fait ça. Frère Osmond, le maître des novices, t'apprendra à le parler convenablement. »

Jonathan fut un peu déconfit. « Mais je peux courir vite, vite, regarde! » dit-il. Il démarra à toute vitesse sur ses petites jambes et piqua une course d'un bout de la salle à l'autre.

« Magnifique! dit Philip. Un champion.

— Oui... Je peux encore aller plus vite...

— Pas maintenant. Écoute-moi un moment. Je vais partir quelque temps.

— Vous serez rentré demain?

— Non, pas si tôt.

— Le jour d'après?

— Pas même. »

Jonathan se tut, perplexe, incapable d'imaginer un futur plus lointain que le surlendemain. « Qu'est-ce que vous allez faire? demanda-t-il d'une petite voix.

— Il faut que je voie le roi.

— Oh... » Le roi n'évoquait rien pour le petit garçon.

« J'aimerais que pendant mon absence tu ailles à l'école. Ça te plairait?

— Oui!

— Tu as près de cinq ans. Ton anniversaire tombe la semaine prochaine, car tu nous es arrivé le premier jour de l'année.

— D'où est-ce que je venais?

— De Dieu. Toutes choses viennent de Dieu. »

Jonathan, sans bien comprendre, sentait que la réponse ne suffisait pas. « Mais où j'étais avant? insista-t-il.

— Je ne sais pas. »

Jonathan fronça les sourcils avec un air sérieux inattendu sur son jeune visage insouciant. « Je devais être quelque part », murmura-t-il comme pour lui-même.

Un jour, pensa Philip, il faudrait lui expliquer les mystères de la naissance... Il grimaça. Qui s'en chargerait? Enfin, heureusement ce n'était pas encore le moment. Il changea de sujet. « Pendant mon absence, je veux que tu apprennes à compter jusqu'à cent.

— Je sais compter, assura Jonathan. Un, deux, trois, quatre, cinq, six, sept, huit, neuf, dix, onze, douze, treize, quatorze, pinze, veize, ozett...

— Pas mal, dit Philip. Frère Osmond t'en apprendra davantage. Tu iras sagement dans la salle d'école et tu feras tout ce qu'il te dira.

— Je vais être le meilleur de la classe! promit Jonathan.

— Nous verrons ». Philip s'émerveillait toujours des manières de l'enfant, de son développement, de la façon dont il apprenait les choses, des phases qu'il traversait. Cette récente passion pour le latin, le calcul ou la course signifiait-elle un prélude nécessaire au véritable apprentissage? Dieu sait ce qu'Il fait. Tout a un sens. Un jour Jonathan serait un homme. Quelle sorte d'homme? Soudain, Philip se sentit impatient de voir Jonathan grandir. Mais il faudrait autant de temps que pour construire la cathédrale.

« Alors, donne-moi un baiser et dis-moi au revoir. »

Jonathan se hissa sur la pointe des pieds, visage levé et Philip posa un baiser sur la joue si douce. « Au revoir, mon père, dit Jonathan.

— Au revoir, mon fils. »

Le prieur, au passage, serra affectueusement le bras de Johnny Huit Pence et sortit.

Les moines, quittant la crypte, se dirigeaient vers le réfectoire. Philip prit la direction opposée et descendit dans le sanctuaire afin de prier pour la réussite de sa mission.

Son cœur s'était brisé en apprenant ce qui s'était passé à la carrière. Cinq victimes, dont une petite fille! Philip s'était caché chez lui pour pleurer comme un enfant. Cinq de ses ouailles frappées à mort par William Hamleigh et sa meute de brutes. Philip connaissait toutes les victimes : Harry de Shiring, qui avait jadis été le carrier de lord Percy; Otto le Noir, l'homme à la peau sombre qui dirigeait la carrière depuis le début; Marc, le magnifique fils d'Otto; la femme de Marc, Alwen, qui jouait des airs le soir sur des clochettes à moutons; et Norma, la petite fille d'Otto, sept ans, la prunelle de ses yeux. De braves gens, craignant Dieu, travailleurs, qui avaient le droit d'attendre paix et justice de leur seigneur. William les avait massacrés comme un renard égorge des poules. Il y avait de quoi faire pleurer les anges.

Philip s'était vite ressaisi pour courir à Shiring réclamer justice. Le shérif Eustache avait refusé tout net de prendre la moindre mesure. « Lord William a une véritable petite armée : comment voulez-vous que je l'arrête? Le roi a besoin de chevaliers pour renforcer sa lutte contre Maud : que dira-t-il si je jette en prison l'un de ses meilleurs vassaux? Si je me risquais à accuser William de meurtre, ou bien ses chevaliers me tueraient sur-le-champ, ou bien je serais pendu quelques jours plus tard comme traître par le roi Stephen. »

La première victime d'une guerre civile, c'est la justice, avait conclu Philip. Pour comble, le shérif lui avait annoncé que William avait officiellement porté plainte contre le marché illégal de Kingsbridge.

Si ridicule, si invraisemblable que fût la situation – William commettant un meurtre impunément et en même temps accusant Philip pour des histoires d'administration – Philip se sentait désemparé. En effet, il n'avait pas la permission de tenir un marché et, à strictement parler, il se trouvait dans son tort. Mais tout de même, il était le prieur de Kingsbridge. Son seul bien, c'était son autorité morale. William pouvait rassembler une armée de chevaliers; l'évêque Waleran utiliser ses amis haut placés; le shérif revendiquer l'autorité du roi; Philip, lui, n'avait qu'un pouvoir : celui de définir le bien et le mal. S'il perdait cette autorité-là, il se retrouverait vraiment sans défense. Il avait donc ordonné la fermeture du marché.

La situation était vraiment désespérée.

Les finances du prieuré s'étaient améliorées de façon spectaculaire grâce, d'une part, à un contrôle plus strict, et d'autre part aux gains sans cesse croissants provenant du marché et de l'élevage des moutons; chaque penny, Philip le consacrait sans exception à la construction. Il avait même lourdement emprunté aux Juifs de Winchester, un emprunt qu'il avait encore à rembourser. Voilà maintenant que d'un seul coup il perdait son libre approvisionnement en pierres, ses revenus du marché, et le nombre de ses travailleurs volontaires – dont beaucoup venaient principalement pour le marché – n'allaient pas tarder à diminuer. Il allait devoir congédier la moitié des bâtisseurs et abandonner ainsi l'espoir de terminer la cathédrale de son vivant. Il n'était pas du tout préparé à un tel échec.

Était-il responsable de cette crise? S'était-il montré trop confiant, trop ambitieux? Le shérif Eustache le lui avait fait comprendre. «Vous êtes trop grand pour vos bottes, Philip, lui avait-il dit avec colère. Vous dirigez un petit monastère, vous êtes un petit prieur, mais vous voulez gouverner l'évêque, le comte et le shérif. Eh bien, ce n'est pas possible. Nous sommes trop puissants pour vous. Tout ce que vous obtenez, c'est ennui sur ennui.»

Eustache était un homme laid aux dents inégales, légèrement louchon, et vêtu d'une robe jaune sale; il n'empêche, ses mots avaient frappé Philip au cœur. Il en venait à penser avec consternation que les carriers ne seraient pas morts si lui-même ne s'était pas fait un ennemi de William Hamleigh. Mais comment ne serait-il pas l'ennemi de William? S'il renonçait, davantage de gens souffriraient, des gens comme le meunier que William avait tué, ou la fille du serf que lui et ses chevaliers avaient violée. Philip n'avait pas d'autre choix que poursuivre la lutte. Donc aller voir le roi.

Il détestait cette idée. Il n'avait approché le souverain qu'une fois auparavant, quatre ans plus tôt à Winchester, et, bien qu'il eût obtenu ce qu'il voulait, il se trouvait très mal à l'aise à la cour royale. Tous ces gens rusés, sans scrupules, qui entouraient le roi et se disputaient son attention et ses faveurs, Philip les trouvait méprisables. Ils manigançaient pour acquérir une fortune et une position qu'ils ne méritaient pas. Quel jeu jouaient-ils? Lui, en tout cas, n'en connaissait pas les règles. Dans son monde, la meilleure façon d'obtenir quelque chose, c'était de la mériter, pas de courtiser le donateur.

Aujourd'hui, hélas, il n'avait d'autre solution que d'accepter leur code et de tenter la partie. Seul le roi pouvait lui accorder l'autorisation de tenir un marché. Seul le roi pouvait sauver la cathédrale.

Il termina ses prières et quitta la crypte. Le soleil se levait dans une lueur rosée qui baignait les pierres grises de l'église naissante. Les bâtisseurs se réveillaient avec les premiers rayons et, déjà, ils

51

ouvraient leurs ateliers, affûtant leurs outils et préparant la première cuve de mortier. Pour l'instant, la perte de la carrière n'avait pas encore retardé la construction : ils avaient pris de l'avance et ils disposaient maintenant d'un stock de plusieurs mois.

Le moment du départ était venu. Toutes les dispositions étaient prises. Philip aurait un compagnon de voyage : Richard, le frère d'Aliena. Après s'être battu un an comme écuyer, Richard venait d'être fait chevalier par le roi. Il était rentré chez lui pour se rééquiper et il partait maintenant rejoindre l'armée royale.

Aliena avait étonnamment réussi comme marchande de laine. Elle ne vendait plus à Philip, mais traitait directement avec les acheteurs flamands. Cette année, elle avait même proposé d'acheter toute la production du prieuré. Elle aurait payé moins que les Flamands, mais Philip aurait eu l'argent plus tôt. Philip avait refusé mais rien que la possibilité de faire cette offre prouvait la réussite de la jeune fille.

Une petite foule s'était rassemblée pour dire adieu aux voyageurs. Richard montait un destrier bai qui avait bien dû coûter vingt livres à Aliena. Il était devenu un beau jeune homme aux épaules larges, ses traits réguliers marqués seulement par une vilaine cicatrice à l'oreille droite : on pensait généralement qu'un accident d'escrime lui avait coupé le lobe droit. Magnifiquement vêtu de rouge et de vert, il tenait une épée neuve, tout comme sa lance, sa hache d'arme et sa dague. Un second cheval qu'il menait par la bride portait ses bagages. Deux hommes d'armes à cheval et d'un écuyer monté sur un bidet constituaient son escorte.

Aliena pleurait. Philip n'aurait su dire si elle regrettait le départ de son frère, fière néanmoins qu'il eût si bonne allure, ou si elle craignait de ne plus le voir revenir. La plupart des jeunes du village se bousculaient pour saluer Richard. C'était leur héros. Les moines aussi n'avaient pas manqué de venir souhaiter bon voyage à leur prieur.

Les garçons d'écurie amenèrent deux bêtes, un palefroi sellé pour Philip et un mulet chargé de son modeste bagage — essentiellement des vivres pour le voyage. Les bâtisseurs déposèrent leurs outils et s'approchèrent, menés par Tom le barbu et son rouquin de beau-fils, Jack.

Philip étreignit cérémonieusement Remigius, le sous-prieur, et fit des adieux plus chaleureux à Milius et à Cuthbert, puis enfourcha sa monture. Il allait rester juché sur cette selle inconfortable chaque jour quatre semaines durant, se dit-il sans joie. Une fois installé, il bénit l'assemblée qui, d'une même voix – moines, bâtisseurs et villageois – lui cria adieu en agitant la main. Côte à côte, Richard et le prieur franchirent les portes de l'enceinte.

Ils descendirent l'étroite rue qui traversait le village, saluant les gens sur le pas de leur porte, passèrent le pont de bois et s'engagèrent sur la route à travers champs. Philip se retourna : le soleil levant brillait à la place ménagée pour la fenêtre sur la façade est de la nouvelle cathédrale. S'il échouait dans sa mission, cette fenêtre ne serait jamais terminée. Après tout ce qu'il avait subi pour en arriver jusque-là, Philip ne pouvait maintenant supporter l'idée de la défaite. Il tourna le dos au chantier et concentra son attention sur la route devant lui.

Lincoln était bâtie sur une colline. De loin, les voyageurs distinguèrent les tours de la cathédrale et les remparts du château. Ils se croyaient encore à plus d'une lieue quand, à la stupéfaction de Philip, ils se trouvèrent devant une porte de la ville. Les faubourgs devaient être immenses, songea-t-il, et la population se compter par milliers d'habitants.

A Noël, Lincoln avait été prise par Ranulf de Chester, l'homme le plus puissant du nord de l'Angleterre et parent de l'impératrice Maud. Stephen avait depuis lors reconquis la ville, mais les troupes de Ranulf tenaient toujours le château fort. Dès leur arrivée, Philip et Richard apprirent non sans étonnement que Lincoln avait l'étrange privilège d'abriter deux armées rivales à l'intérieur de ses murs.

Au cours des quatre semaines qu'ils avaient passées ensemble, Philip ne s'était guère attaché à Richard. Le frère d'Aliena, un jeune homme coléreux, haïssait les Hamleigh et ne pensait qu'à se venger ; de plus, il parlait comme si Philip partageait ses sentiments. Mais il y avait une différence : Philip abhorrait les Hamleigh pour la manière dont ils traitaient leurs sujets, alors que l'obsession de Richard ne le laisserait en paix que lorsqu'il aurait détruit les Hamleigh. Ses mobiles étaient purement égoïstes.

Quoique courageux et toujours prêt à se battre, à d'autres égards Richard se montrait faible. Il déconcertait ses hommes d'armes en les traitant parfois comme des égaux, parfois en domestiques. A la fin du voyage, Philip avait désormais son opinion : Aliena valait dix fois Richard.

Ils passèrent devant un grand lac couvert de bateaux ; puis, au pied de la colline, ils franchirent la rivière qui formait la limite sud de la ville proprement dite. Lincoln vivait de la navigation. De l'autre côté du pont, se trouvait un marché aux poissons. Ils franchirent une autre porte gardée et, laissant derrière eux les faubourgs, pénétrèrent dans la ville. Une rue étroite et incroyablement encombrée gravissait la colline droit devant eux. Les maisons qui se pressaient de chaque côté étaient tout ou partie en pierre, signe d'une richesse considérable. Pour épouser la pente raide, le rez-de-chaussée des maisons accusait un décalage de plusieurs pieds d'un côté à l'autre. La partie inférieure abritait toujours l'échoppe d'un artisan ou une boutique. Les seuls places découvertes étaient les cimetières auprès des églises et les marchés aux grains, aux volailles, à la laine, au cuir... Philip et Richard, suivis de leur petite escorte, se dégagèrent tant bien que mal un chemin dans la foule dense des habitants de la ville, des hommes d'armes, des animaux et des charrettes. Philip constata avec étonnement que la rue elle-même était pavée. Quelle richesse ici, songea-t-il, pour qu'on recouvre la rue de pierre, comme si c'était un palais ou une cathédrale. La chaussée était glissante d'ordures et d'excréments d'animaux, mais c'était bien préférable aux torrents de boue qui en hiver constituaient les artères des villages.

Au sommet de la colline, après une autre porte ils pénétrèrent au cœur de la ville où l'atmosphère, soudain, leur parut différente : apparemment plus calme, mais en réalité très tendue. A leur gauche se trouvait l'entrée du château fort. La grande porte bardée de fer qui fermait la voûte était soigneusement cadenassée. Des silhouettes évoluaient derrière les meurtrières du poste de garde et des sentinelles armées patrouillaient sur les remparts ; sous le faible soleil, leurs casques en acier bruni luisaient. Philip les regarda aller et venir. Pas de conversations entre eux, pas de bousculades ni de rires, pas de sifflets ni de cris pour appeler les filles qui passaient : ils étaient aux aguets et ils avaient peur.

A la droite de Philip, à moins de deux cents toises de la porte du château, se dressait la façade ouest de la cathédrale. Philip remarqua que, malgré la proximité du château, on avait installé le quartier général du roi. Un cordon de sentinelles bordait l'étroite route qui menait des maisons des chanoines à l'église. Le cimetière avait tout d'un camp retranché, avec des tentes, des feux de camp et des chevaux qui broutaient l'herbe. Pas de bâtiment monastique : la cathédrale de Lincoln n'était pas desservie par des moines, mais par des prêtres appelés chanoines, qui vivaient dans des logis proches de l'église.

Entre la cathédrale et le château s'étendait un espace désert. Philip se rendit compte qu'aussi bien les gardes du côté du roi que les sentinelles sur les remparts ne les quittaient pas des yeux. Ils se trouvaient exactement entre les deux armées, sans doute à l'endroit le plus dangereux de Lincoln. Comme Richard et ses compagnons avaient déjà avancé, Philip s'empressa de les suivre.

Les sentinelles du roi les laissèrent passer : Richard était bien connu. Philip ne put s'empêcher d'admirer la façade de la cathédrale. Elle avait un énorme portail principal et de chaque côté des arches impressionnantes. On aurait dit la porte du paradis. Philip décida aussitôt de prévoir de grandes arches sur la façade ouest de la cathédrale de Kingsbridge.

Abandonnant les chevaux à la garde de l'écuyer, Philip et Richard traversèrent le campement et pénétrèrent dans la cathédrale. Il y avait à l'intérieur une foule encore plus épaisse qu'à l'extérieur. Dans les bas-côtés transformés en écuries, des centaines de chevaux étaient attachés aux colonnes. Des hommes armées emplissaient la nef, au milieu des feux de camp et des litières. On parlait anglais, français et un peu flamand. Troublé, et même choqué, Philip nota que les chevaliers réunis là jouaient de l'argent aux dés. Sa gêne augmenta encore à l'apparition de femmes vêtues bien légèrement pour l'hiver, apparemment peu farouches avec les hommes – presque, songea le prieur, comme des pécheresses ou même, Dieu leur pardonne, des prostituées.

Pour éviter ce spectacle, il leva les yeux vers le plafond en bois, magnifiquement peint. Quelle imprudence, pensa Philip. Avec tous ces gens qui faisaient du feu dans la nef, c'était l'incendie assuré. Il suivit Richard dans la foule. Lui semblait fort à l'aise dans ce milieu, l'air assuré, plein de confiance, s'inclinant devant les barons et les seigneurs, saluant les chevaliers de grandes claques dans le dos.

La partie est de la cathédrale, délimitée par des cordes, restait réservée aux prêtres. La croisée servait pour l'instant de résidence au roi. Une rangée de gardes, puis une foule de courtisans, puis un cercle de comtes protégeaient le roi Stephen, qui siégeait au centre sur un trône de bois. Comme il avait vieilli depuis sa dernière rencontre avec Philip, cinq ans plus tôt à Winchester! L'inquiétude avait creusé des rides sur son beau visage et saupoudré de gris ses cheveux fauves, il avait maigri à la suite de cette année de combats.

Tandis que Stephen poursuivait une discussion animée avec ses comtes, Richard s'avança au centre et s'inclina cérémonieusement. D'un coup d'œil, le roi le reconnut et claironna d'une voix tonnante : « Richard de Kingsbridge! Je suis heureux de te voir revenu.

– Merci, mon seigneur », dit Richard.

A son tour Philip s'approcha et s'inclina.

« Tu prends des moines comme écuyers, maintenant? » demanda le roi. Les courtisans éclatèrent de rire.

« Seigneur, dit Richard, voici le prieur de Kingsbridge. »

Stephen toisa Philip et son visage s'éclaira.

« Bien sûr, je connais le prieur... Philip ». Son intonation, néanmoins, manquait de chaleur. « Venez-vous vous battre pour moi? » Les rires redoublèrent.

Philip se félicitait que le roi se fût rappelé son nom. D'un ton ferme, il déclara : « Je suis ici parce que l'œuvre divine de Kingsbridge a besoin d'une aide urgente de mon seigneur le roi.

– Il faudra m'expliquer cela, interrompit Stephen. Venez me voir demain, j'aurai plus de temps à vous consacrer. » Il se retourna vers les comtes et reprit sa conversation. Richard s'inclina avant de se retirer, imité par Philip.

Le lendemain, Philip ne parla pas au roi Stephen. Ni le surlendemain. Ni le jour d'après.

Le premier soir, il s'était installé dans une taverne, mais l'odeur constante de la viande qui rôtissait l'importunait, ainsi que le rire des femmes de mauvaise vie. Il n'y avait malheureusement pas de monastère en ville. En temps normal, l'évêque aurait accueilli le prêtre, mais le roi occupait le palais épiscopal et toutes les maisons autour de la cathédrale étaient bourrées des membres de l'entourage de Stephen. La deuxième nuit, Philip quitta la ville, dépassa le village de Wigford et un peu plus loin trouva un monastère qui comprenait un hospice pour les lépreux. Là, il trouva du pain noir et de la petite bière pour souper, un matelas dur à même le sol, le silence du crépuscule jusqu'à minuit, les offices aux petites heures du matin et un déjeuner de porridge sans sel. Il n'en demandait pas plus.

Chaque matin il se rendait à la cathédrale, muni de la précieuse charte qui garantissait au prieuré l'usufruit de la carrière de pierre. Jamais le roi ne remarquait sa présence.

Il savait pourquoi on le faisait attendre : le torchon brûlait entre l'Eglise et le roi. Stephen n'avait pas tenu les promesses généreuses qu'on lui avait arrachées au début de son règne. Il s'était fait un ennemi de son frère, l'habile évêque Henry de Winchester, en soutenant un autre candidat au poste d'archevêque de Canterbury – décision qui n'avait pas moins déçu Waleran Bigod, car celui-ci comptait s'élever dans le sillage de Henry. Mais le pire aux yeux de l'Eglise, c'est que Stephen avait fait arrêter l'évêque Roger de Salisbury, plus les deux neveux de celui-ci – respectivement évêques de Lincoln et d'Ely – le tout dans la même journée, sous le prétexte qu'ils bâtissaient des châteaux sans l'autorisation du roi. Devant ce sacrilège, des protestations unanimes s'étaient élevées des cathédrales et des monastères de tout le pays. Stephen avait durci sa position : en tant qu'hommes de Dieu, les évêques n'avaient pas besoin d'un château fort, estimait-il; s'ils choisissaient d'en construire, c'est qu'ils s'attendaient à être traités autrement qu'en hommes de Dieu. Stephen était aussi sincère que naïf.

L'Eglise et le roi avaient fini, plus ou moins à contrecœur, par signer une paix toute relative. Mais Stephen n'était plus pressé d'entendre les pétitions des saints hommes, aussi Philip dut-il patienter. Il en profita pour méditer, ce qu'il n'avait plus guère le temps de faire en tant que prieur. Soudain, il se retrouvait désœuvré pendant des heures entières, ce qu'il mit à profit pour réfléchir.

Un matin – le septième de son séjour à Lincoln – qu'il méditait sur le sublime mystère de la Trinité, il eut tout à coup conscience d'une présence auprès de lui. On l'observait, et on lui parlait.

« Est-ce votre habitude de dormir les yeux ouverts ? » demandait Stephen, mi-amusé, mi-agacé.

Philip tressaillit et s'inclina en reconnaissant le roi.

« Pardonnez-moi, seigneur, je réfléchissais.

– C'est votre affaire. Bon, je veux emprunter vos vêtements.

– Comment ? fit Philip, à qui la surprise faisait oublier les manières.

– Je veux inspecter le château. Si je suis habillé en moine, on ne m'attaquera pas. Venez... entrez dans cette chapelle et ôtez votre robe. »

Philip n'avait qu'une camisole sous sa robe. « Mais, seigneur, je n'ai rien d'autre...

– J'oubliais votre vertu de pudeur, à vous les moines ! » Stephen claqua des doigts pour appeler un jeune chevalier. « Robert... prête-moi ta tunique, vite. »

Le chevalier interrompit sa conversation avec une jeune fille pour ôter d'un geste rapide sa tunique qu'il tendit au roi en s'inclinant. Se retournant vers la fille, il esquissa un geste vulgaire qui provoqua le rire de ses amis.

Philip se glissa dans la petite chapelle de saint Dunstan, murmura une hâtive prière pour demander pardon au saint, puis échangea son habit contre la courte tunique écarlate du chevalier. Il se trouva tout drôle : lui qui depuis l'âge de six ans portait la tenue monastique se sentait maintenant étrangement déguisé. Il sortit de la chapelle et remit sa robe de moine à Stephen qui se hâta de l'enfiler.

« Venez avec moi, si vous voulez. Vous me parlerez de la cathédrale de Kingsbridge », proposa le roi, à la stupéfaction de Philip. Pris au dépourvu, le prieur eut d'abord le réflexe de refuser. Les sentinelles qui gardaient les remparts du château pourraient lui décocher leurs flèches maintenant qu'il n'avait plus la protection de ses vêtements religieux. Mais l'occasion d'un tête-à-tête avec le roi, où il aurait tout son temps pour expliquer les problèmes de la carrière et du marché, ne se présenterait peut-être jamais plus. Il fallait saisir la chance.

Stephen prit son manteau pourpre orné de fourrure blanche au col et à l'ourlet. « Mettez cela, ordonna-t-il à Philip. Vous détournerez de moi les flèches des archers. »

Muets, les courtisans observaient la scène.

Philip se rendit compte que le roi lui donnait une leçon. Lui, le prieur, qui n'avait rien à faire dans un camp armé, ne pouvait compter bénéficier de privilèges aux dépens de ceux qui risquaient leur vie pour le roi. Ce raisonnement présentait une certaine justesse, et Philip savait que s'il ne voulait pas rentrer en abandonnant tout espoir de carrière ou de marché, il fallait qu'il accepte le défi. Il prit une profonde inspiration. « Que la volonté de Dieu soit faite. S'Il l'ordonne, je mourrai pour sauver le roi. » Puis il enfila le manteau pourpre.

Un murmure de surprise monta de la foule. Le roi Stephen lui-même semblait étonné. A l'unanimité on s'attendait à voir Philip renoncer. Du coup, il regretta brièvement son héroïsme. Mais il ne pouvait plus faire marche arrière.

Comme Stephen se dirigeait vers la porte nord, suivi de Philip, quelques courtisans firent mine de les accompagner, mais Stephen les congédia d'un geste. « Un moine attirerait les soupçons si on le voyait escorté d'une cour royale. » Il abaissa sur sa tête le capuchon de la robe religieuse et ils passèrent dans le cimetière.

Pendant qu'ils traversaient le camp, des regards curieux se posèrent sur le somptueux manteau de Philip : les hommes, qui le prenaient pour un baron, s'étonnaient de ne pas le reconnaître. Gêné, Philip avait l'impression de se rendre coupable d'une sorte d'imposture. Quant à Stephen, personne ne s'y intéressait.

Au lieu de se rendre directement à la porte principale, ils suivirent un labyrinthe d'étroites allées et sortirent par l'église Saint-Paul, à un angle du château. Philip constata que les murs de la citadelle s'élevaient sur d'épais remparts de terre, entourés d'un fossé à sec. Une bande d'une vingtaine de toises de large séparait la douve des bâtiments les plus proches. Stephen s'avança sur l'herbe en direction de l'ouest, longeant l'arrière des maisons pour se tenir à couvert de la zone dégagée, tandis que Philip, à sa gauche, se tenait entre le roi et le château. Cet espace dégagé permettait aux archers de repérer tout arrivant et, le cas échéant, de le viser de leurs flèches. Philip n'avait pas peur de mourir, il avait peur de la souffrance. Une flèche devait faire horriblement mal. Cette pensée l'obsédait.

« Effrayé, Philip? demanda Stephen.

– Terrifié », répondit sincèrement le prieur. Puis, la peur lui faisant perdre son respect habituel, il ajouta cavalièrement : « Et vous ? »

Le roi rit de cet aplomb. « Un peu », avoua-t-il.

Alors qu'il tenait sa chance de défendre la cathédrale, le péril qui le menaçait l'empêchait de se concentrer. Son regard ne quittait pas le château dont il scrutait les remparts, guettant l'homme qui s'apprêterait à bander un arc.

Le château occupait tout la partie sud du cœur de la ville ; l'un de ses murs faisait office de muraille, si bien que pour contourner entièrement l'édifice, il fallait sortir de la ville. Stephen et Philip débouchèrent dans le faubourg de Newland. Un vent âpre et froid fouettait les champs nus derrière les maisons. Stephen désigna une petite porte dans la muraille : « Je suppose, dit-il, que c'est par là que Ranulf de Chester s'est échappé quand j'ai pris la ville. »

Philip se décontractait un peu. Il y avait du monde sur le chemin et les remparts de ce côté étaient moins sévèrement gardés car les occupants du château redoutaient une attaque côté ville, et non pas côté campagne. Philip se jeta à l'eau. « Si je suis tué, dit-il au roi, pouvez-vous m'assurer que vous autoriserez le marché de Kingsbridge et que vous obligerez William Hamleigh à rendre la carrière aux moines ? »

Stephen ne répondit pas tout de suite. Ils avancèrent encore vers l'angle sud-ouest du château et regardèrent le donjon. De là où ils se trouvaient, l'édifice paraissait absolument imprenable. Bientôt, ils rentrèrent par une autre porte dans la basse ville en suivant le flanc sud du château. De nouveau le danger. De nouveau la peur des flèches. Le manteau pourpre qui couvrait Philip et cette promenade le long des murailles ne pouvait que les désigner comme suspects. Pour oublier son angoisse, Philip observa le donjon. Le mur était percé de petits orifices qui servaient d'évacuation pour les latrines, les ordures et les déchets qui tombaient tout simplement au pied des murs et y attendaient de pourrir. C'est ce qui expliquait la puanteur ambiante. Ils passèrent rapidement.

Philip et Stephen avaient contourné trois côtés du carré et atteignaient maintenant une tour plus petite. Le roi avait-il oublié la question ? Le prieur n'osait pas insister, de crainte d'agacer et d'offenser le roi.

Ils atteignirent la grand-rue qui coupait la ville par le milieu et tournèrent encore mais, alors que Philip commençait à se sentir soulagé, ils franchirent une autre porte et se trouvèrent bientôt dans la zone déserte entre la cathédrale et le château. Philip, horrifié, vit le roi s'arrêter là et se poster de telle façon qu'il pouvait examiner le château par-dessus l'épaule du prieur. Le dos de Philip, drapé d'hermine et de pourpre, offrait la plus vulnérable des cibles au poste de gardes hérissé de sentinelles et d'archers. Aussi raide qu'une statue, il s'attendait à recevoir d'une minute à l'autre une flèche ou un javelot entre les épaules. Malgré le vent glacé, il transpirait.

« Je vous ai donné cette carrière il y a des années, n'est-ce pas? dit soudain Stephen.

— Pas exactement, articula Philip, les dents serrés. Vous nous avez donné le droit d'extraire les pierres pour la cathédrale. La carrière, vous l'avez accordée à Percy Hamleigh. William, le fils de Percy, a attaqué mes tailleurs de pierre, tuant cinq personnes — dont une femme et un enfant — et il nous empêche d'accéder à la carrière.

— Il ne devrait pas agir ainsi, surtout s'il espère le titre de comte de Shiring », murmura Stephen d'un ton songeur.

Philip éprouva un début d'espoir. Mais déjà le roi reprenait : « Du diable si je vois le moyen d'entrer dans ce château!

— Je vous prie d'obliger William à respecter les accords, insista Philip. Il vous défie et vole Dieu. »

Stephen, comme s'il n'entendait pas, suivait son idée. « Je ne crois pas qu'ils aient beaucoup d'hommes là-dedans, dit-il du même ton pensif. Ils sont presque tous sur les remparts, sûrement pour nous impressionner. Au fait, qu'est-ce que c'est que cette histoire de marché? »

Tout cela faisait partie de l'épreuve, estima Philip : l'obliger à rester debout en terrain découvert, le dos tourné à une horde d'archers, subir les caprices de son discours... Il s'essuya le front avec la manchette en fourrure du manteau royal. « Monseigneur, chaque dimanche des gens viennent de tout le comté pour entendre la messe à Kingsbridge et travailler gratis sur le chantier de la cathédrale. Quand nous avons commencé, quelques hommes et femmes à l'esprit entreprenant apportaient des choses à vendre : des pâtés, du vin, des chapeaux et des couteaux utiles aux volontaires. Ainsi, peu à peu, un marché s'est développé. Je vous demande maintenant de lui accorder votre licence.

— Paierez-vous les droits? »

Rien de plus normal, Philip en convenait, mais il savait aussi qu'on en dispensait souvent les religieux. « Oui, seigneur, je les

61

paierai – à moins que vous ne souhaitiez nous octroyer la licence sans paiement, pour la plus grande gloire de Dieu. »

Pour la première fois, Stephen regarda Philip droit dans les yeux. « Vous êtes un homme courageux. Vous ne tremblez pas de savoir l'ennemi derrière vous pendant que vous discutez avec moi. »

Philip lui rendit son regard. « Si Dieu décide que ma vie est finie, rien ne peut me sauver, dit-il avec plus d'assurance qu'il n'en éprouvait réellement. « Mais si Dieu veut que je vive pour bâtir la cathédrale de Kingsbridge, dix mille archers ne m'abattront pas.

– Bien dit ! » reconnut Stephen et, donnant une claque sur l'épaule de Philip, il se tourna vers la cathédrale. Les jambes molles, Philip le suivit, de mieux en mieux à chaque pas qui l'éloignait du château. Il avait, semblait-il, brillamment passé l'épreuve. Mais il devait encore obtenir du roi un engagement sans ambiguïté. D'un instant à l'autre, il allait de nouveau plonger dans la foule des courtisans. Alors qu'ils passaient la ligne des sentinelles, Philip prit son courage à deux mains. « Monseigneur roi, demanda-t-il, si vous vouliez écrire une lettre au shérif de Shiring... »

Il fut brutalement interrompu par l'un des comtes qui surgit, tout agité, en criant : « Robert de Gloucester est en chemin, monseigneur !

– Quoi ? Où est-il ?

– Tout près. Une journée au plus...

– Pourquoi n'ai-je pas été prévenu ? J'ai posté des hommes partout !

– Il est passé par le chemin de Fosse, puis il a quitté la route pour traverser par la pleine campagne.

– Qui l'accompagne ?

– Tous les comtes et les chevaliers de son camp qui ont perdu leurs terres au cours des deux dernières années. Ranulf de Chester également...

– Évidemment. Le chien de traître.

– Il a rameuté tous ses chevaliers de Chester, plus une horde de Gallois rapaces...

– Combien d'hommes en tout ?

– Environ un millier.

– Diable... C'est cent de plus que nous. »

Parmi les barons qui s'étaient rassemblés, l'un prit la parole. « Seigneur, s'il vient par la pleine campagne, il lui faudra franchir la rivière au gué...

– Bien dit, Edward! s'écria Stephen. Emmenez-y vos hommes et voyez si vous pouvez tenir la place. Il vous faut des archers aussi.

– A quelle distance sont-ils exactement, quelqu'un le sait-il? interrogea Edward.

– Très près, selon l'éclaireur, répondit le premier comte. Ils pourraient arriver au gué avant vous.

– Je pars, déclara Edward en faisant demi-tour.

– Le brave! » dit le roi Stephen. Il frappa du poing droit contre sa paume gauche. « Je vais enfin rencontrer Robert de Gloucester sur le champ de bataille. Je regrette de ne pas avoir plus d'hommes. Enfin... un avantage de cent combattants, ce n'est pas grand-chose. »

Philip écoutait en silence. Si près d'obtenir l'accord de Stephen... il n'entendait pas renoncer même si le roi avait à présent l'esprit ailleurs. Il fit glisser de ses épaules le manteau pourpre et dit au souverain. « Peut-être devrions-nous chacun reprendre notre vrai personnage, monseigneur? »

Stephen acquiesça d'un air absent. Un courtisan passa derrière lui et l'aida à ôter son habit de moine. Philip lui passa le manteau en ajoutant : « Seigneur, vous sembliez bien disposé envers ma requête. »

Stephen fronça les sourcils, irrité. Il allait dire quelque chose quand une nouvelle voix s'éleva.

« Monseigneur! »

Le cœur de Philip se serra. William Hamleigh!

« William, mon garçon! dit le roi de ce ton cordial qu'il employait souvent avec ses guerriers. Tu arrives juste à temps! »

William s'inclina : « Monseigneur, j'ai amené cinquante chevaliers et deux cents hommes de mon comté. »

Philip sentit ses espoirs s'évanouir en fumée.

Stephen visiblement ravi, congratulait le jeune homme. « Quel brave tu es! dit-il avec chaleur. Tu m'apportes un sérieux avantage sur l'ennemi! »

Un bras passé autour des épaules de William, il s'éloigna avec lui en lui parlant à l'oreille.

63

Philip, immobile, les regarda un moment. Il avait frôlé le succès de près, mais l'armée de William comptait plus que la justice, songea-t-il amèrement.

Le courtisan qui avait aidé le roi à ôter son habit de moine tendit sa robe à Philip. Celui-ci la prit machinalement et l'enfila, profondément déçu. En contemplant les trois grands portails de la cathédrale, il pensait à son espoir d'en bâtir de pareils à Kingsbridge. Hélas! Le roi Stephen prenait le parti de William Hamleigh. Le choix était simple : la justice contre la victoire. Philip contre William. L'évêque avait échoué.

Il ne lui restait qu'une chance : que le roi Stephen perde la bataille qui s'annonçait.

5

Tandis que l'évêque célébrait la messe dans la cathédrale, le ciel commença à virer du noir au gris. Les chevaux étaient sellés, les chevaliers vêtus de leur cotte de mailles, on avait nourri les hommes d'armes et servi à tous une mesure de vin pour leur donner du courage.

William Hamleigh était agenouillé dans la nef avec les autres chevaliers et les comtes, tandis que, sur les bas-côtés, les destriers piaffaient et renâclaient. La peur et l'excitation étourdissaient le jeune Hamleigh. Si le roi remportait la victoire, le nom de William y serait à jamais associé, grâce aux renforts qu'il avait amenés pour faire pencher la balance. Si le roi perdait... Tout pouvait arriver. Il frissonna.

Stephen se tenait devant, vêtu d'une robe blanche immaculée, un cierge à la main. Au moment précis de l'Élévation, le cierge se brisa, la flamme s'éteignit. William frissonna : mauvais présage! Un prêtre apporta un nouveau cierge que Stephen reçut avec un sourire nonchalant, mais l'impression d'un horrible avertissement surnaturel persista dans l'esprit de William. En regardant autour de lui, il vit que les autres partageaient son sentiment.

Aussitôt après le service, le roi aidé d'un valet passa son armure. Sa cotte de mailles qui lui descendait aux genoux était faite de morceaux de cuir sur lesquels on avait cousu des anneaux de fer. Cette sorte de tunique était fendue jusqu'à la taille pour qu'il pût s'asseoir à cheval. Quand le valet la lui eut solidement attachée à la gorge, Stephen coiffa un bonnet ajusté prolongé par un large capuchon de mailles qui lui couvrait les cheveux et protégeait son cou. Il mit par-dessus un casque de fer muni d'un nasal. A ses bottes de cuir, on voyait des revers en mailles et des éperons.

Cependant les comtes s'étaient rassemblés autour de lui. Suivant le conseil de sa mère, William se comportait comme s'il était déjà l'un d'eux, bousculant la foule pour s'approcher du roi. Dans le brouhaha des répliques échangées, il se rendit compte qu'ils essayaient de persuader Stephen de se retirer et d'abandonner Lincoln aux rebelles.

« Vous tenez plus de territoires que Maud, vous pouvez lever une armée plus grande, observa un homme âgé en qui William reconnut Lord Hugh. Dirigez-vous au sud, trouvez des renforts, revenez et écrasez nos ennemis. »

Après l'incident du cierge brisé, William aurait presque souhaité lui-même la retraite, mais le roi ne l'entendait pas de cette oreille. « Nous sommes assez forts pour les écraser maintenant, dit-il avec entrain. Où est passée votre ardeur? » Il boucla une ceinture chargée d'une épée d'un côté et d'une dague de l'autre, toutes deux protégées de fourreaux en bois et en cuir.

« Les armées sont trop équilibrées, renchérit un homme aux cheveux courts et grisonnants, le comte de Surrey. L'aventure est trop risquée. » C'était le dernier argument à employer avec Stephen, William le savait. Le roi avait l'âme très chevaleresque. « Trop équilibrées? répéta-t-il avec mépris. Justement, je préfère un combat égal. » Il passa les gantelets de cuir recouverts de mailles. Le valet lui tendit un long bouclier de bois renforcé de cuir, dont il passa la courroie autour de son cou et qu'il ajusta à sa main gauche.

« Nous n'avons pas grand-chose à perdre en nous retirant maintenant, insista Hugh. Nous ne sommes même pas maîtres du château.

— Vous voudriez que je laisse passer ma chance de rencontrer Robert de Gloucester sur le champ de bataille? dit Stephen. Voilà deux ans qu'il m'évite. Maintenant que j'ai l'occasion de régler une fois pour toutes mon compte avec ce traître, je ne vais pas reculer sous prétexte que nous sommes de la même force. »

Un garçon d'écurie lui amena son cheval déjà prêt. Comme Stephen allait monter en selle, une certaine agitation du côté de la porte ouest attira l'attention; un chevalier remonta la nef en courant, couvert de boue et de sang. Il apportait de mauvaises nouvelles, William l'aurait juré. Comme l'homme s'inclinait devant le roi, on reconnut un des hommes d'Edward dépêchés pour garder le gué. « Nous sommes arrivés trop tard, seigneur, dit le messager tout essoufflé. L'ennemi a traversé la rivière. »

Un vilain signe de plus. William sentit le froid de l'angoisse tomber sur lui. Il n'y avait plus que des champs vides, maintenant, entre l'ennemi et la ville de Lincoln.

Stephen, momentanément abattu, retrouva vite son sang-froid. « Peu importe ! dit-il. Nous n'en rencontrerons nos adversaires que plus tôt ! » Et il sauta en selle. Le valet lui tendit une lance en bois terminée par une pointe de fer aiguisée, qui, avec la hache d'arme accrochée à sa selle, complétait son armement. Le roi claqua la langue et le cheval se mit en marche.

Derrière lui, les comtes, les barons et les chevaliers lui emboîtèrent le pas et ce fut une procession qui quitta la cathédrale, à laquelle, dehors, les hommes d'armes se joignirent. Beaucoup, en proie à la peur de ce qui les attendait, auraient bien renoncé. Mais la solennité de l'instant, l'atmosphère presque cérémonieuse, le regard des habitants de la ville, tout cela interdisait à quiconque de se dérober.

Pendant la traversée de la ville, la troupe s'accrut d'une centaine d'hommes : boulangers bedonnants et tisserands myopes, brasseurs rougeauds, piètrement armés et montant de pauvres bidets. Leur présence témoignait du peu de popularité de Ranulf.

L'armée ne pouvant passer devant le château, sous le tir des archers postés aux créneaux, elle quitta la ville par la porte nord, qu'on appelait l'arche de Newport, avant d'obliquer vers l'ouest. C'était là qu'on allait s'affronter.

William inspecta le terrain d'un regard expert. Bien que la colline au sud de la ville descendît en pente abrupte vers la rivière, ici, sur le flanc ouest, une longue corniche menait doucement jusqu'à la plaine. William se rendit compte que Stephen avait choisi un excellent point stratégique de défense car, de quelque côté que s'approchât l'ennemi, il se trouverait toujours en contrebas de l'armée du roi.

Stephen avait parcouru près de deux cents toises depuis la sortie de la ville, lorsque deux éclaireurs, remontant la pente à toute allure, se dirigèrent vers lui. William s'approcha pour ne rien manquer de leur rapport.

« L'ennemi avance rapidement, seigneur », dit l'un des messagers.

William tourna son regard vers la plaine. En effet, une masse noire en mouvement se distinguait au loin : l'ennemi! William frissonna. La peur le tenaillait. Elle ne le lâcherait qu'au moment du combat.

« Quel est leur dispositif? demanda Stephen.

— Ranulf et les chevaliers de Chester forment le centre, seigneur, expliqua l'éclaireur. Ils sont à pied. »

Pour en savoir tant, observa William, l'homme avait dû pénétrer jusque dans le camp ennemi et espionner les ordres de marche. Joli sang-froid...

« Ranulf au centre? dit Stephen. C'est donc lui le chef, pas Robert!

— Robert de Gloucester tient le flanc gauche, avec un groupe d'hommes qu'on appelle les Déshérités », poursuivit l'éclaireur.

William connaissait leur existence. Ils tenaient leur nom du fait qu'ils avaient perdu toutes leurs terres depuis le début de la guerre civile.

« Ainsi, reprit Stephen d'un ton songeur, Robert a confié à Ranulf le commandement de l'opération? Dommage. Je connais bien Robert — j'ai quasiment grandi avec lui — et je pourrais deviner sa tactique. Mais Ranulf est un étranger pour moi. Peu importe. Qui tient le flanc droit?

— Les Gallois, seigneur.

— Des archers, je suppose. » Les hommes de la Galle du Sud avaient la réputation d'être de fins tireurs.

« Pas ceux-là, corrigea l'éclaireur. C'est une foule déchaînée, des créatures au visage peint, qui chantent des chansons barbares et sont armés de marteaux et de massues. Très peu possèdent des chevaux.

— Ils doivent venir de Galle du Nord, conclut Stephen. Ranulf leur a sûrement promis un beau pillage. Dieu protège Lincoln s'ils pénètrent à l'intérieur des murs. Mais non! Ils n'entreront pas. Comment t'appelles-tu, éclaireur?

— Roger dit Lackland, déclara l'homme.

— Lackland? Tu recevras dix arpents, pour ta peine.

— Merci, seigneur! s'écria l'homme, ravi.

— Allons. » Stephen se tourna vers ses comtes. William, tendu, attendait de connaître le rôle que le roi allait lui confier. « Où est mon seigneur Alan de Bretagne? » Alan poussa son cheval en avant. Il dirigeait une force de mercenaires bretons, des hommes déracinés qui se battaient pour leur solde et n'étaient loyaux qu'à eux-mêmes.

« Je vais te mettre avec tes braves Bretons en première ligne, sur ma gauche », annonça Stephen.

William comprit la sagesse de cette mesure : les mercenaires bretons contre les aventuriers gallois, c'était brigands contre brigands.

« William d'Ypres, appela Stephen.

– Monseigneur? » Un homme brun montant un destrier noir leva sa lance. Il menait un autre groupe de mercenaires, des Flamands, à peine plus fiables que les Bretons, disait-on.

« Tu seras sur ma gauche aussi, dit Stephen, derrière les Bretons d'Alan. »

Les deux chefs de mercenaires tournèrent bride et s'en furent organiser leurs hommes. William se demandait encore où serait sa place. Il n'avait aucune envie d'être en première ligne. Il s'était déjà assez distingué en amenant son armée. Une bonne position sans risque, à l'arrière-garde, lui conviendrait parfaitement.

Le roi poursuivit : « Mes seigneurs de Worcester, Surrey, Northampton, York et Hertford, avec vos chevaliers, vous formerez mon flanc droit. »

William, une fois de plus, reconnut l'intelligence du dispositif. Les comtes et leurs chevaliers, pour la plupart montés, feraient face à Robert de Gloucester et aux Déshérités qui le soutenaient, également à cheval.

Cependant William commençait à s'inquiéter de n'être pas dans les rangs des comtes. Le roi ne l'aurait quand même pas oublié?

« Je tiendrai le centre, à pied, avec des fantassins », annonça Stephen.

Pour la première fois, William s'insurgea intérieurement. Mieux valait rester à cheval aussi longtemps qu'on pouvait. Mais puisque Ranulf, paraît-il, combattait à pied, son sens exagéré de l'équité obligeait Stephen à affronter son adversaire sur un mode d'égalité.

« Je prendrai avec moi William de Shiring et ses hommes », déclara le roi.

William devait-il se réjouir ou s'inquiéter? C'était un grand honneur d'être ainsi choisi – Mère serait enchantée – mais outre qu'il occuperait la position la plus dangereuse, cela signifiait aussi qu'il serait en permanence sous l'œil du roi. Il devrait cacher ses craintes, attaquer l'ennemi sans hésiter. William, qui ne se battait que contraint et forcé, selon sa tactique de prédilection, se trouvait pris au piège.

« Les loyaux citoyens de Lincoln fermeront la marche », annonça enfin Stephen. Cette décision relevait de la prudence et du bon sens militaire. Les civils ne serviraient à grand-chose nulle part, sinon à l'arrière où ils feraient quelques dégâts en subissant un minimum de pertes.

William brandit la bannière de Shiring. Encore une idée de sa mère. Il n'y avait pas droit, à strictement parler, il n'était pas officiellement comte; mais les hommes qui l'accompagnaient étaient habitués à suivre cet étendard – du moins William l'affirmerait-il si on l'interrogeait. De plus, à la fin de la journée, si la bataille se déroulait bien, il serait peut-être comte.

Ses hommes se groupèrent autour de lui, Walter, en premier comme toujours – présence solide et rassurante – ainsi que Gervase le Laid, Hugh la Hache et Miles les Dés. Gilbert, tué lors de l'incident de la carrière, avait été remplacé par Guillaume de Saint-Clair, un jeune homme au frais visage et à l'air mauvais.

Dans la foule des combattants qui se mettaient en place, William aperçut avec un sursaut de colère Richard de Kingsbridge, portant une armure flambant neuve et montant un superbe destrier. Il accompagnait le comte de Surrey. Bien qu'il n'eût pas réuni une armée comme l'avait fait William, il ne manquait pas d'allure, et s'il faisait de grandes choses dans cette bataille décisive, rien ne l'empêcherait d'obtenir la faveur du souverain. Les batailles ménagent d'imprévisibles surprises, tout comme les rois.

Et si Richard était tué? Quelle chance! William désirait cette mort plus fort qu'il n'avait jamais désiré aucune femme.

Il regarda à l'horizon. La masse ennemie grossissait.

Du toit de la cathédrale, Philip voyait Lincoln déployée devant lui comme une carte. Au sommet de la colline, la vieille ville entourait la cathédrale, avec ses rues droites, ses jardins soignés et le château fort dans l'angle sud-ouest. La partie plus neuve, bruyante et surpeuplée, occupait la pente abrupte qui reliait la vieille ville à la rivière Withan. Ce quartier, qui d'ordinaire bourdonnait d'activités, restait aujourd'hui enveloppé d'un lourd silence comme d'un linceul. Tout le monde avait grimpé sur les toits pour suivre la bataille. La rivière, qui venait de l'est, suivait le pied de la colline avant de s'élargir en un vaste port naturel qu'on appelait l'étang de Brayfield, entouré de quais et couvert de bateaux et de canots. Un canal, le Fosdyke, partait de l'étang de Brayfield jusqu'à la rivière Trent, avait-on expliqué à Philip. En le découvrant ainsi d'en haut, Philip s'émerveillait de son tracé parfaitement rectiligne sur des lieues. D'après ce qui se disait, il aurait été creusé longtemps auparavant, dans l'ancien temps.

Le canal formait la lisière du champ de bataille. Philip regarda l'armée du roi Stephen sortir de la ville en un cortège désordonné et se former lentement en trois colonnes sur la crête. Philip reconnaissait les comtes, sur sa droite, à leurs tenues plus colorées, leurs tuniques rouges et jaunes et leurs bannières éclatantes. C'était aussi les plus actifs, montant et descendant la colline, donnant des ordres, tenant des consultations et tirant des plans. A la gauche du roi, sur la pente qui descendait jusqu'au canal, le groupe d'hommes vêtus de gris terne et de brun disposait de moins de chevaux et s'agitait moins. A coup sûr, des mercenaires. Par-delà l'armée de Stephen, là où le canal se perdait dans les haies, l'armée rebelle envahissait le champ comme un essaim d'abeilles. Ils avançaient d'un mouvement imperceptible, mais inexorable. Que valaient ces forces ? De prime abord, tout indiquait que les deux camps s'équilibraient.

Philip ne pouvait rien faire pour influencer le dénouement – situation qu'il avait en horreur. Il essaya de se calmer, de faire preuve de fatalisme. Si Dieu voulait une nouvelle cathédrale à Kingsbridge, il donnerait à Robert de Gloucester la victoire sur le roi Stephen. Alors Philip demanderait à l'impératrice Maud, victorieuse, de le laisser reprendre possession de la carrière et de rouvrir le marché. En revanche, si Stephen devait l'emporter, Philip n'aurait qu'à accepter la volonté de Dieu, renoncer à ses plans ambitieux et laisser Kingsbridge retomber une fois de plus dans l'obscurité.

71

C'était cela que Philip n'arrivait pas à admettre. De toutes ses forces, il voulait la victoire de Robert.

L'armée rebelle fit halte à une demi-lieue environ de la première ligne du roi. C'était exaspérant de pouvoir en contempler la masse sans en discerner les détails. William aurait voulu savoir si ces gens étaient bien armés, plein d'entrain et d'agressivité, ou bien fatigués et peu désireux de se battre. Ils continuaient d'avancer lentement, tandis que ceux de l'arrière, poussés par la même angoisse que William, se pressaient vers l'avant pour découvrir l'ennemi.

Dans l'armée de Stephen, les comtes et leurs chevaliers attendaient, bien en ligne sur leurs montures, leurs lances prêtes, comme s'ils étaient à un tournoi au moment de commencer les joutes. Non sans regret, William renvoya tous les chevaux de son contingent, en ordonnant aux écuyers non pas de les ramener à la ville mais de les garder à l'arrière – au cas où on en aurait besoin : pour faire retraite, pensa-t-il sans le dire. Si le combat tournait mal, mieux valait s'enfuir que mourir.

La bataille semblait ne jamais devoir commencer. Le vent tomba, les chevaux se calmèrent, sinon les hommes. Le roi Stephen ôta son casque pour se gratter la tête. William commençait à s'énerver. Il ne redoutait pas de se battre mais l'attente lui donnait la nausée.

Soudain, sans raison apparente, une sorte d'électricité passa dans l'atmosphère. Un cri de guerre monta de quelque part. Les chevaux piaffèrent. Des acclamations fusèrent, noyées aussitôt par le tonnerre des sabots. La bataille commençait. William sentit l'âcre odeur de sueur et de peur.

D'abord, tout ne fut que confusion. A pied, William ne distinguait que son environnement immédiat. Les comtes, sur la droite, avaient dû engager la bataille en chargeant l'ennemi. Presque aussitôt une clameur monta sur la gauche et William vit en se retournant que les hommes à cheval de l'armée des mercenaires bretons éperonnaient leurs montures. Comme en écho une cacophonie de hurlements à glacer le sang s'éleva de la section correspondante de l'armée ennemie : la canaille galloise. Impossible de savoir qui avait l'avantage.

William ne voyait plus Richard. Des douzaines de flèches jaillissaient comme un envol d'oiseaux de derrière les lignes ennemies et pleuvaient alentour. William brandit son bouclier au-dessus de sa tête.

C'est alors que le roi Stephen chargea. William dégaina son épée et se précipita, ordonnant à ses hommes de le suivre. Mais les cavaliers, à droite et à gauche, qui s'étaient dispersés en attaquant s'interposèrent entre l'ennemi et lui.

Sur sa gauche, retentissait un fracas assourdissant de fer contre fer ; l'air s'emplissait d'une odeur métallique qu'il connaissait bien. Les comtes et les Déshérités s'affrontaient avec tant de violence qu'on ne discernait plus qu'un tourbillon d'hommes et de chevaux se heurtant, chargeant et s'effondrant. Impossible de distinguer le hennissement des bêtes des cris de guerre des hommes. Ici et là, dans le brouhaha, William percevait les horribles gémissements des blessés agonisants. Si seulement Richard pouvait en faire partie !

A sa gauche, au désespoir de William, les Bretons battaient en retraite devant les haches et les massues des Gallois déchaînés qui, poussant des hurlements, se piétinaient entre eux dans leur ardeur à attaquer l'ennemi. L'idée du pillage promis les excitait comme des fous. Les Bretons, qui devaient se contenter de la perspective d'une autre semaine de solde, se défendaient avec moins d'enthousiasme et cédaient du terrain. William cracha par terre, écœuré.

Il enrageait de n'avoir pas encore porté le moindre coup. Il était entouré de ses chevaliers, et devant lui se trouvaient les chevaux des comtes et les Bretons. Il poussa en avant, sur le côté du roi. On se battait de toutes parts. Des chevaux écroulés, des hommes au corps à corps mus par une férocité de chats sauvages, le chaos assourdissant des épées et l'écœurante odeur du sang transformaient la plaine en enfer. Mais William et le roi Stephen restaient pour le moment coincés dans une zone de calme.

Philip, bien qu'il vît toute la scène, n'y comprenait rien. Des hommes tombaient et mouraient, d'autres triomphaient et continuaient à se battre. Mais qui l'emportait, qui perdait ? Le prieur n'aurait pas su le dire, et c'était exaspérant.

A cet instant, sur la gauche du champ de bataille, un grand mouvement se fit. Des hommes dévalaient la pente vers le canal, des mercenaires vêtus de toile bise et, pour autant que Philip pût

73

les reconnaître, des hommes du roi, poursuivis par les guerriers hauts en couleurs de l'armée attaquante. On entendait d'ici les hurlements de victoire des Gallois. Une bouffée d'espoir gonfla le cœur de Philip : les rebelles tenaient la victoire !

De l'autre côté, sur la droite, là où combattaient les cavaliers, l'armée du roi ne semblait pas en meilleure posture. D'abord imperceptible, le mouvement s'affirma, puis se précipita ; et, sous les yeux même de Philip, la retraite se transforma en déroute. Par dizaines, les hommes du roi tournaient bride et commençaient à fuir le champ de bataille.

Philip aurait sauté de joie : telle était donc la volonté de Dieu !

Cependant, si les rebelles avançaient sur les deux flancs, le centre tenait toujours bon. Autour du roi Stephen on se battait avec plus d'acharnement que dans le camp adverse. Les troupes du roi réussiraient-elles à renverser la situation ? Et si Stephen et Robert de Gloucester s'affrontaient l'un l'autre ? Un combat singulier entre deux chefs décidait souvent du sort de la bataille, quel que fût l'état du combat sur le terrain. Philip refréna son enthousiasme : rien n'était encore fini.

Et, justement, la situation se renversa avec une incroyable rapidité. Un moment, les deux armées étaient à égalité, luttant farouchement ; l'instant d'après, les hommes du roi cédaient du terrain. William, au désespoir, se rendit compte que sur sa gauche les mercenaires bretons dévalaient la colline, poursuivis jusque dans le canal par les Gallois. Sur sa droite, les comtes, malgré leurs destriers et leurs bannières, rompaient le combat et essayaient de s'échapper vers Lincoln. Seul le centre tenait : le roi Stephen, au cœur de la mêlée, abattait sa lourde épée de tous les côtés, tandis que les hommes de Shiring luttaient autour de lui comme des loups. La situation demeurait instable. Si les flancs continuaient à reculer, le roi finirait encerclé. Mais le roi était plus brave que sage et il ne lâcherait pas prise tant qu'il serait en vie.

William sentit soudain la bataille se déplacer vers la gauche. Les mercenaires flamands, arrivant par-derrière, tombèrent sur les Gallois qui durent renoncer à poursuivre les Bretons sur la pente de la colline pour faire demi-tour et se défendre. La mêlée sombra dans la confusion. Puis les hommes de Ranulf de Chester réagirent en attaquant les Flamands qui, du coup se trouvèrent coincés entre les hommes de Chester et les Gallois.

Le roi Stephen encourageait ses troupes, les poussait en avant. William pensa que Ranulf avait peut-être commis une erreur. Si les forces du roi pouvaient disposer maintenant des hommes de Ranulf, ce serait au tour de celui-ci de se trouver coincé sur ses deux flancs.

Brusquement, comme un de ses chevaliers qui le protégeait tombait devant lui, William se retrouva au cœur de la bataille. Un robuste homme du Nord, brandissant une épée pleine de sang, plongea sur lui. William l'esquiva sans mal : il était frais, au contraire de son adversaire déjà épuisé. William visa le visage de l'homme, manqua son coup et para un second assaut. Il éleva son épée aussi haut que possible, s'exposant délibérément à un coup de poignard ; ainsi qu'on pouvait s'y attendre, l'autre avança et William profita de son mouvement pour abattre son épée, qu'il tenait à deux mains, sur l'épaule de l'ennemi. Sous le choc l'armure se fendit et la clavicule se fracassa.

William connut un moment de griserie, débarrassé de toute peur. D'une voix tonitruante, il rugit : « Venez, chiens ! Approchez ici ! »

Deux combattants, prenant la place du chevalier à terre, se lancèrent simultanément contre William qui réussit tout juste à les contenir, mais fut obligé de céder du terrain.

William sentit une poussée sur sa droite. Un de ses attaquants le délaissa pour répondre à l'assaut d'un homme au visage rougeaud, armé d'un couperet, et l'air d'un boucher en folie. William n'avait donc plus qu'un adversaire sur lequel il fonça et qui, affolé, essaya de frapper William à la tête. Celui-ci esquiva le coup et plongea sa lame dans la cuisse de son ennemi, juste sous la frange de la courte cotte de mailles. L'homme s'écroula.

Un instant libéré, William s'arrêta, le souffle court. Alors qu'il croyait l'armée du roi en déroute, les soldats s'étaient repris et de nouveau personne n'avait l'avantage. Sur sa droite, les citoyens de Lincoln menaient courageusement bataille à l'ennemi. Certes, ils défendaient leurs propres maisons, ce qui leur donnait une énergie particulière. Mais, depuis que les comtes, sur ce flanc droit, avaient fait défection, qui donc les avait ralliés ? Sa question trouva aussitôt réponse : consterné, il vit Richard de Kingsbridge, dressé sur ses étriers, encourager du geste et de la voix les villageois. William sentit son cœur se serrer. Si le roi remarquait la conduite de Richard, c'en était fini de ses plans à lui, William. Juste à cet instant, Stephen déboucha sur les lieux et fit un signe de félicitation au valeureux Richard. William poussa un juron.

Le ralliement des habitants de la ville soulagea un peu la pression qui s'exerçait sur le roi, mais pas pour longtemps. Sur le flanc gauche, les hommes de Ranulf ayant mis en déroute les mercenaires flamands, Ranulf s'attaquait maintenant au centre de la formation. En même temps, les Déshérités se regroupaient contre le groupe de Richard et des civils. La bataille reprit avec plus de rage.

Attaqué par un énorme gaillard armé d'une hache, William para le coup au dernier moment. L'autre récidiva. Chaque fois que la hache s'abattait, William bondissait en arrière. Avec horreur, il se rendit compte que toute l'armée reculait comme lui. Sur sa gauche, les Gallois remontaient la colline et, chose inhabituelle dans un combat de chevaliers, commençaient à lancer des pierres. C'était ridicule, mais efficace, car il fallait en même temps regarder les cailloux qui volaient et se défendre contre les adversaires. L'ennemi semblait augmenter. Les hommes du roi seraient-ils surpassés par le nombre? Un sentiment de désespoir envahit William. Une peur folle lui serra la gorge, car il comprit que la bataille était très près d'être perdue et lui-même en danger de mort. Le roi ferait mieux d'ordonner la retraite. Pourquoi s'obstinait-il à se battre? Folie! Il allait se faire tuer – ils allaient tous se faire tuer! La hache de son adversaire se dressa soudain très haut au-dessus de la tête de William. Mû par un providentiel instinct guerrier, au lieu de reculer comme il l'avait fait jusque-là, il bondit en avant et plongea droit sur le géant. La pointe de son épée s'enfonça dans le cou de l'homme, juste sous le menton. William poussa de toutes ses forces. Les yeux de l'homme se fermèrent. En proie à un soulagement proche de l'extase, William retira son épée et sauta en arrière pour éviter la hache que venaient de lâcher les mains mortes de l'homme.

A quelques pas sur sa gauche, William vit le roi qui abattait de toutes ses forces son épée sur le casque d'un adversaire. Son arme s'y brisa comme une brindille. Eh bien, voilà, songea William résigné, la bataille est terminée. Le roi va ordonner la retraite et se préparer pour combattre un autre jour. A peine s'était-il formulé cette pensée rassurante qu'il vit son espoir déçu. Un habitant de la ville tendait au roi une hache de bûcheron à long manche. Sous l'œil consterné de William, Stephen empoigna l'arme et reprit le combat.

William hésita un instant. Allait-il s'enfuir? Sur sa droite, Richard, à pied, se démenait comme un diable, bondissant en avant, abattant avec son épée tout ce qui se trouvait à sa portée, frappant à gauche, à droite, au centre, aveuglément, furieusement. Non, William ne pouvait pas déserter quand son rival se battait encore.

Un homme de petite taille en armure légère, incroyablement rapide, fonçait sur lui, l'épée étincelant au soleil. Comme leurs lames se heurtaient, William comprit qu'il avait affaire à un redoutable combattant. Une fois de plus, l'ombre de la mort obscurcit son esprit et la certitude de l'issue fatale de cette bataille lui ôta son énergie. Mécaniquement, il esquivait les coups d'estoc et de taille qui le visaient, sans jamais trouver l'occasion de placer la violente botte qui fracasserait l'armure de son attaquant. L'espace d'une seconde, il entraperçut une ouverture, mais l'ennemi esquiva en plongeant en avant. Au même moment, William sentit son bras gauche s'engourdir. Il était blessé! La peur lui tordait le ventre. Inexorablement, il reculait, pressé par l'avance de l'adversaire avec l'impression que le sol se dérobait sous lui. Son bouclier, que son bras gauche inutile ne pouvait plus tenir, pendait à son cou. L'autre sentit la victoire et appuya son attaque. William vit planer la mort au-dessus de lui. Une terreur insurmontable l'envahit.

C'est alors que Walter surgit à son côté.

William recula encore d'un pas. Walter brandit son épée à deux mains. Surpris, le petit homme tomba, fauché comme une jeune pousse. Etourdi de soulagement, au bord de l'évanouissement, William posa une main sur l'épaule de Walter.

« Nous avons perdu! lui cria celui-ci. Allons-nous-en! »

William se redressa. Le roi continuait à se battre, malgré tout. Si seulement il acceptait maintenant de s'enfuir, il pourrait regagner le Sud où il aurait tout loisir de rassembler une autre armée. Mais plus il combattait, plus se multipliaient les risques qu'il soit capturé, même tué. Résultat : Maud serait reine.

William et Walter cédaient peu à peu du terrain. Pourquoi le roi s'acharnait-il si stupidement? Voulait-il donner la preuve de son courage? Cette orgueilleuse vaillance causerait sa perte. Une fois de plus William eut la tentation d'abandonner le roi. Mais Richard de Kingsbridge ne démordait pas, tenant le flanc droit comme un roc ; son épée tournoyait et fauchait tout ce qui s'approchait de lui.

« On ne s'en va pas encore! dit William à Walter. Regarde le roi! »

Ils reculèrent pas à pas. Le combat perdait de l'intensité à mesure que les hommes comprenaient que le sort de la bataille était joué et qu'il devenait inutile de prendre des risques. William et Walter croisèrent l'épée avec deux chevaliers, mais sans grands risques de part et d'autre. On assenait des coups violents, les uns avançant, les autres se défendant, mais personne ne s'exposait vraiment au danger.

Un bruit tout proche les fit sursauter. Une grosse pierre jaillie du champ venait de frapper le casque du roi. Celui-ci trébucha et tomba à genoux. L'adversaire de William tourna la tête, vit la scène et se mit à crier. La hache d'arme tomba des mains du roi. Un chevalier ennemi se précipita sur lui et lui arracha son casque. « Le roi! hurla-t-il d'un ton triomphant. J'ai le roi! »

William, Walter et toute l'armée royale firent demi-tour et détalèrent.

Philip jubilait. La retraite, partie du centre de l'armée royale, se propageait jusqu'aux flancs. En quelques instants, on ne vit plus que le dos des fuyards.

Voilà qui récompensait le roi Stephen de son injustice!

Les attaquants ne renonçaient pas à poursuivre les vaincus. Sur les arrières de l'armée du roi, quarante ou cinquante chevaux sans cavalier attendaient en réserve, tenus par des écuyers. Les premiers fuyards sautèrent en selle et piquèrent, dos à Lincoln, vers la rase campagne.

Philip s'interrogea sur le sort du roi.

Les citoyens de Lincoln descendaient des toits. On rassemblait enfants et animaux. Les familles se barricadaient dans leurs maisons, fermant les volets, verrouillant les portes. Il y eut une certaine agitation autour des bateaux du lac : certains essayaient de s'échapper par la rivière. Des groupes affolés commençaient à arriver à la cathédrale pour s'y réfugier.

A chaque entrée de la ville, on se précipitait pour tirer sur les lourdes portes les barres de fer qui les protégeaient. Soudain, sortant du château, apparurent des hommes de Ranulf de Chester. Ils se divisèrent aussitôt en équipes, suivant évidemment un plan préparé, et chacun se dirigea vers une porte de la ville, abattant au passage ceux qui se trouvaient sur leur chemin. Puis ils rouvrirent les portes pour laisser entrer les rebelles vainqueurs.

Philip quitta le toit de la cathédrale, imité par les chanoines qui l'avaient rejoint pour observer le combat. Sur le seuil qui donnait accès à la tourelle, ils rencontrèrent l'évêque et les archidiacres qui s'étaient postés plus haut dans la tour. Philip remarqua que l'évêque Alexandre tremblait de peur. Dommage : c'était le moment de montrer son courage...

A pas prudents, ils descendirent l'étroit escalier en spirale et débouchèrent dans la nef du côté ouest. Se pressaient déjà dans l'église une centaine de citoyens tandis que d'autres affluaient par les trois grands porches. Dehors, Philip vit deux chevaliers pénétrer dans la cour de la cathédrale, souillés de sang et de boue, revenant droit du champ de bataille. En apercevant l'évêque, l'un d'eux cria : « Le roi est prisonnier ! »

Philip sentit son cœur bondir. Le roi Stephen n'était pas simplement vaincu, il était aux mains des rebelles ! Les forces royales allaient sûrement s'effondrer maintenant dans tout le royaume. Les conséquences de cette nouvelle situation se bousculaient dans l'esprit de Philip, mais avant qu'il ait pu ordonner ses pensées, il entendit l'évêque Alexandre crier : « Fermez les portes ! »

Philip bondit, outré : « Non ! hurla-t-il. Vous ne pouvez pas faire ça ! »

L'évêque le dévisagea, blanc de peur et d'affolement. Il ne se rappelait pas très bien qui était Philip. Depuis leur rencontre officielle de courtoisie, ils ne s'étaient plus parlé. Enfin, la mémoire lui revint. « Ce n'est pas votre cathédrale, prieur Philip, c'est la mienne. Fermez les portes ! » Plusieurs prêtres se précipitèrent pour obéir.

Philip ne pouvait croire à cette manifestation d'égoïsme et de cynisme chez un homme d'Église. « Vous ne pouvez pas empêcher les gens d'entrer, insista-t-il avec colère. Ils vont se faire massacrer !

— Si nous ne fermons pas les portes, c'est nous tous qui serons tués ! » cria Alexandre.

Philip l'empoigna par le plastron de sa robe : « Rappelez-vous qui vous êtes, siffla-t-il. Ce n'est pas à nous d'avoir peur... surtout de la mort. Reprenez-vous.

— Débarrassez-moi de lui ! » hurla Alexandre en proie à la panique.

Des chanoines écartèrent Philip de force. Celui-ci les apostropha :

« Vous ne voyez donc pas ce qu'il fait ?

— Si vous êtes si brave, répliqua un chanoine, sortez donc protéger ces malheureux ! »

Philip se dégagea : « C'est exactement ce que je vais faire », lança-t-il.

Il se retourna. La lourde porte centrale tournait lentement sur ses gonds. Trois prêtres s'escrimaient à vouloir la fermer tandis que dehors on luttait pour se glisser par l'ouverture de plus en plus étroite. Philip parvint à se couler dans l'interstice au moment où le battant claquait sourdement derrière lui.

Une petite foule rassemblée sous le porche frappait à la porte, suppliant qu'on la laisse entrer. Mais la cathédrale restait muette.

Philip fut soudain pris de peur. La panique qu'il lisait sur les visages autour de lui l'effrayait. Il se sentit trembler. Un souvenir éclata dans sa mémoire : à six ans, déjà, il avait rencontré une armée victorieuse et l'horreur qu'il avait éprouvée renaissait en lui, intacte. Il revécut le moment où les soldats avaient surgi dans la maison de ses parents. Figé sur place, il essaya de maîtriser son angoisse, tandis que la foule tourbillonnait autour de lui. Depuis longtemps il n'était plus tourmenté par ce cauchemar. Mais à présent il revoyait les assassins aux yeux assoiffés de sang, la façon dont l'épée avait cloué sa mère au sol, l'horrible spectacle des entrailles de son père s'échappant de son ventre. Un moine franchit la porte, une croix à la main, et les hurlements cessèrent. Et Philip se souvint, comme s'il venait de s'éveiller d'un rêve, qu'il n'était plus un enfant terrifié, qu'il était un homme fait, un moine. Et, tout comme l'abbé Peter les avait sauvés son frère et lui vingt-sept ans plus tôt, de même aujourd'hui, Philip, fortifié par la foi et protégé par Dieu, allait venir à l'aide de ceux qui craignaient pour leur vie.

Dans un brouillard, il se força à faire un pas en avant ; le second fut moins malaisé et le troisième presque facile.

Lorsqu'il atteignit la rue qui menait à la porte ouest, il se heurta à une masse d'habitants qui s'enfuyaient et faillit être renversé. Des hommes et des garçons couraient avec des ballots contenant leurs précieuses possessions, de vieilles gens se débattaient pour ne pas être étouffés, des filles hurlaient, des femmes portaient dans leurs bras des enfants en pleurs. Philip recula un peu sous la pression du flot, puis il fit front. Tout le monde se dirigeait vers la cathédrale. Il aurait voulu les avertir qu'elle était fermée, qu'ils feraient mieux de rester chez eux et de barrer leur porte, mais chacun criait et personne n'écoutait.

Il progressa lentement dans la rue, à contre-courant de la foule. Il n'avait fait que quelques pas lorsque déboula un groupe de quatre cavaliers. C'étaient eux, la cause de cette bousculade. Des gens se plaquèrent contre les murs des maisons, mais nombre d'autres, incapables de s'écarter à temps, tombèrent sous les sabots des chevaux. Philip, horrifié, assista impuissant à la scène avant de se réfugier dans une venelle pour ne pas se faire écraser lui-même. Quelques instants plus tard, les cavaliers avaient disparu.

Plusieurs corps gisaient sur le sol. Comme Philip sortait de son abri, il vit un homme d'âge moyen vêtu d'un manteau cramoisi essayant de ramper malgré une jambe blessée. Philip traversa la rue pour l'aider; mais il n'eut pas le temps d'arriver que deux hommes avec casque de fer et bouclier de bois se dressèrent devant lui. L'un d'eux dit : « Jake, celui-ci est vivant. » annonça l'un des soldats.

Philip frissonna : leur attitude, leur voix, leur tenue et même leurs visages, c'étaient ceux des deux hommes qui avaient tué ses parents.

« Il rapportera une rançon : regarde-moi ce manteau rouge », dit le nommé Jake. Il porta les doigts à sa bouche et siffla. Un troisième larron arriva en courant. « Emporte Manteau Rouge au château et attache-le. » Le troisième passa les bras sous les épaules du blessé pour le traîner. L'homme poussait un hurlement de douleur chaque fois que ses jambes heurtaient les pierres. « Arrêtez! » cria Philip. Surpris, les hommes s'arrêtèrent pile, regardèrent le moine et éclatèrent de rire; puis ils se remirent en marche.

Philip protesta de toutes ses forces, en vain. Les soldats ne lui prêtèrent pas la moindre attention. Désemparé, Philip les regarda brinquebaler le blessé sur les pavés. Un autre homme d'armes sortit d'une demeure, vêtu d'un long manteau de fourrure et portant sous son bras six assiettes d'argent. Jake l'aperçut et remarqua le butin. « Ce sont des logis de riches, dit-il à son camarade. On devrait en visiter un. » Ils s'approchèrent d'une maison de pierre et attaquèrent à la hache la porte fermée à clé.

Philip se sentait impuissant, mais pas disposé à renoncer. Toutefois Dieu ne l'avait pas mis à ce poste pour défendre les biens des riches, aussi laissa-t-il là Jake et ses compagnons et se hâta-t-il vers la porte ouest. D'autres soldats arrivaient en courant dans la rue et parmi eux des hommes bruns et trapus au visage peint, vêtus de peau de mouton et armés de massues : des guerriers gallois, comprit Philip, et il eut honte de venir du même pays que ces sauvages. Il se colla contre un mur et tenta de passer inaperçu.

Deux pillards surgirent d'une maison de pierre en tirant par les jambes un homme à la barbe blanche coiffé d'une calotte. L'un d'eux pointa un couteau sur la gorge du vieillard en criant :

« Où est ton argent, Juif ?

– Je n'ai pas d'argent », gémit le malheureux.

Personne ne le croirait, se dit Philip. La richesse des Juifs de Lincoln était célèbre ; d'ailleurs, l'homme vivait dans une maison de pierre.

Un autre mercenaire apparut, traînant une femme par les cheveux. Elle avait une quarantaine d'années – sans doute la femme du Juif. Le premier cria : « Dis-nous où est l'argent, ou je lui enfonce mon épée dans le ventre. » Il souleva la jupe de la femme, dévoilant sa toison grisonnante sur laquelle il pointa une longue dague.

Philip allait intervenir, mais le vieil homme céda aussitôt. « Ne lui faites pas de mal ; l'argent est derrière, s'empressa-t-il de dire. Il est enterré dans le jardin, auprès du tas de bois... Je vous en prie, laissez-la. »

Les trois hommes rentrèrent en courant dans la maison. La femme aida l'homme à se relever. Un autre groupe de cavaliers arriva dans un bruit de tonnerre et Philip se jeta de côté pour les éviter. Lorsqu'il se releva, les deux Juifs avaient disparu.

Un jeune homme en armure surgit de la rue, trois ou quatre Gallois sur ses talons et qui le rattrapèrent juste au moment où il arrivait à la hauteur de Philip. Le premier des poursuivants brandit son épée et toucha le fugitif aux jarrets. Ce qui ne paraissait pas une blessure profonde suffit à faire trébucher le jeune homme qui tomba sur le sol. Un des Gallois se précipita en brandissant une hache de guerre.

Bouleversé, Philip s'avança et cria : « Arrêtez! »

L'homme leva sa hache.

Philip se jeta sur lui.

L'homme abattit sa cognée, mais Philip le repoussa à la dernière minute. La lame heurta le pavé à un pied de la tête de sa victime. L'agresseur, retrouvant son équilibre, contempla Philip avec stupeur. Philip soutint son regard sans trembler, regrettant de ne pouvoir se rappeler un seul mot de gallois. Avant qu'il n'ait esquissé le moindre mouvement, les deux autres poursuivants arrivèrent et l'un d'eux fonça sur Philip et l'envoya bouler sur le sol. Cela lui sauva sans doute la vie, car lorsqu'il reprit ses esprits, tout le monde l'avait oublié. Les Gallois étaient en train de massacrer le malheureux jeune homme avec une incroyable sauvagerie. Philip parvint à se relever, hélas trop tard : les marteaux et les cognées ne frappaient plus qu'un cadavre. Il leva les yeux vers le ciel et cria avec fureur : « Si je ne peux sauver personne, pourquoi m'avez-vous envoyé ici? »

Comme en réponse, il entendit un hurlement venant d'une maison voisine, un bâtiment sans étage, en pierre et en bois, beaucoup moins somptueux que ceux qui l'entouraient. La porte était grande ouverte. Philip se précipita à l'intérieur. Il y avait deux pièces séparées par une arche et de la paille sur le sol. Une femme avec deux petits enfants était blottie dans un coin, terrifiée. Au centre, trois hommes d'armes faisaient face à un petit homme chauve. Une jeune femme d'environ dix-huit ans gisait sur le sol. Sa toilette était déchirée et l'un des soldats, agenouillé sur sa poitrine, lui écartait les cuisses. Le chauve essayait manifestement d'empêcher les gredins de violer sa fille. Comme Philip entrait, le père se jeta sur l'un des soldats qui le repoussa. Le père recula en trébuchant. Le soldat plongea son épée dans le ventre du père. La femme dans le coin se mit à hurler comme une âme perdue.

« Arrêtez! » cria Philip une fois de plus.

Ils le regardèrent tous comme s'il était fou.

De son ton le plus autoritaire, il lança : « Si vous commettez ce crime, vous irez tous en enfer! »

Celui qui venait de tuer le père leva son épée pour frapper Philip.

« Une minute, dit l'homme qui maintenait toujours les jambes de la fille. Qui es-tu, moine?

— Je suis Philip de Gwynedd, prieur de Kingsbridge, et je vous commande au nom de Dieu de laisser cette fille tranquille, si vous tenez à votre âme immortelle.

— Un prieur... C'est bien ce que je pensais, dit le soldat toujours accroupi. Il vaut une bonne rançon. »

Le premier rengaina son épée. « Va là-bas dans le coin avec la femme, à ta place, ordonna-t-il.

— Ne portez pas la main sur la robe d'un moine », dit Philip. Il essayait de prendre un ton menaçant, mais on percevait un accent désespéré dans sa voix.

« Emmène-le au château, John », dit l'homme à califourchon sur la fille et qui semblait être le chef.

« Va au diable! répliqua John, je veux la sauter d'abord. » Il saisit Philip par le bras et, avant que celui-ci ait pu résister, le projeta dans le coin. Philip s'écroula par terre auprès de la mère.

Le nommé John souleva le devant de sa tunique et s'allongea sur la jeune fille.

La mère, détournant la tête, éclata en sanglots.

« Je ne vais pas accepter ça! » dit Philip. Il se releva et empoigna le violeur par les cheveux, l'écartant du corps de la fille. L'homme poussa un rugissement de douleur.

Le troisième leva une massue. Philip vit le coup arriver, mais trop tard. La massue s'abattit sur sa tête. Une explosion horrible, et tout devint noir. Il perdit connaissance avant de toucher le sol.

On emmena les prisonniers au château où on les enferma dans des cages. C'étaient de robustes constructions de bois, comme des maisons en miniature, longues de six pieds et larges de trois, à peine un peu plus hautes que la tête d'un homme. Au lieu de murs pleins, elles comportaient des poteaux verticaux à intervalles rapprochés, qui permettaient au geôlier de voir à l'intérieur. En temps normal, quand on les utilisait pour y enfermer des voleurs, des meúrtriers et des hérétiques, on ne mettait qu'une ou deux personnes par cage. Aujourd'hui, on entassait les rebelles à huit ou

84

dix et il restait encore des prisonniers. Le surplus des captifs, attachés les uns aux autres avec des cordes, était parqué dans un coin de l'enceinte. Ils auraient pu s'échapper sans trop de difficultés, mais ils ne le faisaient pas, parce qu'ils étaient plus à l'abri ici que dehors, dans la ville.

Philip, assis dans le coin d'une cage, en proie à une violente migraine, se traitait d'imbécile. Il avait échoué. Au bout du compte, il s'était montré aussi inutile que ce couard d'évêque Alexandre. Il n'avait pas sauvé une seule âme ni même évité un seul coup. Les citoyens de Lincoln n'auraient pas été plus mal lotis sans lui. Contrairement à l'abbé Peter, il s'était révélé incapable d'arrêter la violence. Je ne suis tout simplement pas l'homme qu'était le père Peter, songea-t-il.

Pire encore : dans ses vains efforts pour aider les gens de la ville, il avait sans doute gâché sa seule chance d'obtenir des concessions de Maud lorsqu'elle deviendrait reine. Il était maintenant prisonnier de son armée. On le soupçonnerait donc d'avoir adopté la cause du roi Stephen. Le prieuré de Kingsbridge devrait payer une rançon pour la libération de Philip. Il était tout à fait probable que l'histoire viendrait aux oreilles de Maud qui verrait dès lors Philip du plus mauvais œil ! Il se sentait malade, déçu et plein de remords.

Durant toute la journée, on amena d'autres prisonniers. Le flux s'arrêta vers la tombée de la nuit, mais le sac de la ville se poursuivit à l'extérieur des murs du château : Philip entendit les cris, les hurlements, le fracas de la destruction. Vers minuit, le bruit cessa, sans doute parce que les soldats étaient trop ivres de vin volé, et rassasiés de viols et de brutalité. Quelques-uns parvinrent en titubant au château, se vantant de leurs exploits, se querellant entre eux et vomissant sur l'herbe; ils finirent par s'écrouler, inconscients, et s'endormir.

Philip dormit aussi, recroquevillé dans un coin de la cage, tassé contre les barreaux de bois. Il s'éveilla à l'aube, frissonnant de froid, rompu, mais sa violente migraine s'était atténuée en une douleur sourde. Il se leva pour se dégourdir les jambes et agita les bras pour se réchauffer. Le château grouillait de gens. Les écuries débordaient de dormeurs occupant les stalles, tandis que les chevaux étaient attachés dehors. Des jambes dépassaient par la porte de la boulangerie et du magasin de la cuisine. Les quelques soldats

85

restés à peu près sobres avaient planté leurs tentes à même la terre. On voyait des chevaux partout. Dans le donjon – un château à l'intérieur du château, édifié sur un monticule –, à l'abri de ses puissants murs de pierre qui protégeaient une demi-douzaine de constructions en bois, les comtes et les chevaliers du camp vainqueur cuvaient leur victoire.

Philip réfléchissait aux conséquences de cette bataille. Était-ce la fin de la guerre? On pouvait le supposer. Sauf si Matilda, comtesse de Boulogne et épouse de Stephen, décidait de continuer la lutte : dès le début de la guerre, aidée de ses chevaliers français, elle s'était emparée du château de Douvres et contrôlait maintenant, au nom de son mari, une grande partie du Kent. Toutefois, elle aurait du mal à obtenir le soutien des barons pendant l'emprisonnement de Stephen. Même si elle réussissait à tenir le Kent pendant quelque temps, il était peu probable qu'elle fasse d'autres conquêtes.

Quant à Maud, ses problèmes n'étaient pas tous résolus. Il fallait d'abord qu'elle consolide sa victoire militaire, qu'elle obtienne l'approbation de l'Église et qu'elle soit couronnée à Westminster. Elle aurait besoin pour aboutir de beaucoup de détermination et de sagesse.

Les choses tournaient plutôt bien pour Kingsbridge; ou plutôt tourneraient bien si Philip pouvait être libéré et la vérité rétablie. Il ne s'agissait pas qu'il passe pour un partisan de Stephen.

Malgré l'absence de soleil, l'air se réchauffa en même temps que le ciel s'éclaircissait. Les compagnons de cage de Philip s'éveillèrent peu à peu, gémissant de douleur : les coups et les blessures de la veille s'aggravaient du froid et de l'engourdissement d'une nuit glacée, sans autre abri que le toit et les barreaux d'une cage. Certains prisonniers étaient de riches citoyens, d'autres des chevaliers capturés au cours de la bataille. Quand tout le monde fut à peu près réveillé, Philip demanda à la cantonade : « Quelqu'un sait-il ce qu'il est advenu de Richard de Kingsbridge? » Il espérait, pour Aliena, que Richard avait survécu.

Un homme dont la tête était enveloppée dans un pansement taché de sang, dit : « Il s'est battu comme un lion : c'est lui qui a rallié les habitants de la ville quand les choses ont mal tourné.

– Est-il vivant ou mort? »

L'homme secoua lentement sa tête blessée. « Je l'ai perdu de vue à la fin.

– Et William Hamleigh? » Philip souhaita intérieurement une réponse négative.

« Il était au côté du roi pendant presque tout le temps, mais au moment de la débâcle, il s'est enfui. Je l'ai vu traverser le champ à cheval, loin devant la troupe.

– Ah! » Déçu, Philip se résigna à affronter de nouveaux problèmes.

Le silence retomba dans la cage. Dehors, les soldats commençaient à bouger, soignant leur gueule de bois, comptant leur butin, s'assurant que leurs otages étaient tous là et réclamant leur déjeuner. Philip se demanda si on allait nourrir les prisonniers. Il le faudra bien, se dit-il, car à quoi serviraient des captifs morts de faim? On n'échange pas des cadavres contre une rançon. Mais où trouverait-on les vivres nécessaires? D'ailleurs, pensa-t-il par association d'idées, combien de temps allait-il rester ici? Ses vainqueurs enverraient un message à Kingsbridge pour réclamer une rançon. En réponse, les frères désigneraient un des leurs pour négocier sa libération. Qui? Milius serait le meilleur, mais Remigius qui, en tant que sous-prieur, dirigeait le couvent en l'absence de Philip, pourrait préférer un de ses compagnons, ou encore venir lui-même. Remigius prendrait son temps : il était incapable, même dans son propre intérêt, de décisions rapides. L'affaire risquait de durer des mois. Philip s'assombrit.

Certains prisonniers furent plus chanceux. Dès le lever du soleil, des épouses, des enfants, des parents des captifs commencèrent à se présenter au château, craintivement d'abord et en hésitant, puis avec plus d'assurance, pour négocier la rançon de ceux qui leur étaient chers. Ils discutaient un moment, déploraient leur pauvreté, offraient des bijoux de pacotille ou des babioles; puis, une fois l'accord établi, ils allaient chercher la rançon convenue, le plus souvent en espèces. Le butin s'entassait et les cages se vidaient.

Vers midi, la moitié des prisonniers étaient partis. Sûrement les gens du pays, supposa Philip. Les autres venaient de villes lointaines, sans doute des chevaliers ralliés de partout à Stephen. Philip en eut confirmation quand le gouverneur du château fit le tour des cages en demandant les noms des restants. La plupart étaient originaires du Sud. A l'occasion de cet appel, Philip remarqua qu'une des cages contenait un homme seul, entravé, comme si

87

on avait voulu renforcer sa détention. Il fallut quelques minutes à Philip pour le reconnaître.

« Regardez! dit-il à ses trois compagnons de cage. Cet homme, là-bas, tout seul. Est-ce bien celui que je crois? »

Les autres examinèrent le détenu. « Par le Christ, fit l'un d'eux. C'est le roi! »

Philip contempla un moment l'homme aux cheveux fauves, couvert de boue, les mains et les pieds entravés inconfortablement dans des étaux de bois. Un homme comme les autres. Hier, c'était le roi d'Angleterre. Hier, il refusait une licence de marché à Kingsbridge. Aujourd'hui, il ne pouvait pas se mettre debout sans l'autorisation d'autrui. Cet homme avait ce qu'il méritait, mais Philip ne pouvait s'empêcher de le plaindre.

Au début de l'après-midi, on distribua à manger. Il s'agissait des restes refroidis du dîner préparé pour les combattants, mais les prisonniers se jetèrent dessus avec avidité. Philip laissa les autres se servir les premiers car il considérait la faim comme une faiblesse à laquelle il fallait savoir résister. De plus tout jeûne imposé lui donnait l'occasion de mortifier sa chair.

Pendant que ses compagnons d'infortune grattaient consciencieusement le fond de leur écuelle, l'attention de Philip fut attirée par une certaine agitation du côté du donjon. Un groupe de personnages imposants en sortit. Comme ils descendaient les marches et traversaient l'enceinte du château fort, Philip remarqua que deux d'entre eux marchaient en avant des autres et qu'on les traitait avec déférence. Ranulf de Chester et Robert de Gloucester, sans doute. Philip était incapable de les reconnaître. Les comtes s'approchèrent de la cage de Stephen.

« Bonjour, cousin Robert », dit le roi, soulignant lourdement le mot *cousin*.

Le plus grand des deux hommes prit l'air navré. « Je n'avais pas l'intention de te laisser passer la nuit entravé. J'avais ordonné qu'on te fasse sortir, mais mon ordre n'a pas été suivi. Enfin, tu as survécu... »

Un homme en tenue ecclésiastique se détacha du groupe et s'approcha de la cage de Philip. Celui-ci, fasciné par le dialogue entre Stephen et les comtes, ne lui prêta pas attention. Mais le prêtre demanda d'une voix forte :

« Lequel de vous est le prieur de Kingsbridge?

88

– C'est moi », dit Philip.

Le prêtre s'adressa à l'un des soldats qui gardaient les cages. « Relâche cet homme. »

Philip était intrigué. Il n'avait jamais vu ce prêtre de sa vie. Comment connaissait-il son existence, sa présence dans cette cage? Sa joie de quitter sa prison se mêlait d'une certaine appréhension sur le sort qui l'attendait.

« C'est mon prisonnier! protesta le soldat.

– Plus maintenant, dit le prêtre. Libère-le.

– Et ma rançon? » insista le garde d'un ton agressif.

Le prêtre à son tour haussa le ton. « Cet homme n'est ni un combattant de l'armée du roi, ni un citoyen de cette ville, si bien que tu as commis un crime en l'emprisonnant. Ensuite, comme c'est un moine, un homme de Dieu, tu es coupable de sacrilège. Enfin, la reine Maud veut que tu le relâches. Son conseiller a donné des ordres et, si tu refuses, c'est toi qui finiras dans cette cage, plus vite que tu ne peux cligner un œil, alors obéis! »

Le soldat s'exécuta en grommelant.

Philip se rongeait les sangs. Il avait nourri le faible espoir que Maud n'apprendrait jamais son emprisonnement ici. Hélas, cet espoir venait de s'évanouir. Avec le sentiment de toucher le fond, il sortit de la cage.

« Venez avec moi », dit le prêtre.

Philip le suivit. « On va me libérer? demanda-t-il d'une petite voix.

– Je suppose, répondit le prêtre qui parut surpris par la question. Vous ignorez qui vous allez rencontrer?

– Je n'en ai pas la moindre idée.

– Alors, fit le prêtre en souriant, je vous laisse la surprise. »

Ils traversèrent la cour et gravirent la longue volée de marches qui menaient sur la hauteur et à la porte du donjon. Philip avait beau se creuser la cervelle, il ne comprenait pas pourquoi Maud et son conseiller s'intéresseraient à lui.

A la suite du prêtre, il franchit la porte. Le donjon était entouré de maisons à un étage, bâties contre le mur. Au milieu, une cour minuscule avec un puits. Le prêtre entraîna Philip dans une des maisons.

Un autre prêtre se tenait debout devant le feu, le dos tourné à la porte. Il avait la même stature que Philip, petite et frêle, et les mêmes cheveux noirs, mais pas de tonsure et pas encore de tempes grises. Quelque chose parut à Philip très familier dans cette silhouette. Il n'osait croire à sa chance, mais malgré lui un large sourire éclaira son visage.

Le prêtre se retourna. Il avait les mêmes yeux bleu clair que le prieur, et le même sourire. Il tendit les bras. « Philip, dit-il seulement.

– Ah! Dieu soit loué! s'écria Philip, stupéfait. Francis! » Les deux frères s'étreignirent et les yeux de Philip s'emplirent de larmes.

6

La salle de réception du château royal de Winchester avait beaucoup changé. Les chiens avaient disparu, tout comme le simple trône de bois du roi Stephen, les bancs et les peaux de bêtes accrochées au mur. Au lieu de cela, on voyait des tentures brodées, des tapis somptueusement colorés, des coupes de confiseries et des chaises peintes. La pièce sentait les fleurs.

Philip n'était jamais à son aise à la cour royale. A fortiori, une cour royale féminine le mettait dans un état de fébrile anxiété. La reine Maud représentait son seul espoir de récupérer l'exploitation de la carrière et de rouvrir le marché, mais qui lui garantissait que cette femme hautaine et volontaire prendrait la juste décision?

Maud siégeait sur un trône doré orné de sculptures délicates. Elle était grande et mince, avec des yeux sombres au regard fier et des cheveux noirs, lisses et brillants. Par-dessus sa robe de couleur jacinthe, elle portait une pelisse, un manteau de soie tombant jusqu'aux genoux, serré à la taille et évasé vers le bas : ce style, inconnu en Angleterre avant son arrivée, était aujourd'hui largement imité. Comment aurait-on pu imaginer que cette femme resplendissante avait été mariée onze ans une première fois, puis une deuxième fois depuis quatorze ans, alors qu'on ne lui en donnait pas quarante? Philip, contrairement à la majorité des gens qui s'extasiaient sur sa beauté, la trouvait plutôt anguleuse et peu aimable; mais il était piètre juge de la séduction féminine.

Philip, Francis, William Hamleigh et l'évêque Waleran s'inclinèrent devant elle, puis attendirent. Elle les ignora et continua de parler à une dame d'honneur. La conversation semblait plutôt futile, car les deux femmes riaient de bon cœur, mais Maud ne s'interrompit pas pour accueillir ses visiteurs.

Francis, bien qu'il travaillât étroitement avec elle et la vît presque chaque jour, n'était pas de ses intimes. C'était Robert, le frère de Maud et l'ancien employeur de Francis qui le lui avait cédé à son arrivée en Angleterre, car elle avait besoin d'un excellent conseiller. Sous cette raison officielle se cachait aussi un motif secret : Francis assurait la liaison entre le frère et la sœur et gardait l'œil sur l'impétueuse Maud. Dans la vie pleine de traîtrise de la cour royale, c'était courant de voir frères et sœurs se trahir. Le véritable rôle de Francis était d'interdire à Maud toute manigance. Maud le savait et l'acceptait mais ses rapports avec Francis n'en demeuraient pas moins délicats.

Deux mois s'étaient écoulés depuis la bataille de Lincoln, deux mois très favorables à Maud. L'évêque Henry l'avait accueillie à Winchester (trahissant ainsi son propre frère, le roi Stephen), puis avait réuni un grand concile d'évêques et d'abbés qui l'avaient élue reine; à l'heure actuelle, elle négociait avec la ville de Londres pour organiser son couronnement à Westminster. Le roi David d'Écosse, son oncle, était en route pour lui rendre une visite officielle, d'un souverain à un autre.

D'après Francis, Waleran avait persuadé William Hamleigh de changer de camp pour prêter serment d'allégeance à Maud. William venait maintenant toucher sa récompense. Quant à l'évêque Henry, il avait l'appui inconditionnel de Waleran, de Kingsbridge.

Les quatre hommes attendaient toujours. C'était la première fois que Philip voyait Maud. Son aspect ne le rassura pas : malgré son allure royale, il lui trouva l'air d'une écervelée.

Quand Maud jugea bon de terminer son bavardage, elle promena sur les visiteurs un regard supérieur, qui traduisait le peu d'importance qu'elle leur accordait. Elle dévisagea Philip avec insistance, au point qu'il en fut gêné, puis elle parla : « Alors, Francis, m'avez-vous amené votre jumeau?

– Madame, dit Francis, je vous présente mon frère Philip, le prieur de Kingsbridge. »

Philip s'inclina une nouvelle fois. « Un peu vieux et trop grisonnant pour être un jumeau de Francis, madame. » C'était le genre de remarque banale, empreinte d'une modestie excessive, que les courtisans semblaient trouver amusante. Mais Maud lança à Philip un regard glacial qui le décida à renoncer à toute démonstration de charme mondain.

Elle passa à William. « Et voici le comte de Shiring, qui s'est vaillamment battu contre mon armée à la bataille de Lincoln, mais qui a maintenant reconnu son erreur. »

William s'inclina et eut la sagesse de rester muet.

Elle revint à Philip. « Vous me demandez de vous accorder une licence pour tenir un marché?

– Oui, madame.

– Madame, reprit Francis, les revenus du marché seront entièrement consacrés à la construction de la cathédrale.

– Quel jour de la semaine voulez-vous tenir ce marché? demanda-t-elle.

– Le dimanche. »

Elle haussa ses sourcils épilés. « Vous autres, saints hommes, vous opposez généralement aux marchés le dimanche, jour consacré à l'église plutôt qu'au commerce.

– Pas dans notre cas, expliqua Philip. Les gens viennent travailler sur le chantier de construction, assister à un service et ils en profitent pour faire leurs achats et leurs ventes.

– Vous tenez donc déjà ce marché? » demanda-t-elle sèchement.

Philip comprit trop tard son erreur.

Francis vola à son secours. « Non, madame, ils ne tiennent pas de marché pour l'instant. Les choses ont commencé de façon informelle, mais le prieur Philip y a mis un terme en attendant d'obtenir cette licence. »

C'était presque la vérité. Maud d'ailleurs parut l'accepter. Philip, en silence, demanda pardon au ciel pour le mensonge de Francis.

« Il n'y a pas d'autre marché dans la région? demanda Maud.

– Si, intervint le comte William, à Shiring. Le marché de Kingsbridge nous a retiré des chalands.

– Shiring est à huit lieues de Kingsbridge, si je ne me trompe!

– Madame, reprit Francis, la règle est que les marchés doivent être distants d'au moins six lieues. A cet égard, Kingsbridge et Shiring ne sont pas concurrents. »

Elle hocha la tête, disposée apparemment à accepter la version de Francis sur ce point de droit. Pour l'instant, songea le prieur, l'affaire ne se présentait pas trop mal.

« Vous demandez aussi, reprit Maud, le droit de prendre des pierres dans la carrière du comte de Shiring.

— Nous avons ce droit depuis bien des années, mais récemment le comte William a chassé nos carriers, tuant cinq...

— Qui vous a donné le droit de prendre de la pierre ? coupa-t-elle.

— Le roi Stephen...

— L'usurpateur ! »

Francis s'empressa d'intervenir : « Madame, le prieur Philip considère naturellement comme nuls tous les édits du prétendant Stephen tant qu'ils n'ont pas été ratifiés par vous. » Philip s'empêcha de protester, comprenant qu'il serait malavisé d'intervenir.

« J'ai fermé la carrière, balbutia William, en représailles pour la tenue de ce marché illégal ! »

C'était stupéfiant, se dit Philip, comment un cas flagrant d'injustice pouvait prendre l'apparence d'un débat équilibré entre les deux parties dès lors qu'on l'exposait devant un tribunal.

« Toute cette querelle, reprit Maud, a surgi parce que la décision première de Stephen était stupide. »

Pour la première fois l'évêque Waleran prit la parole. « Sur ce point, Madame, je suis entièrement d'accord avec vous, dit-il avec onctuosité.

— C'était chercher les ennuis que d'accorder la carrière à une personne et l'exploitation à une autre, dit-elle. La carrière doit appartenir à l'un ou à l'autre. »

C'était vrai, reconnut Philip. Si elle respectait l'esprit de la décision première de Stephen, la carrière reviendrait à Kingsbridge.

Maud reprit : « Ma décision est que cette carrière doit appartenir à mon noble allié, le comte de Shiring. »

Philip crut défaillir. La construction de la cathédrale ne pourrait pas continuer sans le libre accès à la carrière. Il faudrait suspendre les travaux le temps qu'il trouve de l'argent pour acheter des matériaux. Tout cela pour le caprice d'une écervelée ! Il bouillait de colère.

William salua : « Merci, madame.

— Toutefois, dit Maud, Kingsbridge aura droit de marché comme Shiring. »

94

Philip respira un peu mieux. Le marché ne paierait pas complètement la pierre, mais c'était un gros appoint. Il allait devoir recommencer à courir après l'argent, comme au début, mais au moins il pouvait continuer.

Maud avait donné demi-satisfaction à chacun. Peut-être après tout n'avait-elle pas la tête si vide.

« Droit de marché comme à Shiring, madame? répéta Francis.

– C'est ce que j'ai dit. »

Philip ne comprenait pas l'arrière-pensée de Francis. C'était couramment qu'on établissait une licence sur le modèle d'une autre. C'était équitable et cela évitait des écritures. Philip n'aurait qu'à s'appuyer exactement sur ce que disait la charte de Shiring. Peut-être y découvrirait-il des restrictions ou des privilèges inattendus.

« Ainsi, conclut Maud, vous avez tous les deux obtenu quelque chose. Le comte William a la carrière et le prieur Philip le marché. En retour, chacun de vous me paiera cent livres. » Elle se détourna.

Philip demeura abasourdi. Cent livres! Le prieuré pour l'instant n'avait même pas cent pennies. Où allait-il trouver l'argent? Il faudrait des années au marché pour rapporter cent livres. C'était un coup terrible qui remettait en cause et repoussait indéfiniment le programme de construction. Le prieur regardait Maud fixement mais elle s'était replongée dans sa conversation avec sa dame d'honneur. Francis donna un coup de coude à son frère qui ouvrit la bouche pour parler, mais Francis l'arrêta un doigt sur les lèvres. « Mais... », commença Philip. Francis secoua la tête avec insistance.

Le prieur savait que Francis avait raison. Il courba les épaules, vaincu, désemparé, se retourna et s'éloigna de la présence royale.

Francis ne put cacher son étonnement quand Philip lui fit visiter le prieuré de Kingsbridge. « Il y a dix ans, c'était un trou, dit-il cavalièrement. Tu lui as vraiment donné vie. »

Il aimait tout spécialement la bibliothèque que Tom avait terminée pendant que Philip était à Lincoln. Petite construction voisine de la salle capitulaire, elle avait de grandes fenêtres, un foyer avec une cheminée, une rangée de bureaux et un grand placard pour les livres. Quatre des frères étaient déjà au travail, debout derrière des lutrins, écrivant sur des feuilles de parchemin avec des plumes d'oie. Trois d'entre eux faisaient des travaux de copie : l'un les psaumes de David, un autre l'Évangile selon saint Matthieu, et le troisième la règle de saint Benoît. En outre, frère Timothy rédigeait une histoire d'Angleterre mais, comme il avait commencé depuis la création du monde, Philip craignait que le vieux moine ne la terminât jamais. La bibliothèque était petite – Philip n'avait pas voulu distraire trop de pierres de la cathédrale – mais douillette, sèche et bien éclairée. « Le prieuré manque cruellement de livres et comme ils sont horriblement coûteux à acheter, il ne nous reste plus qu'à copier pour constituer notre collection », expliqua Philip.

Dans le magasin se trouvait un atelier où un vieux moine enseignait à deux novices comment tendre une peau de mouton pour en faire du parchemin, comment relier les feuilles pour bâtir un volume et comment fabriquer de l'encre.

« Tu vas bientôt pouvoir vendre aussi tes livres, observa Francis.

– Oh oui! La bibliothèque sera plusieurs fois amortie. »

Ils quittèrent le bâtiment et traversèrent le cloître. C'était l'heure d'étude : la plupart des moines lisaient, quelques-uns méditaient, activité qui ressemblait fort à un petit somme, comme le fit remarquer Francis avec une pointe d'ironie. Dans un coin, une vingtaine d'écoliers récitaient des verbes latins. Philip s'arrêta, en désigna un du doigt. « Tu vois le petit garçon au bout du banc?

– Celui qui écrit sur une ardoise en tirant la langue? dit Francis.

– C'est le bébé que tu as trouvé dans la forêt.

– Lui! Mais il est méconnaissable!

– Il a cinq ans et demi. »

Francis hocha la tête avec étonnement. « Le temps passe si vite. Comment va-t-il?

– Les moines le gâtent trop, mais il s'en tirera. Nous nous sommes bien tirés nous-mêmes d'un cas semblable.

– Qui sont les autres élèves?

– Soit des novices, soit des fils de marchands ou de seigneurs de la région qui viennent apprendre à écrire et à compter. »

Sortant du cloître, ils débouchèrent sur le chantier. Un des murs de la nouvelle cathédrale était maintenant plus qu'à demi bâti. La vaste double rangée de puissants piliers atteignait quarante pieds de haut et tous les arcs qui les reliaient étaient terminés. Au-dessus de l'arcade, la tribune prenait forme. De chaque côté, on avait monté les murs inférieurs des bas-côtés, avec leurs arcs-boutants. Philip montra à son frère comment les maçons relieraient la partie supérieure de ces arcs-boutants au sommet de la tribune par des demi-arches permettant ainsi au contrefort de supporter le poids du toit.

Francis paraissait réellement impressionné. « C'est toi qui as réalisé tout ça, Philip, dit-il. La bibliothèque, l'école, la nouvelle église, et même ces maisons neuves dans la ville... Tout cela grâce à toi. »

Philip, touché, songea que personne ne lui avait jamais dit une chose pareille. Si on lui posait la question, il répondait que Dieu avait béni ses efforts. Mais, au fond de son cœur, il savait que Francis avait raison. Cette ville bourdonnante et prospère, c'était sa création.

Tom le bâtisseur les aperçut et s'approcha. « Vous avez fait d'étonnants progrès, lui dit Philip.

– Oui, mais regardez cela. » Tom désigna un coin de l'enceinte du prieuré, où on déposait la pierre livrée de la carrière. Là où d'habitude des centaines de blocs s'entassaient en rangées régulières, on n'en voyait plus qu'environ vingt-cinq éparpillées sur le sol. « Malheureusement, nos progrès signifient que nous avons bientôt épuisé notre stock de pierres. »

L'enthousiasme de Philip retomba d'un coup. Son œuvre était en péril à cause de l'injuste décision de Maud.

Les trois hommes longèrent le côté nord du chantier. La plupart des artisans maçons travaillaient à leurs établis, sculptant les pierres au marteau et au ciseau. Philip s'arrêta derrière un artisan pour étudier son travail. Avec un marteau léger et un petit ciseau, le maçon sculptait sur un chapiteau des feuilles, un motif subtil et des plus délicats. Surpris, Philip reconnut le jeune Jack, le beau-fils de Tom. « Je croyais que Jack était toujours apprenti, dit-il.

– En effet. » Tom continua son chemin et, quand ils furent hors de portée d'oreille, il reprit : « Ce garçon est remarquable. Il y a des hommes ici qui taillaient déjà la pierre avant qu'il soit né et aucun d'eux ne lui arrive à la cheville. » Il eut un rire un peu embarrassé. « Dire qu'il n'est même pas mon propre fils ! »

Le fils de Tom, Alfred, maintenant maître maçon, avait sa propre équipe d'apprentis et d'ouvriers, mais il ne se chargeait pas des travaux délicats. Philip se demanda ce que Tom en pensait au fond de son cœur.

Le maçon pensait à autre chose. Il aborda le problème de la licence à payer. « Heureusement, le marché va rapporter beaucoup d'argent, remarqua-t-il.

— Oui, mais pas assez. On peut espérer une cinquantaine de livres par an au début. »

Tom hocha la tête, préoccupé. « Ça paiera tout juste la pierre.

— Ce serait parfait si je n'avais pas cette taxe de cent livres à payer à Maud !

— Et la laine ? »

La laine qui s'accumulait dans les granges de Philip, une fois vendue à la foire aux toisons de Shiring dans quelques semaines, rapporterait une centaine de livres. « C'est avec ce bénéfice-là que je vais payer Maud. Mais il ne me restera rien pour les gages des artisans pendant les douze mois à venir.

— Vous ne pouvez pas emprunter ?

— Je l'ai déjà fait. Les Juifs ne prêteront pas davantage. Je me suis renseigné à Winchester. Ils ne prêtent d'argent que s'ils savent compter sur un remboursement assuré.

— Et Aliena ? »

Philip sursauta. Jamais il n'avait pensé à lui emprunter de l'argent. Elle avait plus de laine que lui dans ses granges, en effet. La foire aux toisons lui rapporterait environ deux cents livres. « Elle a besoin de son argent pour vivre. Quant à prêter de l'argent, les chrétiens ne peuvent pas percevoir d'intérêt. Si elle me prêtait quelque chose, elle n'aurait plus rien pour commercer. Encore que... » Tandis qu'il parlait une nouvelle idée se forgeait dans sa tête. Il se souvint qu'Aliena avait proposé de lui acheter toute sa production de laine d'un coup. Peut-être pourraient-ils mettre au point quelque chose... « Je crois que je vais lui parler quand même, dit-il. Elle est chez elle en ce moment ?

— Je pense que oui... Je l'ai vue ce matin.

— Viens, Francis. Je vais te faire rencontrer une remarquable jeune femme. » Ils quittèrent Tom et gagnèrent en hâte la ville. Aliena possédait deux maisons côte à côte adossées au mur ouest du prieuré. Elle vivait dans l'une et utilisait l'autre comme entrepôt. La jeune femme était riche. Il devait bien y avoir un moyen pour elle d'aider le prieuré à payer le droit exorbitant que réclamait Maud. Une vague idée se formait dans l'esprit de Philip.

Aliena était dans la grange, occupée à surveiller le déchargement d'un char à bœufs où s'entassaient des sacs de laine. Elle portait une pelisse de brocart, comme celle de la reine Maud, et les cheveux relevés sous une coiffe de lin blanc. D'un air autoritaire, comme toujours, elle guidait les deux hommes qui procédaient au déchargement en suivant ses ordres sans poser de questions. Tout le monde la respectait – et pourtant, chose étrange, elle n'avait pas d'amis proches. Elle accueillit Philip avec joie. « Quand nous avons entendu parler de la bataille de Lincoln, nous avons tous craint que vous ne soyez tué! » dit-elle. Une sincère inquiétude se lisait dans ses yeux et Philip fut ému de penser que des gens s'étaient souciés de son sort. Il fit les présentations.

« Vous a-t-on rendu justice, à Winchester? demanda Aliena.

– Pas exactement, répondit Philip. La reine Maud nous a accordé le marché, mais refusé la carrière. L'un compense plus ou moins l'autre. Mais elle réclame cent livres pour la licence du marché. »

Aliena demeura stupéfaite. « C'est terrible! Lui avez-vous dit que le revenu du marché passait entièrement dans la construction de la cathédrale?

– Oh oui!

– Où allez-vous trouver cent livres?

– J'ai pensé que vous pourriez peut-être nous aider.

– Moi? fit Aliena, prise au dépourvu.

– Dans quelques semaines, quand vous aurez vendu votre laine aux Flamands, vous aurez deux cents livres ou davantage. »

Aliena se troubla. « Je vous les donnerais de bon cœur, mais j'en ai besoin pour me procurer ma marchandise l'année suivante.

– Vous vous rappelez que vous vouliez m'acheter ma laine en bloc?

– Oui, mais il est trop tard maintenant. Je voulais le faire au début de la saison. D'ailleurs, vous allez bientôt pouvoir la vendre vous-même.

– Je pensais... dit Philip. Est-ce que je pourrais vous vendre la production de l'année prochaine? »

Elle fronça les sourcils. « Vous ne l'avez pas encore.

99

— Pourrais-je vous la vendre avant de l'avoir ?

— Je ne vois pas comment.

— C'est bien simple. Vous me donnez l'argent maintenant. Je vous donne la laine l'an prochain. »

Cette proposition dérouta Aliena. Jamais on n'avait encore traité de cette façon. Le système n'était pas moins nouveau pour Philip aussi : il venait de l'inventer.

Songeuse, Aliena reprit lentement : « Si j'achète maintenant, ce sera à un prix inférieur à ce que vous obtiendriez normalement l'an prochain. D'ailleurs, le prix de la laine montera sûrement d'ici là. Ça a été le cas tous les ans depuis que je suis dans le métier.

— En somme, je perds un peu et vous gagnez un peu, dit Philip. Mais moi je m'assure encore un an de chantier.

— Et l'année prochaine ?

— Je ne sais pas. Peut-être vous proposerai-je la laine de l'année suivante. »

Aliena hocha la tête sans répondre.

Philip lui prit les mains et la regarda dans les yeux. « Si vous acceptez, Aliena, vous sauvez la cathédrale », dit-il avec ferveur.

La jeune femme avait l'air grave. « Vous m'avez sauvée jadis, n'est-ce pas ?

— En effet.

— Je ferai la même chose pour vous.

— Dieu vous bénisse ! » Débordant de gratitude, il la serra dans ses bras. Puis il eut conscience de la situation et se dégagea hâtivement. « Je ne sais comment vous remercier, dit-il. Je me croyais fini. »

Aliena se mit à rire : « Je ne crois pas que je mérite une telle gratitude. Je trouve mon avantage à cet arrangement, vous savez.

— Je l'espère.

— Buvons une coupe de vin ensemble pour sceller le marché, dit-elle. Le temps que je paye le charretier, j'arrive ! »

La charrette était débarrassée, les ballots de laine soigneusement empilés. Philip et Francis sortirent tandis qu'Aliena payait son dû au charretier. Comme le soleil descendait à l'horizon, les ouvriers du chantier regagnaient leurs maisons. Philip retrouvait son enthousiasme. Malgré tous les obstacles, il continuait.

« Dieu bénisse Aliena !

— Tu ne m'avais pas dit qu'elle était si belle, observa Francis.

100

– Belle? Sans doute, oui... »

Francis éclata de rire. « Philip, tu es aveugle! C'est une des plus belles femmes que j'aie jamais vues. Elle a de quoi damner un prêtre. »

Philip regarda sévèrement son frère. « Te rends-tu compte de tes paroles?

– Pardon. »

Aliena ferma la grange à clé. Puis, tous trois, ils entrèrent chez elle. Sa maison était vaste, faite d'une pièce principale et d'une chambre séparée. Il y avait un tonneau de bière dans le coin, un jambon entier pendu à une poutre et une nappe de toile blanche sur la table. Une servante entre deux âges versa du vin d'une flasque dans des gobelets d'argent. Aliena vivait confortablement. Tout de même, une telle beauté, se demanda Philip, pourquoi n'a-t-elle pas trouvé un mari? Les prétendants ne manquaient pas : elle avait été courtisée par tous les jeunes gens du comté, mais elle les avait tous éconduits. Il aurait tellement voulu la voir heureuse!

Aliena, elle, pensait encore aux détails pratiques : « Je ne disposerai pas de l'argent avant la fin de la foire aux toisons, dit-elle lorsqu'ils eurent bu à leur contrat.

– Maud attendra bien jusque-là? demanda Philip à Francis.

– Combien de temps?

– La foire a lieu dans trois semaines. »

Francis acquiesça. « Je lui expliquerai. Elle attendra. »

Aliena dénoua sa coiffe et secoua ses boucles brunes en poussant un soupir las. « Les journées sont trop courtes, dit-elle. Je n'arrive pas à tout faire. Il faut que j'achète davantage de laine, mais je dois trouver d'autres charretiers pour transporter la marchandise à Shiring.

– L'an prochain, dit Philip, vous en aurez davantage.

– Je voudrais amener les acheteurs flamands ici. Ce serait bien plus facile pour tous que d'apporter toute notre laine à Shiring.

– Vous le pouvez », intervint Francis.

Aussi étonné qu'Aliena, Philip réagit le premier : « Comment? Que veux-tu dire?

– Organisez votre propre foire aux toisons. »

Philip comprit très vite. « Tu crois que nous en avons le droit?

– Maud vous a donné exactement les mêmes droits que Shiring. C'est moi-même qui ai rédigé ta charte. Si Shiring peut avoir sa foire aux toisons, toi aussi.

101

– Oh! s'écria Aliena, ce serait merveilleux. Plus de transport jusqu'à Shiring! Nous traiterions les affaires ici et on expédierait la laine directement dans les Flandres.

– Ce n'est pas tout, ajouta Philip, tout excité. Une foire aux toisons rapporte autant en une semaine qu'un marché du dimanche en un an. Nous ne commencerons pas cette année, bien sûr, c'est trop tard pour lancer l'information. Mais nous annoncerons la nouvelle à la foire de Shiring, nous donnerons la date de la nôtre, nous préviendrons tous les acheteurs...

– Ça va changer les choses à Shiring, remarqua Aliena. Vous et moi sommes les plus gros vendeurs de laine du comté. Si nous nous retirons tous les deux, la foire de Shiring perdra la moitié de son importance.

– William Hamleigh va mal réagir si ses revenus diminuent, dit Francis. Attendons-nous à une grosse colère! »

Philip ne put maîtriser un frisson de répugnance.

« Et alors? répliqua Aliena. Si Maud nous a donné la permission, nous ne risquons rien. William ne peut pas s'opposer à notre projet, n'est-ce pas?

– J'espère que non, dit Philip avec ferveur. J'espère que non. »

7

Le jour de la Saint-Augustin, le travail cessait à midi. La plupart des bâtisseurs accueillaient la cloche avec un soupir de soulagement. Ils travaillaient en général du lever au coucher du soleil, six jours par semaine, aussi avaient-ils bien besoin du repos qu'on leur accordait les jours fériés. Mais Jack était trop absorbé dans son travail pour entendre le signal.

Il adorait tirer de la pierre dure des formes douces et rondes. La pierre avait sa volonté à elle et, s'il essayait de la forcer, elle se défendait : le ciseau glissait ou s'enfonçait trop profondément. Mais une fois qu'il avait appris à connaître le bloc qu'il avait devant lui, il pouvait en faire ce qu'il voulait. Plus la tâche était difficile, plus elle le fascinait. Il trouvait maintenant que les sculptures décoratives réclamées par Tom étaient trop faciles. Les zigzags, les losanges, les festons, les spirales, les simples moulures l'ennuyaient, et même les feuilles devenaient monotones. Il avait envie de sculpter du feuillage qui eût l'air naturel, de copier les différentes formes de feuilles : chêne, frêne et bouleau... Malheureusement Tom ne le lui permettait pas. Mais, surtout, il rêvait de scènes représentant des histoires : Adam et Ève, David et Goliath, le jour du jugement, des monstres, des démons, des êtres humains dans le plus simple appareil. Il n'osait pas en demander la permission.

Tom vint lui-même l'interrompre. « C'est férié, mon garçon, dit-il. D'ailleurs, j'ai besoin de toi pour m'aider à mettre de l'ordre. Tous les outils doivent être rangés avant le dîner. »

Jack posa son marteau et son ciseau, puis rangea avec soin, dans la cabane de Tom, la pierre sur laquelle il travaillait ; ensuite il fit le tour du chantier avec Tom. Les autres apprentis balayaient les éclats de pierre, le sable, les miettes de mortier séché, les copeaux qui jonchaient le chantier. Tom ramassa ses compas et ses niveaux, tandis que Jack récupérait les mesures et les fils à plomb. Ils emportèrent le tout dans la cabane. C'était là que Tom entreposait ses perches, de longues tiges de fer, de section carrée et parfaitement droites ; toutes exactement de même longueur. Il les gardait dans un râtelier spécial en bois, fermé à clé. C'étaient ses bâtons de mesure.

Jack garda une même idée en tête tout en poursuivant la tournée du chantier, ramassant aux passage des cuves à mortier et des pelles. « Quelle est la longueur d'une perche ? » demanda-t-il finalement. Les maçons qui l'entendirent se mirent à rire. Ils trouvaient souvent ses questions déconcertantes. Edward le Petit, un vieux maçon rabougri, à la peau boucanée et au nez crochu, répondit : « Une perche est une perche », et les rires redoublèrent. Ils aimaient taquiner les apprentis, surtout si cela leur donnait l'occasion de faire étalage de leurs connaissances. Jack avait horreur qu'on se moquât de son ignorance, mais la curiosité l'emportait toujours chez lui. « Je ne comprends pas, dit-il humblement.

— Un pouce est un pouce, un pied est un pied, et une perche est une perche », répondit Edward.

Une perche était donc une unité de mesure. « Combien y a-t-il de pieds dans une perche ?

— Ah ! ah ! Ça dépend. Dix-huit à Lincoln, seize dans les Midlands. »

Tom précisa d'une voix calme : « Sur ce chantier, il y a quinze pieds dans une perche.

— A Paris, dit une femme maçon d'un certain âge, on n'utilise pas la perche, rien que la toise qui fait six pieds.

— Tout le plan de l'église, expliqua Tom à Jack, est calculé en perches. Va m'en chercher une, je vais te montrer. Il est temps que tu connaisses ces choses-là. » Il donna la clé à Jack.

Il entra dans la cabane où il choisit une perche au ratelier. Avec surprise, il découvrit qu'elle était très lourde. Tom aimait bien expliquer les choses et Jack adorait écouter. L'organisation du chantier de construction représentait un motif compliqué, comme le tissage d'un manteau de brocart ; son enthousiasme grandissait à mesure qu'il comprenait.

Tom se tenait dans le bas-côté, à l'extrémité ouverte du chœur à demi construit, à l'emplacement de la croisée. Il prit la perche et la posa sur le sol, pour qu'elle couvre la largeur du bas-côté. « Du mur extérieur jusqu'au milieu du pilier de l'arcade, cela fait une perche. » Il prit la mesure suivante. « De là jusqu'au milieu de la nef, encore une perche. » Il fit basculer la perche et elle atteignit le milieu du pilier opposé. « La nef a deux perches de large. » Il la retourna et elle arriva jusqu'au mur du bas-côté opposé. « Toute l'église a quatre perches de large.

— Oui, renchérit Jack. Et chaque baie doit mesurer une perche de long. » Tom s'étonna. « Qui t'a dit cela ?

— Personne. Les baies des bas-côtés sont carrées, donc, si elles ont une perche de large, elle doivent avoir une perche de long. Et les baies de la nef ont la même longueur que celles des bas-côtés, évidemment.

— Évidemment, dit Tom. Tu devrais être philosophe, mon garçon. » Il y avait dans sa voix un mélange de fierté et d'irritation. Il était content que Jack comprît rapidement, irrité de voir ce jeune garçon pénêtrer si facilement les mystères de l'architecture.

Trop absorbé par ses découvertes, Jack ne prêta pas attention à l'humeur de Tom. « Alors, dit-il, le chœur a quatre perches de long. L'église tout entière aura douze perches quand elle sera terminée. » Une autre question lui vint à l'esprit : « Quelle sera la hauteur ?

— Six perches de haut. Trois pour l'arcade, une pour la tribune et deux pour les fenêtres hautes.

— Pourquoi mesure-t-on en perches ? Pourquoi pas bâtir à l'œil, comme une maison ?

— D'abord, parce que c'est plus économique. Tous les arcs de l'arcade étant identiques, nous pouvons réutiliser les coffrages. Moins on a de formes et de tailles de pierres différentes, moins il faut préparer de gabarits, et ainsi de suite. D'autre part, ce système simplifie toutes les étapes de notre travail depuis l'élaboration du plan – tout est basé sur un carré d'une perche de côté – jusqu'à la peinture des murs : on estime plus facilement la quantité de blanc de chaux quand on connaît les surfaces à peindre. On commet moins d'erreurs. Ce qui coûte le plus cher dans une construction, ce sont les erreurs. Enfin, et c'est important, les calculs de mesures permettent de respecter les proportions. La proportion, c'est le cœur de la beauté. »

105

Jack acquiesça, enchanté. La difficulté de mener à bien une opération aussi ambitieuse et complexe que la construction d'une cathédrale le passionnait. L'idée que les principes de la régularité de la répétition pouvaient tout à la fois simplifier la construction et aboutir à un édifice harmonieux le séduisait. Mais il doutait que la proportion fût au cœur de la beauté. Il avait le goût des choses folles et désordonnées : les hautes montagnes, les vieux chênes et la chevelure d'Aliena.

Il dévora avidement son dîner, puis quitta le village en direction du nord. En ce début d'été, la journée était chaude, il marchait pieds nus. Depuis que sa mère et lui étaient venus s'installer définitivement à Kingsbridge et qu'il avait commencé à travailler, il retournait de temps en temps dans la forêt. Il aimait dépenser son énergie, courir et sauter, grimper aux arbres et abattre des canards avec sa fronde. Il fallait qu'il s'habitue à ce nouveau corps, plus grand et plus fort, qui était le sien maintenant. Quand il était fatigué, il se promenait en pensant à différentes questions : pourquoi la proportion était l'essence de la beauté, comment les bâtiments tenaient debout et à quoi ressemblait le corps d'Aliena.

Depuis des années, il l'adorait de loin. L'image qu'il gardait d'elle, c'était la première qu'il avait vue, lorsqu'elle descendait l'escalier qui menait à la grande salle d'Earlscastle. A ce moment-là, il avait vu en elle une princesse de conte. Elle était restée depuis une figure lointaine. Elle parlait au prieur Philip, à Tom le bâtisseur, à Malachi le Juif et aux autres riches et puissants de Kingsbridge. Jack n'avait jamais eu l'occasion de lui adresser la parole. Il se contentait de la regarder en train de prier à l'église, montant son palefroi ou assise au soleil devant sa maison, vêtue de coûteuses fourrures en hiver, de la toile la plus fine en été, ses cheveux défaits encadrant son beau visage. Avant de s'endormir, il pensait à ce que serait son corps sans vêtements. Il l'imaginait nue et l'embrassait tendrement sur la bouche.

Depuis quelques semaines, il souffrait de ses rêveries sans espoir. Il ne lui suffisait plus de voir Aliena de loin, de surprendre ses conversations avec d'autres et d'imaginer des caresses qu'il ne faisait jamais. Il avait besoin de réalité.

Plusieurs filles de son âge auraient pu répondre à ses désirs. Les apprentis discutaient souvent entre eux des filles, faisaient mille suppositions sur les chances qu'ils pourraient avoir avec l'une ou

106

l'autre. En fait, la plupart des jeunes filles entendaient rester vierges jusqu'à leur mariage, comme le voulait l'Église. N'empêche qu'on pouvait faire certaines choses sans danger, c'était du moins ce que prétendaient les apprentis. De leur côté, les filles trouvaient Jack un peu étrange – elles avaient sans doute raison, estimait-il – mais une ou deux parmi elles aimaient cette étrangeté séduisante.

Un dimanche, après l'église, il avait engagé la conversation avec Edith, la sœur d'un camarade apprenti ; mais quand il lui avait parlé de son bonheur à sculpter la pierre, elle s'était mise à pouffer. Le dimanche suivant, il était allé se promener dans les champs avec Ann, la blonde fille du tailleur. Ils n'avaient pas beaucoup parlé, mais il l'avait embrassée, puis ils s'étaient allongés dans un champ d'orge vert. Il l'avait caressée, elle lui avait rendu ses baisers avec enthousiasme. Puis, soudain, elle s'était écartée et lui avait dit : « La fille à qui tu penses, qui est-ce ? » Stupéfait, Jack avait pris conscience qu'en effet, à cet instant précis, il pensait à Aliena. Il avait essayé de détourner la conversation, mais Ann avait insisté : « Je ne sais pas qui c'est, mais elle a de la chance. » Ils étaient rentrés ensemble à Kingsbridge puis à nouveau, avant de se séparer, Ann avait ajouté : « Ne cherche pas à l'oublier, tu perdrais ton temps. C'est d'elle que tu as envie, alors tente ta chance. » Elle lui avait souri tendrement en disant : « Tu es mignon. Ce ne sera peut-être pas aussi difficile que tu le penses. »

Tant de gentillesse avait éveillé ses remords, d'autant plus que c'était une des filles qui plaisaient le plus aux apprentis. Leurs conversations, leurs plaisanteries sur le sujet lui semblaient maintenant si puérils qu'il en était gêné. Quant à la femme à laquelle il pensait, s'il avait révélé son nom à Ann, celle-ci n'aurait peut-être pas été aussi encourageante. Jack et Aliena formaient le couple le plus invraisemblable que l'on pût concevoir. Aliena avait vingt-deux ans, lui dix-sept ; c'était la fille d'un comte, lui était un bâtard ; c'était une riche marchande de laine, lui un apprenti sans le sou. Pire encore : elle était connue pour le nombre de prétendants qu'elle avait évincés. Tous les jeunes seigneurs du comté, les fils aînés de tous les riches marchands étaient venus à Kingsbridge lui faire la cour, et tous étaient repartis déçus. Comment Jack aurait-il eu la moindre chance, lui qui n'avait rien à offrir que lui-même ?

Aliena et lui partageaient au moins une chose : ils aimaient la forêt. Ce goût les mettait à part. Les gens préféraient en général les champs et les villages, réputés plus sûrs. Mais Aliena allait souvent se promener dans les bois près de Kingsbridge; il existait même un endroit isolé où elle aimait s'arrêter et s'asseoir. Jack l'y avait vue une ou deux fois. Elle ne l'avait pas aperçu : il marchait sans bruit, comme il l'avait appris dans son enfance lorsque la forêt devait le nourrir.

Il se dirigeait vers la clairière d'Aliena sans la moindre idée de ce qu'il ferait s'il la trouvait. Il rêvait de s'allonger à côté d'elle et de caresser son corps. Lui parler? Mais que dirait-il? Les filles de son âge, il pouvait les taquiner. Par exemple, il avait agacé Edith tout un après-midi en lui faisant croire que son frère racontait des horreurs sur son compte. Ann, il l'avait abordée sans détours : « Aimerais-tu te promener avec moi dans les bois? » Mais, lorsqu'il essayait d'imaginer une façon d'aborder Aliena, le vide se faisait dans son esprit. D'abord, pour lui, elle appartenait à la génération précédente, si grave, si responsable. Elle ne l'avait pas toujours été, il le savait : à dix-sept ans, elle aimait bien s'amuser. Depuis, elle avait subi de terribles épreuves. Mais la jeune fille gaie devait exister encore chez cette femme grave, ce qui, pour Jack, la rendait plus fascinante.

Il arrivait près de l'endroit favori d'Aliena. Dans la chaleur du jour, la forêt était silencieuse. Lui-même marchait sans bruit dans les buissons. Il voulait devancer ses regards. Il n'était pas encore sûr d'avoir le courage de l'aborder, il craignait une rebuffade. Le premier jour de son retour à Kingsbridge, ce dimanche de Pentecôte où les volontaires s'étaient présentés pour travailler à la cathédrale, il lui avait parlé sans trouver les mots qu'il fallait. Depuis c'était à peine s'il lui avait adressé la parole en quatre ans. Il ne voulait pas répéter cette erreur.

Soudain, en se penchant derrière le tronc d'un hêtre, il l'aperçut.

Elle avait choisi un endroit charmant. Une petite chute d'eau coulait dans une mare profonde entourée de pierres couvertes de mousse. Le soleil brillait sur les bords. A quelques pas en arrière, dans l'ombre des hêtres, Aliena était assise et lisait un livre.

Jack n'en revenait pas. Une femme en train de lire? En plein air? Seuls les moines lisaient, et encore seulement la messe! Le livre d'Aliena avait un aspect inhabituel, il était bien plus petit que les volumes de la bibliothèque du prieuré; on l'aurait cru spécialement conçu pour une femme. Sa surprise l'emporta sur sa timidité. Il se fraya un chemin à travers les buissons et déboucha dans sa clairière. « Qu'est-ce que vous lisez? » demanda-t-il sans s'annoncer.

Aliena sursauta et leva la tête vers lui. Il vit qu'il l'avait effrayée. Il comprit sa maladresse : une fois encore il risquait de l'avoir froissée. Aliena porta la main droite à sa manche gauche. Il se rappela qu'autrefois elle y dissimulait un poignard. Mais alors elle le reconnut et sa peur disparut aussi rapidement qu'elle avait surgi. Elle parut soulagée puis – pour le désespoir de Jack – légèrement agacée. Il se sentit comme un intrus et faillit tourner les talons pour replonger dans la forêt. Mais, craignant de ne pas retrouver l'occasion de lui parler, il affronta son regard distant et murmura : « Je suis désolé de vous avoir effrayée.

– Tu ne m'as pas effrayée », répondit-elle vivement.

Il savait qu'elle disait faux, mais il ne voulut pas insister. Il répéta sa question : « Qu'est-ce que vous lisez? »

Elle jeta un coup d'œil au volume relié posé sur son genoux et son expression changea. Une sorte de mélancolie passa sur son visage. « Mon père a trouvé ce livre lors de son dernier voyage en Normandie. Il me l'a rapporté. Quelques jours plus tard, on le jetait en prison. »

Jack s'approcha pour regarder la page ouverte. « C'est en français! s'écria-t-il.

– Comment le sais-tu? s'étonna-t-elle. Tu sais lire?

– Oui. Mais je croyais que tous les livres étaient en latin.

– Presque tous. Celui-ci est différent. C'est un poème qui s'appelle " Le roman d'Alexandre ". »

Jack pensait : Enfin... je lui parle! C'est merveilleux! Mais que dire maintenant? Comment continuer? Il chercha ses mots. « Euh... de quoi parle-t-il?

– C'est l'histoire d'un roi du nom d'Alexandre le Grand et on y raconte comment il a conquis des pays merveilleux en Orient où des pierres précieuses poussent dans les vignes et où les plantes parlent. »

Jack en oublia sa timidité : « Comment les plantes peuvent-elles parler? Elles ont des bouches?

109

– Le livre ne le dit pas.

– Vous croyez que c'est une histoire vraie? »

Elle le regarda avec intérêt et il contempla ses beaux yeux sombres. « Je ne sais pas, dit-elle, je me demande toujours si les histoires sont vraies. La plupart des gens s'en moquent : ils aiment simplement les histoires.

– Sauf les prêtres. Ils croient toujours que les histoires sacrées sont vraies.

– Oh! Mais elles sont vraies... »

Jack doutait autant des histoires saintes que des autres; mais sa mère, qui lui avait enseigné le scepticisme, lui avait aussi appris la discrétion. Il ne s'attarda pas sur ce point. Par ailleurs, il s'efforçait de ne pas regarder le corps d'Aliena, de ne pas montrer son trouble. Il chercha à reprendre la conversation. « Je connais beaucoup d'histoires. Je connais « La chanson de Roland », et « Le pèlerinage de Guillaume d'Orange »...

– Comment les connais-tu?

– Je peux les réciter.

– Comme un trouvère?

– C'est quoi un trouvère?

– Un voyageur qui raconte des histoires. »

Jack faisait là une autre découverte. « Je n'en ai jamais entendu parler.

– Il y en a beaucoup en France. Quand j'étais enfant, j'allais souvent dans ce pays. J'adorais les trouvères.

– Mais comment font-ils? Ils s'installent dans la rue pour raconter leurs histoires?

– Parfois oui. Ils vont dans les grandes salles des châteaux les jours de fête. Ils se produisent sur les marchés et dans les foires. Ils donnent le spectacle aux pèlerins devant les églises. Les grands barons ont parfois leurs propres trouvères. »

Jack eut soudainement conscience de tenir avec Aliena une véritable discussion comme jamais il ne pourrait le faire avec aucune autre fille de Kingsbridge. Aliena et lui étaient les seuls de cette ville, à part sa propre mère, à connaître les romans de chevalerie français. Ils partageaient alors un même intérêt! Cette pensée le troubla tellement qu'il perdit le fil de ses pensées et se retrouva muet.

Par bonheur, elle poursuivait. « D'ordinaire, le trouvère joue du violon en récitant l'histoire. Il joue vite, des notes aiguës pour les batailles, lentement et doucement quand deux personnages sont amoureux, saccadé quand c'est drôle.

– J'aimerais bien savoir jouer du violon, dit-il, pensif.

– Tu sais vraiment réciter des histoires ? » demanda-t-elle.

Il n'arrivait pas à croire qu'elle s'intéressait sincèrement à sa personne, que ses questions s'adressaient à lui. La curiosité embellissait encore les traits d'Aliena. « C'est ma mère qui m'a appris, dit-il. On vivait dans la forêt, nous deux tout seuls. Elle me répétait sans cesse les mêmes histoires.

– Mais comment peux-tu t'en souvenir ? Certaines sont si longues qu'il faut des jours pour les raconter entièrement.

– Je ne sais pas. C'est comme suivre son chemin dans la forêt. On n'a pas toute la forêt dans l'esprit, mais en chaque endroit on sait quelle direction prendre. » En regardant le texte de son livre, un autre détail le frappa. Il s'assit sur l'herbe auprès d'Aliena pour vérifier de plus près. « Les rimes sont différentes », dit-il.

Elle ne comprenait pas ce qu'il voulait dire. « Différentes ?

– Plus riches. Dans " La chanson de Roland ", le mot *cheval* rime avec *manne* ou avec *balle*. Dans votre livre, *cheval* rime avec *val*, mais pas avec *manne*; *armure* rime avec *murmure* mais pas avec *amour*. C'est une façon complètement différente de rimer. Mais c'est mieux. Beaucoup mieux. J'aime bien ces rimes-là.

– Voudrais-tu... » Elle semblait hésiter. « Voudrais-tu me réciter un peu de " La chanson de Roland " ? »

Jack se déplaça légèrement pour mieux la voir. L'intensité de son regard, la flamme qui brillait dans ses yeux ensorcelants faisaient monter en lui une émotion qui lui serrait la gorge. Il toussa, puis commença.

Charles le roi, notre empereur, le Grand,
est resté sept ans tout pleins en Espagne :
il a conquis jusqu'à la mer la terre haute.
Il n'y a pas de château qui résiste devant lui ;
il n'est resté ni mur ni cité à forcer,
hors Saragosse, qui est sur une montagne.
Le roi Marsile la tient, qui n'aime pas Dieu,
il sert Mahomet et invoque Apollon :
il ne peut empêcher que le malheur ne l'atteigne là-bas.

111

Jack s'arrêta. « Tu la connais par cœur! s'exclama Aliena. C'est vrai! Comme un trouvère.

– Vous avez vu pour les rimes?

– Oui, mais peu importe, c'est l'histoire que j'aime. Récite-m'en davantage, » dit-elle.

Jack crut qu'il allait s'évanouir tant son bonheur était grand. « Si vous voulez », répondit-il d'une voix à peine audible. Il la regarda dans les yeux et entama la seconde strophe.

8

Le premier jeu du soir de la Saint-Jean était celui du pain aux devinettes. Comme souvent, il contenait une part de superstition qui mettait Philip mal à l'aise. Mais s'il fallait proscrire tous les rites liés aux anciennes religions, la moitié des traditions disparaîtrait – ou plutôt continuerait en cachette. Philip pratiquait donc une tolérance discrète et n'intervenait qu'en cas d'excès.

Les moines avaient dressé des tables sur l'herbe au bout de l'enclos du prieuré. Les aides-cuisiniers transportaient déjà à travers la cour des marmites fumantes. Le prieur, en tant que seigneur du manoir, devait célébrer les jours de fêtes importantes par des réjouissances offertes à ses locataires. La politique de Philip était la suivante : générosité en ce qui concernait la nourriture, modération pour les boissons. Aussi servait-il de la petite bière et pas de vin. Il y avait pourtant toujours cinq ou six incorrigibles qui réussissaient à s'enivrer à mort chaque fois.

Les notables de Kingsbridge étaient assis à la table de Philip : Tom le bâtisseur et sa famille; les maîtres artisans, y compris Alfred, le fils aîné de Tom; les marchands, parmi lesquels Aliena, mais pas Malachi le Juif, qui se joindrait aux festivités plus tard, après le service.

Philip réclama le silence pour dire le *Benedicite*; puis il tendit à Tom la miche de pain aux devinettes. A mesure que les années passaient, Philip appréciait de plus en plus le maçon. Rares étaient ceux qui disaient ce qu'ils pensaient et faisaient ce qu'ils disaient. Tom réagissait aux surprises, aux crises et aux désastres en pesant calmement les conséquences, en estimant les dégâts, en prévoyant

113

la meilleure façon de réagir. Philip lui portait une réelle affection. Tom ne ressemblait plus guère à l'homme qui était venu au prieuré cinq ans plus tôt, pour quémander du travail. C'était alors un être épuisé, hagard et si maigre que ses os semblaient prêts à percer sa peau tannée par les intempéries. Son corps avait repris forme, surtout depuis le retour de sa compagne, les muscles habillaient désormais sa grande carcasse et le désespoir avait depuis longtemps disparu de son regard. Il était vêtu avec soin d'une tunique de drap de Lincoln vert, de chaussures de cuir souple et d'une ceinture à boucle d'argent.

Il revenait aussi à Philip de poser la question à laquelle répondrait la pain aux devinettes. « Combien faudra-t-il d'années, dit-il, pour terminer la cathédrale ? »

Tom mordit une bouchée de pain. A la pâte avait été mêlées de petites graines dures et, au fur et à mesure que Tom les recrachait dans sa main, chacun comptait tout haut. Trente ! Philip fit mine d'être consterné. Tom hocha la tête : « Il va falloir que je vive encore tout ce temps-là ! » Tout le monde se mit à rire.

Tom passa le pain à Ellen. Philip se méfiait beaucoup de cette femme. Comme la reine Maud, elle exerçait un pouvoir magique sur les hommes, contre lequel Philip ne pouvait rien. Le jour où elle avait été chassée du prieuré, elle avait commis un acte épouvantable, que Philip n'évoquait encore qu'avec peine. Pensant ne jamais la revoir, à sa grande horreur il avait dû non seulement la recevoir à son retour, mais encore – Tom l'avait tellement supplié – lui pardonner. Le maçon avait habilement démontré que, si Dieu pouvait pardonner le péché d'Ellen, Philip n'avait pas le droit de refuser. Le prieur, pourtant, soupçonnait la femme de ne pas éprouver un grand repentir. Mais Tom avait présenté sa requête le jour même où les volontaires étaient venus sauver la cathédrale et le moine s'était vu contraint d'accéder au vœu de Tom. Le couple avait été marié dans l'église paroissiale, un petit bâtiment de bois au village, qui existait depuis plus longtemps que le prieuré. Depuis lors, Ellen avait eu une conduite irréprochable et n'avait donné à Philip aucune raison de regretter sa décision. Néanmoins, elle continuait de le mettre mal à l'aise.

Tom posa la question : « Combien y a-t-il d'hommes qui t'aiment ? »

Elle prit ostensiblement une minuscule bouchée de pain, ce qui

114

provoqua de nouveaux rires. Les questions avaient toujours tendance à glisser vers les plaisanteries douteuses. Philip savait qu'en son absence elles tourneraient carrément à la grivoiserie.

Ellen compta trois grains. Tom feignit d'être scandalisé. « Je vais vous dire qui sont mes trois amoureux », dit Ellen. Philip pria intérieurement pour qu'elle garde un minimum de discrétion. « Le premier est Tom. Le second est Jack. Et le troisième, Alfred. On applaudit à sa repartie et le pain continua de circuler. Ce fut le tour de Martha, la fille de Tom, une enfant timide, d'une douzaine d'années. Le pain lui annonça trois maris, ce qui semblait bien peu probable.

Martha passa le pain à Jack et, dans le mouvement, Philip surprit la lueur qui brillait dans ses yeux. Son demi-frère était pour elle un héros.

Ce Jack intriguait Philip. Après avoir été un enfant plutôt laid, avec des cheveux roux, une peau pâle et des yeux verts un peu exorbités, ses traits s'étaient ordonnés et avaient pris un tour tellement séduisant qu'on se retournait parfois pour le dévisager. Mais, de caractère, il se montrait aussi difficile que sa mère. Manœuvre d'un tailleur de pierres, il avait lamentablement échoué. Au lieu de fournir régulièrement le mortier et les pierres, il se dépêchait de préparer de quoi tenir la journée et filait à ses occupations. On ne le revoyait plus. Un jour, considérant qu'aucune des pierres du chantier ne convenait à la sculpture qu'il avait à faire, il était allé sans rien dire à personne jusqu'à la carrière pour choisir lui-même celle qui lui plaisait. Il l'avait rapportée, sur un poney emprunté, deux jours plus tard. Mais on lui pardonnait volontiers ses excentricités, d'abord pour ses qualités de sculpteur, ensuite pour sa sympathie, un trait, selon Philip, qu'il n'avait certainement pas hérité de sa mère. Le prieur avait réfléchi à l'avenir du garçon. S'il entrait dans l'Église, il pourrait fort bien finir évêque.

Martha posa la question à Jack : « Combien d'années avant que tu te maries ? »

Jack rompit un tout petit morceau de pain : il avait hâte, apparemment, de trouver l'âme sœur. Avait-il quelqu'un en vue ? se demanda Philip qui l'avait vu faire. Dépité, Jack se retrouva la bouche pleine de grains et, à mesure que l'assemblée les comptait, le rouge lui montait au visage. Le total se chiffrait à trente et un. « Ah non! J'aurai quarante-huit ans! » protesta-t-il. Tout le monde rit et applaudit à la rapidité de ce calcul mental. Même Milius l'économe n'aurait pas fait mieux.

Jack était assis auprès d'Aliena, Philip se rendit compte qu'il les avait vus ensemble plusieurs fois cet été. C'était sans doute leur intelligence exceptionnelle qui les réunissait. A Kingsbridge, rares étaient ceux qui pouvaient se mettre au niveau d'Aliena. Et Jack, malgré toute son indiscipline, était plus mûr que les autres apprentis. Philip restait néanmoins intrigué par leur amitié car, à leur âge, cinq ans constituaient une grande différence.

A son tour Jack passa le pain à Aliena et lui renvoya la question : « Dans combien d'années vous marierez-vous? »

Il y eut des grognements déçus. On attendait une question différente, car le jeu était un exercice d'esprit et de raillerie. Mais Aliena, connue pour le nombre de prétendants qu'elle avait évincés, fit rire tout le monde en prenant une énorme bouchée de pain, indiquant par là que le mariage n'était pas son souci immédiat. Mais son stratagème ne réussit pas : elle ne recracha qu'un seul grain.

Si elle devait se marier l'an prochain, songea Philip, le futur époux n'était encore pas apparu sur la scène. De toute façon, il ne croyait pas au pouvoir de prédiction du pain. Aliena mourrait plutôt vieille fille – encore que, d'après la rumeur, elle n'était plus fille, car le bruit courait en effet qu'elle avait été séduite, ou violée, par William Hamleigh.

Aliena passa le pain à son frère Richard, mais Philip n'entendit pas la question. Il pensait toujours à Aliena. Cette année, comme le prieur lui-même, elle n'avait pas réussi à vendre toute sa laine. Le surplus n'était pas très important – moins d'un dixième du stock de Philip et moins encore pour Aliena – mais il le ressentait comme un échec décourageant. D'autre part, il avait craint que, dans ces conditions, elle ne revienne sur l'accord conclu pour l'année suivante, mais elle s'en était tenue aux termes de leur marché et lui avait versé cent sept livres.

La grande nouvelle annoncée à la foire aux toisons de Shiring – l'ouverture l'année suivante de la foire de Kingsbridge – avait reçu un accueil généralement favorable, surtout que les loyers et péages exigés par William Hamleigh à la foire de Shiring étaient exorbi-

116

tants. Philip comptait fixer des taux plus bas. Pour l'instant, le comte William n'avait pas fait connaître sa réaction.

Dans l'ensemble, Philip estimait que les perspectives du prieuré étaient plus brillantes qu'elles ne le paraissaient six mois plus tôt. Il avait résolu le problème causé par la fermeture de la carrière et avait déjoué la tentative de William visant à obtenir la fermeture de son marché dominical, qui prospérait de nouveau et payait la pierre fort coûteuse provenant d'une carrière des environs de Marlborough. Malgré la crise, et après avoir frôlé la catastrophe, la construction de la cathédrale s'était poursuivie sans interruption. Restait encore un point noir : Maud n'était toujours pas couronnée. Bien qu'elle exerçât le pouvoir et qu'elle eût l'approbation des évêques, son autorité, tant qu'il n'y avait pas de couronnement dans les règles, ne reposait que sur sa puissance militaire. Quant à la femme de Stephen, elle tenait toujours le Kent et la position de la ville de Londres était ambiguë. Un simple coup de malchance, une maladresse pouvaient la renverser, tout comme la bataille de Lincoln avait détruit Stephen. Alors ce serait de nouveau l'anarchie.

Philip se gourmanda : il ne fallait pas tomber dans le pessimisme.

Le jeu était terminé et, autour de la table, on commençait à faire ripaille. Il y avait là des hommes et des femmes honnêtes, au cœur généreux, qui travaillaient dur et n'oubliaient pas l'église. Dieu veillerait sur eux.

Ils engloutirent un potage de légumes, du poisson cuit au four, parfumé au poivre et au gingembre, du canard rôti et une crème artistement colorée de rayures rouges et vertes. Après le dîner, chacun transporta son banc jusqu'à l'église inachevée pour assister à la pièce.

Les charpentiers avaient confectionné deux paravents, qu'on disposa dans les bas-côtés pour fermer l'espace entre le mur extérieur et le premier pilier de l'arcade, de façon à cacher efficacement la dernière baie de chaque bas-côté. Les moines qui devaient tenir un rôle attendaient derrière ces cloisons de toile pour faire leur entrée au milieu de la nef. Celui qui jouait saint Adolphus, un novice imberbe au visage d'ange, était allongé sur une table tout au fond de la nef, enveloppé dans un linceuil, faisant semblant d'être mort en se retenant de pouffer.

117

Philip nourrissait à l'égard de la pièce une certaine réticence, comme à l'égard du pain aux devinettes. Le propos pourrait si facilement basculer dans l'irrévérence et la vulgarité! Mais les gens aimaient tellement le théâtre que, s'il n'avait pas donné la permission, ils auraient joué leur pièce à eux, en dehors de l'église, et sans sa surveillance. Tous les risques en ce cas étaient à craindre. D'ailleurs, les plus acharnés étaient les moines qui tenaient un rôle. Se déguiser, prendre la personnalité de quelqu'un d'autre, jouer jusqu'à la caricature parfois, leur fournissait une sorte de détente, nécessaire dans une vie par ailleurs si solennelle.

Avant la pièce, Philip présida un bref service au cours duquel il fit alors un court exposé de la vie sans péché et des œuvres miraculeuses de saint Adolphus. Puis il gagna sa place dans le public et s'installa pour suivre la représentation.

De derrière le paravent de gauche apparut une haute silhouette vêtue d'un assemblage de tissus de couleur vive, maintenus avec des épingles. Il avait le visage peint et portait une grosse sacoche. C'était le riche Barbare. Un murmure d'admiration salua son déguisement, suivi par une vague de rires lorsque les gens reconnurent l'acteur dissimulé sous ce costume : c'était le gros frère Bernard, le cuisinier, que tout le monde connaissait et aimait. Il arpenta la scène à plusieurs reprises pour laisser à chacun le loisir de l'admirer, puis se précipita vers les petits enfants du premier rang, provoquant des cris de joie et de frayeur; ensuite il se glissa jusqu'à l'autel, jetant des regards partout comme pour s'assurer qu'il était bien seul et cacha derrière la table la sacoche. Il se tourna vers le public, lui lança un clin d'œil complice et dit d'une voix forte : « Ces idiots de chrétiens auront peur de voler mon argent, car ils s'imaginent qu'il est sous la protection de saint Adolphus. Ah! ah! » Là-dessus, il se retira derrière l'écran.

Du côté opposé entra un groupe de hors-la-loi, vêtus de haillons, brandissant des épées de bois et des hachettes, le visage barbouillé de suie et de craie. Ils firent le tour de la nef, l'air farouche jusqu'au moment où l'un d'eux aperçut la sacoche derrière l'autel. Une discussion s'ensuivit : fallait-il la voler ou non? Le bon hors-la-loi affirmait que ce larcin leur porterait malheur; le mauvais hors-la-loi prétendait qu'un saint mort ne pouvait pas leur faire grand mal. Ils finirent par prendre l'argent et se retirèrent dans un coin pour le compter.

Le Barbare revint, chercha partout son magot et, ne le trouvant pas, se mit à hurler de rage. Il tendit le poing vers la tombe de saint Adolphus et maudit le saint qui n'avait pas protégé son trésor.

C'est alors qu'Adolphus se leva de sa tombe.

Le Barbare tressaillit de terreur. Sans se soucier de lui, le saint se dirigea vers les hors-la-loi. D'un geste spectaculaire, il les anéantit l'un après l'autre rien qu'en les visant du doigt. Les bandits simulèrent les affres de la mort, se roulèrent sur le sol, prirent des postures grotesques en faisant d'horribles grimaces.

Le saint n'épargna que le bon hors-la-loi qui replaça l'argent derrière l'autel. Sur quoi Adolphus se tourna vers le public et déclara : « Prenez garde, vous tous, à ne jamais mettre en doute le pouvoir de saint Adolphus ! »

L'auditoire acclama et battit des mains. Les acteurs restèrent un moment plantés au milieu de la nef, souriant d'un air embarrassé. Le but apparent de la pièce, bien sûr, était d'illustrer une leçon de morale, mais Philip savait que les parties préférées du public, c'étaient les passages comiques : la rage du Barbare et la mort des hors-la-loi.

Quand les applaudissements cessèrent, Philip se leva, remercia les acteurs et annonça que les courses allaient bientôt commencer dans le pâturage au bord de la rivière.

Ce fut ce jour-là que le jeune Jonathan, du haut de ses cinq ans, découvrit qu'il n'était pas, finalement le plus rapide coureur de Kingsbridge. Il s'inscrivit à la course des enfants, vêtu de sa petite robe de moine, et provoqua des hurlements de rire lorsqu'il la retroussa jusqu'à sa taille et se mit à courir, son petit derrière exposé aux regards de tous. Mais les concurrents étaient des enfants plus âgés et Jonathan termina parmi les derniers. Son expression, lorsqu'il comprit qu'il avait perdu, était si bouleversée et si déçue que Tom en eut le cœur brisé pour lui. Il le prit dans ses bras pour le consoler.

Les liens entre Tom et l'orphelin du prieuré n'avaient cessé de se resserrer. Le maçon passait toute la journée dans l'enceinte où Jonathan courait librement, aussi était-ce inévitable qu'il y eût entre eux de nombreuses rencontres; Tom était à l'âge où ses enfants n'avaient plus le tendre charme des premières années, mais pas encore l'âge de le faire grand-père. C'est alors qu'on

119

s'attache parfois au bébé des autres. Personne au village ne se doutait qu'il y avait à cela une secrète raison.

Les gens soupçonnaient plutôt Philip d'être le vrai père de l'enfant. C'était une supposition bien plus naturelle – même si à Philip elle eût paru scandaleuse et sacrilège.

Jonathan repéra Aaron, le fils aîné de Malachi, et s'échappa des bras de Tom pour aller jouer avec son ami, sa déception aussitôt oubliée.

Pendant que se déroulaient les courses d'apprentis, Philip vint s'asseoir sur l'herbe auprès de Tom. C'était une chaude journée ensoleillée et la sueur perlait sur le crâne rasé du prieur. L'admiration que le maçon portait à Philip s'affirmait d'année en année. Tout en regardant les jeunes gens disputer leur course, les vieux somnolant à l'ombre et les enfants qui s'ébattaient dans la rivière, il réalisa que c'était lui, Philip, qui maintenait le bateau à flot. Il régnait sur le village, rendait la justice, décidait de l'emplacement des maisons à bâtir et réglait les querelles. Il donnait du travail à la plupart des hommes et à un grand nombre des femmes aussi, soit au chantier, soit comme domestiques au prieuré. C'était lui d'ailleurs qui gérait le prieuré, le centre nerveux de toute l'organisation. Il luttait contre les barons rapaces, négociait avec les monarques et tenait l'évêque à distance. Tous ces gens bien nourris qui s'amusaient au soleil devaient une partie de leur prospérité à Philip. Tom lui-même en était le premier exemple.

Le maçon était très conscient de la profonde clémence dont Philip avait fait montre envers Ellen. C'était vraiment difficile pour un moine de lui pardonner ce qu'elle avait fait. Mais Tom y attachait une telle importance. Quand Ellen était partie, la joie qu'il éprouvait à construire la cathédrale s'était trouvée assombrie par la solitude. Depuis son retour, il se sentait complet. Elle était toujours entêtée, exaspérante, querelleuse et intolérante; mais au fond tout cela était sans importance. Il y avait en elle une passion qui se consumait comme la chandelle d'une lanterne et qui éclairait sa vie à lui.

Tom et Philip regardaient une course où les garçons marchaient sur les mains. Ce fut Jack qui l'emporta. « Ce garçon est exceptionnel, dit Philip.

– Ils ne sont pas nombreux ceux qui peuvent marcher si vite et si longtemps dans cette position, renchérit Tom.

– C'est vrai, dit Philip en riant, mais je ne pensais pas à ses talents d'acrobate.

– Je sais. » L'habileté de Jack était depuis longtemps une source tout à la fois de plaisir et de souffrance pour Tom. Jack avait une curiosité toujours en éveil – ce qui manquait à Alfred – et Tom aimait enseigner à Jack les trucs du métier. Mais le garçon n'avait aucune modestie et tenait tête aux aînés. Mieux vaut souvent dissimuler sa supériorité, ce que Jack n'avait pas encore appris, même après son expérience avec Alfred.

« Il faudrait l'instruire », reprit Philip.

Tom fronça les sourcils. Jack était instruit, puisqu'il était apprenti.

« Que voulez-vous dire?

– Il devrait apprendre à perfectionner son écriture, étudier la grammaire latine et lire les philosophes anciens. »

Tom fut plus encore déconcerté. « Pour quoi faire? Il va être maçon. »

Philip le regarda dans les yeux. « En êtes-vous sûr? C'est un garçon qui ne fait pas toujours ce à quoi on s'attend. »

Tom n'avait jamais songé à cette perspective. A la réflexion, les jeunes prenaient parfois des orientations imprévues : des fils de comtes qui refusaient de se battre, des enfants royaux qui entraient au monastère, des bâtards de paysans qui devenaient évêques. Jack était de ceux-là. « Alors, reprit Tom, que croyez-vous qu'il va faire?

– Tout dépend de ce qu'il apprend, dit Philip. Moi, je le voudrais pour l'Église. »

Tom s'étonna : Jack semblait peu fait pour devenir clerc. Secrètement il était aussi un peu blessé. Lui qui comptait voir Jack devenir maître maçon serait profondément déçu si le garçon choisissait une autre voie.

Philip, sans remarquer sa réaction, reprit : « Dieu a besoin que les meilleurs et les plus brillants jeunes gens travaillent pour lui. Regardez ces apprentis, qui jouent à sauter le plus haut : tous sont capables de faire de bons charpentiers, maçons ou tailleurs de pierre. Mais combien pourraient prétendre devenir évêques? Un seul : Jack. »

Oui, songea Tom, si Jack avait l'occasion de faire carrière dans l'Église, aidé d'un puissant protecteur en la personne de Philip, son devoir lui commanderait de suivre ce chemin, au bout duquel l'attendraient plus de richesses et de pouvoir qu'il n'en aurait comme simple maçon. A contrecœur, Tom demanda :

« Vous avez un plan précis ?

— Je veux que Jack devienne novice.

— Moine ? » Pour un garçon qui renâclait contre la discipline d'un chantier de construction, la règle monastique ne serait pas à proprement parler sa vocation.

« Il passera le plus clair de son temps à étudier, dit Philip. Il apprendra tout ce que notre maître des novices peut lui enseigner et, en outre, je lui donnerai des leçons moi-même. »

Quand un garçon entrait dans un ordre monastique, la coutume voulait que les parents fassent une généreuse donation au monastère. Tom se demandait ce que cette proposition allait lui coûter.

Philip devina ses pensées. « Vous ne serez pas obligés de faire un don au prieuré, dit-il. Il suffira que vous donniez un fils à Dieu. »

Ce que Philip ignorait, c'était que Tom avait déjà donné un fils à Dieu, du moins au prieuré : le petit Jonathan, qui était pour l'heure en train de patauger au bord de la rivière, sa robe une fois de plus retroussée autour de sa ceinture. Mais le maçon devait taire ses sentiments. De toute évidence, Philip tenait beaucoup à Jack. Sa proposition était généreuse et constituait une chance extraordinaire pour Jack. Un père aurait donné son bras droit pour offrir à son fils une telle carrière. Avec un petit pincement de dépit, Tom ne put s'empêcher de regretter que son beau-fils, et non Alfred son fils naturel, soit le bénéficiaire de cette merveilleuse occasion. Mais il maîtrisa aussitôt cette pensée indigne. Il devait se réjouir, encourager Jack et espérer que le garçon supporterait sans trop de difficulté le régime monastique.

« Il faudrait s'en occuper tout de suite, ajouta Philip. Avant qu'il ne tombe amoureux d'une fille. »

Tom hocha la tête. De l'autre côté de la prairie, la course des femmes atteignait son point culminant. Tom les regardait vaguement en réfléchissant. Ellen était en tête, Aliena sur ses talons. Ce fut Ellen qui franchit la ligne la première, les bras levés dans un geste victorieux.

Tom la montra du doigt. « Ce n'est pas moi qu'il faut convaincre, dit-il à Philip. C'est elle. »

Aliena n'en revenait pas. Ellen l'avait battue ! Elle était très jeune pour être mère d'un garçon de dix-sept ans, mais elle avait quand même au moins dix ans de plus qu'Aliena. Les deux femmes se sourirent, haletantes, mouillées de sueur. Aliena nota les jambes minces et musclées d'Ellen, son corps ferme, sans le moindre excès de graisse. Toutes ces années passées dans la forêt l'avaient sculptée.

Jack vint féliciter sa mère pour sa victoire. Il y avait une grande tendresse entre eux, Aliena le sentait. Pourtant, comme ils étaient différents! Ellen était petite, brune, avec des yeux brun doré profondément enfoncés dans leurs orbites tandis que Jack était roux aux yeux verts. C'est qu'il ressemblait à son père, conclut logiquement Aliena, ce père dont on ne parlait jamais, le premier mari d'Ellen.

Cette ressemblance, pensait Aliena, faisait de Jack le souvenir permanent du mari disparu. Voilà pourquoi Ellen aimait tant son fils, tout ce qui lui restait d'un homme qu'elle avait sûrement adoré. Sur ce point, la ressemblance physique pouvait être extraordinairement puissante. Richard, le frère d'Aliena, lui rappelait parfois leur père, par un regard ou un geste, et dans ces moments-là elle sentait monter en elle une vague d'affection. Dommage que Richard n'ait pas, par contre, le caractère de son père.

Aliena se reprocha sa sévérité. Richard était allé à la guerre, il avait combattu bravement – c'était tout ce qu'on lui demandait. Pourquoi Aliena avait-elle ce sentiment diffus d'insatisfaction? Elle avait la richesse, la sécurité, une maison et des domestiques, de beaux vêtements, de jolis bijoux, on la respectait dans la ville. Si on lui avait posé la question, elle aurait répondu qu'elle était heureuse. Mais, sous la surface, se dissimulait un profond malaise. Certains matins, elle se demandait si c'était vraiment important de choisir quelle robe, mettre quels bijoux... Personne ne se souciait de son aspect, pourquoi s'en préoccuperait-elle? Par un étrange phénomène, elle était devenue plus consciente de son corps. Quand elle marchait, elle sentait le poids de sa poitrine. Quand elle allait à la plage des femmes au bord de la rivière pour se baigner, elle éprouvait une gêne pour les poils de son corps. A cheval, elle avait un contact curieux avec la selle. C'était très bizarre, un peu comme si un voyeur l'espionnait sans cesse, cherchant à la deviner sans ses vêtements, et ce voyeur, c'était elle-même.

Encore essouflée, elle s'allongea sur l'herbe, à la recherche de fraîcheur. Son esprit vagabond se fixa sur un problème plus immédiat. Cette année elle n'avait pas vendu toute sa laine. Elle n'était pas seule dans ce cas : la plupart des marchands étaient repartis avec des toisons invendues, notamment le prieur Philip. Philip ne semblait pas se tracasser, mais Aliena se faisait beaucoup de souci. Qu'allait-elle faire de toute cette laine? Si elle la gardait jusqu'à l'année suivante, le problème risquait de se poser de nouveau, et plus gravement. De plus, la laine brute ne manquerait pas de se détériorer. Elle se dessécherait, deviendrait cassante et difficile à travailler.

Si son commerce périclitait, Richard en subirait les conséquences. Le statut de chevalier coûtait très cher. Le destrier, qu'elle avait payé vingt livres, avait souffert à la bataille de Lincoln et n'était plus bon à grand-chose. Richard en aurait bientôt besoin d'un autre. Aliena pouvait encore se permettre cette grande brèche dans ses économies. Situation inhabituelle pour un chevalier, Richard dépendait de sa sœur. Depuis que le roi Stephen l'avait fait chevalier, il était dans le camp perdant. Pour qu'il puisse reconquérir le comté, le commerce d'Aliena devait continuer à prospérer.

Dans ses pires cauchemars, elle se voyait perdant tout son argent. Elle se retrouvait avec Richard sans ressources, proie de prêtres malhonnêtes, de nobles lubriques et de hors-la-loi sans pitié. Ils finissaient tous les deux dans le cachot puant où elle avait vu pour la dernière fois son père, moribond, enchaîné au mur.

Une fois, en revanche, elle avait fait un rêve de bonheur : Richard et elle vivaient ensemble au château, leur ancienne demeure. Richard gouvernait aussi sagement que l'avait fait leur père et Aliena l'aidait, accueillant les visiteurs importants, prodiguant l'hospitalité, assise à sa gauche à la grande table pour le dîner. Elle s'était réveillée souriante – et inexplicablement insatisfaite.

Elle secoua la tête pour chasser son humeur mélancolique et revint à la question la plus urgente. Le mieux était de ne rien faire. Elle emmagasinerait le surplus de laine jusqu'au marché suivant, et à ce moment-là, si elle ne pouvait pas vendre son stock, elle supporterait la perte. Elle pourrait encore se le permettre. Toutefois, si la même chose se reproduisait d'année en année, elle ne tiendrait pas longtemps. Il faudrait trouver une autre solution. Elle avait déjà essayé de vendre la laine à un tisserand de Kingsbridge, sans succès car il avait assez de réserves.

Comme son regard errait machinalement sur le groupe de femmes qui commentaient leur course, l'idée lui vint soudain que la plupart d'entre elles savaient tisser la laine brute. C'était un travail ennuyeux mais simple que les paysans pratiquaient depuis toujours. Il fallait laver les toisons, les peigner pour les démêler, puis les filer. Après quoi, on tissait le fil. Le tissu obtenu, un peu lâche, était foulé pour le resserrer et donner une étoffe épaisse avec laquelle on confectionnait des vêtements. Les femmes de Kingsbridge accepteraient sans doute ce travail pour un penny par jour. Mais combien de temps leur faudrait-il? Et quel prix atteindrait le tissu terminé?

Elle résolut de faire un essai. S'il était concluant, elle se mettrait en quête d'ouvrières qui travailleraient durant les longues soirées d'hiver.

Elle se redressa, excitée par sa nouvelle idée. Jack, allongé à côté d'Ellen, surprit le regard d'Aliena, sourit furtivement et détourna la tête, comme gêné d'avoir été surpris à la regarder. Drôle de garçon, plein d'idées et d'imagination! Aliena se souvenait encore de lui quand il n'était qu'un petit enfant un peu bizarre, qui posait toujours d'étranges questions. Aujourd'hui il semblait si différent qu'on l'aurait cru venu de nulle part, comme une fleur qui apparaît un matin là où la veille il n'y avait que terre nue. Tout d'abord, il avait embelli. En fait, songea-t-elle avec un petit sourire amusé, les filles le trouvaient sans doute très beau garçon. Il avait un sourire irrésistible. De plus, il était intelligent, brillant, original. Elle avait découvert que non seulement il connaissait plusieurs récits en entier – dont certains de plusieurs milliers de vers –, mais il était capable aussi d'en inventer lui-même, si bien qu'elle ne savait jamais s'il récitait ou s'il improvisait. Il était curieux de tout, intrigué par des choses que les autres tenaient pour acquises. Un jour il lui avait demandé d'où venait l'eau de la rivière. « Chaque seconde, des milliers de gallons d'eau passent par Kingsbridge, jour et nuit, mois après mois, année après année, depuis toujours, avant la naissance de nos parents, avant celle des parents de nos parents. D'où vient-elle? Y a-t-il quelque part un énorme lac qui alimente la rivière? Il faudrait qu'il soit

125

aussi grand que toute l'Angleterre! Et s'il s'asséchait? » Voilà le genre de questions qu'il posait, et d'autres plus fantaisistes. Aliena adorait les conversations avec Jack. La plupart des habitants de Kingsbridge ne pouvaient parler que d'agriculture et d'adultère, deux sujets qui ne l'intéressaient pas plus l'un que l'autre – sauf le prieur Philip, bien sûr, mais il ne bavardait pas souvent, toujours occupé avec le chantier, les moines ou le marché. Aliena soupçonnait Tom le bâtisseur d'être lui aussi d'une grande intelligence, mais il pensait plus qu'il ne parlait. Malgré sa jeunesse, Jack était une merveilleuse découverte. En fait, quand elle s'absentait de Kingsbridge, elle s'était surprise plus d'une fois à attendre avec impatience le moment de rentrer pour le retrouver.

De Jack, sa pensée vint à Ellen. Quelle étrange femme elle devait être, elle qui avait élevé son enfant dans la forêt! Après avoir un peu parlé avec elle, Aliena lui avait trouvé un esprit du même genre que son fils. Ellen était une femme indépendante, qui en voulait à la vie de la façon dont elle l'avait traitée.

Sur la lancée de ses réflexions Aliena se tourna vers elle et lui demanda : « Vous, Ellen, où avez-vous appris les histoires que raconte votre fils?

– Du père de Jack », répondit-elle spontanément. Puis une expression méfiante se peignit sur son visage et Aliena comprit qu'elle ne devait pas aller plus loin. Elle changea de sujet. « Savez-vous filer?

– Bien sûr, tout le monde sait, non?

– Aimeriez-vous le faire pour de l'argent?

– Peut-être. A quoi pensez-vous? »

Aliena expliqua son idée. Ellen n'était pas à court d'argent, bien sûr, mais c'était Tom qui le gagnait et Aliena se doutait qu'Ellen aimerait bien en rapporter elle-même.

Cette hypothèse se révéla justifiée. « Oui, j'essaierais bien », dit Ellen.

Alfred, le beau-fils d'Ellen, arrivait. Comme son père, c'était une sorte de géant. Son visage se dissimulait derrière une barbe en broussaille, ses yeux rapprochés lui donnaient un air rusé. Il savait lire, écrire et compter, mais sans plus. Devenu maçon, il avait sa propre équipe de compagnons et d'apprentis. Alfred bénéficiait d'un avantage spécial : son père étant le maître bâtisseur de la cathédrale de Kingsbridge, il était toujours sûr de trouver du travail pour ses hommes.

Il s'assit sur l'herbe près des deux femmes. Ses pieds énormes étaient chaussés de lourdes bottes de cuir, grises de poussière. Il parlait rarement et Aliena ne cherchait pas à entrer en conversation avec lui : il semblait plutôt ennuyeux.

Comme pour lui-même, Alfred marmonna : « Il devrait y avoir une église en pierre. »

Il suivait une pensée qu'il était seul à connaître. Aliena réfléchit un moment puis demanda : « Vous parlez de l'église paroissiale ?

– Oui », dit-il comme si c'était évident.

L'église paroissiale servait beaucoup, car la crypte de la cathédrale que les moines utilisaient était exiguë pour la population de Kingsbridge de plus en plus nombreuse. Cette église paroissiale n'était qu'un vieil édifice de bois couvert d'un toit de chaume, au sol en terre battue.

« Vous avez raison, dit Aliena. Nous devrions avoir une église de pierre. »

Alfred se taisait, ayant dit ce qu'il avait à dire.

Ellen, qui avait l'habitude de son laconisme, insista : « Quelle idée as-tu en tête, Alfred ?

– Au fond, demanda-t-il, comment se font les églises ? Je veux dire : si on veut une église en pierre, qu'est-ce qu'on fait ?

– Aucune idée, dit Ellen en haussant les épaules.

– Vous pourriez former une guilde paroissiale », suggéra Aliena.

Une guilde paroissiale était une association de gens qui organisaient de temps en temps un banquet et recueillaient entre eux de l'argent, en général pour acheter les cierges de l'église ou pour assister les veuves et les orphelins du voisinage. Les petits villages n'avaient pas de guilde, mais Kingsbridge n'était plus un village.

« Comment cela ? reprit Alfred.

– Les membres de la guilde paieraient la nouvelle église, expliqua Aliena.

– Alors il faut fonder une guilde », conclut Alfred.

Aliena se demanda si elle ne l'avait pas mal jugé. Jusqu'à présent il ne lui avait jamais paru très pieux, mais ce désir de bâtir une nouvelle église révélait peut-être des profondeurs cachées. Puis elle réfléchit qu'Alfred étant le seul entrepreneur de construction de Kingsbridge, il était sûr de se voir confier le chantier. Il n'était peut-être pas intelligent, mais il ne manquait pas d'astuce.

Néanmoins l'idée lui plaisait. Kingsbridge devenait une ville et une ville à besoin de plus d'une église. Dans le cas de Kingsbridge, une deuxième église dégagerait la ville de la tutelle absolue du monastère. Pour le moment Philip était sans conteste seigneur et maître. C'était un tyran bienveillant, mais un tyran quand même. Un jour les marchands de la ville pourraient trouver commode de disposer d'une autre église.

« Aliena, demanda Alfred, pourriez-vous expliquer aux autres ce que c'est que la guilde ? »

Aliena n'avait guère envie d'échanger la compagnie d'Ellen et de Jack pour celle d'Alfred, mais son idée d'église la séduisait. D'ailleurs, ç'aurait été un peu grossier de refuser. « Avec plaisir », dit-elle, et elle s'éloigna avec lui.

Le soleil se couchait. Les moines avaient allumé le feu de joie et servaient la bière traditionnelle relevée de gingembre. Jack avait envie de poser une question à sa mère maintenant qu'ils étaient seuls, mais il hésitait. Quelqu'un se mit à chanter. A coup sûr Ellen allait se joindre au chœur, aussi Jack lança-t-il tout à trac : « Est-ce que mon père était un trouvère ? »

Ellen haussa les sourcils, surprise mais pas fâchée. « Qui t'a appris ce mot-là ? dit-elle. Tu n'as jamais vu de trouvère.

— Aliena. Autrefois elle allait en France avec son père. »

Sa mère contempla le feu de l'autre côté de la prairie que l'ombre envahissait. « Oui, c'était un trouvère. C'est lui qui m'a récité tous ces poèmes comme je te les ai dits à toi. Maintenant tu les récites à Aliena ?

— Oui, murmura Jack, intimidé.

— Tu l'aimes vraiment, n'est-ce pas ?

— Ça se voit ? »

Elle sourit tendrement. « Seulement à mes yeux de mère je crois. Elle est beaucoup plus âgée que toi, tu sais.

— Cinq ans.

— Tu l'auras quand même. Tu es comme ton père. Il séduisait toutes les femmes qu'il voulait. »

Jack était heureux d'entendre parler de son père, il voulait en savoir davantage ; mais, à son vif agacement, Tom apparut et s'assit près d'eux. « J'ai parlé au prieur Philip de Jack », dit-il sans préambule. Son ton léger cachait une certaine tension. Jack pressentit des ennuis. « Philip dit qu'il faudrait faire l'éducation de ce garçon. »

La réaction de sa mère fut, comme on pouvait s'y attendre, indignée. « Mais il est éduqué! dit-elle. Il sait lire et écrire l'anglais et le français, il sait compter, il peut réciter des livres entiers de poésie...

— Voyons, ne te bute pas, répliqua fermement Tom. Philip n'a pas dit que Jack était un ignorant. Bien au contraire. Il dit que Jack est si intelligent qu'il devrait étudier davantage. »

Jack n'appréciait pas du tout ces compliments, lui qui partageait la méfiance de sa mère envers les gens d'Église. Ces amabilités cachaient sûrement un piège quelque part.

« Davantage? fit Ellen avec mépris. Qu'est-ce que ce moine veut qu'il apprenne de plus? Je vais te le dire : la théologie. Le latin. La rhétorique. La métaphysique. Et zut.

— Ne va pas si vite, fit Tom avec calme. Si Jack accepte l'offre de Philip, s'il va à l'école et apprend à écrire comme un bon clerc, s'il étudie le latin, la théologie et tous ces sujets que tu traites par le mépris, il pourra travailler auprès d'un comte ou d'un évêque, il pourra même finir en homme riche et puissant. Tous les barons ne sont pas fils de barons, comme on dit. »

Le regard d'Ellen se durcit. « S'il accepte l'offre de Philip, as-tu dit. Qu'est-ce que Philip propose exactement?

— Que Jack entre comme novice...

— Plutôt mourir! » cria Ellen en bondissant sur ses pieds. Cette maudite Église ne va pas me voler mon fils! Ces traîtres de prêtres menteurs m'ont pris son père, mais ils ne l'auront pas, lui! Je planterais plutôt un poignard dans le ventre de Philip, ma parole, je le jure par tous les dieux. »

Tom connaissait les colères d'Ellen, qui ne l'impressionnaient plus autant qu'au début. Il reprit tranquillement : « Pourquoi réagis-tu si mal? On propose à ce garçon une magnifique occasion. »

Jack était intrigué. *Ces traîtres de prêtres menteurs ont pris son père.* A quoi sa mère faisait-elle allusion?

Il s'apprêta à le lui demander, mais elle lui coupa la parole. « Il ne sera pas moine! hurla-t-elle.

— S'il ne veut pas être moine, il n'y est pas forcé. »

Ellen bougonna : « Ce satané prieur s'arrange toujours pour parvenir à ses fins... »

129

Tom se tourna vers Jack. « Il est temps que tu dises quelque chose, mon garçon. Sais-tu ce que tu veux faire de ta vie ? »

Jack avait déjà pensé à ce problème, et la réponse vint sans hésitation, comme s'il avait pris sa décision depuis longtemps. « Je veux être un maître bâtisseur comme toi, dit-il. Je bâtirai la plus belle cathédrale que le monde ait jamais vue. »

Le cercle rouge du soleil plongea derrière l'horizon et la nuit tomba. C'était le moment du dernier rituel du soir de la Saint-Jean : les vœux flottants. Jack avait un bout de chandelle et un morceau de bois tout prêts. Il regarda Ellen et Tom. Tous deux le dévisageaient, songeurs : l'assurance avec laquelle il avait parlé de son avenir les avait surpris. Ce qu'ils ignoraient, c'est que Jack s'était surpris lui-même.

Le garçon sauta sur ses pieds et traversa la prairie jusqu'au feu de joie. Il alluma une brindille sèche aux flammes, fit fondre la base de sa chandelle et la colla au morceau de bois ; puis il alluma la mèche. Les autres participants en faisaient autant. Ceux qui n'avaient pas les moyens de se payer une chandelle fabriquaient une sorte de bateau avec de l'herbe sèche et des roseaux, et tressaient les herbes ensemble au milieu pour faire une mèche.

Jack vit Aliena près de lui : la lueur rouge du feu animait son visage ; elle semblait plongée dans ses pensées. Pris d'une brusque impulsion, il dit : « Quel est votre vœu, Aliena ? »

Elle lui répondit aussitôt : « La paix » Et, sans attendre de commentaires, elle s'éloigna.

Jack se demanda s'il avait raison de l'aimer. Elle éprouvait de la sympathie pour lui – ils étaient devenus amis –, mais l'idée d'échanger ne serait-ce qu'un baiser était aussi loin des pensées d'Aliena qu'elle obsédait l'esprit de Jack.

Quand tout le monde fut prêt, on s'agenouilla au bord de la rivière. Brandissant leurs lumières vacillantes, les assistants formulèrent intérieurement leur vœu. Jack ferma les yeux et se représenta Aliena, nue sur un lit, qui lui tendait les bras et l'attirait à elle. Puis tous déposèrent avec soin leurs lumières sur l'eau. Si le radeau improvisé coulait ou si la flamme s'éteignait, cela signifiait qu'on ne verrait jamais son vœu exaucé. Dès que Jack eut lâché le sien, la petite embarcation s'éloigna, la base en bois devint vite invisible et l'on ne distingua plus que la flamme. Il la suivit intensément quelque temps, puis il en perdit la trace parmi les centaines de lumières qui dansaient, tanguaient à la surface de l'eau, vœux vacillants partis au gré du courant jusqu'au tournant de la rivière où ils disparurent.

Tout cet été-là, Jack se fit conteur pour Aliena.

Ils se retrouvaient le dimanche, d'abord de temps en temps, puis régulièrement, dans la clairière, auprès de la petite cascade. Il lui parlait de Charlemagne et de ses chevaliers, de Guillaume d'Orange et des Sarrasins. Quand il racontait, Jack était totalement absorbé par ses récits. Aliena aimait voir les expressions se succéder sur son visage. Il s'indignait en parlant d'injustice, la traîtrise le consternait, il vibrait en évoquant la bravoure d'un chevalier et une mort héroïque l'émouvait aux larmes ; et ses émotions étaient contagieuses, si bien qu'elle aussi en était toute remuée. Certains poèmes étaient trop longs pour qu'il les récitât en un seul après-midi ; lorsqu'il devait conter une histoire en plusieurs épisodes, il s'interrompait toujours au moment le plus passionnant, si bien qu'Aliena passait toute la semaine dans l'impatience de connaître la suite.

Sans bien saisir elle-même pourquoi, elle ne soufflait mot à personne de ces rencontres. D'ailleurs, qui aurait compris le plaisir qu'elle prenait à écouter réciter des poèmes ? Elle laissait donc croire qu'elle partait pour sa promenade habituelle du dimanche ; et, sans la consulter, Jack en faisait autant. Bientôt, leurs rencontres prirent une tournure secrète. Moins ils en parlaient, moins ils pourraient en parler. Et c'est ainsi que leurs rendez-vous devinrent clandestins.

Un dimanche, pour changer, Aliena à son tour lut à Jack *Le Roman d'Alexandre*. Contrairement aux poèmes que disait le jeune homme, pleins d'intrigues, de hautes politiques et de soudains trépas au combat, le roman d'Aliena évoquait des histoires d'amour et de magie. Jack se passionna pour le genre nouveau et, le dimanche suivant, il se lança dans un récit de son invention, inspiré du même style.

C'était une chaude journée de la fin d'août. Aliena portait des sandales et une robe de toile légère. Dans la forêt tranquille, silencieuse, on n'entendait que le ruissellement de la cascade et les intonations variées de la voix de Jack. Le récit commençait de

131

façon conventionnelle par la description d'un brave chevalier, grand et fort, redoutable au combat et armé d'une épée magique, à qui l'on confiait une tâche difficile : voyager jusqu'à une lointaine terre d'Orient pour en rapporter une vigne qui produisait des rubis. Mais l'intrigue dévia bientôt de son cours habituel. Le chevalier ayant été tué, le récit se concentra sur son écuyer, un brave jeune homme de dix-sept ans sans le sou, désespérément amoureux de la fille du roi, une belle princesse inaccessible. L'écuyer fit le vœu d'accomplir la tâche dont on avait chargé son maître, bien qu'il fût jeune, inexpérimenté et ne possédât qu'un poney pie et un arc.

Au lieu de vaincre un ennemi d'un formidable coup d'épée magique, comme le faisait d'ordinaire le héros de ces histoires, l'écuyer menait des combats désespérés qu'il ne remportait que par chance ou par ingéniosité, échappant plusieurs fois à la mort d'un cheveu. Il était terrifié par les ennemis qu'il affrontait – contrairement aux chevaliers sans peur de Charlemagne –, mais il ne se détournait jamais de sa mission. Hélas! Sa tâche, comme son amour, semblait désespérée.

Aliena fut plus captivée par le personnage de l'écuyer qu'elle ne l'avait été par celui du maître. Elle craignait pour lui quand il s'aventurait en territoire ennemi, sursautait dès que l'épée d'un géant le menaçait et soupirait lorsqu'il s'allongeait pour prendre du repos en rêvant à la princesse lointaine. L'amour était constamment au centre du récit.

Pour finir, à la stupéfaction de toute la cour, il rapportait la vigne productrice de rubis. « Mais l'écuyer ne se souciait guère, dit Jack avec un petit geste méprisant, de tous ces barons et de tous ces comtes. Il ne s'intéressait qu'à une personne. Cette nuit-là, il se glissa dans sa chambre, évitant les gardes avec une ruse qu'il avait apprise lors de son voyage en Orient. Il arriva auprès du lit et contempla le visage de sa bien-aimée. » En parlant, Jack regardait Aliena dans les yeux. « Elle s'éveilla aussitôt, mais elle n'eut pas peur. L'écuyer lui prit doucement la main. » Jack, pour mimer l'histoire, prit la main d'Aliena et la serra dans les siennes. Elle, hypnotisée par l'intensité du regard de Jack et la description vibrante de l'amour de l'écuyer, se laissa faire sans protester.

« Il lui dit : " Je vous aime tendrement " et l'embrassa sur les lèvres. » Jack se pencha et embrassa Aliena. Ses lèvres effleurèrent celles de la jeune femme avec une infinie douceur. Il reprit aussitôt son récit. « La princesse s'endormit », continua-t-il. Pendant qu'il poursuivait l'histoire, Aliena prenait conscience peu à peu de ce qui venait d'arriver. Elle sentait encore le contact des lèvres de Jack sur les siennes, comme dans un rêve.

« Le lendemain, l'écuyer demanda au roi la main de la princesse, en récompense de ses loyaux services et du succès de sa mission. » Jack m'a embrassée machinalement, pensait Aliena. Cela faisait partie de l'histoire. Il ne se rend même pas compte de ce qu'il a fait. « Le roi refusa. L'écuyer avait le cœur brisé. Les courtisans rirent beaucoup de lui. Le jour même, l'écuyer quitta le pays, monté sur son poney pie; mais il fit le vœu qu'un jour il reviendrait et que ce jour-là il épouserait la belle princesse. » Jack s'arrêta et lâcha la main d'Aliena.

« Et alors? questionna Aliena impatiemment.

– Je ne sais pas, répondit Jack. Je n'y ai pas encore réfléchi. »

Tous les notables de Kingsbridge s'inscrivirent à la guilde de la paroisse, fiers de participer au développement de la ville et flattés d'avoir été sollicités.

Après avoir recruté le maximum de membres, Aliena et Alfred organisèrent, pour la mi-septembre, le premier dîner de la guilde. Les grands absents étaient le prieur Philip, qui manifestait une certaine hostilité à l'entreprise, sans toutefois l'interdire; Tom, qui déclina l'invitation pour ne pas froisser Philip, et Malachi, exclu à cause de sa religion.

Pendant ce temps, Ellen avait tissé une balle d'étoffe avec le surplus de laine d'Aliena. Le tissu était rude et terne, mais assez bon pour une robe de moine; le cellérier du prieuré, Cuthbert le Chenu, l'avait acheté. Le prix, quoique modeste, représentait pourtant le double de ce qu'avait coûté la laine et, même après avoir payé Ellen un penny par jour, Aliena avait gagné la moitié d'une livre. Comme Cuthbert ne demandait qu'à acheter d'autre tissu au même prix, Aliena acheta à Philip son surplus de laine pour ajouter à son propre stock, et trouva une douzaine d'autres ouvrières prêtes à le tisser. Ellen accepta une nouvelle commande, mais refusa de fouler l'étoffe, car se travail était vraiment trop dur. La plupart des ouvrières étaient du même avis.

133

Aliena comprenait leur réticence. Elle avait l'expérience de ce très dur labeur. Elle se souvenait du jour où Richard et elle étaient allés trouver un maître fouleur de Winchester pour lui demander du travail. Le fouleur employait deux hommes qui martelaient le tissu à coups de batte dans une auge tandis qu'une femme versait l'eau. La femme avait montré à Aliena ses mains rouges et écorchées. Quand les hommes avaient posé un ballot de tissu mouillé sur l'épaule de Richard, il en était tombé à genoux. En général, les gens foulaient de petites quantités, juste de quoi faire leurs vêtements, pour eux-mêmes et leur famille, mais seuls les hommes robustes pouvaient faire ce travail-là toute la journée. Aliena décida de dispenser les tisserandes de cette corvée. Elle engagerait des hommes spécialement pour le foulage ou bien elle s'adresserait à un maître fouleur de Winchester.

Le dîner de la guilde eut lieu dans l'église en bois. Ce fut Aliena qui organisa le repas. Chacun des membres de l'association, dont la plupart avait au moins une servante, se chargea de la préparation d'un plat. Alfred et ses hommes construisirent une longue table en bois. Ils fournirent aussi de la bière forte et un tonneau de vin.

Le jour de la réunion, tout le monde s'assit autour de la table. Pour respecter l'égalité qui devait régner entre les membres de l'association, personne ne présida. Aliena portait une robe de soie rouge foncé ornée d'une broche d'or et de rubis et une pelisse gris foncé aux manches larges à la dernière mode. Le prêtre de la paroisse dit le Bénédicité, ravi de l'initiative qui lui apportait une église neuve – donc un supplément de prestige et de revenus.

Alfred présenta son budget et son calendrier pour la construction du temple. Il parlait comme s'il était lui-même l'auteur du projet, mais Aliena savait que Tom en avait conçu l'essentiel. La construction prendrait deux ans et coûterait quatre-vingt-dix livres; Alfred proposa que les quarante membres de la guilde versent chacun six pence par semaine. La somme dépassait légèrement les prévisions et Aliena remarqua quelques grimaces sur certains visages – il faudrait donc compter avec des défaillants. Mais dans l'ensemble, les participants acceptèrent les conditions.

Aliena, quant à elle, paierait son dû sans difficultés. Parcourant du regard la table, elle se rendit compte qu'elle était sans doute la plus riche de l'assistance, et l'une des rares femmes. Il y avait aussi une brasseuse, connue pour fabriquer une bonne bière bien forte, une femme tailleur qui employait deux couturières et quelques apprentis, et la veuve d'un cordonnier, qui continuait l'affaire de son mari. Aliena était la plus jeune de l'assistance, Alfred d'un ou deux ans son cadet.

Aliena pensa à Jack. Il lui manquait. Elle attendait toujours la suite de l'histoire du jeune écuyer. Aujourd'hui, jour férié, elle aurait voulu le retrouver dans la clairière. Peut-être aurait-elle un peu de temps plus tard.

Autour de la table, on parlait de la guerre civile. La femme de Stephen, la reine Matilda, s'était battue plus vaillamment qu'on ne l'aurait cru : elle venait de prendre la ville de Winchester. Robert de Gloucester, frère de l'impératrice Maud et commandant en chef de ses forces militaires, était son prisonnier. Cette capture était un coup presque aussi dur pour Maud que la capture de Stephen l'avait été pour les loyalistes. Chacun avait son opinion sur la direction que la guerre allait prendre, et les discussions allaient bon train.

Enflammés par le vin et la bière, plus forte que celle du prieur Philip, les convives devenaient plus bruyants à mesure que le repas avançait. Le prêtre de la paroisse était d'autant moins capable de les modérer qu'il buvait lui-même autant que les autres. Alfred, assis auprès d'Aliena, finit par quitter son humeur morose pour se joindre aux libations. Quant à Aliena, elle n'aimait guère les boissons fortes et elle se contenta d'une coupe de cidre à la fin de son dîner.

Lorsque tous les plats furent raclés jusqu'à la dernière miette, quelqu'un proposa un toast à Alfred et Aliena. Le jeune homme ne put s'empêcher de montrer son plaisir. Puis, on se mit à chanter. Aliena s'impatientait : quand allait-elle pouvoir enfin s'échapper ?

Alfred rayonnait : « Nous nous sommes bien débrouillés tous les deux, tout de même.

— Voyons, fit Aliena en souriant, combien d'entre eux paieront encore six pence par semaine dans un an d'ici. »

Alfred ne voulait pas qu'on lui gâche sa joie. « Nous nous sommes bien débrouillés, répéta-t-il. Nous formons une bonne équipe. » Il leva sa coupe vers elle et but. « Vous ne trouvez pas ?

— Si, bien sûr, répondit-elle pour lui faire plaisir.

— J'ai été heureux, poursuivit-il, d'arranger ça avec vous... Je veux dire la guilde.

135

« — Moi aussi, affirma-t-elle poliment.

— Vraiment? Je suis très content. »

Elle le regarda avec plus d'attention. Il devenait un peu insistant, pensa-t-elle. Pourtant, dans ses paroles claires et précises, il n'y avait pas la moindre trace d'ivresse. « C'était très bien », dit-elle d'un ton neutre.

Il posa une main sur son épaule. Elle avait horreur qu'on la touche, mais elle s'était habituée à ne pas réagir brutalement. « Dites-moi une chose, reprit-il en baissant la voix. Quelles qualités demanderiez-vous à un mari? » Il ne va tout de même me demander de l'épouser, songea-t-elle avec consternation. Elle répondit, comme d'habitude : « Je n'ai pas besoin de mari... J'ai assez de soucis avec mon frère.

— Mais vous avez besoin d'amour », murmura-t-il.

Elle marmonna quelque chose d'incompréhensible. Alfred leva la main pour l'empêcher de répondre, une habitude masculine qu'elle trouvait particulièrement exaspérante. « Ne me dites pas que vous n'avez pas besoin d'amour, reprit-il. Tout le monde en a besoin. »

Elle le regarda droit dans les yeux. Elle savait qu'on la considérait comme une originale, car la plupart des jeunes filles avaient hâte de se marier. Celles qui restaient célibataires, comme elle, à vingt-deux ans, touchaient au désespoir. Alfred était jeune, robuste, prospère : pas une fille de Kingsbridge ne l'aurait refusé. L'espace d'un moment, l'idée l'effleura de céder. Mais la perspective de vivre avec Alfred, de souper avec lui chaque soir, d'aller à l'église avec lui et de mettre au monde ses enfants l'horrifiait. Elle préférait la solitude. Elle secoua la tête. « N'y pensez plus, Alfred, dit-elle d'un ton ferme. Je n'ai pas besoin d'amour. »

Il n'était pas homme à se décourager. « Je vous aime, Aliena, dit-il. J'ai été vraiment heureux de travailler avec vous. J'ai besoin de vous. Voulez-vous être ma femme? »

Voilà il l'avait dit. Elle regrettait qu'il ait parlé, car cela signifiait qu'elle devrait le repousser formellement et fermement. Par expérience, elle savait que la douceur n'aboutissait qu'à l'inverse du but recherché : les hommes prenaient un refus aimable comme un signe d'indécision et redoublaient d'insistance. « Non, je ne veux pas, dit-elle. Je ne vous aime pas et je n'ai pas pris grand plaisir à travailler avec vous. Je ne vous épouserais pas même si vous étiez le seul homme sur terre. »

Aliena était sûre de n'avoir rien fait pour l'encourager. Elle l'avait traité comme un associé à part égale, avait écouté ses avis, avait discuté avec lui franchement et directement. Elle avait rempli ses responsabilités et comptait sur lui pour en faire autant.

Blessé, déçu, il balbutia : « Comment pouvez-vous dire des choses pareilles ? »

Elle soupira. Elle était désolée, mais devinait à l'avance ses réactions : bientôt il serait indigné et se conduirait comme si elle avait porté contre lui une injuste accusation; pour finir, il se convaincrait qu'elle l'avait gratuitement insulté et il deviendrait désagréable. Tous les prétendants éconduits ne se comportaient pas ainsi, mais Alfred appartenait à la mauvaise catégorie. Il fallait qu'elle parte.

Elle se leva. « Je respecte votre proposition et je vous remercie de l'honneur que vous me faites, dit-elle. Veuillez respecter mon refus et ne plus me poser la question.

— Je suppose que vous filez voir mon morveux de demi-frère, dit-il d'un ton mordant. Je ne crois pas qu'il puisse vous apporter grand-chose. »

Aliena rougit, embarrassée. Ainsi, on avait remarqué son amitié pour Jack. Elle pouvait compter sur Alfred pour l'interpréter à sa manière. Eh bien oui, elle courait voir Jack, et elle ne laisserait pas Alfred l'en empêcher. Elle s'approcha à toucher son visage. D'un ton calme et décidé, elle dit : « Allez au diable. » Puis elle tourna les talons et partit, le laissant muet de stupeur.

Le prieur Philip tenait cour de justice dans la crypte une fois par mois. Depuis que la ville s'était développée, les infractions s'étaient multipliées. La nature du crime aussi avait changé. Jadis la plupart des délits concernait la terre, les moissons ou le bétail. Un paysan cupide essayait subrepticement de déplacer la limite d'un champ de façon à étendre sa terre aux dépens d'un voisin; un ouvrier volait un sac de blé à la veuve pour laquelle il travaillait; une pauvre femme accablée d'enfants allait traire une vache qui n'était pas à elle. Maintenant, la plupart des affaires concernaient l'argent, constatait Philip, alors qu'il rendait la justice en ce premier jour de décembre. Des apprentis volaient de l'argent à leurs maîtres, un mari faisait main basse sur les économies de sa belle-mère, des marchands passaient de la fausse monnaie et des femmes riches escroquaient des servantes un peu simples à peine capables de compter leurs gages hebdomadaires. Ces délits n'existaient pas à Kingsbridge cinq ans plus tôt, parce que personne alors n'avait beaucoup d'argent.

Philip condamnait presque tous les coupables à une amende. Il pouvait aussi les faire fouetter, entraver ou emprisonner dans la cellule située sous le dortoir des moines, mais ces châtiments-là étaient plus rares et réservés surtout aux actes de violence. Il avait le droit de faire pendre les voleurs. D'ailleurs le prieuré possédait une robuste potence, mais il ne l'avait jamais utilisée – pas encore –, et il entretenait secrètement l'espoir de ne jamais avoir à le faire. Les crimes les plus graves – meurtres, braconnage sur les chasses royales et vols de grand chemin – étaient jugés à la cour du roi à Shiring, présidée par le prévôt, et le prévôt Eustache avait la pendaison facile.

Philip avait à juger sept affaires de grains moulus illégalement. Le prieuré venait de bâtir un nouveau moulin à eau auprès de l'ancien pour répondre aux besoins supplémentaires. La loi, de même que dans tous les manoirs, interdisait aux paysans de moudre chez eux; ils devaient s'adresser au seigneur et le payer. Ces dernières années, comme la demande était trop forte pour le vieux moulin souvent en panne, Philip avait laissé passer bon nombre de moutures illicites; il était temps d'y mettre le holà.

Il fit inscrire sur une ardoise les noms des contrevenants et les lut lentement, en commençant par le plus riche. « Richard Longacre, tu utilises deux hommes pour actionner ta grande meule, me dit notre meunier, frère Franciscus. »

Un fermier à l'air prospère s'avança d'un pas. « Oui, mon seigneur prieur. Et maintenant elle est cassée.

– Paie soixante pence. Enid Brewster, tu avais une meule à main dans ta brasserie. Eric Enidson a été vu en train de l'utiliser, et il est accusé aussi.

– Oui, seigneur, dit Enid, une femme avec un visage rougeaud et de puissantes épaules.

– Où est la meule à main maintenant? lui demanda Philip.

– Je l'ai jetée dans la rivière, seigneur. »

Philip n'en croyait pas un mot, mais comment prouver le mensonge pour l'instant?

138

« Vingt-quatre pence d'amende, et douze pour ton fils. Walter Tanner? »

Philip continua la liste, infligeant aux gens des amendes proportionnelles à la gravité de leurs opérations illégales. Il arriva au dernier nom, celui d'une femme des plus pauvres. « Veuve Goda? »

Une vieille femme au visage de fouine en vêtements noirs usés se présenta.

« Frère Franciscus t'a vue moudre du grain avec une pierre.

— Je n'avais pas un penny pour le moulin, seigneur, dit-elle amèrement.

— Tu avais quand même un penny pour acheter du grain, dit Philip. Tu seras donc punie comme les autres.

— Vous voudriez que je meure de faim? » lança-t-elle sur le ton du défi.

Philip poussa un soupir. Il regrettait que le frère Franciscus n'eût pas fermé les yeux sur la veuve Goda en infraction. « Quand quelqu'un est-il mort de faim à Kingsbridge pour la dernière fois? » demanda-t-il. Son regard parcourut les citoyens assemblés. « Qui se souvient du dernier mort de faim? » Il marqua un temps, comme s'il attendait une réponse, puis reprit : « Vous constaterez, je pense, que c'était avant mon arrivée.

— Dick Shorthouse, dit la veuve Goda. L'hiver dernier. »

Philip se rappelait très bien l'homme, un mendiant qui dormait dans les porcheries et les étables. « Dick s'est effondré ivre mort dans la rue à minuit. Il est mort de froid sous la neige, rétorqua-t-il. Il n'est pas mort de faim. D'ailleurs, s'il avait été en état de marcher jusqu'au prieuré, il ne serait pas mort de froid non plus. N'essaie pas de m'impressionner, si tu as faim, viens me demander la charité. Et si tu es trop fière pour cette démarche, si tu préfères violer la loi, accepte le châtiment comme tout le monde. Tu entends?

— Oui, seigneur, répliqua la vieille femme d'un ton maussade.

— Un farthing d'amende, déclara Philip. La séance est levée. »

A un mois de Noël, les travaux de la nouvelle cathédrale avaient beaucoup ralenti. Les bords et les sommets de la maçonnerie inachevée étaient couverts de paille et de fumier, provenant des écuries du prieuré, pour protéger du gel les murs neufs. Les maçons ne pouvaient pas bâtir en hiver à cause du froid car, expliquait Tom, les murs bâtis en hiver s'effondraient. En réalité, ce n'était pas tant à cause du gel. Comme le mortier mettait plusieurs mois à sécher, la coupure de l'hiver le laissait bien durcir avant qu'on y pose la maçonnerie de l'année nouvelle. C'était aussi l'origine d'une superstition qui voulait que bâtir plus de vingt pieds en une seule année portait malheur. Au-dessus de cette hauteur, la base risquait d'être déformée par le poids qui pesait sur elle avant que le mortier soit sec.

Philip fut surpris de voir tous les maçons dehors, réunis là où serait le chœur de l'église. Ils avaient fabriqué une arche de bois semi-circulaire qu'ils avaient plantée verticalement, étayée de chaque côté par des poteaux. Cette pièce faisait partie de ce qu'ils appelaient le coffrage : elle était destinée à soutenir la construction de l'arche de pierre. Pour l'instant, les maçons faisaient un essai : ils assemblaient les pierres de l'arche au niveau du sol, sans mortier, pour s'assurer qu'elles s'emboîtaient parfaitement. Apprentis et manœuvres posaient les pierres suivant le coffrage tandis que les maçons les surveillaient d'un œil critique.

Philip croisa le regard de Tom. « Où ira cette arche ? demanda-t-il.

– Sur la galerie de la tribune. » Philip leva les yeux. L'arcade avait été terminée l'an dernier et la galerie au-dessus serait terminée l'année prochaine. Il ne resterait plus qu'à bâtir la partie supérieure, avec les fenêtres hautes, avant le toit. Maintenant que les murs avaient été protégés pour l'hiver, les maçons taillaient les pierres, les préparant pour le travail de l'année suivante. Si cette arche convenait, les pierres seraient taillées suivant le même modèle pour toutes les autres.

Les apprentis, parmi lesquels se trouvait Jack, le beau-fils de Tom, étaient chargés des côtés qu'ils bâtissaient avec des pierres taillées en coin qu'on appelait les voussures. Bien que l'arche fût destinée à être placé haut dans l'église, elle serait pourtant ornée de moulures décoratives; une fois les pierres rassemblées, les sculptures s'ajusteraient exactement en donnant l'impression que l'arche était constituée d'une suite de boucles semi-circulaires, en pierres empilées l'une sur l'autre, alors qu'en fait il s'agissait de coins placés côte à côte.

Philip regarda Jack mettre en place la clé de voûte. L'arc était maintenant terminé. Quatre maçons armés de lourds marteaux firent sauter les coins qui soutenaient le coffrage de bois. Dans un effondrement spectaculaire, l'armature de bois s'écroula. Malgré l'absence de mortier entre les pierres, l'arc resta debout. Tom le bâtisseur poussa un soupir de satisfaction.

Quelqu'un tira sur la manche de Philip. Un jeune moine s'adressait à lui timidement : « Mon père, vous avez un visiteur. Il vous attend dans votre maison.

– Merci, mon fils. » Philip quitta le chantier en pensant que, si les moines avaient installé le visiteur dans la maison du prieur, c'est qu'il s'agissait de quelqu'un d'important. Il traversa l'enclos et entra chez lui.

C'était son frère, Francis. Philip l'étreignit chaleureusement. « Est-ce qu'on t'a offert quelque chose à manger ? demanda Philip. Tu as l'air épuisé.

– On m'a donné du pain et de la viande, merci. J'ai passé l'automne à chevaucher entre Bristol, où le roi Stephen était emprisonné, et Rochester, où l'on retenait le comte Robert.

– Tu as dit *était* ? »

Francis acquiesça. « J'ai négocié un échange : Stephen contre Robert. Ça s'est fait à la Toussaint. Le roi Stephen est maintenant de retour à Winchester. »

Philip s'étonna. « Il me semble que l'impératrice Maud a perdu au change : elle a donné un roi pour un comte ? »

Francis secoua la tête : « Sans Robert, elle est désemparée. Personne ne l'aime. Personne ne lui fait confiance. Il fallait absolument qu'elle retrouve son soutien. La reine Matilda a été habile. Elle a exigé en échange le roi Stephen, rien de moins. Au bout du compte, elle a eu ce qu'elle voulait. »

Philip s'approcha de la fenêtre. La pluie avait commencé à tomber, une pluie froide en rafales qui assombrissait les hauts murs de la cathédrale et faisait luire les toits de chaume des maisons d'artisans.

« Quelles conséquences ? demanda-t-il.

– Maud est redevenue simple prétendante au trône. Après tout, Stephen a été officiellement couronné, alors que Maud jamais, enfin, pas tout à fait.

– Mais c'est Maud qui m'a accordé la licence pour le marché.

– Oui. C'est ennuyeux.

– Ma licence n'est pas valable?

– Si. Elle a été octroyée normalement par une souveraine approuvée par l'Église. Le fait qu'elle n'ait pas été couronnée ne change rien. Seulement Stephen pourrait dénoncer le contrat.

– C'est le marché qui paie la pierre, dit Philip pris d'angoisse. Sans cela, je ne peux pas construire. Quelle catastrophe!

– Je suis navré.

– Et mes cent livres? »

Francis haussa les épaules. « Stephen te conseillera de te les faire rembourser par Maud. »

Philip était effondré. « Tout cet argent, dit-il. C'était l'argent de Dieu et je l'ai perdu.

– Tu ne l'as pas encore perdu, remarqua Francis. Stephen ne va peut-être pas annuler ta licence. Il ne s'est jamais beaucoup intéressé aux marchés.

– Le comte William va s'empresser de faire pression sur lui.

– William a changé d'allégeance, tu te souviens? Il s'est rangé dans le camp de Maud. Il n'aura plus guère d'influence auprès de Stephen.

– J'espère que tu as raison, dit Philip avec ferveur. Je prie le ciel que tu aies raison. »

Quand il commença à faire trop froid pour rester assise dans la clairière, Aliena prit l'habitude de se rendre le soir à la maison de Tom le bâtisseur. Alfred était en général à la taverne, si bien que la famille comprenait Tom, Ellen, Jack et Martha. Grâce à la réussite de Tom, ils avaient maintenant des meubles confortables, un bon feu et des chandelles en abondance. Ellen et Aliena travaillaient au tissage. Tom dessinait des plans et des diagrammes avec une pierre épointée, sur des morceaux d'ardoise polie. Jack faisait semblant de fabriquer une ceinture, d'affûter des couteaux ou de tresser un panier, mais il passait plus de temps à contempler furtivement le visage d'Aliena à la lueur des chandelles et à guetter chacun de ses mouvements.

Ils riaient beaucoup ensemble. Aliena était en général si réservée que c'était pour Jack une joie de la voir se détendre, un peu comme s'il la surprenait dans son intimité. Il ne cessait d'inventer des choses pour l'amuser. Il imitait les artisans sur le chantier, sin-

142

geant l'accent d'un maçon français ou la démarche sautillante d'un forgeron. Un jour, il inventa un récit comique de la vie des moines, les gratifiant de péchés appropriés à chacun : l'orgueil pour Remigius, la gourmandise pour Bernard le cuisinier, l'ivrognerie pour l'hôtelier et la concupiscence pour Pierre le prévôt. Martha se pliait de rire et même Tom le taciturne esquissait un sourire.

Un soir, Aliena déclara : « Je ne sais pas si je parviendrai à vendre tout ce tissu. »

La surprise fut générale. Ellen dit : « Alors pourquoi le tissons-nous ?

— Je n'ai pas perdu espoir, dit Aliena. Je suis seulement inquiète. »

Tom leva le nez de son ardoise. « Je croyais que le prieuré était prêt à tout acheter ?

— Ce n'est pas ça le problème. Je ne trouve personne pour le foulage, et le prieuré ne veut pas de draps en tissage mou. Personne d'autre non plus, d'ailleurs. »

Ellen intervint : « Le foulage est un travail épuisant. Je ne suis pas étonnée que personne ne veuille le faire.

— Vous ne pouvez pas plutôt engager des hommes, suggéra Tom.

— Pas dans une ville prospère comme Kingsbridge. Les hommes ont assez de travail. Dans les gros bourgs, il y a des fouleurs professionnels, mais la plupart d'entre eux travaillent en exclusivité pour des tisserands auxquels ils sont liés. D'ailleurs, cela coûterait trop cher de transporter l'étoffe jusqu'à Winchester et retour.

— C'est bien ennuyeux, reconnut Tom en se remettant à son dessin.

— Dommage qu'on ne puisse pas faire faire le travail par des bœufs », remarqua Jack.

L'assistance éclata de rire.

« Pourquoi ne pas essayer d'apprendre à un bœuf à bâtir des églises, aussi ? dit Tom.

— Ou à utiliser un moulin, insista Jack sérieusement. Il y a quelquefois des moyens faciles d'accomplir les travaux les plus durs.

— Elle veut fouler le tissu, pas le moudre », dit Tom.

Jack continuait sa pensée. « On utilise des appareils de levage et des treuils pour soulever des pierres jusqu'en haut des échafaudages.

143

« — Ah, s'exclama Aliena, s'il existait quelque mécanisme ingénieux pour fouler ce drap, ce serait merveilleux. »

Jack avait une telle envie de rendre service à Aliena qu'il résolut de trouver coûte que coûte un moyen.

« J'ai entendu parler, dit lentement Tom, d'un moulin à eau qu'on utilisait pour actionner le soufflet d'une forge... mais je ne l'ai jamais vu fonctionner.

— Vraiment? dit Jack. Voilà qui me donne raison!

— La roue d'un moulin tourne, une meule tourne aussi, c'est pourquoi l'une peut entraîner l'autre; mais le bâton d'un fouleur monte et descend. On ne peut pas utiliser une roue à eau ronde pour actionner un bâton qui monte et qui descend.

— Justement : un soufflet monte et descend.

— C'est vrai, c'est vrai... Mais je n'ai jamais vu cette forge, j'en ai seulement entendu parler. »

Jack essayait de se représenter mentalement la machinerie d'un moulin. La force de l'eau faisait tourner la roue, dont l'axe était relié à une autre roue, à l'intérieur du moulin. Celle-ci, verticale, comportait un engrenage qui s'insérait dans l'engrenage d'une troisième roue posée à plat, laquelle faisait tourner la meule. « Une roue verticale peut actionner une roue horizontale, murmura Jack, réfléchissant tout haut.

— Jack, fit Martha en riant, Arrête! Si les moulins pouvaient fouler le tissu, des petits malins y auraient déjà pensé. »

Jack ignora l'interruption. « On pourrait fixer les fouloirs à l'axe de la meule, dit-il. Il suffirait d'étaler le tissu à plat là où battent les fouloirs.

— Mais les fouloirs ne frapperaient qu'une fois, puis se coinceraient. Tout s'arrêterait.

— Il doit y avoir un moyen, fit Jack avec entêtement. Il faut qu'il y en ait un.

— Il n'y a aucun moyen, conclut Tom, du ton qu'il utilisait pour clore un sujet de conversation.

— Je parie pourtant que si », marmonna Jack. Tom fit semblant de ne pas entendre.

Le dimanche suivant, Jack disparut. Après la messe du matin à l'église, puis le déjeuner à la maison, comme d'habitude, il ne se

144

montra plus, même pas à l'heure du souper. Aliena était dans sa cuisine, à préparer un épais potage de jambon aux choux et aux poivrons quand Ellen parut, à la recherche de son fils.

« Je ne l'ai pas vu depuis la messe, dit Aliena.

— Il a disparu après le déjeuner, expliqua Ellen. Je croyais qu'il était avec vous. »

Aliena se sentit un peu embarrassée qu'Ellen eût fait si facilement cette supposition. « Vous êtes inquiète?

— Une mère est toujours inquiète, répondit Ellen avec un petit sourire.

— S'est-il disputé avec Alfred? demanda nerveusement Aliena.

— J'ai posé la même question. Alfred dit que non. » Ellen poussa un soupir. « Je ne pense pas qu'il lui soit arrivé un accident. Il a déjà fait ce genre de chose. Je ne l'ai jamais obligé à des heures régulières. »

Plus tard dans la soirée, juste avant l'heure du coucher, Aliena alla jusqu'à la maison de Tom voir si le garçon avait réapparu. Pas de Jack. Elle alla se coucher, inquiète. Richard étant à Winchester, elle était seule. Son esprit était en proie à des obsessions. Jack aurait pu tomber dans la rivière, se noyer ou Dieu sait quoi. Quelle catastrophe pour Ellen! Jack était son seul fils. Les larmes montaient aux yeux d'Aliena en imaginant le chagrin d'Ellen sans Jack. C'est stupide, se dit-elle : je pleure sur la peine de quelqu'un d'autre à propos d'un événement qui n'est pas arrivé. Elle se reprit et essaya de penser à autre chose. Son grand problème, c'était le surplus de tissu. En temps normal, elle pouvait passer la moitié de la nuit à s'inquiéter de ses affaires, mais ce soir-là, ses pensées revenaient sans cesse à Jack. Et s'il s'était cassé la jambe, et s'il gisait dans la forêt, incapable de bouger?

Elle finit par sombrer dans un sommeil agité et s'éveilla aux premières heures du jour, encore fatiguée. Elle jeta son lourd manteau sur sa chemise de nuit, passa ses bottes fourrées et partit à sa recherche.

Il n'était pas dans le jardin derrière la taverne, où l'on voyait souvent des hommes endormis qui ne mouraient pas de froid grâce à la chaleur du tas de fumier. Elle alla vers le pont et suivit précautionneusement la berge jusqu'à un tournant de la rivière où on déposait les détritus. Une famille de canards picorait parmi les bouts de bois, les chaussures éculées, les couteaux rouillés et les ordures pourrissant sur la rive. Dieu merci, Jack n'y était pas.

Elle remonta la colline pour pénétrer dans l'enclos du prieuré où les bâtisseurs de la cathédrale commençaient leur journée de travail. Elle trouva Tom dans sa cabane. « Est-ce que Jack est revenu ? » demanda-t-elle, pleine d'espoir.

Tom secoua la tête. « Pas encore. »

En sortant, elle croisa le maître charpentier, l'air soucieux. « Tous les marteaux ont disparu, dit-il à Tom.

— C'est drôle, remarqua Tom. Je cherchais moi-même un marteau et je n'ai pu en trouver un seul. »

Alfred passa la tête par l'entrebâillement de la porte et dit : « Où sont tous les maillets des maçons ? »

Tom se gratta la tête. « On dirait que tous les marteaux du chantier se sont volatilisés », dit-il, perplexe. Puis son expression changea. « Je parie que Jack est derrière tout ça. »

Bien sûr, songea Aliena. Les marteaux. Le foulage. Le moulin. Sans dire ce qu'elle pensait, elle quitta la cabane de Tom, traversa hâtivement l'enclos du prieuré jusque vers l'endroit où un canal dérivé de la rivière actionnait les deux moulins, l'ancien et le tout nouveau. Comme elle l'avait deviné, la roue du vieux moulin tournait. Elle entra. Ce qu'elle vit tout d'abord la déconcerta et l'effraya. Une rangée de marteaux étaient alignés, fixés sur une perche horizontale. Apparemment de leur propre initiative, ils levaient la tête, comme des chevaux devant leur mangeoire, puis ils retombaient tous ensemble et frappaient simultanément en produisant un fracas assourdissant. Ellen poussa un cri de surprise. Les marteaux levèrent la tête, comme s'ils l'avaient entendue, puis frappèrent de nouveau. Ils martelaient une longueur de son tissu baignant dans un pouce ou deux d'eau au fond d'une auge de bois dont se servaient les fabricants de mortier sur le chantier. En fait, les marteaux étaient en train de fouler le tissu ! Mais comment fonctionnaient-ils ? La perche à laquelle étaient fixés les marteaux se déplaçait parallèlement à l'axe de la roue du moulin ; Une planche fixée à l'axe tournait en même temps que celui-ci et poussait les manches des marteaux si bien que, par contrecoup, les têtes se relevaient. La planche, continuant son mouvement de rotation, libérait les manches. Alors les marteaux s'abaissaient et venaient frapper le tissu dans l'auge. Jack avait réussi son impossible pari : le foulage du tissu par la mécanique du moulin.

Elle entendit sa voix. « Les marteaux doivent être alourdis pour frapper avec plus de force. » Enfin elle le vit, épuisé et triomphant.

« Je crois que j'ai résolu votre problème, dit-il avec un sourire timide.

– Je suis si heureuse! Tout le monde se faisait un terrible souci. Tu nous as valu une belle angoisse » s'écria-t-elle. Sans réfléchir, elle lui jeta les bras autour du cou et l'embrassa. Ce fut un baiser très bref, à peine effleuré. Mais dans le mouvement Jack enlaça la taille d'Aliena, la serrant doucement contre lui. Une seule pensée occupait son esprit : il était sain et sauf. Elle le regarda dans les yeux et une vague d'émotion la saisit. Tout son corps réagissait au contact du jeune homme.

« Vous vous inquiétiez pour moi? demanda-t-il avec étonnement.

– Je n'ai pas dormi de la nuit... », dit-elle avec un sourire.

Soudain Jack eut l'air profondément grave. Aliena sentait son cœur battre et son souffle s'accélérer. Derrière elle, les marteaux frappaient à l'unisson, ébranlant à chaque coup la structure de bois du moulin et elle avait l'impression de sentir la vibration au plus profond d'elle-même.

« Je vais bien, dit-il. Tout va bien.

– Je suis si heureuse », répéta-t-elle dans un murmure.

Elle vit le visage de Jack se pencher vers le sien, elle sentit le contact de leurs deux bouches. Son baiser était très doux. Il avait des lèvres pleines et une barbe légère d'adolescent. Elle ferma les yeux pour mieux savourer cette sensation. Elle entrouvrit les lèvres, leurs langues se rencontrèrent. Aliena aurait voulu crier de joie. Elle se blottit contre le corps de Jack, pressant sa douce poitrine contre son torse musclé, son ventre contre ses hanches dures. Le soulagement de l'avoir retrouvé laissait place à un flot de sensations nouvelles. La proximité du corps de Jack l'emplissait d'une sorte d'extase qui l'étourdissait. Elle lui caressa le dos. Elle aurait voulu toucher sa peau nue, elle aurait voulu être nue aussi. Sans réfléchir, elle darda sa langue entre les lèvres de Jack, qui poussa un gémissement de délice étouffé.

La porte du moulin s'ouvrit brusquement. Réveillée en sursaut comme par une gifle, Aliena s'écarta d'un bond. Le sens de la réalité lui revint, en même temps que la honte de ce qu'ils avaient fait. Elle se retourna, mortifiée. Alfred se tenait sur le seuil de la porte. Alfred! Lui qu'elle avait refusé avec dédain. Voilà qu'il venait de la surprendre à se conduire comme une débauchée. Elle rougit violemment. Alfred la dévisageait avec une expression

147

mêlée de désir et de mépris, quelque chose qui lui rappela William Hamleigh. Elle en voulait à tout le monde : à Alfred de la traiter de haut, à elle-même de lui donner une raison de le faire et à Jack d'en être responsable.

Elle chercha le regard de Jack. Elle savait que sa colère se lisait sur son visage, mais elle n'arrivait pas à la maîtriser. L'expression de bonheur qui animait le visage de Jack tourna au désarroi. Aliena était trop bouleversée pour s'en émouvoir. Elle lui en voulait de l'avoir mise dans cette situation. Vive comme l'éclair elle le gifla. Il ne bougea pas, mais elle lut dans ses yeux le désespoir. Incapable de supporter sa douleur, elle se détourna et courut vers la porte. Le bruit sourd et incessant des marteaux résonnait dans sa tête. Alfred s'écarta, intimidé. Elle passa devant lui sans le regarder et, dehors, trouva Tom le bâtisseur, avec un petit groupe d'ouvriers du chantier, venu voir au moulin ce qui se passait. Aliena les croisa en courant sans leur adresser une parole. D'ailleurs les hommes s'intéressaient moins à elle qu'au bruit de martèlement qui venait du moulin. Certes, Jack avait résolu le problème du foulage, pensa-t-elle, mais l'idée qu'il avait passé toute la nuit à travailler pour elle ne fit qu'accroître son désarroi. Elle passa en flèche devant l'écurie, franchit la porte du prieuré et s'engouffra dans la rue, glissant dans la boue, et ne s'arrêta pas jusque chez elle. Richard était là, assis à la table de la cuisine, devant une miche de pain et une coupe de bière. « Le roi Stephen est en marche, dit-il. La guerre a recommencé. Il me faut un nouveau cheval. »

9

Pendant les trois mois qui suivirent, ce fut à peine si Aliena adressa trois mots à Jack.

Le garçon avait le cœur brisé. Elle l'avait embrassé avec passion, c'était une certitude. Et ils s'embrasseraient encore, bientôt, même si elle avait fui. Il marchait dans une sorte de brouillard exquis, en se répétant intérieurement : Aliena m'aime ! Aliena m'aime ! Elle l'avait caressé, avait pressé ses seins contre lui. Lorsqu'elle commença à l'éviter, il crut tout d'abord qu'elle était simplement embarrassée. Elle ne pouvait tout de même pas nier qu'elle l'aimait après ce baiser. Il lui laissa le temps de surmonter sa timidité. Avec l'aide du charpentier du prieuré, il fabriqua pour le vieux moulin un système plus robuste et plus durable. Aliena put faire fouler son tissu. Elle le remercia sincèrement, mais sa voix était froide et ses yeux évitaient ceux de Jack.

Après plusieurs jours, puis plusieurs semaines, Jack dut admettre que les choses avaient changé. Une vague de désillusion déferla sur lui et il eut l'impression qu'il allait s'y noyer. Il était déconcerté. Dans son désarroi il regrettait de ne pas être plus âgé, de ne pas avoir plus d'expérience avec les femmes pour savoir si l'attitude d'Aliena était normale ou pas, provisoire ou permanente. Devait-il passer outre et affronter la jeune femme ? Terrorisé aussi à l'idée de dire ce qu'il ne fallait pas et d'aggraver la situation, il ne fit rien. Et puis ce sentiment constant d'être repoussé commença à l'éprouver et il se sentit bientôt stupide et impuissant. Il se reprocha d'avoir trop facilement cru que la femme la plus désirable et la plus inaccessible du comté allait s'éprendre de lui,

149

un garçon banal. Il l'avait amusée un moment avec ses histoires et ses plaisanteries, mais dès qu'il l'avait embrassée comme un homme, elle avait fui. Quel imbécile il était d'avoir espéré autre chose !

Après s'être bien convaincu, pendant une semaine ou deux, de sa bêtise, la colère le prit. Il devenait irritable à son travail et on commençait à se méfier de lui. Il se comportait méchamment avec sa demi-sœur, Martha, qui en était aussi blessée que lui-même l'était par Aliena. Les dimanches après-midi, désœuvré il gaspillait ses gages à parier sur les combats de coqs. Toute sa passion se déversait dans son travail. Il sculptait des pierres en saillie, des chapiteaux, des encorbellements. Les encorbellements étaient traditionnellement ornés de feuilles, mais aussi, souvent, représentaient un homme qui semblait tenir l'arc à deux mains ou le soutenir sur son dos. Jack modifia légèrement le motif habituel, et il obtint une silhouette humaine étrangement tordue dans une expression de douleur, condamnée, semblait-il, à une agonie éternelle sous l'énorme poids de la pierre. Jack savait que c'était du beau travail : personne d'autre ne pouvait sculpter un personnage aussi plein d'émotion. Lorsque Tom vit le travail, il hésita entre l'admiration pour un visage aussi expressif et le rejet d'un style si peu conforme à la tradition. Quant à Philip, il fut très impressionné. Mais Jack ne se souciait pas de leur opinion : il estimait que ceux qui n'aimaient pas son œuvre étaient simplement aveugles.

Un lundi de carême – une humeur maussade régnait depuis trois semaines parce qu'on n'avait pas le droit de manger de viande –, Alfred arriva au travail, l'air triomphant. La veille, il était allé à Shiring. Jack ne savait pas ce qu'il y avait fait, mais de toute évidence le résultat était satisfaisant.

A la pause du milieu de matinée, Enid Brewster ouvrit au milieu du chœur un tonneau de bière pour les ouvriers. Alfred sortit un penny de sa poche et dit : « Eh, Jack fils de Tom, va me chercher un pichet de bière. »

Que signifie cette histoire de père ? songea Jack qui préféra ignorer la demande d'Alfred. Un des charpentiers, un homme plus âgé du nom de Peter, intervint : « Fais ce qu'on te dit, apprenti.

– Je ne suis pas le fils de Tom, protesta Jack. Tom est mon beau-père et Alfred le sait bien.

– Obéis quand même, insista Peter. Un apprenti est sous les ordres de son maître artisan. »

A contrecœur, Jack prit l'argent d'Alfred et se plaça dans la file d'attente. « Mon père s'appelait Jack Shareburg, déclara-t-il d'une voix forte. Vous pouvez m'appeler Jack Jackson, si vous voulez faire la différence entre moi et Jack Blacksmith.

– Jack le bâtard me paraît plus approprié, dit Alfred.

– Savez-vous, lança Jack, pourquoi Alfred ne lace jamais ses bottes? » Tous les regards se portèrent sur les pieds d'Alfred. C'était vrai, ses lourdes bottes pleines de boue, conçues pour être lacées haut avec des cordons, bâillaient largement. « C'est pour qu'il puisse trouver rapidement ses doigts de pied... au cas où il aurait besoin de compter au-dessus de dix... » Les artisans sourirent, les apprentis pouffèrent. Jack tendit à Enid le penny d'Alfred en échange d'une cruche de bière, qu'il porta à Alfred et lui tendit en s'inclinant d'un air bouffon. Alfred ne réagit pas à la plaisanterie : il avait d'autres tours dans son sac. Jack s'éloigna pour aller boire sa bière avec les apprentis, espérant qu'Alfred s'en tiendrait là.

Ce ne fut pas le cas. Bientôt Alfred le rejoignit : « Si Jack Shareburg était mon père, je ne le crierais pas sur les toits. Tu ne sais donc pas qui c'était?

– Un trouvère », répondit Jack. Malgré son air assuré, il redoutait ce qu'Alfred allait dire. « Évidemment, reprit-il, tu ignores ce qu'est un trouvère.

– C'était un voleur, déclara Alfred.

– Oh! Tais-toi, imbécile. » Jack but une gorgée de bière, qui eut du mal à passer. Alfred avait sûrement une raison de parler comme il le faisait.

« Tu sais comment il est mort? » insista Alfred.

Ça y est, songea Jack : voilà ce qu'il a appris à Shiring, voilà la raison de ce sourire stupide. Il s'obligea à se tourner vers Alfred. « Non, je ne sais pas comment mon père est mort, Alfred, mais je pense que tu vas me le dire.

– Il a été pendu par le cou, comme le sale voleur qu'il était. »

Jack ne put retenir une exclamation. Il savait d'instinct qu'Alfred disait vrai. Alfred ne pouvait pas avoir inventé pareille chose. Et Jack comprit dans un éclair toutes les réticences de sa mère. Depuis des années il redoutait en secret quelque révélation

151

de ce genre. Il s'était toujours accroché à l'idée qu'il n'était pas un bâtard, qu'il avait un vrai père avec un vrai nom. En fait, il pressentait quelque chose d'inavouable, qui lui ferait honte.

Alfred souriait, très content de lui. L'effet de sa révélation l'avait comblé d'aise. Son expression exaspéra Jack. Il était assez pénible pour Jack de savoir que son père avait été pendu, mais qu'Alfred s'en réjouisse dépassait les bornes. Sans réfléchir, Jack lança sa bière au visage d'Alfred.

Les autres apprentis, qui avaient observé la dispute des deux demi-frères reculèrent précipitamment de quelques pas. Alfred s'essuya le visage, poussa un rugissement de colère et décocha un coup de poing avec une surprenante rapidité pour un gaillard de sa taille. Le coup toucha Jack à la joue, avec une telle violence qu'au lieu de lui faire mal, il l'engourdit. Jack n'eut pas le temps de réagir que déjà l'autre poing le frappait en plein ventre. La douleur fut terrible. Il eut l'impression que jamais il ne retrouverait son souffle. Il s'effondra sur le sol. Au moment où il touchait terre, Alfred lui décocha dans la tête un coup de sa lourde botte et, pendant un moment, il ne vit rien qu'une lumière éblouissante.

En roulant sur lui-même il parvint à se remettre debout, mais en se redressant, Jack sentit qu'on l'empoignait. C'était Alfred qui revenait à charge. Il avait peur, maintenant. Alfred serait sans pitié. Si Jack ne parvenait pas à s'échapper, l'autre allait le réduire en bouillie. La poigne d'Alfred était si forte que Jack n'arrivait pas à se libérer, puis Alfred prit son élan pour frapper encore et Jack en profita pour lui échapper. Alfred se précipita à sa poursuite. Jack contourna un baril de chaux qu'il renversa au passage si bien que son contenu se répandit devant les pas d'Alfred. Celui-ci eut le réflexe de sauter par-dessus le tonneau, mais il tomba de plein fouet sur une barrique d'eau qui à son tour se renversa. L'eau au contact de la chaux se mit à bouillir et à siffler. Les bâtisseurs, voyant gâcher ce coûteux matériel, poussèrent des cris de protestation. Jack courait, toujours courbé en deux sous la douleur et à moitié aveuglé par le coup de pied qu'il avait reçu dans la tête. Alfred qui arrivait sur ses talons lui fit un crochepied. Jack s'étala de tout son long. Je vais mourir, pensa-t-il en s'écroulant. Alfred va me tuer. En rampant, il se réfugia sous une échelle appuyée contre l'échafaudage. Alfred arrivait sur lui. Jack se sentait comme un lapin traqué. Ce fut l'échelle qui le sauva.

Comme Alfred plongeait dessous, Jack repassa par-devant et escalada les barreaux, comme projeté par une catapulte.

Il sentit l'échelle trembler car Alfred montait derrière lui. D'ordinaire, il était plus rapide, mais là, encore assommé et hors d'haleine, il peinait douloureusement. Arrivé en haut, il sauta sur l'échafaudage et trébucha contre le mur. Les pierres avaient été posées le matin même et le mortier était encore humide. Au moment où Jack les heurta, tout un pan du mur se déplaça et trois ou quatre pierres glissèrent dans le vide. Jack crut qu'il allait partir avec elles. Il vacilla au bord de la planche et vit les grosses pierres tomber en tournoyant de plus de quatre-vingts pieds de haut, pour aller s'écraser sur les toits des chalets au pied du mur. Il se redressa, espérant qu'il n'y avait personne en bas. Alfred cependant parvenait en haut de l'échelle et s'avançait vers lui sur le fragile échafaudage.

Il était rouge et haletant, les yeux chargés de haine. Jack ne doutait pas que dans cet état Alfred était capable de tuer. S'il met la main sur moi, songea-t-il, il va me jeter dans le vide. Il battit en retraite. Il marcha dans quelque chose de mou et se rendit compte que c'était un tas de mortier. Pris d'une soudaine inspiration, il se baissa, en saisit une poignée qu'il jeta dans les yeux d'Alfred. Aveuglé, Alfred s'arrêta et secoua la tête pour essayer de s'en débarrasser. Jack avait enfin une chance de s'échapper. Il courut jusqu'au bout de la plate-forme de l'échafaudage, comptant descendre, traverser en courant l'enclos du prieuré et se cacher dans la forêt. Mais il constata avec horreur qu'il n'y avait pas d'échelle à l'autre bout de la plate-forme. Il ne pouvait pas descendre non plus par l'échafaudage car celui-ci n'atteignait pas le sol : il était bâti sur des poutrelles fixées dans les trous du mur. Jack était pris au piège.

Il se retourna. Alfred avançait vers lui. Il y avait peut-être une autre issue.

Du côté inachevé du mur, là où le chœur allait rejoindre le transept, chaque rangée de maçonnerie était plus courte d'une demi-pierre que celle d'en dessous, créant ainsi un escalier fort raide de marches étroites qu'utilisaient parfois les manœuvres les plus audacieux pour monter jusqu'à la plate-forme. Le cœur serré, Jack s'avança prudemment jusqu'au bord. Une nausée lui souleva le cœur. Derrière lui, Alfred arrivait. Il mit le pied sur la première marche.

Jack ne comprenait pas pourquoi Alfred se montrait si témé-raire, lui qui n'avait jamais été courageux. On aurait dit que la haine émoussait sa peur du danger. Comme il descendait après lui ce vertigineux escalier, Alfred gagnait du terrain. Ils étaient encore à plus de douze pieds du sol quand Jack se rendit compte qu'Alfred allait l'atteindre. Désespéré, il sauta sur le toit de chaume du chalet des charpentiers. Il rebondit de là sur le sol, mais en tombant il se tordit la cheville et s'écroula.

Les secondes qu'il avait perdues dans sa chute avaient permis à Alfred d'atteindre le sol et de courir jusqu'au chalet. Un instant, Jack, qui s'était redressé, resta appuyé le dos au mur. Alfred s'arrêta, attendant de voir de quel côté il allait sauter. Jack fit un pas et recula dans le chalet. Il n'y avait pas un artisan à l'intérieur, car ils étaient tous réunis autour du tonneau de bière d'Enid. Sur les établis se trouvaient les marteaux, les scies, les ciseaux et le bois avec lequel ils travaillaient. Au milieu du plancher, un grand morceau de coffrage destiné à bâtir un arc; et au fond, contre le mur de l'église, un feu alimenté par les copeaux et les déchets de bois. Pas d'issue. Jack se retourna pour affronter Alfred. Il était traqué. Un moment la terreur le paralysa. Puis la peur céda la place à la colère. Peu m'importe si je me fais tuer, mais Alfred n'en sortira pas indemne. Il n'attendit pas qu'Alfred commence; il baissa la tête et chargea de tout son poids.

Alfred s'attendait à tout, sauf à cela. Le front de Jack le heurta en pleine bouche. Malgré son petit gabarit, il éprouvait tant de rage que ses forces en étaient décuplées. En retrouvant son équi-libre, Jack vit qu'Alfred avait les lèvres en sang et il en éprouva une grande satisfaction.

Le temps qu'Alfred, pris de court, réagisse, Jack avisa un grand marteau posé contre un établi. Comme Alfred reprenait ses esprits et fonçait sur lui, ce dernier souleva la lourde masse et l'abattit de toutes ses forces. Alfred esquiva le coup, mais l'avantage était passé à Jack. Encouragé, il renouvela son attaque, savourant déjà le bruit des os broyés par la lourde masse. Malgré toute son éner-gie, une fois de plus il manqua Alfred; mais il heurta le poteau qui soutenait le toit du chalet.

Ce n'était pas une construction très solide. Personne n'y habi-tait. Sa seule fonction était de permettre aux charpentiers de tra-vailler quand il pleuvait. Le poteau heurté par le marteau se

154

déplaça. Les murs étaient des claies fragiles de branchages entre-lacés qui ne supportaient aucun poids : le toit de chaume fléchit. Alfred leva un regard inquiet. Jack souleva son marteau. Alfred recula, trébucha sur un tas de madriers et tomba lourdement assis. Jack brandit son arme pour assener le coup final, mais ses bras soudain furent bloqués par une poigne robuste. Derrière lui se tenait le prieur Philip, pâle de colère, qui lui arracha le marteau des mains.

D'un seul coup, le toit du châlet s'effondra. En tombant dans le feu, le chaume bien sec s'enflamma aussitôt et en un instant le bâtiment n'était plus qu'un brasier. On oublia Alfred et Jack pour concentrer tous les efforts à la lutte contre l'incendie. Jack, à l'écart, regardait le désastre, ahuri et désemparé. Est-ce que j'allais vraiment fracasser la tête d'Alfred avec un marteau ? songea-t-il, incrédule. Toute la scène lui semblait irréelle. Il était encore hébété quand, à force d'eau et de terre, le feu finit par céder.

Essoufflé par l'effort, le prieur Philip désigna le gâchis. « Regardez-moi ça, dit-il à Tom, furieux. Un chalet démoli. Le travail des charpentiers ruiné. Un tonneau de chaux gâché et une partie de la nouvelle maçonnerie détruite. »

Tom était en mauvaise posture : son rôle consistait aussi à faire régner l'ordre sur le chantier et Philip le rendait responsable des dégâts. Que les coupables fussent les fils du bâtisseur aggravait encore son cas.

Tom posa la main sur le bras de Philip.

« Nous allons régler cela », annonça-t-il.

Philip ne se calma pas. « C'est moi qui vais régler cela, lança-t-il. Je suis le prieur. Vous travaillez tous pour moi.

– Alors, laissez les maçons délibérer avant de prendre une décision, dit Tom d'un ton apaisant. Peut-être proposerons-nous une idée qui vous semblera acceptable. Sinon, vous ferez comme il vous plaira »

De toute évidence, Philip répugnait à laisser l'autorité lui échapper, mais la tradition était du côté de Tom : les maçons faisaient eux-mêmes leur discipline. Après réflexion, Philip accepta : « Très bien. Mais, quoi que vous décidiez, je ne veux plus que vos deux fils travaillent ensemble sur ce chantier. L'un d'eux doit partir. » Blanc de colère, il s'éloigna à grands pas.

155

Sans un regard pour Jack et Alfred, Tom tourna les talons et entra dans la plus grande loge des maçons.

Désemparé, Jack mesurait l'étendue du problème. Quand les maçons avaient à juger l'un d'entre eux, c'était en général pour des délits comme l'ivrognerie au travail, le vol de matériaux de construction : le châtiment le plus courant consistait en une amende. Des apprentis qui se bagarraient étaient généralement condamnés à être entravés toute une journée. Mais Alfred n'était pas un apprenti. D'ailleurs les batailles ne faisaient pas de tels dégâts. La loge pouvait aussi chasser un membre qui acceptait de travailler pour un salaire inférieur au minimum fixé. Elle pouvait punir celui qui commettait l'adultère avec l'épouse d'un autre maçon – un cas que Jack n'avait jamais connu. Enfin, on pouvait fouetter les apprentis, mais ce châtiment était plutôt évoqué comme une menace. Jack ne l'avait jamais vu exécuter.

Les maîtres maçons se rassemblèrent dans la loge de bois, assis sur des bancs adossés au mur du fond – lequel était en fait un côté de la cathédrale. Lorsqu'ils furent tous installés, Tom prit la parole : « Notre employeur est en colère, non sans raison. Cet incident a causé de graves dégâts. Pis encore, il nous déshonore, nous autres maçons. Il faut nous montrer fermes envers les coupables. C'est la seule façon de retrouver notre réputation de bâtisseurs fiers et disciplinés, maîtres de nous-mêmes comme de notre art.

– Bien dit, lança Jack le Noir, accompagné d'un murmure approbateur.

– Je n'ai vu que la fin du combat, reprit Tom. « Quelqu'un l'a-t-il vu commencer ?

– C'est Alfred qui a provoqué le garçon », expliqua Peter le charpentier, celui qui avait conseillé à Jack d'obéir quand Alfred lui avait demandé de la bière.

Un jeune maçon du nom de Dan, qui travaillait pour Alfred, intervient : « Jack a jeté sa bière à la tête d'Alfred.

– Mais on l'avait gravement provoqué, objecta Peter. Alfred a insulté le père naturel de Jack. »

Tom regarda Alfred. « C'est vrai ?

– J'ai dit que son père était un voleur, répondit Alfred. C'est vrai. Il a été pendu à Shiring. C'est le prévôt Eustache qui me l'a dit hier.

156

« – On ne peut demander, reprit Jack le Noir, à un maître artisan de tenir sa langue pour faire plaisir aux apprentis. »

Il y eut un murmure d'approbation. Jack comprit avec consternation qu'il n'allait pas s'en tirer facilement. Peut-être suis-je condamné à être un criminel comme mon père, songea-t-il. Peut-être finirai-je moi aussi au bout d'une corde.

Peter le charpentier, qui semblait plutôt prendre le parti de Jack, poursuivit : « Quand même, Alfred a tout fait pour mettre l'apprenti en colère.

– L'apprenti doit être puni, répliqua Jack le Noir.

– Je ne le nie pas, approuva Peter. J'estime simplement que l'artisan doit être puni aussi. Les maîtres artisans devraient utiliser la sagesse de leur âge pour faire régner la paix et l'harmonie sur un chantier. S'ils provoquent des bagarres, ils manquent à leur devoir. »

On semblait être d'accord sur ce point, mais Dan, le partisan d'Alfred, argumenta : « Si on commence à pardonner aux apprentis parce que l'artisan s'est montré dur, où allons-nous? Les apprentis trouvent toujours les maîtres durs. Si on discute là-dessus, on se retrouvera avec des maîtres qui n'adresseront jamais la parole à leurs apprentis de crainte que les gamins les frappent pour manque de courtoisie. »

Ce discours, à l'écœurement de Jack, rallia de nombreux suffrages. Quelle punition allait-on décider pour lui? Il n'avait pas d'argent. L'idée d'être fixé au pilori l'horrifiait : qu'est-ce qu'Aliena penserait de lui? Mais ce serait encore pire d'être fouetté.

« Nous ne devons pas oublier, reprit Tom, que notre employeur aussi a son avis là-dessus. Il déclare ne plus vouloir qu'Alfred et Jack travaillent ensemble sur le chantier.

– Pourrait-on le faire changer d'avis? » interrogea Peter.

Tom réfléchit un moment. « Non », conclut-il.

Jack sentit son cœur se serrer. Il n'avait pas pris au sérieux l'ultimatum du prieur Philip.

Dan reprit : « Si l'un d'eux doit s'en aller, je pense que la question ne se pose pas de savoir lequel. » Dan était l'un des maçons qui travaillaient pour Alfred, plutôt que directement pour le prieuré. Si Alfred partait, Dan devrait sans doute partir aussi.

Une fois de plus, Tom prit le temps de répondre : « Non, la question ne se pose pas. » Il regarda Jack. « C'est Jack qui doit partir. »

Jack se rendit compte qu'il avait sous-estimé les conséquences de la bagarre. Mais il ne parvenait à croire à son expulsion brutale. Que serait la vie sans la cathédrale de Kingsbridge? Depuis qu'Aliena lui battait froid, il ne s'intéressait plus qu'à son travail. Il ne pouvait pas le quitter!

Peter le charpentier proposa : « Le prieuré pourrait accepter un compromis : une suspension d'un mois pour Jack. »

Oh oui! songea Jack. S'il vous plaît!

« Ça ne suffit pas, protesta Tom. Nous devons agir avec fermeté. Le prieur Philip n'acceptera pas l'indulgence.

— Alors qu'il en soit ainsi, dit Peter en renonçant à discuter. Cette cathédrale va perdre le plus talentueux de ses jeunes tailleurs de pierre, tout cela parce qu'Alfred ne peut pas s'empêcher de dégoiser. » Plusieurs maçons approuvèrent. Encouragé, Peter ajouta : « Je te respecte, Tom le bâtisseur, plus que je n'ai jamais respecté aucun maître bâtisseur pour qui j'ai travaillé, mais il faut bien dire que tu as un faible pour ta tête de mule d'Alfred.

— Pas d'insulte, je te prie, déclara Tom. Tenons-nous en aux faits.

— Très bien, dit Peter. Je maintiens donc qu'Alfred doit être puni.

— Je suis d'accord, reconnut Tom à la surprise générale.

— Pourquoi? fit Alfred, indigné. Pour avoir battu un apprenti?

— Ce n'est pas ton apprenti, c'est le mien, répondit Tom. Tu as fait plus que le battre. Tu l'as poursuivi dans tout le chantier. Si tu l'avais laissé s'enfuir, la chaux n'aurait pas été répandue, la maçonnerie n'aurait pas été endommagée et la loge des charpentiers n'aurait pas brûlé. Tu pouvais régler tes affaires ailleurs. »

Les maçons acquiescèrent.

Dan, qui semblait défendre les maçons d'Alfred, intervint : « J'espère que vous ne proposez pas l'exclusion d'Alfred de la loge. Pour ma part, je m'opposerai à cette décision.

— Non, riposta Tom. C'est déjà regrettable de perdre un apprenti de talent. Je ne veux pas perdre aussi un bon maçon qui dirige une équipe solide. Alfred doit rester... Mais j'estime qu'il doit être mis à l'amende. »

Les hommes d'Alfred poussèrent le même soupir de soulagement.

« Et une lourde amende, renchérit Peter.

– Une semaine de gages, proposa Dan.

– Un mois, répliqua Tom. Je doute que le prieur Philip se contente de moins. » Plusieurs approuvèrent.

« Sommes-nous tous d'accord là-dessus, frères maçons? demanda Tom, utilisant la forme traditionnelle.

– Oui, répondirent-ils en chœur.

– Alors je vais informer le prieur de notre décision. Retournez au travail. »

Jack les regarda sortir, consterné. Alfred lui lança un regard triomphant. Tom attendit qu'ils fussent seuls pour dire à Jack : « J'ai fait de mon mieux pour toi... J'espère que ta mère le comprendra.

– Tu n'as jamais rien fait pour moi! éclata Jack. Tu n'as jamais été capable de me nourrir, de m'habiller ni de me loger. Nous étions heureux jusqu'à ce que tu arrives, et après nous avons toujours eu faim.

– Mais au bout du compte...

– Tu ne veux même pas me protéger de cette brute stupide que tu appelles ton fils!

– J'ai essayé...

– Tu n'aurais même pas de travail si je n'avais pas incendié la vieille cathédrale!

– Qu'est-ce que tu dis?

– Oui, c'est moi qui ai mis le feu à la vieille cathédrale. » Tom pâlit d'un seul coup. « C'était la foudre...

– Il n'y a pas eu de foudre. C'était une nuit splendide. Et personne n'avait fait de feu dans l'église non plus. C'est moi qui ai incendié le toit.

– Mais pourquoi?

– Pour que tu aies du travail. Sinon ma mère serait morte dans la forêt.

– Elle...

– C'est ce qui est arrivé à ta première femme, non? »

Le visage de Tom s'affaissa. Brusquement, il parut beaucoup plus âgé. Jack se rendit compte qu'il l'avait blessé profondément. Il avait emporté la discussion, mais sans doute perdu un ami. Il se sentait amer et triste.

« Fiche-moi le camp d'ici », murmura le bâtisseur.

Jack partit.

159

Au bord des larmes, il longea les grands murs de la cathédrale. En quelques instants, sa vie avait été dévastée. A la porte du prieuré, il se retourna et regarda en arrière. Il avait tant de projets. Il voulait réaliser un portail, il voulait persuader Tom de placer des anges de pierres auprès des fenêtres hautes, il avait élaboré une conception nouvelle pour bâtir les arcades des transepts, qu'il n'avait montrée à personne encore. Rien. Il ne ferait rien. C'était si injuste.

Il rentra à la maison dans un brouillard de larmes. A la table de la cuisine, sa mère apprenait à écrire à Martha avec une pierre aiguisée et une ardoise. Surprise de le voir arriver, Martha dit : « Ce n'est pas déjà l'heure du dîner. »

Ellen se rendit compte qu'un malheur avait frappé. « Qu'y a-t-il? demanda-t-elle d'un ton anxieux.

— Je me suis battu avec Alfred et on m'a chassé du chantier », annonça Jack d'un ton lugubre.

— On n'a pas chassé Alfred? » demanda Martha.

Jack secoua la tête.

« Ce n'est pas juste! affirma Martha.

— A propos de quoi, interrogea sa mère d'un ton las, vous êtes-vous battus, cette fois?

— Est-ce que mon père a vraiment été pendu à Shiring pour vol? » demanda Jack.

Martha sursauta.

Ellen s'était soudain assombrie. « Ce n'était pas un voleur, dit-elle. Mais oui, il a été pendu à Shiring. »

Jack en avait assez des énigmes à propos de son père. « Pourquoi ne me dis-tu jamais la vérité? lança-t-il brutalement.

— Parce que je ne peux pas la supporter! » répliqua Ellen. Et, devant Jack interloqué, elle éclata en sanglots.

Il n'avait jamais vu sa mère pleurer. Elle était toujours si forte. Il était prêt de s'effondrer à son tour. Il prit une profonde inspiration et insista. « Si ce n'était pas un voleur, pourquoi l'a-t-on pendu?

— Je ne sais pas! cria sa mère. Lui non plus. On l'a accusé d'avoir volé une coupe précieuse.

— Où cela?

— Ici... au prieuré de Kingsbridge.

— A Kingsbridge! C'est le prieur Philip qui l'a accusé?

« – Mais non, mais non, c'était bien avant l'époque de Philip. » Elle regarda Jack à travers ses larmes. « Ne remue pas tout ce passé. Ne tombe pas dans ce piège. Tu pourrais occuper le restant de tes jours à réparer un tort qui a été fait avant ta naissance. Je ne t'ai pas élevé pour que tu gâches ta vie à te venger. »

Jack fit le vœu qu'un jour il saurait tout, quoi qu'il arrive. Mais d'abord il voulait consoler sa mère, qu'elle cesse de pleurer. Il s'assit auprès d'elle sur le banc et passa un bras autour de ses épaules. « Allons, il va falloir que je pense à autre chose qu'à la cathédrale, maintenant.

– Qu'est-ce que tu vas faire, Jack? demanda Martha.

– Je ne sais pas. Je ne peux plus vivre à Kingsbridge. » Martha était en plein désarroi. « Mais pourquoi?

– Alfred a essayé de me tuer et Tom m'a chassé du chantier. Je ne vais pas continuer à vivre avec eux. D'ailleurs, je suis un homme. Je dois quitter ma mère.

– Qu'est-ce que tu vas faire? répéta sa sœur.

– La seule chose que je connaisse, dit Jack en haussant les épaules, c'est la construction.

– Tu pourrais travailler à une autre église.

– J'aimerai peut-être un jour une autre cathédrale autant que j'aime celle-ci », dit-il d'un ton désespéré, tout en pensant. Mais jamais je n'aimerais une autre femme comme j'aime Aliena.

– Comment Tom a-t-il pu prendre une telle décision? dit Ellen, outrée.

– Je ne crois pas qu'il le voulait vraiment, soupira Jack. Le prieur Philip a fait savoir qu'il ne nous autorisait plus Alfred et moi à travailler ensemble sur le chantier.

– Alors c'est ce maudit moine qui a tout déclenché! explosa Ellen. Je jure...

– Il était très énervé par les dégâts que nous avons commis.

– Je me demande si on pourrait le raisonner...

– Que veux-tu dire?

– Dieu est miséricordieux, paraît-il... Les moines devraient l'être aussi.

– Tu crois qu'il faut que je supplie Philip? demanda Jack un peu surpris.

– Je pourrais sans doute lui parler moi-même, dit-elle.

– Toi! » Pour que sa mère envisage d'implorer la miséricorde de Philip, il fallait qu'elle soit profondément bouleversée.

161

« Qu'en penses-tu ? » demanda-t-elle.

Tom était convaincu que Philip ne pardonnerait pas, songea Jack. Il avait promis que la loge se montrerait ferme, il ne pouvait pas après cela implorer la pitié. Mais sa mère n'était pas dans la même position. Jack commença à espérer un peu plus. Peut-être après tout ne serait-il pas obligé de partir. Peut-être pourrait-il rester à Kingsbridge près de la cathédrale et d'Aliena. Son amour lui semblait perdu, mais néanmoins l'idée de s'en aller et de ne jamais la revoir lui faisait horreur.

« D'accord, acquiesça-t-il, allons implorer le prieur Philip. Nous n'avons à perdre que notre fierté. »

Sa mère passa son manteau et ils s'en allèrent, laissant Martha seule dans la plus grande inquiétude.

Jack se rendit compte, en marchant à côté de sa mère, qu'il la dominait de toute sa hauteur. Frappé de la trouver si petite, il en fut soudain tout attendri. Elle était toujours prête à se battre pour lui comme une tigresse. Il la prit dans ses bras et l'étreignit. Elle lui sourit comme si elle devinait ses pensées.

Ils entrèrent dans l'enclos du prieuré et se dirigèrent vers la maison du prieur. Ellen frappa à la porte. Tom était là avec le prieur Philip. Jack comprit tout de suite que Tom n'avait pas parlé à Philip de l'incendie de l'ancienne cathédrale. C'était un soulagement. Il ne le ferait sans doute jamais. Ce secret-là était à l'abri.

Tom manifesta une certaine angoisse, sinon de la frayeur, en voyant apparaître la mère de Jack. N'avait-il pas dit : *J'ai fait de mon mieux pour toi, j'espère que ta mère s'en rendra compte* ? La dernière fois que Jack et Alfred s'étaient battus, Ellen avait quitté Tom. Recommencerait-elle ?

Philip n'avait plus l'air en colère. La décision de la loge l'avait apaisé. Peut-être même éprouvait-il quelque remords pour sa sévérité.

« Je suis venue vous demander miséricorde, prieur Philip », commença Ellen.

Tom parut soulagé.

« J'écoute, dit Philip.

— Vous décidez, continua Ellen, d'éloigner mon fils de tout ce qu'il aime : sa maison, sa famille et son travail. » Et de la femme que j'adore, songea Jack.

« Vraiment ? répliqua Philip. Je croyais qu'il avait simplement été exclu de son travail.

162

– Il n'a jamais appris aucun autre métier que la construction, et il n'y a pas d'autre chantier à Kingsbridge pour lui. Le défi que représentait cette immense église, c'est sa vie. Il ira partout où se bâtit une cathédrale. Il ira à Jérusalem s'il y a là-bas de la pierre à sculpter. » Comment sait-elle tout cela ? se demanda Jack. Il avait à peine eu le temps d'y penser lui-même, mais c'était vrai. Elle ajouta : « Je ne le reverrai peut-être jamais. » La voix tremblait un peu et il songea avec émerveillement à quel point elle l'aimait. Jamais elle ne supplierait ainsi pour elle-même, il le savait.

Philip n'avait pas l'air contrarié, mais ce fut Tom qui répondit : « Nous ne pouvons pas laisser Jack et Alfred travailler sur le même chantier, déclara-t-il avec obstination. Ils se battront de nouveau. Tu le sais.

– Alfred pourrait partir », suggéra Ellen.

Tom leva vers elle un regard triste. « Alfred est mon fils.

– Mais il a vingt ans et il est mauvais comme un ours ! » Malgré sa voix ferme, Ellen avait les joues trempées de larmes. « Il ne s'intéresse pas plus à cette cathédrale que moi : il trouverait son bonheur à bâtir des maisons pour des bouchers et des boulangers à Winchester ou à Shiring.

– La loge ne peut pas chasser Alfred et garder Jack, répondit Tom. D'ailleurs la décision est prise.

– Mais c'est une mauvaise décision ! »

Philip intervint. « Il y a peut-être une autre solution. »

Tous les regards se tournèrent vers lui.

« Une façon pour Jack de rester à Kingsbridge et de se consacrer à la cathédrale sans risquer la querelle avec Alfred. » Jack respira plus vite. C'était trop beau !

« J'ai besoin de quelqu'un qui travaille avec moi, poursuivit Philip. Je passe trop de temps à régler des détails de construction. J'ai besoin d'une sorte d'assistant qui tiendrait le rôle de secrétaire de chantier. Il réglerait la plupart des problèmes lui-même, ne me transmettant que les questions les plus importantes. Il suivrait également les entrées et les sorties de fonds et de matériaux bruts, il se chargerait de payer les fournisseurs et les charretiers, de régler les gages. Jack sait lire et écrire, il compte plus vite que n'importe qui...

– Et il connaît tous les aspects de la construction, intervint Tom. J'y ai veillé. »

Jack avait la tête qui tournait. Il allait rester! En tant que secrétaire du chantier, il ne pourrait pas sculpter, mais il surveillerait toute la construction de la cathédrale au nom de Philip. C'était une proposition stupéfiante. Il traiterait avec Tom sur un pied d'égalité. Il s'en savait capable. Et Tom le savait aussi.

Restait un problème non résolu. Jack l'exprima tout haut. « Je ne peux plus vivre avec Alfred.

— Il est temps, intervint Ellen, qu'Alfred ait sa maison, de toute façon. Peut-être que, s'il nous quittait, il penserait plus sérieusement à trouver une épouse.

— Tu cherches toujours des raisons de te débarrasser d'Alfred, protesta Tom avec colère. Je ne vais pas mettre mon propre fils à la porte de ma maison!

— Vous ne comprenez pas, reprit Philip. Vous n'avez pas vraiment saisi ma proposition. Jack n'habiterait pas avec vous. »

Il marqua un temps. Jack devina ce qui allait suivre.

« Jack vivrait ici, au prieuré », précisa Philip. Il fronça les sourcils comme s'il s'adressait à des écoliers incapables de suivre ses explications.

Jack, lui, avait compris. Il se rappela les paroles de sa mère, l'année passée, au soir de la Saint-Jean : *Ce rusé prêtre a l'art de toujours arriver à ses fins*. Elle avait raison. En fait, Philip renouvelait l'offre qu'il avait faite alors, mais sous une forme déguisée. Jack avait à choisir entre deux maux : quitter Kingsbridge et abandonner tout ce qu'il aimait; ou bien rester et perdre sa liberté.

« Mon secrétaire, bien entendu, ne peut pas être un laïc, conclut Philip du ton de quelqu'un qui énonce une évidence. Il faudra que Jack devienne moine. »

10

La nuit d'avant la foire aux toisons de Kingsbridge, le prieur Philip veilla comme d'habitude après l'office de minuit. Mais, au lieu de lire et de méditer dans sa maison, il fit le tour de l'enceinte du prieuré. C'était une tiède nuit d'été, avec un brillant clair de lune et on y voyait fort bien sans l'aide d'une lanterne.

Tout l'enclos était occupé par la foire, à l'exception des bâtiments monastiques et du cloître, lieux sacrés. Aux quatre coins, on avait creusé de grandes latrines pour que le reste de l'enclos ne fût pas complètement souillé et on les avait dissimulées derrière des rideaux de toile. Des centaines d'éventaires s'alignaient sur la place. Les plus simples n'étaient rien d'autre que de rudimentaires comptoirs en bois posés sur des tréteaux. La plupart, un peu plus perfectionnés, comportaient une enseigne avec le nom du propriétaire et une image de ses marchandises, une table séparée pour la pesée et une resserre ou un placard fermé à clé pour ranger les stocks. A côté de certains éventaires des tentes permettaient de se protéger de la pluie ou de traiter tranquillement les affaires. Les comptoirs plus raffinés ressemblaient à de petites maisons avec de larges réserves, plusieurs tables et des chaises permettant au négociant d'offrir l'hospitalité à ses clients importants. Le premier des menuisiers envoyé par les marchands était apparu une bonne semaine avant l'ouverture de la foire, et la construction de l'éventaire commandée avait demandé quatre jours de travail, plus deux pour le rangement des marchandises.

A l'origine Philip avait prévu de disposer les éventaires en deux grandes avenues sur le côté ouest de l'enceinte, à peu près comme au marché hebdomadaire; mais il avait vite compris que ce ne serait pas suffisant. Les deux avenues longeaient donc aussi côté nord de l'église, puis viraient à l'est jusqu'à la maison de Philip; il y avait même d'autres éventaires à l'intérieur de l'église inachevée, dans les travées entre les colonnes. Les commerçants n'étaient pas tous des marchands de laine : on vendait de tout à cette foire, depuis du pain de son jusqu'à des rubis.

Philip arpenta les allées baignées de clair de lune. Tout était prêt. On n'autoriserait plus d'autres stalles. Le prieuré avait déjà recueilli plus de dix livres en droits et taxes. Les seules denrées nouvelles qu'on pourrait apporter le jour de la foire étaient des produits fraîchement cuits, du pain, des tartes chaudes et des pommes au four. Même les barils de bière avaient été livrés la veille.

Au cours de sa promenade, Philip fut observé par des douzaines d'yeux entrouverts et salué par des grognements ensommeillés. Les marchands qui ne voulaient pas laisser sans garde leurs précieuses marchandises dormaient près de leurs éventaires ou – dans le cas des négociants plus riches – laissaient des serviteurs sur place. Philip ne savait pas encore avec exactitude combien d'argent la foire lui rapporterait, mais ce serait à coup sûr un succès et il espérait dépasser sa première estimation de vingt-cinq livres. Il y avait eu des moments, ces derniers mois, où il avait craint de devoir annuler la foire. La guerre civile traînait en longueur, sans que Stephen ni Maud ne prennent l'avantage, mais on n'avait toujours pas révoqué sa licence. William Hamleigh avait bien essayé de saboter l'entreprise de diverses façons. Il avait circonvenu le prévôt pour qu'il l'interdise, mais le shérif, après avoir demandé des ordres à l'un ou l'autre monarque, n'avait reçu aucune réponse. William avait interdit à ses propres métayers de vendre leur laine à Kingsbridge; mais la plupart traitaient déjà avec des marchands comme Aliena plutôt que d'aller faire eux-mêmes le commerce de leurs toisons, si bien que le principal effet de cette interdiction avait été d'apporter un supplément d'affaires à la jeune femme. Enfin, le comte avait annoncé qu'il réduisait les loyers et les droits de la foire à Shiring pour les ramener au niveau de ceux de Philip; mais cette annonce était arrivée trop tard car les grands négociants avaient déjà fait leurs plans.

Maintenant, alors que le ciel s'éclaircissait au matin du grand

166

jour, William ne pouvait faire plus. Les vendeurs étaient prêts, les acheteurs n'allaient pas tarder à arriver. William constaterait au bout du compte, pensait Philip, que la foire aux toisons de Kingsbridge causait moins de dommages à celle de Shiring qu'il ne le craignait. Les ventes de laine s'accroissaient chaque année et il y avait assez d'affaires pour animer deux foires.

Il avait fait tout le tour de l'enceinte en passant aussi par les moulins et le vivier. Il resta là un moment, à regarder l'eau couler devant les deux moulins silencieux. Celui qui servait maintenant exclusivement à fouler le tissu rapportait beaucoup d'argent et ceci grâce au jeune Jack. Il avait un esprit ingénieux qui bénéficierait beaucoup au prieuré. Jack paraissait s'être bien adapté à la vie de novice, même s'il avait tendance à considérer les offices comme une corvée qui l'éloignait de la construction de la cathédrale. Mais il s'y ferait. La vie monastique avait une influence sanctifiante. Philip croyait que Dieu avait élu ce garçon et, tout au fond de son esprit, il nourrissait un secret espoir : un jour Jack le remplacerait comme prieur de Kingsbridge.

Jack se leva à l'aube et quitta sans bruit le dortoir avant l'office de prime pour aller procéder à une dernière inspection du chantier. L'air matinal était clair et frais, comme l'eau pure d'un torrent. Ce serait une journée chaude et ensoleillée, bonne pour les affaires, bonne pour le prieuré.

Il suivit les murs de la cathédrale, s'assurant que tous les outils et les ouvrages encore inachevés étaient bien enfermés dans les resserres. Tom avait fait dresser de légères palissades de bois autour des tas de madriers et de pierres pour protéger les matériaux de dégâts accidentels causés par des visiteurs négligents ou pris de boisson. On ne voulait pas voir des têtes brûlées grimper sur l'édifice, aussi avait-on prudemment caché les échelles, les escaliers en spirale bâtis dans l'épaisseur des murs étaient fermés par des portes provisoires et les extrémités des murs en cours de construction protégées par des blocs de bois. Tout au long de la journée quelques maîtres artisans patrouilleraient le chantier pour prévenir le moindre dégât.

Jack trouvait toujours une façon ou une autre d'échapper à un maximum d'offices religieux. Il découvrait constamment quelque chose à faire sur le chantier. Sans partager la haine que vouait sa mère à la religion chrétienne, il traitait le catholicisme avec une certaine indifférence. Il prenait soin d'assister à un office tous les jours, en général celui que suivait le prieur Philip ou le maître des novices, les deux dignitaires du monastère le plus susceptibles de remarquer sa présence ou son absence. Mais il n'aurait jamais pu supporter d'assister à tous. La vie de moine était la plus étrange et la moins naturelle qu'on pût imaginer. Les moines passaient la moitié de leur vie à s'imposer des souffrances et un inconfort qu'ils auraient pu facilement éviter, et l'autre moitié à marmonner à toutes les heures du jour et de la nuit des prières dans des églises vides. Ils renonçaient délibérément à tout ce qui était agréable : les filles, le sport, les fêtes et la vie de famille. Jack avait bien remarqué que les plus heureux d'entre eux avaient trouvé une acti-vité qui leur apportait de grandes satisfactions : enluminer des manuscrits, écrire l'histoire, faire la cuisine, étudier la philosophie ou – par exemple Philip – transformer un village endormi comme Kingsbridge en une ville prospère.

Jack n'aimait pas Philip, mais il appréciait fort de travailler avec lui. Pas plus que sa mère il n'éprouvait de sympathie pour les professionnels de Dieu. La piété de Philip l'embarrassait ; il n'aimait pas son innocence obstinée et se méfiait de sa tendance à croire que Dieu prendrait soin de tout ce que lui-même, Philip, ne pourrait pas régler. Néanmoins, c'était agréable de collaborer avec lui : ses ordres étaient clairs, il laissait Jack prendre des décisions et ne reprochait jamais à ses serviteurs les erreurs que lui-même commettait.

Jack n'était novice que depuis trois mois. On ne lui demanderait pas de prononcer ses vœux avant neuf mois encore – les trois vœux de pauvreté, de célibat et d'obéissance. Le vœu de pauvreté recou-vrait une réalité un peu particulière. Si les moines n'avaient pas de possession ni d'argent personnels, ils vivaient comme des seigneurs plus que comme des paysans : bonne table, vêtements chauds, belles habitations de pierre. Le célibat n'était pas un problème, songea Jack amèrement. Il avait trouvé une certaine satisfaction à annoncer lui-même à Aliena qu'il entrait au monastère. Elle avait paru choquée et vaguement coupable. Maintenant, chaque fois qu'il éprouvait cette irritabilité que suscite le manque de compa-gnie féminine, il pensait à la façon dont Aliena l'avait traité –

leurs rendez-vous secrets dans la forêt, leurs soirées d'hiver, les deux fois où il l'avait embrassée – et puis il se rappelait sa soudaine froideur, sa dureté de roc. Jamais plus il ne fréquenterait les femmes. Voilà pour le célibat. Quant au vœu d'obéissance, c'était le plus difficile. Jack acceptait volontiers de recevoir des ordres de Philip, car il était intelligent et organisé. Mais obéir à cet imbécile de sous-prieur, Remigius, à cet ivrogne d'hôtelier ou au pompeux sacristain dépassait ses forces.

Il envisageait quand même de prononcer ses vœux. Il les respecterait plus ou moins, selon les circonstances. Tout ce qui l'intéressait, c'était la cathédrale. Les problèmes d'approvisionnement, de construction et de gestion l'absorbaient sans relâche. Un jour, il aidait Tom à concevoir une méthode pour vérifier que le nombre de pierres livrées sur le chantier correspondait au nombre de pierres quittant la carrière – problème délicat, car la durée du trajet variait entre deux et quatre jours et les occasions de vol ne manquaient pas. Une autre fois, les maçons venaient se plaindre à lui que les menuisiers ne faisaient pas convenablement leur travail. Les difficultés les plus ardues concernaient la technique : comment, par exemple, élever des tonnes de pierres jusqu'en haut des murs avec des machines improvisées fixées à de frêles échafaudages ? Tom le bâtisseur discutait avec Jack d'égal à égal. Apparemment, il avait pardonné à Jack ce violent discours où le jeune homme lui avait reproché de n'avoir jamais rien fait pour lui. Et Tom se comportait comme s'il avait oublié le secret de l'incendie. Ils travaillaient ensemble dans la bonne humeur et les journées passaient vite. Même les ennuyeux offices paraissaient moins longs car Jack avait toujours l'esprit occupé par quelque délicate question en cours. Ses connaissances augmentaient rapidement. Au lieu de passer des années à tailler des pierres, il apprenait à concevoir les plans d'une cathédrale. On n'aurait pu rêver meilleur enseignement pour quelqu'un qui voulait devenir maître bâtisseur. Pour cela, Jack était prêt à bâiller durant autant de matines qu'on voudrait.

Le soleil pointait par-dessus le mur est de l'enceinte. Tout était en ordre sur le chantier. Les négociants qui avaient passé la nuit avec leurs marchandises commençaient à plier leurs couvertures et à sortir leurs articles. Les premiers clients n'allaient pas tarder. Un boulanger passa devant Jack, portant sur sa tête un plateau chargé de miches fraîches. L'odeur du pain lui fit venir l'eau à la bouche. Il fit demi-tour et regagna le monastère, se dirigeant vers le réfectoire où on allait bientôt servir le déjeuner.

Les premiers clients étaient les parents des marchands et les gens de la ville, tous curieux d'assister à la première foire aux toisons de Kingsbridge, mais peu disposés à acheter. Les plus économes s'étaient bourrés de pain de son et de porridge avant de partir de chez eux pour éviter d'être tentés par les plats fortement épicés et vivement colorés qui s'offraient sur les éventaires. Les enfants se promenaient partout les yeux écarquillés, éblouis par ces étalages pleins d'attrait. Une prostituée optimiste et matinale, aux lèvres rouges comme ses bottes, trottinait en décochant des sourires engageants à des hommes entre deux âges, mais à cette heure-là, elle ne trouvait pas preneur.

Aliena observait le spectacle de derrière son comptoir, l'un des plus grands. Au cours des semaines précédentes, elle avait pris livraison de toute la production annuelle de toisons du prieuré de Kingsbridge – la laine pour laquelle elle avait payé cent sept livres l'été d'avant. Elle avait aussi, comme toujours, acheté aux fermiers, plus nombreux cette année que d'habitude, à cause de l'interdiction faite par William Hamleigh à ses locataires d'aller vendre directement à la foire de Kingsbridge. Parmi les marchands auxquels ils s'étaient adressés, c'était Aliena qui avait fait le plus d'affaires. Elle avait si bien réussi qu'elle était à court d'argent liquide et qu'elle avait dû emprunter quarante livres à Malachi. Aujourd'hui, dans l'entrepôt derrière son éventaire, elle avait cent soixante sacs de laine brute, provenant de quarante mille moutons, qui lui avaient coûté plus de deux cents livres. Mais elle les vendrait pour trois cents, ce qui représentait un bénéfice suffisant pour payer les gages d'un maçon qualifié pendant plus d'un siècle. L'ampleur même de son affaire la stupéfiait chaque fois qu'elle pensait en chiffres.

Elle ne s'attendait pas à voir ses acheteurs avant midi. Il n'y en aurait que cinq ou six, qui se connaissaient tous entre eux. Elle offrirait à chacun une coupe de vin et bavarderait un moment avec eux. Ensuite, elle leur montrerait sa laine. L'acheteur lui demanderait d'ouvrir un sac ou deux – jamais, bien sûr, celui qui était en haut de la pile. Il tirerait du fond du sac une poignée de laine dont il effilocherait les brins pour en déterminer la longueur, les frotterait entre le pouce et l'index pour s'assurer de leur douceur et les reniflerait. Enfin, il proposerait pour tout le stock un prix ridiculement bas, qu'Aliena refuserait. Elle lui ferait sa proposition, qu'il refuserait à son tour. Ils prendraient donc un autre verre de vin.

Aliena observerait le même rituel avec tous ses acheteurs. A midi, elle offrirait à dîner à tous ceux qui se trouveraient là. Quelqu'un proposerait de prendre une grande quantité de laine à un prix à peine supérieur à ce qu'Aliena avait payé pour l'acheter. Elle répliquerait en baissant un peu le prix qu'elle demandait. En début d'après-midi, les affaires commenceraient à se conclure. La première se ferait à un prix relativement bas. Les autres marchands demanderaient de traiter au même prix, ce qu'Aliena refuserait. Son prix monterait au fil des heures.

Aujourd'hui elle récolterait plus d'argent que jamais. D'une part, elle avait deux fois plus à vendre, d'autre part les prix de la laine s'envolaient. Elle comptait acheter à Philip, cette fois encore en avance, sa production de l'année et elle avait le secret projet de se faire bâtir une maison de pierre, avec des caves spacieuses pour entreposer la laine, une salle commune élégante et confortable et une jolie chambre en étage rien que pour elle. Son avenir était assuré et elle était certaine de pouvoir aider Richard aussi longtemps qu'il aurait besoin d'elle. Parfait.

Aussi ne comprenait-elle pas elle-même pourquoi elle se sentait si étrangement malheureuse.

Cela faisait quatre ans, presque jour pour jour, qu'Ellen était revenue à Kingsbridge. Les quatre meilleures années de la vie de Tom.

La douleur de la mort d'Agnès s'était atténuée. Elle était toujours là, mais il n'avait plus l'impression qu'à tout moment il risquait d'éclater en sanglots sans raison apparente. Il continuait à tenir avec elle des conversations imaginaires, où il lui racontait les enfants, le prieur Philip, la cathédrale; mais ces conversations étaient moins fréquentes. Le souvenir doux-amer qu'il gardait de sa femme n'entachait pas son amour pour Ellen. Il savait vivre

171

dans le présent. Voir Ellen, lui parler et dormir avec elle étaient des joies quotidiennes.

Il avait été profondément blessé, le jour de la bagarre entre Alfred et Jack, que ce dernier l'accuse de ne s'être jamais occupé de lui. Accusation qui l'avait même frappé davantage que la terrifiante révélation à propos de l'incendie de l'ancienne cathédrale. Cet aveu l'avait torturé des semaines, au bout desquelles il avait conclu que Jack avait tort. Tom avait fait de son mieux, on ne pouvait pas lui en demander davantage.

La construction de la cathédrale était le travail le plus profondément satisfaisant qu'il eût jamais accompli. Il était responsable du dessin et de l'exécution. Personne n'intervenait et il n'y avait personne non plus d'autre que lui pour subir des reproches si les choses se passaient mal. A mesure que les puissants murs s'élevaient, avec leurs arcs élégants, leurs gracieuses moulures et leurs sculptures raffinées, il pouvait se dire : c'est moi qui ai fait tout cela et je l'ai fait bien.

Son cauchemar de se retrouver sur la route sans travail, sans argent et sans moyen de nourrir ses enfants lui semblait très lointain, maintenant qu'il avait enfoui sous la paille de la cuisine un gros coffre plein à éclater de pièces d'argent. Il frissonnait encore au souvenir de cette froide nuit où Agnès avait donné naissance à Jonathan, avant de mourir. Non, rien d'aussi épouvantable n'arriverait plus jamais.

Il se demandait parfois pourquoi Ellen et lui n'avaient pas eu d'enfants. Tous deux avaient montré dans le passé qu'ils en étaient capables et les occasions ne manquaient pas à Ellen d'être enceinte ; même après quatre ans de vie commune, ils faisaient encore l'amour presque chaque soir. Il n'en éprouvait toutefois pas de profond regret : le petit Jonathan était la prunelle de ses yeux.

Il savait par expérience que la meilleure façon de profiter d'une foire était de s'y promener avec un jeune enfant, aussi emmena-t-il Jonathan y faire un tour vers le milieu de la matinée, alors que la foule commençait à grossir. Vêtu de son habit de moine miniature, Jonathan était une attraction à lui tout seul. Il avait récemment réclamé de se faire tondre et Philip avait accédé à son désir – Philip, qui était aussi attaché à l'enfant que Tom – si bien qu'il avait tout à fait l'air d'un petit moine.

Pour animer la foire, il y avait des jongleurs, des acrobates et

172

des musiciens qui faisaient leurs numéros puis passaient un chapeau ; des diseurs de bonne aventure, des chirurgiens et des prostituées en quête de chalands ; des épreuves de force, de lutte et des jeux de hasard. Les gens arboraient leurs costumes les plus colorés et ceux qui pouvaient se le permettre s'étaient aspergés de parfum et avaient huilé leurs cheveux. On dépensait sans compter et l'air retentissait du tintement des pièces de monnaie.

Les combats d'ours allaient commencer. Jonathan, qui n'en avait jamais vu, était passionné d'avance. Le pelage de l'animal, d'un marron grisâtre, était marqué de plusieurs cicatrices, signe qu'il avait survécu à un précédent affrontement. Une lourde chaîne passée autour de sa taille était fixée à un pieu solidement enfoncé dans le sol et il tournait en rond aussi loin que le lui permettait la chaîne, regardant d'un air mauvais la foule qui attendait. Tom crut distinguer une lueur rusée dans l'œil de la bête. S'il avait été d'un tempérament joueur, il aurait parié sur l'ours.

Des aboiements frénétiques s'élevaient d'un coffre fermé à clé, posé à côté. Les chiens qui y étaient enfermés sentaient leur ennemi. De temps en temps, l'ours s'arrêtait et grognait en regardant le coffre, et les aboiements reprenaient de plus belle.

Le propriétaire des animaux, le montreur d'ours, prenait interminablement les paris. Jonathan s'impatientait et Tom allait renoncer au spectacle quand enfin l'homme ouvrit la serrure du coffre. L'ours se dressa sur ses pattes arrière et se mit à rugir. Son maître cria quelque chose et lâcha les chiens.

Cinq lévriers jaillirent, légers et rapides, et leurs gueules ouvertes révélaient des dents acérées. Ils se précipitèrent sur l'ours. Celui-ci agita vers eux ses pattes massives. Il frappa un chien qui partit en vol plané ; les autres reculèrent.

La foule se rapprochait. Tom chercha des yeux Jonathan : il s'était glissé au premier rang, mais assez loin de l'animal. L'ours avait eu l'intelligence de revenir vers le piquet pour donner du mou à sa chaîne, si bien que, quand il bondirait, elle ne l'arrêterait pas dans son élan. Mais les chiens étaient malins aussi. Après leur première attaque dispersée, ils se regroupèrent, puis se déployèrent en cercle. L'ours, très agité, tournait sur lui-même pour essayer de voir de tous les côtés à la fois.

Un des chiens fonça avec énergie. L'ours se porta à sa rencontre et lança un coup de patte. Le chien eut tôt fait de battre en retraite, les quatre autres attaquèrent en même temps de toutes parts. L'ours pivota pour les frapper. La foule poussa des acclamations quand trois des lévriers plantèrent leurs dents dans la chair de son dos. L'ours se dressa avec un grognement de douleur et les chiens détalèrent, puis aussitôt renouvelèrent la même manœuvre. Tom crut que l'ours allait une nouvelle fois s'y laisser prendre. Le premier chien se précipita à portée de son adversaire, l'ours riposta et le chien recula ; mais quand les autres lévriers attaquèrent, l'ours était prêt : il se retourna vivement, plongea vers le chien le plus proche et lui balaya le flanc de sa patte. La foule applaudit aussi fort l'ours qu'elle avait acclamé les chiens. Les griffes acérées de l'ours avaient déchiré la peau satinée, laissant trois profondes marques ensanglantées. Le chien se mit à japper pitoyablement et abandonna le combat pour lécher ses plaies.

Les quatre chiens restants tournaient avec prudence autour de l'ours, lançant parfois une attaque mais battant en retraite avant la riposte dangereuse. Puis un chien attaqua de front avec la rapidité de l'éclair et, évitant la patte de l'ours, lui sauta à la gorge. La foule se déchaîna. Le chien planta ses crocs pointus dans le cou massif. Les autres chiens attaquèrent à leur tour. L'ours se mit debout, frappant la bête qui le tenait à la gorge, puis retomba sur ses pattes et roula sur le sol. Pendant un moment, Tom ne put distinguer ce qui se passait : on ne voyait que de la fourrure qui s'agitait. Enfin, trois lévriers bondirent hors d'atteinte et l'ours se remit à quatre pattes, laissant un chien sur le sol, écrasé.

La foule était tendue. L'ours avait mis deux adversaires hors de combat, il en restait trois ; mais il saignait du dos, du cou et des pattes de derrière, et il paraissait effrayé. L'odeur du sang se mêlait à celle de la sueur des spectateurs. Les chiens ne jappaient plus et tournaient sans bruit autour de l'ours. Eux aussi semblaient avoir peur, mais le goût du sang dans la gueule leur donnait envie d'une mise à mort.

L'attaque recommença de la même façon : un chien se précipita, puis recula. L'ours donna un coup de patte sans conviction et pivota pour faire face au second lévrier. Mais celui-là aussi s'arrêta dans son élan et recula hors de portée ; le troisième chien l'imita. Ils avançaient puis reculaient, l'un après l'autre, obligeant l'ours à bouger sans cesse et à tourner. A chaque assaut ils approchaient un peu plus et les griffes de l'ours étaient plus près de les saisir. Les spectateurs, qui devinaient ce qui allait se passer, ne maîtrisaient plus leur excitation. Jonathan toujours au premier rang, à quelques pas de Tom, paraissait impressionné et un peu apeuré. Le regard du maçon se reporta sur le combat, juste à temps pour voir les griffes de l'ours rater un chien tandis qu'un autre passait entre les pattes de derrière de l'énorme bête et mordait son ventre tendre. L'ours poussa un hurlement. Le chien se dégagea et s'enfuit. Un autre le relaya. L'ours lui donna un coup de patte, le manquant de quelques pouces, puis le même chien revint l'attaquer au ventre. Cette fois, il provoqua une grande plaie ensanglantée à l'abdomen de l'énorme bête qui se redressa et retomba sur ses quatre pattes. Tom crut un moment que le combat était fini, mais il se trompait. L'ours avait encore des ressources. Quand le chien suivant arriva, l'ours fit semblant de le frapper, tourna la tête, vit le second chien qui approchait, fit volte-face avec une rapidité surprenante et lui asséna un coup puissant qui l'envoya voler en l'air. La foule poussa des rugissements ravis. Le chien retomba comme un sac de viande. Tom l'observa un moment. Il vivait encore, incapable de bouger, le dos brisé. L'ours ne s'en occupa pas, car il était hors de combat.

Il ne restait maintenant que deux chiens en lice. Ils s'avancèrent à plusieurs reprises, battant aussitôt en retraite, jusqu'au moment où les ripostes de l'ours perdirent de l'énergie. Ils se mirent alors à l'encercler, tournant de plus en plus vite. L'ours pivotait d'un côté, puis de l'autre, s'efforçant de les surveiller en même temps. Épuisé, saignant abondamment, c'était à peine s'il pouvait rester sur ses pattes. Les chiens continuèrent leur ronde en cercles sans cesse plus étroits. La terre sous les puissantes pattes de l'ours n'était plus qu'une boue rouge. La fin s'annonçait. Les deux chiens foncèrent en même temps, l'un à la gorge, l'autre au ventre de l'ours. Dans un dernier élan désespéré, celui-ci frappa le chien qui lui mordait le cou. Il y eut un horrible ruissellement de sang. La foule acclama. Tom crut tout d'abord que le chien avait tué l'ours, mais c'était le contraire. Le chien s'effondra sur le sol, la gorge ouverte. Pendant ce temps, le dernier chien avait ouvert le ventre de l'ours dont les entrailles maintenant pendaient à l'extérieur. L'animal donnait de faibles coups de pattes que le chien évita sans mal avant de reprendre son assaut et d'aller mordre à pleines dents les intestins de l'ours. Les hurlements de la foule atteignaient leur paroxysme. Des entrailles de l'ours monta une répugnante puanteur. La bête rassembla ses dernières forces et frappa le chien. Le coup porta, mais la blessure sanglante sur son dos était superficielle. Le chien comprit que l'ours était à bout de forces, aussi revint-il à l'attaque, déchiquetant le ventre de son adversaire jusqu'au moment où le grand animal finit par fermer les yeux et s'écrouler, mort.

Le montreur d'ours prit par le collier le chien victorieux. Le boucher de Kingsbridge et son apprenti sortirent de la foule et entreprirent aussitôt de dépouiller l'ours. Ceux qui avaient gagné leurs paris réclamèrent d'être payés. Chacun voulait caresser le chien survivant. Tom chercha des yeux Jonathan : introuvable.

Durant tout le combat, l'enfant était demeuré à quelques pas de lui. Quand avait-il disparu? Probablement au plus fort de la bataille, quand Tom se concentrait sur le spectacle. Il s'en voulait horriblement. Il fouilla des yeux les alentours. Il dominait la foule d'une tête et Jonathan, de son côté, était facile à repérer avec sa robe de moine et son crâne tondu; mais on ne le voyait nulle part. L'enfant ne risquait pas grand-chose dans l'enceinte du prieuré. Ce que Tom craignait, c'est qu'il tombe sur des spectacles que le prieur Philip préférerait lui éviter : par exemple des prostituées accommodant leurs clients contre le mur d'enceinte. Machinalement, Tom leva les yeux vers l'échafaudage dressé sur le chantier et là, à son horreur, il aperçut la petite silhouette en robe de moine.

Il connut un moment de panique. Il voulut crier *Ne bouge pas, tu vas tomber!* mais ses paroles se seraient perdues dans le brouhaha de la foire. Écartant la foule, il courut vers la cathédrale. Jonathan gambadait le long de l'échafaudage, occupé à quelques jeux imaginaires, inconscient du risque qui le guettait de glisser et de tomber de quatre-vingts pieds.

L'échafaudage reposait sur de lourds madriers insérés dans des trous du mur et qui dépassaient d'environ six pieds. On disposait en travers de robustes poteaux qu'on fixait par des cordes, puis on posait sur ces cadres des tréteaux de branches flexibles et de roseaux tressés. On accédait normalement à cet échafaudage, qui ne reposait donc pas sur le sol, par les escaliers de pierre en spirale bâtis dans l'épaisseur des murs. Mais ces escaliers ayant été barrés pour la journée, comment Jonathan avait-il grimpé là haut? Il n'y avait pas d'échelle, non plus. Aurait-il escaladé le mur inachevé?

Tom arriva au pied du bâtiment, les yeux toujours fixés sur le petit garçon insouciant, tout en haut au-dessus de lui. De toutes ses forces, il l'appela : « Jonathan! »

Autour de lui, les gens, surpris, suivirent son regard et repérèrent l'enfant. Une petite foule se rassembla.

Jonathan chercha au-dessous de lui, aperçut Tom et agita la main. « Descends! » cria le maçon.

Jonathan s'apprêta à obéir, puis, quand il aborda la descente du mur et les marches abruptes qu'il devrait emprunter, il s'arrêta net. « Je ne peux pas! » cria-t-il.

Tom n'avait plus qu'à monter lui-même le chercher. « Ne bouge pas, j'arrive! » cria-t-il. Écartant les blocs de bois qui barraient l'accès des premières marches, il se mit à grimper.

Le mur avait quatre pieds de large à la base, mais, tout en haut, il n'était plus épais que de deux pieds, ce qui était assez large pour s'y promener à condition d'avoir les nerfs solides. Tom n'avait pas le vertige. Il suivit le mur, sauta sur l'échafaudage et prit Jonathan dans ses bras. « Petit idiot », dit-il d'une voix qui vibrait de tendresse. Jonathan se serra contre lui.

La descente fut plus difficile car, s'il n'avait pas peur pour lui-même, la charge de l'enfant dans ses bras multipliait le risque et Tom transpirait d'angoisse. Il atteignit enfin le niveau de la galerie où le mur s'élargissait et il s'arrêta pour laisser son cœur reprendre un rythme normal.

Au-delà de l'enceinte du prieuré, Kingsbridge s'étendait à ses pieds, puis les champs, et plus loin quelque chose apparut qui l'étonna. Un nuage de poussière s'élevait sur la route menant à Kingsbridge, à moins d'un quart de lieue. Clignant les yeux, Tom finit par distinguer une importante troupe d'hommes à cheval, qui approchaient de la ville au grand trot. Il pensa d'abord à un très riche marchand, ou un groupe de marchands, suivis d'une importante escorte. Mais ils n'avaient pas l'air de négociants. D'ailleurs, ils étaient vraiment trop nombreux. Certains d'entre eux chevauchaient des destriers, la plupart étaient casqués et tous armés jusqu'aux dents.

Le sang de Tom ne fit qu'un tour. « Par le Christ, qui c'est, ceux-là? dit-il tout haut.

— Il ne faut pas dire par le Christ », lui reprocha Jonathan.

Tom dévala les marches. La foule applaudit lorsqu'il sauta sur

177

le sol, mais il ne s'arrêta pas. Où étaient Ellen et les enfants? Il regarda autour de lui, en vain. Jonathan avait beau se débattre dans ses bras, Tom le tenait serré. D'abord mettre son petit garçon à l'abri. Ensuite, il s'occuperait des autres. Il fendit la cohue pour gagner la porte qui menait au cloître. Elle était fermée de l'intérieur pendant la durée de la foire. Tom frappa à coups de poing. « Ouvrez! Ouvrez! » Aucune réponse.

Peut-être n'y avait-il personne dans le cloître. Qu'à cela ne tienne. Il posa Jonathan par terre, prit son élan et d'un coup de son grand pied botté frappa la porte qui s'ouvrit sous le choc. De l'autre côté, se trouvait un moine d'un certain âge, abasourdi. Tom poussa Jonathan à l'intérieur. « Gardez-le avec vous, dit-il au vieux moine. Ça va chauffer. »

Le moine acquiesça sans comprendre et prit la main de Jonathan.

Tom referma la porte sur lui. Les autres, maintenant. Il devait les retrouver dans une foule d'un millier de personnes.

Il grimpa sur un tonneau de bière vide et du regard balaya la foule. Pas de famille, aucun visage connu. Un coup d'œil au-delà des toits des maisons lui apprit que les cavaliers arrivaient au pont. C'étaient tous des hommes d'armes, brandissant des torches. Épouvanté, Tom comprit qu'il allait y avoir un massacre.

Jack apparut soudain près de lui, l'air interrogateur. « Pourquoi es-tu perché sur un tonneau?

— Il faut s'attendre à de la bagarre! Où est ta mère?

— A l'éventaire d'Aliena.

— Alfred et Martha?

— Martha est avec maman. Alfred assiste à un combat de coqs. Qu'y a-t-il?

— Regarde toi-même. » Tom aida Jack à grimper sur le tonneau. Les cavaliers avaient franchi le pont et entraient dans le village. « Seigneur, dit Jack. Qui c'est? »

Tom repéra leur chef, un grand gaillard monté sur un destrier. Ses cheveux jaunes et sa robuste stature désignaient sans erreur possible William Hamleigh.

Dès que les cavaliers atteignirent les premières maisons, ils tendirent leurs torches vers les toits de chaume. « Ils incendient la ville! s'écria Jack.

— Ça va être pire que tout ce qu'on peut imaginer, dit Tom. Descends. » Ils sautèrent à terre.

178

« Je vais chercher mère et Martha, annonça Jack.

– Emmène-les au cloître, ordonna Tom. Ce sera le seul endroit sûr. Si les moines protestent, n'en tiens pas compte.

– Et s'ils verrouillent la porte?

– Je viens de faire sauter le verrou. Dépêche-toi! Je vais chercher Alfred. Va! »

Jack se précipita. Quant à Tom, il fonça vers l'arène des coqs, bousculant les gens sans douceur sur son passage, ignorant les protestations et les insultes. Déjà la fumée des maisons en flammes apportée par le vent atteignait l'enceinte du prieuré. Dans un rien de temps, ce serait la panique.

L'arène des combats de coq, près de la porte du prieuré, était envahie d'une foule nombreuse et bruyante. Au centre, on avait creusé dans le sol un trou de quelques pieds de large. Deux coqs s'y battaient à coups de bec et d'ergots en fer dans un tourbillon de plumes et de sang. Alfred, au premier rang, ne perdait pas un détail du combat, encourageait de ses cris l'un ou l'autre des malheureux volatiles. Tom se fraya un chemin jusqu'à lui et l'empoigna par l'épaule. « Viens! cria-t-il.

– J'ai six pence sur le noir! répondit Alfred.

– Il faut partir d'ici! » hurla Tom. Au même instant, une bouffée de fumée balaya l'arène. « Tu ne sens pas le feu? »

Le mot tant redouté alerta quelques spectateurs alentour, qui reniflèrent l'air ambiant avec attention.

« La ville est en feu! » cria Tom.

Un mouvement de panique parcourut la foule qui se dispersa en courant dans toutes les directions. Dans l'arène le coq noir avait tué le brun, mais personne ne s'en souciait plus. Alfred s'était lancé sans réfléchir droit devant lui. Tom le rattrapa. « Au cloître! dit-il. C'est le seul endroit sûr. »

La fumée qui arrivait maintenant en bouffées épaisses provoqua l'épouvante. On criait, on s'agitait, mais personne ne savait comment s'opposer à l'incendie. Tom constata que les gens se bousculaient à la porte du prieuré, dans un passage trop étroit qui formait goulet. De toute façon, ils n'étaient pas plus en sûreté là-bas qu'ici. Mais la foule grossissait, imitant aveuglément les premiers fugitifs, si bien qu'Alfred et Tom se retrouvèrent à contre-courant d'une marée humaine déferlant dans la direction opposée. Puis, brusquement, le courant se renversa et la foule revint dans leur

179

direction. Tom comprit vite la raison de ce changement : les premiers cavaliers débouchaient dans l'enceinte du prieuré.

Spectacle terrifiant. Les énormes montures, affolées par la foule, se cabraient et chargeaient, piétinant les gens sous leurs sabots. Les cavaliers, armés et casqués, brandissaient des torches et des massues, avec lesquelles ils abattaient hommes, femmes et enfants, en même temps qu'ils mettaient le feu aux éventaires, aux vêtements et aux cheveux des malheureux. Tout le monde criait. Un autre groupe de cavaliers passa la porte en écrasant tout sur son passage. Tom cria à l'oreille d'Alfred : « Va au cloître ! Je veux m'assurer que les autres sont passés. Cours ! » Il lui donna une bourrade et Alfred disparut.

Comme Tom tentait de se diriger tant bien que mal vers l'éventaire d'Aliena, il trébucha sur une masse qui gisait au sol et tomba. Grommelant, il se remit à genoux mais, avant qu'il ait pu se redresser, il vit un destrier foncer sur lui, oreilles couchées et naseaux frémissants. Tom nota ses yeux terrifiés. Dressé au-dessus de la tête du cheval, le maçon reconnut le visage congestionné de William Hamleigh, tordu par une grimace de haine triomphante. La dernière image qui vint à l'esprit de Tom fut celle du corps d'Ellen. Il pensa qu'il aimerait encore la tenir entre ses bras. Puis le choc d'un énorme sabot le toucha en plein milieu du front. Il ressentit une épouvantable douleur qui lui fit éclater le crâne et tout devint noir.

Quand Aliena sentit la fumée, elle crut que le dîner qu'elle préparait se mettait à brûler.

Trois acheteurs flamands discutaient autour de la table disposée en plein air devant son entrepôt. C'étaient des hommes corpulents, à la barbe noire, qui parlaient anglais avec un fort accent allemand et portaient des vêtements du drap le plus fin. L'affaire se présentait bien. Avant d'engager la vente, elle avait décidé de servir le déjeuner afin de donner aux acheteurs le temps de s'impatienter. Néanmoins, elle serait soulagée quand toute cette fortune en laine serait devenue propriété de quelqu'un d'autre. Elle déposa devant les Flamands le plat de côtes de porc grillées au miel. La viande était cuite à point, brune et croustillante. Elle versa à chacun un gobelet de vin. C'est à ce moment qu'un des acheteurs huma l'air, puis ils échangèrent des regards anxieux. Aliena se glaça de peur. Le feu était le cauchemar des marchands de laine. Ellen et Martha l'aidaient à servir le dîner. « Est-ce que vous sentez la fumée ? » demanda-t-elle.

Elles n'eurent pas le temps de répondre que Jack surgit, une expression égarée sur son doux visage. Aliena n'était pas habituée à le voir en vêtement de moine, les cheveux tondus. Elle eut brusquement l'envie de le prendre dans ses bras et de chasser par ses baisers les plis soucieux qui barraient son front. Mais elle se reprit bien vite, honteuse au souvenir de la scène qui s'était déroulée six mois plus tôt dans le vieux moulin. Elle rougissait encore chaque fois qu'elle évoquait cet incident dans sa mémoire.

« Ça va mal, cria-t-il. Il faut tous nous réfugier au cloître. »

Elle se figea. « Que se passe-t-il... un incendie ?

– Le comte William avec ses hommes d'armes... »

Aliena sentit brusquement tomber sur elle un froid de tombe. William. Encore.

« Ils ont mis le feu à la ville, répéta Jack. Tom et Alfred sont au cloître. Venez avec moi, je vous en prie. »

Sans cérémonie, Ellen laissa choir le bol de légumes qu'elle s'apprêtait à déposer sur la table devant un acheteur flamand ébahi. « Très bien », dit-elle. Elle saisit Martha par le bras. « Allons-y. »

Aliena lança un regard affolé vers son entrepôt. Elle avait là-dedans des centaines de livres de laine brute qu'il lui fallait absolument protéger du feu... Mais comment ? Elle croisa le regard de Jack, qui attendait sans bouger. Les acheteurs quittèrent précipitamment la table. « Va-t'en, Jack. Il faut que je m'occupe de mon éventaire, dit-elle.

– Jack, cria Ellen... Viens !

– Un instant. » Il se tourna vers Aliena.

Ellen hésita, déchirée entre la nécessité de sauver Martha et le désir d'attendre Jack. Elle l'appela encore une fois.

Jack se tourna vers elle. « Mère ! Emmène Martha !

– D'accord, dit-elle. Mais je t'en prie, fais vite ! » Elle entraîna Martha.

Des hurlements venaient de la porte du prieuré. La fumée était partout. Aliena, le ventre noué par la peur, restait paralysée devant son entrepôt. Tout son travail de six ans était entassé là.

181

« Aliena! insista Jack. Venez au cloître... Nous serons en sûreté là-bàs!

— Je ne peux pas! cria-t-elle. Ma laine!

— Au diable votre laine!

— C'est tout ce que j'ai!

— Ça ne vous servira à rien si vous êtes morte!

— Mais j'ai mis tant d'années à en arriver là...

— Aliena! Je vous en prie! »

Des cris de terreur retentirent à côté de l'éventaire. Les cavaliers avaient pénétré dans l'enclos du prieuré, sans se soucier des gens qu'ils piétinaient, mettant le feu aux étals. Les gens terrorisés se bousculaient dans leurs efforts désespérés pour échapper à la charge des chevaux et aux brandons. La foule se pressait contre la frêle barrière de bois qui protégeait le devant de l'éventaire d'Aliena avec tant de force qu'elle s'écroula. Avec elle, plusieurs personnes basculèrent et renversèrent table, plats de nourriture et coupes de vin. Jack et Aliena reculèrent. Deux cavaliers chargèrent, l'un brandissant une massue, l'autre une torche enflammée. Jack passa devant Aliena pour la protéger. La massue s'abattit vers la tête d'Aliena, mais Jack avait levé au-dessus d'elle un bras protecteur et la masse vint le frapper au poignet. Elle sentit le coup, mais ce fut lui qui encaissa le choc. Derrière l'attaquant, le deuxième cavalier ne la lâchait pas du regard.

C'était William Hamleigh.

Aliena poussa un hurlement.

L'homme la considéra longuement, la torche flambant dans la main, une lueur de triomphe illuminant ses yeux. Puis il éperonna son cheval et le poussa dans l'entrepôt.

« Non! » hurla Aliena.

Rageusement, elle tenta de se dégager de la bousculade, frappant ceux qui la gênaient, y compris Jack. Elle finit par se libérer et se précipita dans l'entrepôt. William, penché sur sa selle, approchait sa torche des sacs de laine entassés. « Non! » hurla-t-elle encore. Elle se jeta sur lui pour essayer de le faire tomber de cheval. Il la repoussa violemment, elle trébucha. De nouveau, la torche effleura les sacs de laine qui se mirent à brûler en dégageant une odeur âcre. Le cheval se cabra et hennit de terreur. Soudain, Jack surgit, écarta Aliena. William tourna sur place et jaillit hors de l'entrepôt. Aliena se releva. Avec un sac vide elle se mit à étouffer les flammes. « Aliena, dit Jack, vous allez vous asphyxier! » La chaleur devenait insupportable. Elle agrippa un sac de laine encore intact et le traîna à l'abri. Tout à coup, un horrible crépitement, une chaleur intense au visage la firent hurler de terreur : ses cheveux avaient pris feu. Au même instant Jack se jeta sur elle, lui entoura la tête de ses bras et la serra contre lui. Ils tombèrent. Jack desserra son étreinte. Elle sentait le roussi, mais sa chevelure était sauvée. Jack avait le visage cramoisi et plus de sourcils. Il saisit Aliena par un pan de sa robe et la traîna dehors. Elle eut beau se débattre, il ne la lâcha pas jusqu'au moment où il furent dehors. Elle continuait à lutter, fixant d'un regard fou le feu qui consumait toutes ces années de travail et de soucis, toute sa fortune. Enfin ses forces l'abandonnèrent. Elle se laissa couler par terre et se mit à hurler.

Dans le magasin situé sous la cuisine du prieuré, Philip faisait ses comptes avec Cuthbert le Chenu lorsque le vacarme extérieur les alerta. Cuthbert et lui échangèrent un regard surpris et d'un même mouvement sortirent voir ce qui se passait. A peine la porte franchie, ils se retrouvèrent au milieu d'une émeute.

Philip n'en crut pas ses yeux. Les gens couraient partout, affolés, trébuchant et se bousculant, en proie à la panique. Les hommes et les femmes criaient, les enfants pleuraient. L'air était rempli de fumée. A part la porte principale, la seule issue pour quitter l'enceinte du prieuré était la brèche qui séparait les bâtiments de la cuisine du moulin. Là il n'y avait pas de mur, mais un profond fossé qui amenait l'eau du vivier jusqu'à la brasserie. Philip voulut prévenir les malheureux de prendre garde au fossé, mais personne n'écoutait plus personne.

Le prieur se rendit compte tout de suite de l'ampleur du drame. Un incendie dans un lieu réduit envahi de centaines de gens c'était la promesse d'une tragédie. Que faire? D'abord voir où on en était. Il grimpa quatre à quatre les marches jusqu'à la porte de la cuisine. Ce qu'il découvrit l'emplit de terreur. La ville entière était en feu.

Un cri de désespoir lui échappa.

Qu'était-il arrivé?

Les cavaliers qui chargeaient la foule avec leurs brandons

enflammés lui donnèrent la réponse : il ne s'agissait pas d'un accident. D'abord il pensa que les deux camps de la guerre civile avaient pris Kingsbridge comme champ de bataille. Pourquoi ? Mystère, cependant les hommes d'armes, en fait, attaquaient les citoyens, ils ne se battaient pas entre eux. Il ne s'agissait pas d'un combat, mais d'un massacre.

Un grand gaillard blond, chevauchant un puissant destrier, menait sa bande à travers la foule. William Hamleigh.

La haine monta à la gorge de Philip. Une telle tuerie, une telle destruction à cause de l'orgueil et de la cupidité de cet individu ! A demi fou, il cria de toute la force de sa voix : « Je t'ai vu, William Hamleigh ! »

Le comte, à ces mots qui avaient dominé le tumulte de la foule, retint son cheval et croisa le regard de Philip.

« Ta place est en enfer ! » hurla Philip.

La soif de sang congestionnait le visage de William. Même la menace qu'il redoutait le plus au monde avait perdu tout effet sur lui. Il brandissait sa torche en l'air comme une bannière. « C'est ici, l'enfer, moine ! » répliqua-t-il. Et, éperonnant son cheval, il repartit au galop.

Jack lâcha Aliena et se releva. Sa main droite engourdie lui remit en mémoire le coup destiné à la tête d'Aliena et qu'il avait reçu à sa place. Puisse cette douleur durer toute la vie, pensa-t-il, et entretenir mon souvenir...

L'entrepôt n'était qu'un brasier rugissant. Tout autour, d'innombrables incendies faisaient rage. Le sol était jonché de corps ensanglantés, convulsés ou inertes. Le craquement des flammes résonnait dans un silence de mort. La foule avait disparu, abandonnant derrière elle les cadavres et les blessés. Jack était profondément choqué. Il n'avait jamais vu un champ de bataille, mais ce ne pouvait être pire.

Aliena pleurait. Jack posa sur ses épaules une main réconfortante qu'elle repoussa vivement. Il lui avait sauvé la vie, mais que lui importait ? Sa fortune, son existence venait de partir en fumée. Jack la regarda pensivement, infiniment triste. Avec ses cheveux ratatinés elle avait perdu sa beauté rayonnante, mais il l'aimait toujours. Il souffrait de la voir si désemparée et d'être incapable de la réconforter.

Maintenant qu'elle ne pouvait plus entrer dans l'entrepôt, il s'inquiéta pour le reste de sa famille. Aussi abandonna-t-il Aliena pour partir à sa recherche.

Il avait mal au visage. Portant une main à sa joue, il déclencha sous ses doigts une douleur cuisante. Il était sûrement fortement brûlé. Les corps qui jonchaient le sol ralentissaient sa marche. Il aurait voulu faire quelque chose pour les blessés, mais il ne savait par où commencer. En tout cas, il ne reconnut aucun visage familier parmi les victimes. Sa mère et Martha s'étaient réfugiées au cloître bien avant le gros de la foule, songea-t-il. Tom avait-il retrouvé Alfred? Il accéléra le pas. Ce fut alors qu'il vit le maçon.

Le grand corps de son beau-père était étendu de tout son long sur le sol boueux, parfaitement immobile. On reconnaissait son visage, toujours paisible, jusqu'aux sourcils; au-dessus, il avait le front ouvert et le crâne défoncé. Jack réprima une nausée, refusant de croire ses yeux : Tom ne pouvait pas être mort. Pourtant ce corps qu'il voyait devant lui ne vivait plus. Il détourna la tête, puis se força à regarder de nouveau. Tom était bien mort.

Jack s'agenouilla près du cadavre. Il éprouvait le besoin de faire quelque chose, de dire quelque chose, et il comprit pour la première fois pourquoi on prie pour les morts. « Tu vas manquer terriblement à maman », dit-il tout haut. Il se souvint du violent discours qu'il avait adressé à Tom le jour où il s'était battu avec Alfred. « Ce n'était pas vrai, Tom, dit-il en sanglotant. Tu ne m'as pas fait défaut. Tu m'as nourri, tu t'es occupé de moi et tu as rendu ma mère heureuse, vraiment heureuse. » Mais ce que Tom lui avait donné de plus important, ce n'était ni le gîte ni le couvert. Tom lui avait offert quelque chose d'unique, quelque chose qu'aucun autre homme ne lui aurait donné, que même son propre père n'aurait pas pu lui offrir; quelque chose qui s'appelait passion, talent, art et mode de vie. « Tu m'as donné la cathédrale, murmura Jack au mort allongé près de lui. Merci. »

IV

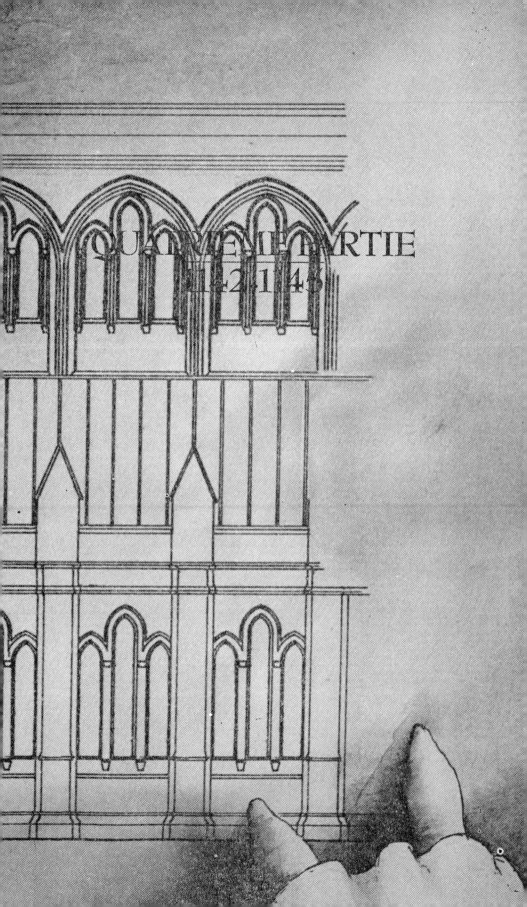

1

La prophétie de Philip gâchait le triomphe de William : au lieu d'éprouver satisfaction et jubilation, il ne pouvait se défaire de l'obsession qui le poursuivait : l'enfer l'attendait.

Sa réponse railleuse au prieur, il la devait à l'excitation du combat. Mais quand tout fut terminé, quand il eut emmené ses hommes loin de la ville en flammes; quand leurs chevaux et leurs battements de cœur eurent repris une allure normale; quand il eut le temps de repenser au raid et de songer au nombre de gens qu'il avait blessés, brûlés et tués... alors il se souvint du visage terrible de Philip et de son doigt braqué vers les entrailles de la terre, il se souvint de ses funestes paroles : « Ta place est en enfer! »

Lorsque la nuit tomba, il était au plus bas. Ses hommes d'armes revivaient l'attaque, commentaient les grands moments et savouraient le massacre. Mais bientôt la morosité de leur chef les réduisit à un silence maussade. Ils passèrent cette nuit-là dans le manoir d'un des plus gros fermiers de William. Au souper, les hommes s'enivrèrent sans joie. Le fermier, sachant les besoins qu'éprouvent les hommes après une bataille, avait convoqué quelques prostituées de Shiring; exceptionnellement, les affaires ne furent pas brillantes. William ne ferma pas l'œil de la nuit, tremblant à l'idée qu'il pourrait mourir dans son sommeil et se réveiller au milieu de l'enfer.

Le lendemain matin, au lieu de rentrer à Earlscastle, il s'en alla voir l'évêque Waleran. Celui-ci n'était pas à son palais quand ils arrivèrent, mais le doyen Baldwin annonça à William qu'il l'attendait dans l'après-midi. William passa la journée dans la chapelle, les yeux fixés sur la croix de l'autel et frissonnant malgré la chaleur de l'été.

Lorsque Waleran, drapé dans sa robe noire, entra en trombe dans la chapelle, William lui aurait baisé les pieds. Pourtant l'évêque ne se montra guère accueillant. « Que faites-vous ici ? » demanda-t-il d'un ton glacial.

William se leva, s'efforçant de dissimuler la terreur qui l'habitait derrière un air assuré. « Je viens d'incendier la ville de Kingsbridge...

— Je sais, interrompit Waleran. On ne m'a parlé que de cela toute la journée. Qu'est-ce qui vous a pris ? Vous êtes fou ? »

La réaction de l'évêque prit William complètement au dépourvu. Il n'avait pas demandé à Waleran son accord avant l'attaque, tant il était sûr que celui-ci l'approuverait : Waleran détestait tout ce qui se rapportait à Kingsbridge, et surtout le prieur Philip. William s'attendait à des félicitations, à des remerciements. « Je viens de ruiner votre plus grand ennemi, dit William. J'ai besoin maintenant de confesser mes péchés.

— Vous faites bien, dit Waleran. On dit que plus de cent personnes ont été brûlées vives. » Il frissonna. « Quelle horrible mort !

— Je suis prêt à me confesser », répéta William.

Waleran secoua la tête. « Je ne pense pas que je puisse vous donner l'absolution. » Un cri échappa aux lèvres de William. « Pas d'absolution ?

— Vous savez que l'évêque Henry de Winchester et moi avons pris de nouveau le parti du roi Stephen. Je ne crois pas que le roi me verrait d'un bon œil absoudre de ses crimes un partisan de la reine Maud.

— Enfin, Waleran, c'est vous qui m'avez persuadé de changer de camp ! »

Waleran haussa les épaules. « Eh bien, changez une fois de plus. »

C'était donc là le plan de Waleran. Il voulait que William fasse serment d'allégeance à Stephen. L'horreur qu'il avait montrée en apprenant l'incendie de Kingsbridge était une feinte, une attitude lui permettant de négocier. William se sentit grandement soulagé : Waleran au fond ne lui refuserait pas implacablement l'absolution. Mais lui, William, avait-il envie de changer encore de bannière ? Pendant un moment, il s'efforça d'y réfléchir froidement.

190

« Tout l'été Stephen n'a cessé de remporter des victoires, poursuivit Waleran. Maud supplie son mari de revenir de Normandie pour l'aider, mais il refuse. Le courant est de notre côté. »

L'horreur de la situation apparut à l'esprit de William : l'Église refusait de l'absoudre de ses crimes; le shérif l'accusait de meurtre; le roi Stephen victorieux appuyait les décisions du shérif et de l'Église; William se retrouverait bientôt jugé et pendu...

« Faites comme moi et suivez l'évêque Henry. Il sait de quel côté le vent souffle, insista Waleran. Si tout se passe bien, Winchester deviendra un archevêché dont Henry sera l'archevêque – sur un pied d'égalité avec celui de Canterbury. A la mort de Henry, qui sait?, je pourrais être moi-même le prochain archevêque. Après cela... eh bien, il y a déjà des cardinaux anglais... Peut-être un jour y aura-t-il un pape anglais... »

William fixait Waleran, hypnotisé malgré sa terreur par l'ambition sans retenue qui se révélait dans les propos et sur le visage en général impénétrable de l'évêque. Waleran pape? Tout était possible. Mais les conséquences immédiates des aspirations de l'évêque étaient plus importantes. William voyait bien qu'il n'était qu'un pion dans le jeu de Waleran. Celui-ci avait accru son prestige auprès de l'évêque Henry en promenant William et les chevaliers de Shiring dans l'un ou l'autre camp de la guerre civile. C'était le prix que le comte devait payer pour voir l'Église fermer les yeux sur ses crimes.

« Vous voulez dire... », commença-t-il d'une voix étranglée. Il toussa et reprit : « Vous voulez dire que vous m'entendrez en confession si je prête serment d'allégeance à Stephen? »

La lueur qui brillait dans les yeux de Waleran s'éteignit, son visage redevint impassible. « C'est exactement ce que je veux dire », déclara-t-il.

William n'avait pas le choix, mais de toute façon il ne voyait aucune raison de refuser. Il était passé dans le camp de Maud quand elle semblait l'emporter, il était tout prêt à déserter maintenant que Stephen semblait prendre le dessus. D'ailleurs, il aurait consenti à tout pour être libéré de cette épouvantable crainte de l'enfer. « Eh bien, dit-il sans plus d'hésitation, j'accepte. Mais entendez-moi en confession, vite.

– Très bien, dit Waleran. Prions. »

Tandis qu'ils expédiaient rondement les formalités de la confes-

191

sion, William sentit le fardeau du remords tomber de ses épaules. Enfin il pouvait se réjouir de son triomphe. Lorsqu'il sortit de la chapelle, ses hommes virent aussitôt son changement d'humeur et l'acclamèrent à pleine voix. William leur annonça qu'ils allaient de nouveau se battre pour le roi Stephen, selon la volonté de Dieu exprimée par l'évêque Waleran, et cette déclaration leur donna l'occasion de nouvelles libations. Waleran fit venir du vin.

Alors qu'ils attendaient le dîner, William suggéra : « Stephen devrait maintenant me confirmer dans mon comté.

– Il le devrait, reconnut Waleran. Cela ne veut pas dire qu'il le fera.

– Enfin, je me suis rangé à ses côtés!

– Richard de Kingsbridge ne l'a jamais quitté, lui. »

William se permit un sourire satisfait. « Je crois m'être débarrassé de la menace de Richard.

– Comment cela?

– Richard n'a jamais eu de terres. Sa seule façon d'entretenir un train digne d'un chevalier, c'est d'utiliser l'argent de sa sœur.

– C'est peu orthodoxe, mais jusqu'à maintenant le système a bien fonctionné.

– Seulement maintenant sa sœur n'a plus d'argent. J'ai mis le feu à son entrepôt hier. Elle n'a plus la moindre ressource. Richard non plus. »

Waleran hocha la tête. « Dans ce cas, il disparaîtra de la scène, c'est une simple question de temps. A ce moment là, le comté vous reviendra sans conteste. »

Le dîner était prêt. Les hommes d'armes de William s'assirent en bout de table et commencèrent à compter fleurette aux blanchisseuses du palais. William tenait le haut bout avec Waleran et ses archidiacres. Maintenant qu'il était détendu, le comte enviait ses hommes et les blanchisseuses. Les archidiacres n'étaient pas une compagnie très amusante.

Le doyen Baldwin offrit à William un plat de petits pois. « Lord William, dit-il, comment empêcherez-vous d'autres initiatives comme celle du prieur Philip? Je veux dire : ouvrir sa propre foire aux toisons? »

William ne cacha pas la surprise que lui causait cette question. « Personne n'oserait, tout simplement!

– Un autre moine, peut-être pas; mais un comte, oui.

– Il lui faudrait une licence.

– Il pourrait l'obtenir s'il combattait dans les rangs de Stephen.

– Pas dans ce comté.

– Baldwin a raison, William, intervint l'évêque Waleran. Votre comté est encerclé de villes où pourrait se tenir une foire à la laine : Wilton, Devizes, Wells, Marlborough, Wallingford...

– J'ai brûlé Kingsbridge, je peux brûler une autre ville », répliqua William avec irritation. Il but une gorgée de vin. Cela le mettait en fureur de voir déprécier sa victoire.

Waleran rompit un petit pain frais qu'il reposa sur la table sans le manger. « Kingsbridge est une cible facile, commença-t-il. Il n'y a pas de murailles, pas de château, pas même une grande église où les gens puissent se réfugier. De plus, la ville est gouvernée par un moine sans chevaliers ni hommes d'armes. Kingsbridge est sans défense. Ce n'est pas le cas de la plupart des autres villes.

– Une fois la guerre civile terminée, ajouta le doyen Baldwin, quel qu'en soit le vainqueur, vous ne pourrez plus incendier une ville comme Kingsbridge sans en supporter les conséquences. Ce serait enfreindre la paix du roi. En temps normal, aucun souverain ne laisserait passer cela. »

William devait malgré lui reconnaître leurs arguments.

« Alors j'ai peut-être agi pour rien », dit-il. Il reposa son couteau. L'estomac noué par la tension, il n'arrivait plus à manger.

« Bien sûr, reprit Waleran, la ruine d'Aliena laisse une sorte de vide. »

William ne comprenait pas.

« Cette année, expliqua patiemment l'évêque, presque toute la laine du comté lui a été vendue. Que se passera-t-il l'année prochaine ?

– Je ne sais pas. »

Waleran poursuivit du même ton songeur. « A l'exception du prieur Philip, tous les producteurs de laine, à des lieues à la ronde, sont ou bien des fermiers du comte ou bien des fermiers de l'évêque. Vous avez le titre de comte, moi, je suis l'évêque. Si nous obligions tous nos fermiers à nous vendre leurs toisons, nous contrôlerions les deux tiers du commerce de la laine dans le comté. Nous la vendrions à la foire aux toisons de Shiring. Il ne resterait plus assez d'affaires pour justifier la création d'une autre foire, même si quelqu'un obtenait une licence. »

193

C'était une brillante idée. William l'adopta aussitôt. « Et nous gagnerions autant d'argent qu'Aliena, observa-t-il.

– En effet. » Waleran prit délicatement une bouchée de la viande posée devant lui et la mastiqua d'un air songeur. « Ainsi, vous avez brûlé Kingsbridge, ruiné votre pire ennemie et créé pour vous-même une nouvelle source de revenus. Joli travail pour une seule journée ! »

William avala une grande goulée de vin dont la chaleur irradia aussitôt son ventre. Au bout de la table une brunette potelée souriait d'un air coquet à deux de ses hommes. Son œil s'alluma. Peut-être la prendrait-il ce soir. D'avance, il voyait la scène : il l'entraînerait dans un coin, la jetterait par terre, soulèverait ses jupes. Alors le visage d'Aliena lui apparaîtrait ; l'expression de terreur et de désespoir qu'elle avait eue quand sa laine était partie en fumée suffirait à l'exciter. Il sourit à cette perspective et se coupa une autre tranche de gibier.

Le prieur Philip ne se remettait pas de la catastrophe qui s'était abattue sur Kingsbridge. L'effet de surprise, la brutalité de l'assaut, les horribles scènes de panique, l'épouvantable massacre et sa propre impuissance devant le désastre, tout cela le laissait abasourdi comme par un coup de massue.

Le pire, c'était la mort de Tom le bâtisseur. Passé maître dans tous les aspects de son art, il devait diriger la construction de la cathédrale jusqu'à son achèvement. De plus, c'était le plus proche ami de Philip en dehors du monastère. Le prieur éprouvait un profond sentiment de vide : il ne comprenait plus rien, il ne pouvait plus rien. L'administration d'une ville de la taille de Kingsbridge le dépassait. Abattu, déprimé, il restait toute la journée dans sa maison du prieuré à regarder la chandelle brûler sur le petit autel. En proie aux plus sombres pensées, il se trouvait incapable d'agir.

Ce fut le jeune Jack qui prit les choses en main. Il fit porter les cadavres dans la crypte, installer les blessés dans le dortoir des moines et organisa des cantines d'urgence, pour les rescapés, dans la prairie de l'autre côté de la rivière. Par chance, le temps doux permettait de dormir en plein air.

Le lendemain du massacre, Jack réunit les habitants encore hébétés et les répartit en équipes de travail chargées de déblayer

194

les cendres et les débris accumulés dans l'enceinte du prieuré, tandis que Cuthbert le Chenu et Milius l'économe se procuraient du ravitaillement dans les fermes environnantes. Le deuxième jour, on enterra les morts : cent quatre-vingt-treize nouvelles tombes prirent place dans le cimetière, à l'intérieur du prieuré.

Philip se contentait de transmettre les ordres que Jack lui suggérait. Ensemble, ils firent le compte des dégâts : la plupart des citoyens survivants avaient perdu tout ce qu'ils possédaient, généralement un simple taudis et quelques meubles. Les récoltes étaient encore sur pied, le bétail au pâturage et les économies des gens là où elles avaient été enterrées – le plus souvent sous l'âtre, à l'abri du feu qui avait ravagé la ville. Les marchands dont les stocks avaient brûlé étaient les plus touchés. Certains étaient ruinés, comme Aliena; ceux qui possédaient une partie de leur fortune en pièces d'argent prendraient un nouveau départ.

Jack proposa de reconstruire la ville sans tarder.

Sur le conseil du jeune homme, Philip donna la permission extraordinaire de couper librement du bois dans les forêts du prieuré pour rebâtir les maisons, droit accordé pour une semaine. Pendant ce temps-là, Jack incita Philip à tracer le plan de la nouvelle ville; ce travail ranima l'imagination de Philip et le tira de sa dépression.

Quatre jours, sans interruption, il travailla sur son plan. Il prévoyait de grandes maisons, autour des murs du prieuré, pour les riches artisans et les boutiquiers. Se rappelant le quadrillage des rues de Winchester, il dessina le nouveau Kingsbridge sur le même principe. Des artères droites, assez larges pour que deux chariots puissent se croiser, descendraient jusqu'à la rivière, coupées par des rues transversales plus étroites. Chaque parcelle constructible aurait vingt-quatre pieds de large, dimension suffisante pour la façade d'une maison de ville. La profondeur de cent vingt pieds laisserait l'espace d'une cour avec lieux d'aisance, potager, écurie, étable ou porcherie. Puisque le pont avait brûlé, on en construirait un autre à un endroit mieux situé, tout au bout de la nouvelle grand-rue. La route qui traverserait la ville relierait donc le pont au sommet de la colline, en passant devant la cathédrale, comme à Lincoln. Il y aurait tout un nouveau quartier de petites maisons groupées autour du nouveau quai. Le quartier le plus pauvre occupait un espace en aval du prieuré, de façon que le manque

195

d'hygiène auquel les malheureux étaient contraints ne risque pas de souiller l'approvisionnement en eau du monastère.

Malgré l'effet bénéfique de ce travail sur son état moral, Philip n'était pas guéri de sa colère et de son chagrin. Ce William Hamleigh ne pouvait être que le diable incarné : qui d'autre aurait pu faire tant de mal? Ses crimes dépassaient ce qu'il était humainement possible d'imaginer. Le prieur retrouvait la même alternance d'espoir et de consternation sur les visages de ses paroissiens. Tandis qu'ils choisissaient leur parcelle sur le tracé que Jack et les moines avaient délimité par des piquets et des cordes, on entendait de temps en temps quelqu'un dire avec accablement : « A quoi bon tous ces efforts si tout cela doit encore brûler l'année prochaine? » S'il y avait eu quelque espoir de justice, si l'on avait pu espérer voir les coupables punis, peut-être les victimes n'auraient-elles pas souffert de ce désespoir inconsolables; mais, bien que Philip eût écrit à Stephen, à Maud, à l'évêque Henry, à l'archevêque de Canterbury et au pape, il savait qu'en temps de guerre il n'y avait guère de chances de réussir à traîner en justice un homme aussi puissant que William.

Les parcelles les plus importantes étant les plus demandées, en dépit des loyers élevés, Philip modifia son plan pour en augmenter le grand nombre. Dix jours après l'incendie, de nouvelles maisons de bois se dressaient déjà sur tous les terrains. Encore une semaine et la plupart étaient terminées. Ce premier ouvrage accompli, le travail reprit sur le chantier de la cathédrale. Les boutiques rouvrirent et on revit les petits fermiers apporter leurs œufs et leurs légumes en ville; les filles de salle et les blanchisseuses retrouvèrent du travail chez les négociants et les artisans. Ainsi, de jour en jour, Kingsbridge renaissait à la vie.

Il y avait eu tant de morts que chaque famille avait perdu au moins l'un des siens : un enfant, une mère, un mari, une sœur. Le petit Jonathan errait dans le prieuré comme une âme en peine et Philip se rendit compte que Tom lui manquait : ils avaient passé tant de temps ensemble! Dès lors, Philip prit soin de réserver chaque jour une heure au petit garçon de six ans, pour lui raconter des histoires, et écouter son babil.

Philip écrivit aux abbés de tous les grands monastères bénédictins d'Angleterre et de France : il avait besoin d'un maître bâtisseur pour remplacer Tom. Le mieux placé pour recommander un bon maître maçon était l'évêque, car au cours de ses nombreux voyages il avait l'occasion de voir quantité de chantiers. Mais Philip ne pouvait pas compter sur l'évêque Waleran pour l'aider.

Tandis que le prieur attendait les réponses des abbés consultés, les artisans se tournèrent d'instinct vers Alfred pour demander des instructions. Alfred était le fils de Tom, c'était un maître maçon et il avait depuis quelque temps son équipe à demi autonome sur le chantier. Il lui manquait malheureusement le cerveau de Tom, mais il avait de l'instruction et de l'autorité et il s'installa peu à peu dans la brèche laissée par la mort de son père.

Très vite pourtant, les problèmes et les réclamations se multiplièrent sur le chantier, de préférence, comme par un fait exprès, quand Jack était introuvable : nul n'ignorait à Kingsbridge combien les demi-frères se détestaient. Le résultat fut que Philip se trouva de nouveau harcelé par d'incessants problèmes de détail.

Malgré les difficultés, au fur et à mesure des semaines qui passaient, Alfred acquit de plus en plus d'assurance. Un jour, il vint trouver Philip. « Vous ne préféreriez pas qu'on fasse une voûte dans la cathédrale ? » demanda-t-il.

Le projet de Tom prévoyait un plafond en bois au centre de l'église et des voûtes de pierre sur les bas-côtés plus étroits. « On avait choisi un plafond en bois, répondit le prieur, par mesure d'économie.

— L'ennui, observa Alfred, c'est qu'un plafond de bois brûle très facilement. Une voûte de pierre, non. »

Philip réfléchit un moment, se demandant s'il n'avait pas sous-estimé Alfred. Il ne s'attendait pas à voir celui-ci prendre une iniative pour modifier le plan de son père. C'était plutôt le genre de Jack. La perspective d'une église à l'abri des incendies ne manquait pas d'intérêt, surtout depuis que toute la ville avait brûlé.

En écho à ces pensées, Alfred ajouta : « Le seul bâtiment rescapé de l'incendie, c'est la nouvelle église paroissiale. »

Cette nouvelle église – bâtie par Alfred – avait une voûte de pierre, en effet. Philip s'inquiéta cependant d'un autre point : « Les murs existants supporteraient-ils le poids supplémentaire d'une voûte de pierre ?

— Il faudrait renforcer les arcs-boutants. Ils seraient un peu plus épais, voilà tout. »

Il avait vraiment réfléchi à tout, nota Philip. « Et le coût ?

197

– Bien sûr, c'est une dépense supplémentaire, à la longue, car il faudra trois ou quatre années de plus pour terminer l'église. Mais les frais annuels ne changeront pas. »

L'idée plaisait de plus en plus à Philip. « Cela signifie-t-il que nous devrons attendre encore un an avant de pouvoir utiliser le chœur pour les offices? objecta-t-il encore.

– Non. Pierre ou bois, nous ne pouvons pas attaquer le plafond avant le printemps prochain, car il faut que les fenêtres hautes durcissent avant de recevoir une charge importante. Le plafond de bois serait construit en quelques mois de moins, mais, dans tous les cas, le chœur aura un toit à la fin de l'année prochaine. »

Philip pesa longuement le pour et le contre : d'un côté, l'avantage d'avoir un toit à l'abri du feu, de l'autre, l'inconvénient de quatre années supplémentaires de construction – donc quatre années supplémentaires de frais. Mais la dépense se répartirait dans le temps alors que la garantie de sécurité, on l'aurait tout de suite. « Je vais en discuter en chapitre avec les frères, dit-il. Mais cela me paraît une bonne idée. »

Alfred le remercia. Après son départ, Philip resta songeur : avait-il vraiment besoin, après tout, de chercher un nouveau maître bâtisseur?

Kingsbridge fêta bravement la fête du Pain le 1er août. Le matin, chaque famille de la ville fit cuire sa miche. La moisson venant de rentrer, la farine était peu chère et abondante. Ceux qui n'avaient pas leur propre four apportèrent leur pain à la maison d'un voisin, aux grands fours du prieuré ou aux deux boulangers de la ville, Peggy Baxter et Jack-atte-Noven. A midi, l'air embaumait l'odeur de pain frais, aiguisant l'appétit. On disposa les miches sur des tables dressées dans la prairie, où chacun vint les admirer. Il n'y en avait pas deux pareilles. Certaines étaient fourrées aux fruits et aux épices, d'autres aux prunes, aux raisins, au gingembre, au sucre, à l'oignon, à l'ail et à d'autres choses. On voyait des pains colorés en vert avec du persil, en jaune avec du jaune d'œuf, en rouge avec du santal ou en violet avec du tournesol. Il y en avait de toutes les formes : des triangles, des cônes, des boules, des étoiles, des ovales, des pyramides, des flûtes, et même des huit. D'autres, plus fantaisistes, avaient la forme de lapins, d'ours, de

198

singes et de dragons, et même de maison et de château. Mais, de l'avis unanime, la palme revenait au pain confectionné par Ellen et Martha, et qui représentait la cathédrale terminée, selon les plans du maçon disparu : Tom.

Le chagrin d'Ellen avait été terrible. Elle avait gémi, nuit après nuit, sans que nul puisse la consoler. Aujourd'hui encore, après deux mois de chagrin, elle avait les yeux creux et le regard égaré. Martha lui apportait toute l'aide qu'elle pouvait et leur collaboration, pour la confection de la cathédrale en pain, lui avait procuré une sorte d'apaisement.

Aliena passa un long moment à regarder l'œuvre d'Ellen, l'esprit vague. Elle n'avait d'enthousiasme pour rien. Quand la dégustation commença, elle passa de table en table, l'air absent, sans rien goûter.

Elle prenait encore tous ses repas au monastère lorsqu'elle pensait à s'alimenter. Il avait fallu que le prieur Philip la raisonne, qu'Alfred lui fournisse le bois et lui prête quelques-uns de ses maçons pour qu'elle accepte de rebâtir une maison.

Malgré sa lassitude, son absence d'énergie, elle savait que cette fête du Pain n'était qu'un semblant. On avait rebâti la ville, les gens vaquaient à leurs occupations comme avant, mais le massacre avait jeté sur eux une ombre irrémédiable et elle sentait, sous l'animation apparente, un courant de peur. La plupart des gens jouaient la comédie mieux qu'Aliena, mais, en vérité, elle savait qu'ils avaient comme elle le sentiment que tout cela ne durerait pas et que tout ce qu'ils construisaient maintenant risquait d'être de nouveau détruit.

Comme elle déambulait sans but entre les tables, son frère Richard apparut, tenant son cheval par la bride. Bien avant le massacre, il était déjà parti se battre pour Stephen. Aussi fut-il stupéfait de ce qu'il trouva. « Que diable est-il arrivé? dit-il à sa sœur. Je ne reconnais pas notre maison... Toute la ville à changé!

— William Hamleigh a fait irruption le jour de la foire aux toisons avec une troupe d'hommes d'armes. Ils ont incendié la ville », expliqua Aliena d'une voix morne.

Richard pâlit et la cicatrice à son oreille droite devint livide. « William! murmura-t-il. Ce démon!

— Nous avons une autre maison, continua Aliena du même ton neutre. Ce sont les hommes d'Alfred qui me l'ont bâtie. Elle est beaucoup plus petite, et se trouve en bas, auprès du nouveau quai.

– Et toi? s'inquiéta Richard. Comment vas-tu? Qu'est-il arrivé à tes cheveux?

– Ils ont pris feu.

– William n'a tout de même pas... »

Aliena secoua la tête. «Pas cette fois. »

Une jeune fille apporta à Richard du pain salé. Il en prit en morceau qu'il garda en main sans y goûter. Il était atterré.

« En tout cas, reprit Aliena, je suis heureuse que tu sois sain et sauf.

– Stephen marche sur Oxford, reprit-il, où Maud se terre. La guerre pourrait se terminer bientôt. Mais il me faut une nouvelle épée. Je suis venu chercher de l'argent. » Il mordit dans le pain. Les couleurs revinrent à son visage. « Pardieu, que c'est bon. Tu pourras me faire cuire un peu de viande plus tard? »

Aliena se crispa intérieurement. Elle appréhendait sa réaction et n'avait pas la force de l'affronter. « Je n'ai pas de viande, murmura-t-elle.

– Eh bien va en chercher chez le boucher!

– Ne te fâche pas, Richard, dit-elle en commençant à trembler.

– Je ne me fâche pas, répliqua-t-il avec irritation. Qu'est-ce que tu as?

– Toute ma laine a brûlé dans l'incendie », annonça-t-elle sans le regarder.

Il fronça les sourcils et d'un geste nerveux jeta le croûton de pain qui lui restait. «Toute la laine?

– Oui.

– Mais tu dois bien avoir de l'argent.

– Rien.

– Comment? Tu avais un grand coffre plein de pièces enterré sous le plancher...

– Pas en mai. J'avais tout dépensé pour acheter la laine... jusqu'au dernier penny. J'ai même emprunté quarante livres au pauvre Malachi, que je ne peux pas rembourser. Je ne peux certainement pas t'acheter une nouvelle épée. Je ne peux même pas acheter un morceau de viande pour ton dîner. Nous sommes sans un sou.

– Alors comment vais-je continuer à servir le roi? » cria-t-il, furieux. Son cheval dressa les oreilles et fit un écart.

«Je n'en sais rien! » Aliena était au bord des larmes. « Ne crie pas, tu fais peur au cheval. » Elle se mit à pleurer.

« C'est William Hamleigh le coupable, marmonna Richard entre ses dents. Un de ces jours, je le saignerai comme un gros porc, je le jure par tous les saints. »

Alfred vint vers eux, sa barbe broussailleuse parsemée de miettes, un quignon de pain aux prunes à la main. « Essayez ça, dit-il à Richard.

– Je n'ai pas faim », répliqua celui-ci d'un ton hargneux.

Alfred regarda Aliena. « Qu'est-ce qu'il y a ? »

Ce fut Richard qui répondit. « J'apprends que nous sommes ruinés. »

Alfred hocha la tête. « Tout le monde a perdu quelque chose, mais Aliena a perdu tout ce qu'elle avait.

– Vous vous rendez compte de ce que ça signifie pour moi ? dit Richard en s'adressant à Alfred. Ma vie est finie. Si je ne peux pas remplacer mes armes, payer mes hommes ni acheter de chevaux, alors je ne peux pas me battre pour le roi Stephen. Ma carrière de chevalier est terminée... et je ne serai jamais comte de Shiring.

– Aliena pourrait épouser un homme riche, suggéra Alfred.

– Elle les a tous éconduits, fit Richard avec un rire méprisant.

– L'un d'entre eux pourrait renouveler sa demande.

– Mais oui, répliqua Richard avec une grimace ironique. Envoyons des lettres à tous les prétendants qu'elle a repoussés, pour leur dire qu'elle a perdu sa fortune et qu'elle est maintenant prête à reconsidérer...

– Assez », dit Alfred en posant une main sur le bras de Richard. Richard se tut. Alfred se tourna vers Aliena. « Vous souvenez-vous de ce que je vous ai dit, voilà un an, au premier dîner de la guilde de la paroisse ? »

Aliena sentit son cœur se serrer. Alfred n'allait pas recommencer ! Elle n'aurait pas la force de le supporter.

« Je m'en souviens, dit-elle. Et j'espère que vous vous souvenez de ma réponse.

– Je vous aime toujours », dit Alfred.

Richard n'en crut pas ses oreilles.

Alfred reprit : « Je veux toujours vous épouser. Aliena, voulez-vous être ma femme ?

– Non ! » s'écria-t-elle. Elle aurait voulu s'expliquer, ajouter quelque chose qui rendrait sa décision définitive et irréversible, mais elle était trop lasse. Son regard alla d'Alfred à Richard puis

201

revint à Alfred et tout d'un coup elle se sentit défaillir. Elle se détourna, s'éloigna rapidement et traversa le pont pour retourner en ville.

Elle aurait tué Alfred pour avoir renouvelé sa demande devant Richard. Elle aurait tellement préféré que son frère reste dans l'ignorance. Depuis trois mois que l'incendie avait eu lieu, Alfred ne s'était pas manifesté. On aurait dit qu'il avait attendu Richard pour parler.

Elle traversait d'un pas rageur les nouvelles rues désertées par les habitants qui étaient tous réunis au prieuré. La maison d'Aliena se dressait dans le quartier des pauvres, le long du quai. Malgré la modération du loyer, elle ne savait pas comment elle le paierait.

Richard la rattrapa à cheval, mit pied à terre et marcha près d'elle. « Toute la ville sent le bois frais, dit-il sur le ton de la conversation, et tout est si propre ! »

Aliena, qui s'était habituée au nouvel aspect de la ville, la regarda avec les yeux neufs de son frère qui la voyait pour la première fois. Le feu avait emporté le bois humide et pourri des vieux bâtiments, les toits de chaume encrassés par des années de cuisine, les anciennes écuries empestées et les tas de boue à l'odeur fétide. On avait remarqué la notable diminution des maladies depuis l'incendie, constatation qui venait confirmer une théorie défendue par de nombreux philosophes, selon laquelle c'étaient les vapeurs nauséabondes qui causaient la maladie.

Richard disait quelque chose.

« Quoi ? répliqua Aliena, l'esprit ailleurs.

— Je ne savais pas qu'Alfred t'avait proposé le mariage l'an dernier, répéta Richard.

— Tu avais des choses plus importantes en tête. C'était l'époque où Robert de Gloucester a été fait prisonnier.

— Alfred a été bien bon de te bâtir une maison.

— C'est vrai. Tiens, la voici. » Elle s'attendait à sa déception et le plaignait : pour lui qui était né dans le château d'un comte, même la grande maison qu'ils possédaient avant l'incendie marquait sa déchéance. Maintenant, il devrait s'habituer au genre d'habitation réservée aux ouvriers et aux veuves.

Elle prit son cheval par la bride. « Viens. Il y a de la place derrière pour ton destrier. » Elle guida l'énorme bête à travers l'unique pièce de la maison et le fit ressortir par la porte du fond. Elle attacha le cheval à un poteau de la clôture et entreprit de le débarrasser de sa lourde selle de bois. La plupart des gens avaient creusé des latrines, planté des légumes et bâti une porcherie ou aménagé un poulailler dans leur cour. Celle d'Aliena était encore intacte.

Richard ne s'attarda pas dans la maison, où il n'y avait pas grand-chose à regarder, et rejoignit Aliena dehors. « La maison est un peu nue... Il n'y a pas de meubles, pas de casseroles, pas d'écuelles...

– Je n'ai pas d'argent, répéta-t-elle une fois de plus.

– Tu n'as rien fait pour le jardin non plus, dit-il en promenant autour de lui un regard dépité.

– Je n'ai pas le courage », dit-elle avec agacement; puis, lui tendant la grande selle, elle entra dans la maison.

Elle s'assit sur le sol, le dos au mur. Il faisait frais dans la pièce. Elle entendait Richard s'occuper de son cheval. Un museau pointa hors de la paille, sous ses yeux. Un rat. Des milliers de rats et de souris avaient péri dans l'incendie, mais on commençait maintenant à en revoir apparaître. Elle chercha du regard quelque chose pour tuer l'animal, mais elle n'avait rien sous la main et d'ailleurs le rat disparut.

Qu'est-ce que je vais faire? songea-t-elle. Je ne peux pas vivre ainsi le restant de mes jours. La seule idée d'entamer à une nouvelle entreprise l'épuisait. Autrefois elle avait réussi à vaincre la pénurie, mais l'énergie qu'elle avait dû déployer, plus la ruine de ses efforts avaient eu raison de son courage. Désormais elle vivrait une existence passive, contrôlée par quelqu'un qui prendrait les décisions à sa place. Elle pensa à maîtresse Kate, à Winchester, qui l'avait embrassée sur les lèvres et caressée. Elle se rappela ses paroles : « Ma chère fille, tu n'auras plus jamais besoin de rien si tu travailles pour moi. Nous serons riches toutes les deux. » Non, pas ça. Jamais.

Richard rentra, chargé des sacs de selle. « Si tu ne peux rien faire toi-même, trouve quelqu'un pour s'occuper de toi, dit-il.

– Tu es là.

– Je ne peux pas m'occuper de toi! protesta-t-il.

– Pourquoi pas? fit-elle dans une flambée de colère. Je me suis bien occupée de toi, moi, six longues années!

203

« – Je faisais la guerre... Toi, tu t'es contentée de vendre de la laine... »

Et de poignarder un hors-la-loi, ajouta-t-elle intérieurement; de jeter par terre un prêtre malhonnête; de te nourrir, te vêtir et te protéger quand tu te mordais les poings de peur. Sa colère retomba, vaincue elle aussi, et elle sourit. « Je plaisantais, bien sûr. »

Il grommela, un peu désemparé par l'attitude de sa sœur, et secoua la tête avec irritation. « De toute façon, tu ne devrais pas repousser si vite Alfred.

– Oh! Au nom du ciel, tais-toi.

– Qu'est-ce que tu lui reproches?

– Je ne reproche rien à Alfred. Tu ne comprends donc pas? C'est moi qui ne vais pas bien. »

Il braqua un doigt sur elle. « Ce que tu as, c'est que tu es foncièrement égoïste. Tu ne penses qu'à toi. »

C'était si monstrueusement injuste qu'elle ne ressentit aucune colère. Les larmes lui montèrent aux yeux. « Comment peux-tu dire ça? protesta-t-elle.

– Tout s'arrangerait si seulement tu acceptais d'épouser Alfred, mais tu refuses.

– Si j'épousais Alfred, cela ne t'aiderait pas.

– Mais si.

– Comment?

– Alfred m'a promis qu'il m'aiderait si j'étais son beau-frère. Il faudrait que je réduise un peu mes frais, notamment le nombre de mes hommes d'armes, mais je pourrais m'acheter un destrier et de nouvelles armes et engager un écuyer.

– Quand? fit Aliena, stupéfaite. Quand t'a-t-il promis cela?

– A l'instant. Au prieuré. »

Aliena rougit d'humiliation. De son côté, Richard se sentit un peu honteux. Les deux hommes avaient négocié sa personne comme des maquignons. Aliena se leva et, sans un mot, quitta la maison.

Elle remonta jusqu'au prieuré et y pénétra en sautant par-dessus le fossé auprès du vieux moulin. L'enceinte était déserte, comme elle s'y attendait, le chantier de la cathédrale silencieux. C'était l'heure où les moines étudiaient ou se reposaient. Tous les citoyens festoyaient dans la prairie. Elle poursuivit jusqu'au cimetière, au-delà du chantier. Les tombes entretenues avec soin, avec leurs croix de bois toutes neuves et leurs bouquets de fleurs fraîches révélaient que la ville ne s'était pas encore remise du massacre. Elle s'arrêta auprès de la tombe en pierre de Tom, ornée d'un simple ange de marbre sculpté par Jack. Il y a sept ans, songea-t-elle, mon père avait arrangé un mariage parfaitement raisonnable. William Hamleigh n'était pas vieux, il n'était pas laid et il n'était pas pauvre. N'importe quelle fille de ma position l'aurait accepté avec soulagement. Mais je l'ai refusé et tous les malheurs ont suivi : notre château attaqué, mon père jeté en prison, mon frère et moi ruinés : même l'incendie de Kingsbridge et la mort de Tom sont les conséquences de mon obstination.

Et voilà que je refuse encore une proposition parfaitement raisonnable, songea-t-elle. Qu'est-ce qui me donne le droit d'être si difficile? Ma délicatesse a causé assez d'ennuis. Je devrais accepter Alfred et me réjouir de ne pas être obligée de travailler pour maîtresse Kate.

Elle quitta la tombe et se dirigea vers le chantier. A l'exception du toit, le chœur était terminé et les bâtisseurs s'apprêtaient à entamer l'étape suivante : les transepts. Le plan en était déjà tracé sur le sol avec des piquets et des cordes, et on avait commencé à creuser les fondations. Les grands murs devant elle jetaient de longues ombres sous le soleil de fin d'après-midi. Malgré la douceur du jour, il faisait froid dans la cathédrale. Aliena regarda longuement la série d'arches gracieuses et ressentit quelque chose de profondément satisfaisant dans le rythme régulier de leur succession.

Si Alfred voulait vraiment aider Richard, Aliena tenait encore une chance d'exaucer le vœu qu'elle avait prononcé en présence de son père. Elle pourrait soutenir Richard jusqu'au jour où il aurait reconquis son comté. Au fond de son cœur, elle savait que c'était la solution. Seulement elle ne pouvait pas la supporter.

Elle suivit le bas-côté, laissant sa main traîner sur le mur, sur la rude texture des pierres. Sous les fenêtres, le mur était décoré d'une arcade aveugle, comme une rangée d'arcs comblés. Ils ne servaient qu'à ajouter au sentiment d'harmonie qu'on éprouvait en regardant l'édifice. Tout dans la cathédrale de Tom était prévu. Et ma vie? pensa Aliena. Était-elle dessinée d'avance, comme un plan d'architecture? Et elle, Aliena? Agissait-elle comme un

205

maçon imbécile et borné qui prétendrait mettre une fontaine au milieu du chœur?

Dans un coin de l'église, une porte basse menait à un étroit escalier en spirale. Dans un brusque élan, Aliena la franchit et grimpa les marches. Bientôt elle ne vit plus la porte et pas encore le haut de l'escalier. Un malaise la saisit : cet escalier cessait-il de monter? Enfin elle déboucha sur la galerie surplombant le bas-côté. Elle s'assit au bord d'une arche, appuyée au pilier. La pierre froide lui caressait la joue. L'idée lui vint que si elle tombait, elle pourrait se tuer. Non, tout juste se briser les jambes et rester là à souffrir jusqu'au moment où quelqu'un la découvrirait.

Elle décida de monter plus haut, à la galerie supérieure. Elle revint à l'escalier et s'y engagea. L'étage suivant était plus court mais son cœur battait fort lorsqu'elle arriva en haut. Elle s'engagea dans le passage à claire-voie et le longea jusqu'à une baie. Se cramponnant au pilier qui divisait la fenêtre en deux, elle plongea son regard vers les soixante-quinze pieds de vide qui s'ouvraient sous elle et se mit à trembler.

Des pas résonnèrent dans l'escalier en colimaçon. Elle reprit sa respiration, comme après une longue course. Quelqu'un l'avait suivie? Les pas se rapprochaient. Elle lâcha le pilier et resta vacillante au bord du vide. Une silhouette apparut : Jack.

« Qu'est-ce que vous faites? demanda-t-il, étonné.

— Je... Je venais voir l'avancement de vos travaux. »

Il désigna le chapiteau au-dessus de la tête d'Aliena. « C'est moi qui ai fait cela. »

Elle leva les yeux. Dans la pierre était sculpté un homme qui semblait soutenir sur son dos le poids de l'arche. Son corps se crispait de douleur. Aliena le contempla. Elle n'avait jamais rien vu de pareil. Sans réfléchir, elle dit : « C'est exactement ce que je ressens. »

Jack s'approcha d'elle et lui prit le bras avec douceur mais fermeté. « Je sais », dit-il.

Elle regarda le vide. L'idée de tomber d'aussi haut lui donnait la nausée. Jack la tira par le bras. Elle se laissa entraîner.

Ils reprirent l'escalier et ressortirent sur le chantier. Aliena flageolait. « J'étais en train de lire dans le cloître, dit Jack. Machinalement j'ai levé les yeux et je vous ai vue dans l'encadrement de la baie. »

206

Elle regarda son jeune visage, si plein d'inquiétude et de tendresse; et elle sut pourquoi elle avait fui pour venir chercher ici la solitude. Elle avait envie de l'embrasser et elle lut dans ses yeux un désir qui répondait au sien. Chaque fibre de son corps lui disait de se jeter dans les bras de Jack. Elle aurait voulu dire : *Je t'aime comme un orage, comme un lion, comme une rage impuissante*; mais, au lieu de cela, elle dit : « Je crois que je vais épouser Alfred. »

Jack accusa le coup en blêmissant. Son visage s'assombrit, s'imprégnant d'une antique et sage tristesse qui dépassait ses jeunes années. Elle crut qu'il allait pleurer, mais il n'en fit rien. Au contraire, il y avait de la fureur dans son regard. Il ouvrit la bouche pour parler, hésita, puis d'une voix froide comme le glacial vent du nord, il dit : « Vous auriez mieux fait de vous jeter dans le vide. » Tournant les talons, il repartit vers le monastère.

Je l'ai perdu pour toujours, songea Aliena, et elle eut l'impression que son cœur allait éclater.

2

On avait vu Jack quitter le cloître le jour de la fête du Pain. Ce n'était pas en soi un délit bien grave, mais le novice s'était fait surprendre à plusieurs reprises. Cette fois, l'affaire semblait plus sérieuse, car elle mettait en cause une femme non mariée. On discuta du cas au chapitre le lendemain et on ordonna à Jack une réclusion rigoureuse. Autrement dit, il était consigné dans les limites des bâtiments monastiques, du cloître et de la crypte. Chaque fois qu'il se déplaçait de l'un à l'autre, il devait être accompagné.

La peine ne le toucha guère. Il était si accablé par la déclaration d'Aliena que rien d'autre ne comptait. On aurait pu le condamner à la flagellation, il n'y aurait pas prêté davantage attention.

Bien sûr, il n'était plus question maintenant pour lui de travailler à la cathédrale; de toute façon, son plaisir avait à peu près disparu depuis qu'Alfred dirigeait les travaux. Jack passait ses après-midi libres à lire. Son latin s'était amélioré, il pouvait comprendre presque tous les textes, mais lentement. Si modeste que fût la bibliothèque, elle possédait divers ouvrages de philosophie et de mathématiques, où Jack se plongeait avec enthousiasme.

Pourtant, la plupart de ses lectures étaient décevantes. Elles contenaient des pages de généalogies, de récits répétitifs de miracles accomplis par des saints morts depuis longtemps et d'interminables spéculations théologiques. Le premier livre qui lui plut vraiment racontait l'histoire du monde, depuis la création jusqu'à la fondation du prieuré de Kingsbridge. D'abord Jack eut l'impression de tout savoir, sans exception. Puis il commença à mesurer les limites du livre. Le monde ne se bornait pas à Kingsbridge et à l'Angleterre. Il se passait toutes sortes d'événements ailleurs aussi, en Normandie, en Anjou, à Paris, à Rome, en Éthiopie et à Jérusalem, dont il n'était pas question dans l'ouvrage. Néanmoins, après cette lecture, Jack découvrit que le passé est constitué d'éléments en rapport les uns avec les autres, que le monde n'est pas un mystère flou mais un ensemble fini, que l'esprit peut appréhender.

Ce qui le passionnait, c'étaient les énigmes. Un philosophe posait la question de savoir pourquoi un être faible peut déplacer une lourde pierre du moment qu'il utilise un levier. Ce qui paraissait normal à Jack jusqu'à présent se mettait à le tourmenter. Il avait passé plusieurs semaines de suite à la carrière et il savait que, quand on ne pouvait pas bouger une pierre avec un levier d'un pied de long, la solution était généralement d'en utiliser un plus grand. Pourquoi le même homme était-il incapable de déplacer la pierre avec un instrument court, mais réussissait avec un outil long? Cette question en amenait une foule d'autres. Les bâtisseurs de cathédrales utilisaient un énorme treuil pour hisser les grosses pierres et les madriers jusqu'au toit. La charge au bout de la corde était bien trop lourde pour qu'un homme pût la soulever à mains nues, mais ce même homme pouvait faire tourner la poulie où s'enroulait la corde et hisser la charge jusqu'en haut. Comment était-ce possible?

Ces réflexions l'occupaient et le distrayaient, mais jamais suffisamment pour qu'il oublie Aliena. Ses pensées revenaient inlassablement à elle. Il passait des heures dans le cloître, un gros livre posé sur un lutrin devant lui, en évoquant le jour où, dans le vieux moulin, il l'avait embrassée. Il se souvenait avec acuité de ce baiser, du doux contact de leurs lèvres, de la grisante sensation de la langue d'Aliena dans sa bouche. Il se souvenait de ses seins et de son ventre contre lui. Le souvenir était si intense que c'était comme s'il revivait la scène chaque fois.

Pourquoi avait-elle changé? Il était toujours persuadé que ce baiser était la réalité et que la froideur qu'elle lui avait montrée par la suite était feinte. Il était sûr de la connaître. Elle était aimante, sensuelle, romanesque, imaginative et chaleureuse. Mais aussi impétueuse et irréfléchie, volontairement dure, mais jamais froide ni cruelle. Cela ne lui ressemblait pas d'épouser pour son argent un homme qu'elle n'aimait pas. Elle serait malheureuse, malade de tristesse et de regret, il le savait et elle dans son cœur devait le savoir aussi.

Un jour qu'il était dans la bibliothèque, un serviteur du prieuré qui balayait le sol s'arrêta devant lui, appuyé sur son balai, et dit : « Alors, il va y avoir une grande fête dans votre famille? »

Jack leva les yeux de la carte du monde, dessinée sur une grande feuille de vélin. Le serviteur était un vieil homme noueux, trop faible maintenant pour de gros travaux. Sans doute confondait-il Jack avec quelqu'un d'autre. « Quelle fête, Joseph?

– Vous ne savez pas? Votre frère se marie.

– Je n'ai pas de frère », dit Jack machinalement. Mais son cœur s'était glacé.

« Votre beau-frère, alors, dit Joseph.

– Non, je ne savais pas. » Les dents serrées, il se força à poser la question : « Qui épouse-t-il?

– Aliena. »

Ainsi elle était allée jusqu'au bout. Jack avait toujours nourri le secret espoir qu'elle changerait d'avis. Il détourna les yeux pour que Joseph ne vît pas le désespoir sur son visage. « Eh bien, eh bien, dit-il en essayant de cacher son émotion.

– Oui... Elle se donnait des grands airs, celle-là, jusqu'au jour où elle a tout perdu dans l'incendie.

– Est-ce que... Est-ce que tu sais quand?

– Demain. Ils se marient dans la nouvelle église qu'Alfred a construite. »

Demain! Aliena allait épouser Alfred demain! Jack n'avait jamais vraiment cru que cela arriverait. Et voilà que la réalité s'abattait sur lui comme un coup de tonnerre. Aliena se mariait demain. La vie de Jack se terminerait donc demain. Ses yeux revinrent à la carte posée devant lui. Qu'importait que le centre du monde fût Jérusalem ou Wallingford? Serait-il plus heureux s'il savait comment fonctionnent les leviers? Il avait dit à Aliena qu'elle aurait mieux fait de se jeter dans le vide plutôt que d'épouser Alfred. Ce qu'il aurait dû faire c'était de s'y jeter lui-même.

Il détestait le prieuré. La vie de moine lui répugnait. S'il ne pouvait pas travailler à la cathédrale et si Aliena en épousait un autre, il n'avait plus de but dans la vie.

Le pire, c'était qu'elle serait malheureuse avec Alfred, il le savait. Ce n'était pas seulement parce qu'il haïssait son demi-frère. Il connaissait des jeunes filles qui se satisferaient de lui. Edith, par exemple, celle qui avait ricané quand Jack lui avait expliqué combien il aimait sculpter la pierre. Edith serait heureuse de flatter Alfred et de lui obéir aussi longtemps qu'il rapporterait de l'argent et qu'il aimerait leurs enfants. Mais Aliena, elle, souffrirait chaque minute de leur mariage. Elle mépriserait le manque de finesse d'Alfred, elle maudirait sa brutalité, elle serait écœurée de sa mesquinerie et ne supporterait jamais sa lenteur d'esprit. Ce mariage serait pour elle un enfer.

Pourquoi ne s'en rendait-elle pas compte? Jack était déconcerté. Que se passait-il dans l'esprit d'Aliéna? Sept ans plus tôt, elle avait fait sensation en refusant d'épouser William Hamleigh et voilà qu'aujourd'hui elle acceptait passivement la demande d'un maçon simple et grossier. A quoi pensait-elle?

Jack devait le savoir. Il fallait qu'il lui parle. Au diable le monastère!

Il roula la carte, la rangea dans le placard et se dirigea vers la porte. Joseph s'étonna. «Vous partez? Je croyais que vous deviez rester ici jusqu'à ce que le prévôt vienne vous chercher.

– Le prévôt peut aller au diable », dit Jack en passant la porte.

Comme il débouchait dans l'allée du cloître, il tomba sur le prieur Philip qui arrivait du chantier. «Jack! Qu'est-ce que cela signifie? Oublies-tu ta pénitence? »

Jack ne supportait plus la discipline monastique. Sans répondre à Philip, il se dirigea vers le passage qui menait aux petites maisons du nouveau quai. Hélas! Ce n'était pas son jour de chance. Au même moment apparut, frère Pierre, le prévôt, suivi de ses deux adjoints. Ils aperçurent Jack et s'arrêtèrent net, une expression d'indignation stupéfaite sur le visage lunaire de Pierre.

«Frère Pierre! cria Philip. Arrêtez ce novice! »

Pierre tendit la main pour bloquer Jack, qui le repoussa. Rouge de colère, Pierre empoigna Jack par le bras. Celui-ci se dégagea en décochant au moine un coup de poing sur le nez. Il poussa un cri et ses deux adjoints bondirent sur le fugitif.

Jack se débattait comme un forcené et il allait se libérer quand Pierre, un peu remis du choc, vint en renfort. A eux trois, ils parvinrent à plaquer Jack au sol et à l'y maintenir. Lui continuait de lutter, furieux de voir cette vermine monastique l'empêcher de faire ce qui comptait vraiment pour lui : parler à Aliena. Les deux adjoints, assis sur lui, lui interdisaient tout mouvement. Pierre essuyait sur la manche de son habit le sang qui coulait de son nez. Philip rejoignit le groupe.

Visiblement, il n'avait jamais été aussi en colère. « Je ne tolérerai cette attitude de personne, dit-il d'une voix de fer. Tu es un novice et tu vas m'obéir. » Il se tourna vers Pierre. « Emmenez-le dans la salle d'obédience.

– Non! cria Jack. Vous n'avez pas le droit!

– Pas le droit! » Philip eut un ricanement de rage.

La salle d'obédience était une petite cellule sans fenêtre située dans le magasin sous le dortoir, à côté des latrines. Elle servait surtout à emprisonner les délinquants en attente de comparution devant la cour du prieur ou de transfert à la prison du shérif à Shiring; mais elle servait de temps en temps de cellule de punition pour les moines qui avaient commis de graves délits disciplinaires, notamment des actes impurs avec les domestiques du prieuré.

Ce n'était pas le cachot que redoutait Jack – c'était le fait qu'il ne pourrait pas sortir voir Aliena. « Vous ne comprenez pas! hurla-t-il à Philip. Il faut que je parle à Aliena! »

Il n'aurait pas pu dire pire. La colère de Philip passa à la fureur. « C'est pour lui avoir adressé la parole que tu es puni! lui rappela-t-il.

– Mais il faut que je lui parle tout de suite, c'est urgent!

– La seule chose urgente, c'est d'apprendre à craindre Dieu et d'obéir à tes supérieurs.

– Vous n'êtes pas mon supérieur, espèce de crétin! Vous n'êtes rien pour moi. Lâchez-moi, bon sang!

– Emmenez-le », dit Philip d'un ton glacial.

Un petit rassemblement s'était formé autour de l'incident. Quelques moines aidèrent à maintenir Jack par les bras et les jambes. Il gigotait comme un poisson pris à l'hameçon, mais ils étaient trop nombreux. On le transporta jusqu'à la porte de la salle d'obédience. Quelqu'un l'ouvrit. La voix de frère Pierre retentit cruellement : « Jetez-le là-dedans! » A peine eut-il atterri sur le sol de pierre, meurtri de toutes parts, qu'il se précipitait contre la porte, qui se ferma juste comme il en touchait le loquet. De l'autre côté la lourde barre de fer glissa contre le pan de bois, la clé tourna dans la serrure.

Jack se jeta contre la porte et la martela de toutes ses forces : « Laissez-moi sortir ! criait-il comme un fou. Il faut que je l'empêche d'épouser cette brute ! Laissez-moi sortir ! » Dehors, c'était le silence. Il continua à appeler tant qu'il eut de la voix, puis ses cris se transformèrent en gémissements, puis en un rauque murmure et il se mit à pleurer des larmes de rage.

La cellule n'était pas totalement obscure : grâce au peu de lumière qui filtrait sous la porte, il distinguait vaguement les détails du cachot. Il en fit le tour en tâtant les murs. Ses doigts devinaient des marques du ciseau sur les pierres, qui indiquaient que la cellule avait été bâtie très anciennement. Elle avait environ six pieds carrés, avec une colonne dans un coin et un plafond voûté : de toute évidence elle faisait autrefois partie d'une pièce plus vaste et on l'avait murée pour en faire une prison. Sur une paroi, il y avait un espace comme une ouverture pour une meurtrière, mais elle était solidement bouchée et de toute façon beaucoup trop étroite pour permettre à quiconque de s'y glisser. Le sol dallé était humide. Jack perçut le bruit régulier d'un torrent et il comprit que la canalisation qui traversait le prieuré du vivier jusqu'aux latrines devait passer sous la cellule, ce qui expliquait pourquoi le sol était en pierre et non en terre battue.

Épuisé, il s'assit sur le sol, le dos au mur, et fixa le rai de lumière qui passait sous la porte, exaspérant rappel de la liberté. Comment en était-il arrivé là ? Pris au piège... Il n'avait jamais cru au monastère, il n'avait jamais pensé dédier sa vie à Dieu en qui il ne croyait pas vraiment. Il était devenu novice car c'était la solution d'un problème immédiat, une façon de rester à Kingsbridge, près de ceux qu'il aimait, tout en conservant la possibilité, croyait-il, de partir s'il en avait envie. Mais maintenant qu'il voulait se dégager, qu'il le voulait plus que tout, il ne pouvait pas : il était prisonnier. J'étranglerai le prieur Philip dès que je serai sorti d'ici, songea-t-il, même si l'on doit me pendre.

Quand allait-on le relâcher ? Il entendit la cloche sonner le souper. Les moines avaient assurément résolu de le laisser là toute la nuit. Sans doute en ce moment même discutaient-ils de son cas. Le pire châtiment qu'il encourait, c'était le cachot pendant une semaine : il ne doutait pas que Pierre et Remigius réclameraient une ferme punition. D'autres, qui l'aimaient bien, pourraient se contenter d'une nuit de cellule. Et Philip ? Le prieur aimait bien

214

Jack, mais après une telle scène, et surtout après les paroles prononcées par Jack, Philip ne pouvait plus prendre son parti. Il laisserait les durs l'emporter. Son seul espoir, c'était qu'on décide de l'expulser immédiatement du monastère, ce qui du point de vue des moines serait la condamnation la plus sévère. Si seulement cela arrivait! Jack aurait encore une chance de parler à Aliena avant le mariage. Mais Philip n'accepterait jamais cette solution, Jack en était sûr. Ce serait pour le prieur un insupportable constat d'échec.

Sous la porte la lumière déclinait. Une question saugrenue se formula dans l'esprit du prisonnier. Comment se soulageait-on de ses besoins naturels dans ce cachot? Ce n'était pas le genre des moines de négliger ce genre de chose. Il se remit à inspecter le sol, pouce par pouce, et repéra un petit trou dans un coin. Le bruissement de l'eau plus fort à cet endroit indiquait la présence au-dessous de la canalisation souterraine.

En même temps qu'il faisait cette découverte, un volet s'ouvrit dans la porte. Jack bondit sur ses pieds. On déposa une écuelle et un croûton de pain sur le rebord de la petite fenêtre. Jack ne pouvait pas distinguer le visage du visiteur. « Qui est-ce? dit-il.

– Je ne suis pas autorisé à vous parler », dit l'homme d'une voix neutre, mais que Jack reconnut : c'était un vieux moine du nom de Luke.

« Luke, savez-vous combien de temps je dois rester ici? » cria Jack.

L'autre répéta la formule : « Je ne suis pas autorisé à vous parler.

– Je vous en prie, Luke, dites-le-moi si vous le savez! » supplia Jack, d'un ton tellement angoissé que le vieux Luke répondit dans un souffle : « Pierre a réclamé une semaine, mais Philip a ramené la peine à deux jours. » Le guichet se referma.

« Deux jours! fit Jack, désespéré. Mais d'ici là elle sera mariée! »

Il n'y eut pas de réponse.

Jack restait immobile, le regard perdu dans le vide. Ses yeux s'emplirent de larmes et il s'allongea sur le sol. Il n'y avait rien d'autre à faire. Il était enfermé dans ce trou jusqu'à lundi et, lundi, Aliena serait la femme d'Alfred, couchée dans le lit d'Alfred, possédée par Alfred. Cette pensée lui donnait des haut-le-cœur.

215

Comme un automate, Jack s'approcha en tâtonnant du guichet et trouva l'écuelle : elle contenait de l'eau. Il mit un petit morceau de pain dans sa bouche, mais il n'avait pas faim et il le mâchonna interminablement avant de l'avaler. Il but le reste de l'eau et se recoucha.

Il ne dormit pas vraiment, mais sombra dans une sorte de torpeur. Dans un rêve douloureux, il revivait les dimanches après-midi qu'il avait passés avec Aliena, l'été d'avant, lorsqu'il lui racontait l'histoire de l'écuyer amoureux de la princesse partant en quête de la vigne dont les fruits étaient des joyaux.

La cloche de minuit le tira de son assoupissement. Il avait l'habitude maintenant des horaires monastiques et à minuit il se sentait pleinement éveillé. Il se représenta les moines sortant de leurs lits et formant les rangs pour la procession qui les conduirait du dortoir à l'église. Ils étaient juste au-dessus de Jack mais il n'entendait rien. Bientôt, ce fut la cloche des laudes. Le temps passait vite, trop vite. Demain Aliena serait mariée.

Au petit matin, malgré son désespoir, il s'endormit pour de bon.

Il s'éveilla en sursaut. Il y avait quelqu'un dans la cellule. La panique le paralysa.

Le cachot était plongé dans un noir absolu. Le bruit de l'eau semblait plus fort. « Qui est là? dit-il d'une voix tremblante.

– C'est moi... N'aie pas peur.

– Mère! » murmura-t-il. Il ne se demandait pas comment elle était arrivée là, tellement il se sentait soulagé. « Comment as-tu su que j'étais ici?

– Le vieux Joseph est venu me raconter l'affaire, répondit-elle.

– Doucement! Les moines vont t'entendre.

– Non, sûrement pas. Ici tu peux chanter et crier de toutes tes forces sans qu'on entende rien au-dessus. Je le sais, je l'ai fait... »

Il avait la tête si pleine de questions qu'il ne savait pas par où commencer. « Comment es-tu entrée ici? Est-ce que la porte est ouverte? » Il la chercha, les mains tendues devant lui. « Oh... tu es trempée!

– La canalisation d'eau passe juste en dessous. Il y a une dalle mal assujettie dans le sol.

– Comment le savais-tu?

– Ton père a passé dix mois dans cette cellule, dit-elle d'une voix pleine d'amertume.

216

– Mon père? Dans *cette* cellule? Dix mois?

– C'est lui qui m'a renseignée.

– Mais pourquoi était-il ici?

– Nous ne l'avons jamais su, répondit-elle durement. Il a été enlevé ou arrêté – il ne l'a jamais compris exactement – en Normandie, et amené ici. Il ne parlait ni l'anglais ni le latin, il n'avait aucune idée de l'endroit où il était. Il a travaillé aux écuries environ un an... C'est là que je l'ai rencontré. » La mélancolie adoucit sa voix. « Je l'ai aimé dès l'instant où j'ai posé les yeux sur lui. Il était si doux, il avait l'air si effrayé et si malheureux; pourtant il chantait comme un oiseau. Personne ne lui avait parlé depuis des mois. Il était si content quand j'ai dit quelques mots en français que je crois qu'il est tombé amoureux de moi rien que pour ça. » Sa voix vibra de nouveau. « Au bout d'un certain temps, on l'a enfermé dans cette cellule. C'est alors que j'ai découvert un moyen d'y entrer. »

Jack ne put s'empêcher de penser qu'il avait dû être conçu ici même, sur ces dalles froides. Cette idée le gênait tellement qu'il bénit l'obscurité qui les empêchait de se voir, sa mère et lui. « Tout de même, demanda-t-il, mon père avait dû faire quelque chose qui justifie son arrestation?

– Il n'a jamais su quoi. D'ailleurs, pour finir, on a machiné un crime. Quelqu'un lui a donné une coupe incrustée de joyaux en lui disant qu'il pouvait s'en aller. Une demi-lieue plus loin, il était arrêté et accusé d'avoir volé la coupe. On l'a pendu. » Elle se mit à sangloter.

« Qui est responsable du jugement?

– Le shérif de Shiring, le prieur de Kingsbridge... Peu importe!

– Et la famille de mon père? Il devait avoir des parents, des frères et des sœurs...

– Oui, il avait une grande famille, là-bas en France.

– Pourquoi ne s'est-il pas échappé pour retourner auprès d'eux?

– Il a essayé une fois. On l'a repris et ramené. C'est là qu'on l'a mis au cachot. Bien sûr, il aurait pu profiter de ma découverte pour s'enfuir d'ici, mais il ne savait pas comment rentrer chez lui, il ne parlait pas un mot d'anglais et il était sans un sou. Ses chances semblaient trop minces. Malgré tout, il aurait dû le faire, étant donné ce qui est arrivé ensuite. Mais sur le moment, nous n'avons jamais supposé qu'on le pendrait. »

217

Jack prit Ellen dans ses bras. Elle était toute mouillée et frissonnait. Elle devait absolument ressortir et aller se sécher. Avec un coup au cœur, il se rendit compte que, si elle pouvait sortir, lui aussi. Son souhait était exaucé : il pourrait parler à Aliena avant son mariage ! « Montre-moi le chemin », dit-il brusquement.

Elle sécha ses larmes. « Tiens mon bras, je vais te guider. »

Il sentit qu'elle se penchait. « Laisse-toi descendre dans le conduit, dit-elle. Respire un grand coup et plonge sous l'eau. Attention : va bien à contre-courant, sinon tu te retrouveras dans la latrine des moines. Même si tu as du mal à garder ta respiration, reste calme et continue d'avancer. Tu t'en tireras. » Elle descendit encore un peu et il perdit contact. A son tour il se glissa dans le trou. Ses pieds touchèrent l'eau. Quand ils se posèrent sur le fond de la canalisation, ses épaules étaient encore dans la cellule. Avant de disparaître, il tira la dalle et la remit en place, songeant avec malice que les moines seraient bien intrigués lorsqu'ils découvriraient la cellule vide.

L'eau était glacée. Il prit une profonde inspiration, s'accroupit sous l'eau et avança contre le courant. Il allait aussi vite qu'il le pouvait. Tout en progressant, il se représentait les bâtiments qui défilaient au-dessus de lui. Il passait sous le couloir, puis le réfectoire, la cuisine et la boulangerie. Par l'extérieur, ce n'était pas loin, mais dans ce conduit d'eau, le trajet lui parut durer une éternité. Il eut le réflexe de faire surface mais sa tête heurta la voûte du tunnel. Un tourbillon de panique l'étourdit et il se rappela que sa mère l'avait prévenu. Il était presque au bout. En effet, il distingua devant lui un halo lumineux. Le jour se levait. Il avança, à bout de souffle, jusqu'à la lumière, puis il se redressa et aspira goulûment l'air frais. Quand il eut retrouvé son calme, il se hissa hors du fossé.

Sa mère s'était déjà changée. Elle avait apporté des habits secs pour lui aussi. Bien pliés sur la berge s'alignaient des vêtements qu'il n'avait plus portés depuis six mois : une chemise de toile, une tunique de laine verte, des chausses grises et des bottes de cuir. Sa mère essora sa robe mouillée tandis que Jack s'habillait.

Il jeta dans le fossé sa tenue de moine. Il ne la porterait plus jamais.

« Que comptes-tu faire maintenant ? lui demanda sa mère.

— Aller chez Aliena.

218

– Maintenant? Il est trop tôt!

– Je ne peux pas attendre. »

Elle hocha la tête. « Va doucement. Elle est meurtrie. »

Jack se pencha et enlaça Ellen, la serra contre lui. « Tu m'as libéré de prison, dit-il en riant. Quelle mère tu fais! »

Elle sourit, les yeux trop brillants. Jack l'étreignit pour lui dire adieu et s'éloigna.

Bien que le soleil fût levé, il ne rencontra personne parce que c'était dimanche et que les gens s'octroyaient une grasse matinée. Jack se demanda s'il ne devrait pas se cacher. Le prieur Philip avait-il le droit de poursuivre un novice fugitif hors du monastère? Même s'il avait ce droit, aurait-il envie de l'exercer? Jack ne pouvait pas répondre. En tout cas, à Kingsbridge, Philip était la loi personnifiée. Jack l'avait défié, il fallait donc s'attendre à des représailles. Il y réfléchirait plus tard. Sa seule préoccupation concernait les minutes à venir.

Il arriva devant la petite maison d'Aliena. Et si Richard était là? Tout serait gâché. Il alla jusqu'à la porte et frappa doucement.

Il tendit l'oreille. Rien ne bougeait à l'intérieur. Il frappa plus fort et cette fois il entendit un bruit de paille froissée : quelqu'un se réveillait. « Aliena! » chuchota-t-il. Il l'entendit venir jusqu'à la porte. Une voix incertaine dit : « Oui?

– Ouvrez la porte!

– Qui est-ce?

– Jack!

– Jack! »

Il y eut un trou de silence. Jack attendit.

Aliena appuya sa joue contre le bois rugueux de la porte. Ça n'est pas possible, pensait-elle; pas aujourd'hui, pas maintenant.

La voix reprit, insistante : « Aliena, je vous en prie, ouvrez la porte, vite! S'ils m'attrapent, ils me remettront en cellule! »

Aliena avait entendu parler de l'affaire – le sujet de conversation de toute la ville. Il s'était donc échappé. Et il était venu droit chez elle. Son cœur se mit à battre plus fort. Elle ne pouvait pas le chasser.

Elle souleva la barre et ouvrit la porte.

Jack souriait. Ses cheveux roux tout mouillés étaient plaqués sur sa tête, comme après un bain. Il portait des vêtements civils au lieu de sa robe de moine. Il avait l'air heureux, comme si rien de meilleur ne pouvait lui arriver que cette rencontre. Puis il se rembrunit et dit : « Vous avez pleuré.

— Pourquoi êtes-vous venu ici ? dit-elle.

— Il fallait que je vous voie.

— Je me marie aujourd'hui.

— Je sais. Est-ce que je peux entrer ? »

C'était mal de le laisser entrer, elle le savait ; mais l'idée lui vint que ce soir elle serait la femme d'Alfred et qu'elle n'aurait plus jamais l'occasion de bavarder en tête à tête avec Jack. Elle ouvrit la porte en grand. Jack entra et elle remit la barre en place.

Ils étaient face à face. Maintenant elle se sentait gênée. Jack la contemplait avec un désir désespéré, comme un homme mourant de soif pourrait regarder une cascade inaccessible. « Ne me fixez pas ainsi, dit-elle en détournant la tête.

— Ne l'épousez pas, supplia Jack sans préambule.

— Il le faut.

— Vous serez malheureuse.

— Je suis déjà malheureuse.

— Regardez-moi, je vous en prie. »

Elle se tourna vers lui et leva les yeux.

« Je vous en prie, dites-moi pourquoi cette décision, dit-il.

— Pourquoi devrais-je l'expliquer ?

— A cause de la façon dont vous m'avez embrassé dans le vieux moulin. »

Elle baissa les yeux, rouge jusqu'aux oreilles. Elle s'était laissée aller ce jour-là et depuis n'avait cessé d'en éprouver de la honte. Maintenant Jack se servait contre elle de sa propre faiblesse. Elle était sans défense.

« Après, reprit-il, vous avez complètement changé envers moi. »

Elle gardait les yeux baissés.

« Nous étions de tels amis, poursuivit-il sans pitié. Tout l'été, dans la clairière, auprès de la cascade... les histoires que je racontais... Nous étions si heureux. C'est là que je vous ai embrassée, une autre fois. Vous vous souvenez ? »

Elle s'en souvenait, bien sûr, même si elle s'empêchait d'y penser. Le cœur gonflé de chagrin, Aliena regarda Jack, les yeux pleins de larmes.

« Ensuite, j'ai inventé un système avec le moulin pour que vous fouliez votre tissu, continua-t-il. J'étais si content de pouvoir vous aider. Vous étiez folle de joie. Nous nous sommes embrassés encore, mais ce n'était pas un petit baiser, comme le premier. Celui-là était... passionné. » Oh! Dieu, oui, il l'était, songea-t-elle. Son souffle s'accéléra ; elle aurait voulu qu'il se taise, mais il insistait. « Nous nous sommes serrés très fort. Nous nous sommes embrassés un long moment. Vous avez ouvert les lèvres...

— Arrêtez! cria-t-elle.

— Pourquoi? fit-il brutalement. Où est le mal? Pourquoi avez-vous changé après?

— Parce que j'ai eu peur! » dit-elle spontanément et elle éclata en sanglots, le visage enfoui dans les mains. Elle sentit que Jack enlaçait ses épaules secouées de sanglots. Elle ne protesta pas, alors il la prit doucement dans ses bras. Elle inclina son front contre la tunique de Jack, puis passa les bras autour de sa taille.

Jack posa ses lèvres sur les cheveux d'Aliena – de vilains cheveux, courts et hirsutes, qui n'avaient pas encore repoussé après l'incendie – et il la caressa comme un enfant qu'on console. Elle aurait voulu rester là pour toujours. Mais il l'écarta pour pouvoir la regarder. « Pourquoi avez-vous peur? »

La raison, elle ne pouvait pas la lui révéler. Elle secoua la tête et fit un pas en arrière ; mais il la retint par les poignets, pour la garder près de lui.

« Écoutez, Aliena, dit-il. Je veux que vous sachiez combien ces derniers temps ont été durs pour moi. Vous paraissiez m'aimer, puis soudain me détester, et maintenant vous allez épouser mon beau-frère. Je ne comprends pas. Je ne comprends rien à ces choses-là, je n'ai jamais été amoureux avant vous. Tout est si douloureux... Je n'arrive pas à trouver les mots pour l'exprimer. Vous devriez au moins essayer de m'expliquer pourquoi il faut que je subisse tout cela? »

Aliena non plus ne trouvait pas les mots. Dire qu'elle lui avait fait tant de mal alors qu'elle l'aimait si fort! Elle avait honte de la façon dont elle l'avait traité, lui qui n'avait eu que des bontés pour elle. Elle avait gâché sa vie. Oui, il avait droit à une explication. Elle se raidit. « Jack, il m'est arrivé quelque chose voilà longtemps. Quelque chose de vraiment horrible, quelque chose que je me suis efforcée d'oublier pendant des années. Je ne voulais plus y penser, mais quand vous m'avez embrassée dans le moulin, le passé m'est revenu et je n'ai pas pu le supporter.

221

– Qu'est-ce que c'était? Qu'est-ce qui vous est arrivé?

– Après l'emprisonnement du comte mon père, nous avons vécu au château, Richard et moi, seuls avec un intendant du nom de Matthew. Une nuit, William Hamleigh est arrivé et nous a jetés dehors. »

Jack plissa les yeux. « Et alors?

– Il a tué le pauvre Matthew. »

Il savait qu'elle dissimulait quelque chose. « Pourquoi? demanda-t-il.

– Que voulez-vous dire?

– Pourquoi ont-ils tué votre intendant?

– Parce qu'il voulait les empêcher... » Les larmes ruisselaient sur son visage et elle se sentait la gorge si serrée qu'elle pouvait à peine parler, comme si les mots l'étranglaient. Elle secoua désespérément la tête et essaya de se dégager, mais Jack ne la lâchait pas.

D'une voix douce comme un baiser, il reprit : « Les empêcher de faire quoi? »

Tout à coup, son secret lui échappa et déferla comme un torrent. « Ils m'ont forcée, fit-elle. Le valet de William me maintenait et lui s'est allongé sur moi. Je me débattais, alors ils ont coupé un bout de l'oreille de Richard en disant qu'ils continueraient si je ne cédais pas. » Elle sanglotait maintenant, soulagée au-delà de toute expression de pouvoir enfin en parler. Elle regarda Jack dans les yeux, mettant toute sa confiance en lui, avoua ce qui la minait depuis si longtemps. « Alors, j'ai écarté les jambes et William m'a violée pendant que le valet obligeait Richard à regarder.

– Je suis désolé, murmura Jack. J'avais entendu des rumeurs, mais je n'avais jamais pensé... Aliena chérie, comment ont-ils pu? »

Elle ne pouvait plus s'arrêter. « Et puis, quand William en a eu fini, ça a été le tour du valet. »

Jack ferma les yeux. Son visage était pâle et tendu.

Aliena poursuivit : « Alors, vous comprenez, quand nous nous sommes embrassés, j'ai eu envie de faire l'amour avec vous et j'ai revu William et son valet. Je me suis sentie si méprisable, si effrayée que j'ai préféré partir. Voilà pourquoi j'ai été si froide avec vous et que je vous ai rendu si malheureux. Je vous demande pardon.

222

– Je vous pardonne », murmura-t-il. Il l'attira et elle se laissa aller contre lui, dans ses bras si réconfortants. Sans relever la tête, d'une voix anxieuse, elle demanda tout bas : « Je vous dégoûte? » Il rit doucement. « Je vous adore. » Il se pencha sur son visage et baisa ses lèvres.

Aliena se figea. Jack l'embrassa encore. Le contact de ses lèvres était très doux. Aliena se détendit, lui rendit un faible écho de son baiser. Elle sentit son souffle tiède sur son visage. Encouragé, il entrouvrit la bouche. Aliena recula aussitôt.

Jack se rembrunit. « C'est si terrible? »

En vérité, elle se rassurait peu à peu. Quand elle lui avait raconté l'odieuse vérité, il n'avait pas reculé de dégoût, il était même plus tendre et plus doux que jamais. Elle n'avait plus peur. Il n'y avait dans le désir de Jack rien de menaçant, rien de violent ni d'incontrôlable, il n'y avait ni brutalité, ni haine, ni domination, au contraire. Ses baisers étaient un plaisir partagé.

Les lèvres de Jack s'entrouvrirent et elle sentit le bout de sa langue. Elle se crispa. Très doucement, il l'incita à écarter un peu les lèvres. Elle se détendit.

Elle renversa la tête en arrière et ferma les yeux. La bouche de Jack vint sur la sienne. Elle écarta les lèvres, hésita, puis nerveusement darda sa langue dans la bouche du jeune homme. La merveilleuse sensation qu'elle avait éprouvée la dernière fois, dans le vieux moulin, elle la retrouva intacte. Elle se sentait prise du besoin de le serrer contre elle, de toucher sa peau, de sentir ses muscles, d'être en lui et de l'avoir en elle.

Le souffle court et précipité, ils se regardèrent. Jack tenait le visage d'Aliena entre ses deux mains. Elle lui caressait les bras, le dos, elle sentait ses muscles forts et noueux. Le jeune homme avait le visage rose de désir et de plaisir. Il l'embrassa doucement dans le cou, ce qui la fit gémir de bien-être, puis sa bouche en caressant la peau d'Aliena descendit vers sa gorge délicate. Ses seins étaient tendus sous la rude toile de sa chemise, et incroyablement sensibles. Jack en saisit la pointe entre ses lèvres, au travers du tissu. Elle tressaillit. La sensation était aussi vive que si elle avait été nue.

S'agenouillant devant elle, Jack enfouit son visage au creux de son ventre. Aliena frémit. Une chaleur inaccoutumée gagnait ses reins. Jack releva la chemise de la jeune femme jusqu'à sa taille.

223

Aliena retint sa respiration, un peu gênée. Mais Jack posa doucement un baiser sur la toison bouclée de son sexe, comme si c'était la plus jolie chose du monde.

Aliena tomba à genoux, haletante et la gorge sèche, en proie à un brûlant désir de lui. Timidement, elle glissa la main sous sa tunique. Jamais elle n'avait touché un sexe d'homme. C'était chaud, sec et dur comme du bois. Jack ferma les yeux et poussa un gémissement sourd tandis que du bout des doigts elle le caressait légèrement. Puis, soulevant la tunique de Jack, elle l'embrassa, tout comme il l'avait fait pour elle, en un doux effleurement des lèvres.

Soudain, Aliena eut envie d'être nue. Elle se releva et, sous le regard de Jack, ôta sa chemise qu'elle jeta par terre. Elle se sentait un peu embarrassée, mais c'était une sensation agréable, exquisement indécente. Jack, fasciné, contemplait ses seins. « Ils sont si beaux », dit-il. Il avança la main et les caressa délicatement. Elle baissa les yeux pour suivre ses mouvements. Puis, brusquement, elle lui prit les deux mains et les pressa sur sa poitrine. « Plus fort, murmura-t-elle d'une voix rauque. Je veux te sentir plus fort. »

Ces mots enflammèrent le jeune homme et ses caresses devinrent plus précises, plus impérieuses. Aliena, folle de plaisir, se tendait vers lui, offrant ses seins dont il pinçait délicieusement la pointe. Elle gémissait, haletait. « Déshabille-toi, demanda-t-elle tout bas, je veux te regarder. »

Il se débarrassa en un clin d'œil de sa tunique, de sa camisole, de ses bottes et de ses chausses. Aliena observa ce corps, mince et blanc, avec des épaules et des hanches osseuses. Il semblait sec et agile, jeune et frais. Son sexe se dressait dans une toison châtain. Elle eut envie soudain de l'embrasser partout. Elle se pencha et effleura de ses lèvres les petits boutons de sa poitrine plate, les suça doucement : elle voulait qu'il ressentît autant de plaisir qu'il lui en avait donné. Jack lui caressait les cheveux en murmurant des paroles incompréhensibles.

Elle le voulait en elle, vite.

« Jack, demanda-t-elle, es-tu vierge ? »

Il acquiesça, non sans embarras.

« Je suis heureuse, murmura-t-elle avec ferveur. Mon Dieu ! Que je suis heureuse ! »

Elle lui prit la main et la guida entre ses jambes. Le contact de ses doigts sur son sexe gonflé et sensible la fit tressaillir. « Viens à l'intérieur », dit-elle. Il glissa un doigt en elle et la découvrit humide de désir. « Là, dit-elle dans un souffle, c'est là qu'il faut aller. » Elle s'allongea sur la paille.

Jack se coucha auprès d'elle, appuyé sur un coude, et baisa sa bouche. Elle sentit son sexe l'effleurer, puis il s'arrêta. « Qu'y a-t-il? demanda-t-elle.

— J'ai peur de te faire mal.

— Ne t'inquiète pas, viens, répondit-elle fiévreusement. J'ai tellement envie de toi que peu m'importe d'avoir mal. »

Il la pénétra un peu. En effet, elle avait mal, plus qu'elle ne s'y attendait. Mais la douleur ne dura pas et elle se sentit merveilleusement comblée. En avançant les hanches, elle aida Jack dans son mouvement. « Je n'aurais jamais cru que c'était si doux », murmura-t-elle en souriant d'émerveillement. Il ferma les yeux comme si c'était trop de bonheur à supporter.

Il prit un rythme qui bientôt fit naître dans le corps d'Aliena une vague de plaisir. A chaque assaut, elle sentait leurs corps s'emboîter, leurs poitrines se toucher. Le souffle de Jack était brûlant. Aliena s'agrippa à son dos musclé. Ses halètements réguliers devinrent des cris. Elle plongea les mains dans sa chevelure rousse qui séchait en boucles indisciplinées, attira sa tête vers elle. Elle lui embrassa très fort les lèvres, puis sa langue pénétra dans la bouche de Jack comme le sexe du jeune homme pénétrait en elle. Un tourbillon de plaisir lui fit perdre la tête. Son plaisir monta, grandit inexorablement et, incapable de retenir le flot de jouissance qui la submergeait, elle se laissa emporter par le spasme qui la secoua, si violent qu'elle en cria de bonheur. Les yeux dans ceux de Jack, elle dit son nom, puis une autre vague l'enleva. En même temps, elle sentit le corps de Jack se convulser, il eut un gémissement rauque et elle sentit un jet saccadé l'inonder. Il fallut longtemps pour que la sensation brûlante commence à s'atténuer. Peu à peu sa tension se relâcha et elle ne bougea plus. Les yeux fermés, elle sentait le poids de Jack sur elle, ses hanches dures contre les siennes, sa poitrine écrasant la douceur de ses seins, sa bouche contre son oreille, ses doigts noués dans ses cheveux. Si c'est ainsi entre un homme et une femme, pensa-t-elle dans une demi-inconscience, c'est peut-être pourquoi les maris et les femmes s'aiment si fort.

Le souffle de Jack devint léger et régulier, son corps se détendit. Il s'endormit.

Elle tourna la tête pour l'embrasser. Elle voulait qu'il reste là, endormi sur elle pour toujours.

Cette pensée lui fit reprendre conscience de la réalité.

Aujourd'hui, c'était son mariage.

Doux Seigneur, songea-t-elle, qu'ai-je fait?

Elle se mit à pleurer, ce qui réveilla aussitôt Jack.

« Oh! Jack, dit-elle, c'est toi que je veux épouser.

— Alors, s'écria-t-il d'un ton vibrant de bonheur, nous allons le faire.

— Mais nous ne pouvons pas, gémit Aliena en redoublant de sanglots.

— Après ce qui vient d'arriver entre nous...

— Je sais...

— Après cela, tu dois m'épouser!

— Nous ne pouvons pas nous marier, dit-elle. J'ai perdu tout ce que je possédais et toi tu n'as rien. »

Il se souleva sur un coude. « J'ai mes mains, répliqua-t-il. Je suis le meilleur sculpteur de pierre à des lieues à la ronde.

— On t'a congédié...

— Ça ne change rien. Je pourrais trouver du travail sur n'importe quel chantier au monde. »

Elle secoua la tête d'un air navré. « Ça ne suffit pas. Il faut que je pense à Richard.

— Pourquoi? s'exclama-t-il, indigné. Qu'est-ce que notre vie a à voir avec Richard? Il est assez grand pour s'occuper de lui-même. »

Jack prenait feu avec une ardeur toute juvénile qui rappela à Aliena leur différence d'âge : il avait cinq ans de moins qu'elle et il croyait encore avoir le droit d'être heureux. « J'ai juré à mon père quand il était mourant, reprit-elle, de m'occuper de Richard jusqu'à ce qu'il devienne comte de Shiring.

— Mais rien ne dit qu'il réussira!

— Un serment est un serment. »

Jack, déconcerté, roula sur le côté. Et soudain elle se sentit abandonnée. Plus jamais je ne le sentirai en moi, songea-t-elle avec tristesse.

« Tu ne te rends pas compte, poursuivit Jack. Un serment, ce n'est que des mots! Toi et moi, voilà la réalité. »

Il la contempla, puis tendit la main pour la caresser. Le contact de ses doigts, si bouleversant, fit à Aliena l'effet d'un coup de fouet. Il la vit tressaillir et s'arrêta.

Un moment elle fut au bord de dire : *D'accord fuyons ensemble tout de suite.* Mais la raison lui revint et elle répéta :

« Je vais épouser Alfred.

– Ne sois pas ridicule.

– C'est la seule solution. »

Il la regarda longuement. « Je ne te crois pas, murmura-t-il.

– C'est vrai.

– Je ne peux pas renoncer à toi. Je ne peux pas, je ne peux pas... » Sa voix se brisa et il étouffa un sanglot.

Aliena tournait et retournait le problème dans sa tête.

« Si pour t'épouser, je trahis la promesse que j'ai faite à mon père, dit-elle tout haut, si je ne respecte pas mon premier serment, que vaudra le second ?

– Peu m'importe. Je ne veux pas de tes serments. Je veux que nous soyons ensemble tout le temps, et que nous nous aimions chaque fois que nous en aurons envie. »

Il voyait le mariage avec ses yeux de dix-huit ans, songea-t-elle, mais elle se garda bien d'exprimer sa pensée. Elle aurait accepté sa demande avec tant de joie si elle avait été libre ! « Je ne peux pas faire ce que je veux, dit-elle tristement. Ce n'est pas mon destin.

– Ce que tu fais n'est pas bien, riposta-t-il. C'est même mal. Renoncer à un bonheur comme celui-ci, c'est jeter des joyaux dans l'océan. Bien pire que le pire des péchés. »

L'idée la frappa soudain que sa mère aurait approuvé cette déclaration. Aussitôt elle chassa cette pensée. « Je ne pourrais jamais être heureuse, même avec toi, si je devais porter toute ma vie le poids d'une trahison envers mon père.

– Tu te soucies plus de ton père et de ton frère que de moi, remarqua-t-il avec une pointe d'agacement.

– Non...

– Eh bien, alors ? »

Elle réfléchit longuement, puis se résolut à parler.

« Cela veut dire, je pense, que le serment fait à mon père est plus important à mes yeux que mon amour pour toi.

– Vraiment ? fit-il, décontenancé.

227

– Oui », répondit-elle, le cœur lourd des mots qu'elle venait de prononcer et qui résonnèrent à ses oreilles comme un glas.

« Il n'y a plus rien à dire.

– Seulement... que je suis désespérée... »

Il se leva en lui tournant le dos, ramassa ses vêtements. Elle admira son long corps élancé. Il passa rapidement sa chemise et sa tunique, puis enfila ses chausses et ses bottes avec une brutale nervosité.

« Tu vas être terriblement malheureuse », annonça-t-il.

Ces paroles désagréables étaient démenties par la compassion qui perçait dans sa voix.

« C'est vrai, reconnut-elle. Voudrais-tu au moins... au moins dire que tu me respectes pour ma décision?

– Non, répliqua-t-il sans hésitation. Non. Je te méprise. »

Assise sur sa couche, nue, misérable, elle se mit à pleurer.

« Il faut que je m'en aille, reprit-il d'une voix mal assurée.

– Oui, va-t'en », sanglota-t-elle.

Il se dirigea vers la porte.

« Jack! »

Il se retourna.

« Jack, veux-tu me souhaiter bonne chance? »

Il souleva la barre de la porte. « Bonne... » Un sanglot lui coupa la parole. Il baissa les yeux pour se reprendre, puis les releva vers elle. Sa voix cette fois n'était qu'un murmure. « Bonne chance. »

Il sortit.

La maison qui avait été celle de Tom appartenait maintenant à Ellen, mais aussi à Alfred. C'est pourquoi ce matin-là elle fourmillait de gens occupés à la préparation du festin de mariage – festin organisé par Martha, la sœur d'Alfred. L'adolescente, âgée maintenant de treize ans, était aidée par sa belle-mère qui affichait un air consterné. Alfred, une serviette à la main, s'apprêtait à descendre à la rivière : les femmes se baignaient une fois par mois, les hommes à Pâques et à la Saint-Michel. De plus la tradition exigeait qu'on prît un bain le matin de son mariage.

Soudain le silence se fit : Jack entrait.

« Qu'est-ce que tu veux? lança Alfred hargneusement.

– Que tu décommandes le mariage, répondit Jack simplement.

228

– Fiche le camp! »

L'affaire s'engageait mal. Jack ne souhaitait pas la confrontation. Ce qu'il proposait allait dans le sens des intérêts d'Alfred aussi... si seulement il pouvait l'en persuader. « Alfred, reprit-il doucement, elle ne t'aime pas.

– Tu n'en sais rien, petit morveux.

– Mais si, insista Jack. Elle ne t'aime pas. Elle t'épouse à cause de Richard. C'est le seul que ce mariage comblera.

– Retourne nicher au monastère, lança Alfred avec mépris. Au fait, où est ton habit de moine? »

Jack prit une profonde inspiration. Il fallait avouer la vérité. « Alfred, c'est moi qu'elle aime. » Il s'attendait à voir son demi-frère exploser de rage; mais, de façon imprévisible, celui-ci esquissa un sourire narquois. Jack, d'abord déconcerté par cette attitude, finit par comprendre. « Tu le sais déjà, demanda-t-il, incrédule, tu sais qu'elle m'aime et tu t'en fiches? Tu la veux quand même, qu'elle t'aime ou non. Tu veux simplement la posséder. »

Le sourire d'Alfred s'accentua et Jack eut la certitude qu'il était dans le vrai. Mais il lisait quelque chose de plus sur le visage d'Alfred. Un affreux soupçon s'éveilla dans son esprit. « Pourquoi la veux-tu? Est-ce... est-ce que tu veux seulement l'épouser pour me l'enlever? » La colère faisait vibrer sa voix. « Est-ce que tu l'épouses par rancune? » Une expression de triomphe perfide se peignit sur le gros visage d'Alfred et Jack comprit que là encore il avait touché juste. Il était accablé. L'idée qu'Alfred agissait poussé non par le désir bien compréhensible de posséder Aliena, mais par pure malice, c'en était trop. « Bon sang, hurla-t-il, tu as intérêt à la traiter comme il faut! »

Alfred éclata de rire. Et ce rire plein de méchanceté frappa Jack comme un coup de poing. Bien sûr que non, Alfred ne se soucierait pas de la traiter avec soin. Ce serait le comble de sa revanche sur Jack. Alfred épousait Aliena pour la rendre malheureuse. « Ordure, dit Jack entre ses dents serrées. Saloperie, merdeux! Espèce d'horrible et méprisable vermine! »

Malgré son flegme, Alfred lâcha sa serviette et, les poings serrés, marcha sur Jack qui l'attendait et s'avança pour frapper le premier. A ce moment Ellen s'interposa entre eux et, bien qu'elle fût plus petite que les deux jeunes gens, elle les arrêta d'un mot.

229

« Alfred, va te baigner. »

Alfred se calma aussitôt. Il avait remporté la victoire sans avoir eu besoin de se battre avec Jack. Il sortit.

« Que vas-tu faire, Jack ? » lui demanda sa mère.

Le garçon tremblait de rage. Il ne pouvait pas empêcher le mariage, il s'en rendait compte. Mais il ne pouvait pas y assister non plus. « Quitter Kingsbridge. »

Le chagrin assombrit le visage d'Ellen, mais elle hocha la tête. « J'avais peur que tu prennes cette décision, mais je crois que tu as raison. »

Une cloche se mit à sonner au prieuré. « D'un moment à l'autre, ils vont découvrir que je me suis échappé », dit Jack.

Ellen, instinctivement, baissa la voix. « Pars vite, va te cacher auprès de la rivière, près du pont. Je t'apporterai quelques affaires.

— Merci. »

Martha surgit, en larmes, et se jeta dans ses bras. Il la serra contre lui. « Reviens un jour », hoqueta-t-elle.

Il lui donna un baiser bref et poussa la porte.

Il y avait foule dehors car la matinée avançait. On allait chercher de l'eau, on bavardait et on savourait la douceur de ce matin d'automne. La plupart des gens savaient que Jack était novice — la ville était assez petite pour que chacun sût ce que faisait son voisin — et sa tenue laïque attira des regards surpris. Cependant personne ne l'interrogea. Il dévala la colline, franchit le pont et suivit la berge de la rivière jusqu'à un bosquet de roseaux. Il s'accroupit derrière cet abri pour attendre sa mère, en surveillant le pont.

Où irait-il ? Il ne savait pas. Tout droit devant lui, jusqu'à ce qu'il atteigne une ville où se bâtissait une cathédrale. Il croyait fermement trouver du travail, car il se savait assez bon artisan pour être employé n'importe où. Même si les équipes de bâtisseurs étaient au complet, il n'aurait qu'à montrer au maître d'œuvre un échantillon de son savoir et on l'engagerait. Mais quel intérêt, maintenant ? Après Aliena, il n'aimerait jamais une autre femme, et après Kingsbridge, il n'aurait de goût pour aucune autre cathédrale. C'était celle-ci qu'il voulait bâtir, pas n'importe laquelle.

Et si, tout simplement, il s'enfonçait dans la forêt et s'y allongeait pour mourir ? Voilà une bonne idée ! Le temps était doux, le feuillage commençait à dorer. Sa fin serait paisible. Il ne regretterait qu'une chose : ne pas connaître avant de mourir l'histoire de son père.

Il s'imagina, couché sur un lit de feuilles d'automne, glissant doucement vers la mort. Mais sa mère qui traversait le pont, un cheval à la bride, le ramena à la réalité de la vie. Il courut vers elle. Elle amenait la jument baie qu'elle montait habituellement. « Prends-la », dit-elle. Jack lui serra très fort la main pour la remercier. Ellen avait les larmes aux yeux. « Je ne me suis jamais très bien occupée de toi, murmura-t-elle. Je t'ai d'abord élevé comme un sauvage dans la forêt. Puis j'ai failli te condamner à mourir de faim en vivant avec Tom. Ensuite je t'ai obligé à supporter Alfred.

– Tu as été parfaite avec moi, mère, dit-il. Ce matin, j'ai fait l'amour avec Aliena. Je peux mourir heureux.

– Tête folle! dit-elle. Tu es bien le fils de ta mère. Si tu n'obtiens pas celle que tu aimes, tu ne chercheras personne d'autre.

– Toi aussi? » s'étonna-t-il.

Elle hocha la tête. « Après la mort de ton père, j'ai vécu seule plutôt que de me contenter d'un homme quelconque. Je n'ai jamais eu envie d'un autre jusqu'à Tom. Ma solitude a duré onze ans. » Elle dégagea sa main. « Je te raconte cela pour te redonner espoir. Il faudra peut-être onze ans, mais un jour tu aimeras quelqu'un d'autre, je te l'assure. »

Il protesta d'un mouvement de la tête. « Ça ne me paraît pas possible.

– Je sais. » Elle jeta un regard inquiet en direction de la ville. « Tu devrais partir, maintenant. »

Il s'approcha du cheval, chargé de deux gros sacs de selle. « Qu'y a-t-il dans les sacoches?

– Des vivres, de l'argent et une outre de vin dans l'une. L'autre contient les outils de Tom. »

Jack fut saisi d'une émotion profonde. Sa mère avait tenu à conserver les outils de Tom en souvenir. Le cadeau qu'elle lui faisait aujourd'hui était un don solennel. Il l'enlaça. « Merci, murmura-t-il.

– Où vas-tu? »

Jack repensa à son père. « Où entend-on les jongleurs raconter leurs histoires? demanda-t-il.

231

– Sur la route des pèlerins qui vont à Saint-Jacques-de-Compostelle.

– Tu crois qu'on se souviendrait de Jack Shareburg?

– C'est possible. En tout cas, tu lui ressembles.

– Où est Compostelle?

– En Espagne.

– Eh bien, je vais en Espagne.

– C'est un long chemin, Jack.

– J'ai le temps. »

Elle le prit dans ses bras et l'étreignit. Il se rappela toutes les fois où elle avait fait ce geste, depuis dix-huit ans, pour le consoler d'un genou écorché, d'un jouet perdu, d'une déception enfantine – et maintenant d'un vilain et lourd chagrin d'adulte. Il évoqua tout ce qu'elle avait fait pour lui, depuis son éducation dans la forêt jusqu'à son évasion. Elle était toujours prête à se battre comme une lionne pour son fils. Comme il avait mal de la quitter!

Elle le lâcha et il sauta en selle.

D'un dernier regard, il contempla Kingsbridge. Quand il était arrivé là, il avait trouvé un village endormi autour d'une vieille cathédrale délabrée. Il avait mis le feu à cette vieille église – personne sauf lui ne savait ce secret. Aujourd'hui, Kingsbridge était une petite ville pleine d'animation. Bah! Il en existait d'autres. L'excitation de l'inconnu, la curiosité de l'aventure où il se lançait adoucissaient un peu le déchirement du départ, le chagrin de quitter ce qu'il aimait.

« Reviens un jour, je t'en prie, Jack, pria sa mère.

– Je reviendrai.

– Promis?

– Promis.

– Si tu te trouves à court d'argent avant de trouver du travail, vends le cheval, pas les outils, ajouta-t-elle.

– Je t'aime, mère », murmura-t-il.

Les yeux d'Ellen débordaient de larmes. « Fais attention à toi, mon fils. »

Il éperonna le cheval. Quelques foulées plus loin, il se retourna en agitant le bras. Elle répondit à son geste d'adieu. Puis il mit sa monture au trot et avança droit devant lui.

Richard revint juste à temps pour le mariage.

Le roi Stephen lui avait généreusement accordé deux jours de congé, expliqua-t-il. L'armée campait à Oxford, assiégeant le château où Maud était prise au piège, si bien que les chevaliers n'avaient pas grand-chose à faire. « Je ne pouvais tout de même pas manquer le mariage de ma sœur », dit Richard. Aliena traduisit ses paroles : Tu veux surtout t'assurer que le marché tient toujours et que tu auras ce qu'Alfred t'a promis.

Dans sa peine, elle se sentait quand même réconfortée qu'il la conduise lui-même à l'autel. Sans lui, elle n'aurait eu personne.

Elle passa une camisole de toile neuve et une robe blanche à la dernière mode. Elle ne pouvait pas espérer des miracles de ses cheveux mutilés, mais elle noua en tresses les mèches les plus longues et les attacha avec d'élégants rubans blancs. Une voisine lui prêta un miroir. Elle était pâle et on voyait à ses yeux qu'elle n'avait pas dormi de la nuit. Eh bien, tant pis.

Richard l'observait d'un air un peu penaud, comme s'il se sentait coupable, et il paraissait nerveux. Au fond, il craignait encore de la voir tout décommander à la dernière minute.

En vérité, elle était grandement tentée de le faire. Elle s'imaginait quittant Kingsbridge avec Jack, main dans la main, pour entamer une vie nouvelle ailleurs, une vie simple de travail honnête, libérée des étouffants serments d'autrefois. Mais c'était un rêve fou. Jamais elle ne pourrait être heureuse si elle abandonnait son frère.

Parvenue à cette conclusion, elle se vit descendant jusqu'à la rivière pour s'y jeter. Elle se représenta son corps inerte, flottant dans sa robe de mariée gorgée d'eau au fil du courant, le visage tourné vers le ciel, les cheveux épandus. Cette vision l'effraya assez pour la ramener à une décision plus sage et elle se retrouva à son point de départ ; le mariage était la meilleure, la seule solution qui s'offrait à elle pour ses problèmes les plus aigus.

Jack mépriserait ce genre de raisonnement, se dit-elle avec dégoût.

La cloche de l'église se mit à carillonner.

Aliena se leva.

Quand, jeune fille, elle pensait à son mariage, elle se voyait au bras de son père, quittant le donjon pour franchir le pont-levis qui menait à la chapelle dans la cour commune ; les chevaliers et les

233

hommes d'armes de son père, les serviteurs et les fermiers se pressaient autour d'eux pour les acclamer et lui souhaiter du bonheur. Dans ses rêveries, le jeune homme qui attendait dans la chapelle avait toujours été un peu flou, mais elle savait qu'il l'adorait, qu'il la faisait rire et qu'elle le trouvait merveilleux. Hélas! Rien dans sa vie ne s'était passé comme elle s'y attendait.

Richard ouvrit la porte de l'unique pièce de la maison, et elle sortit.

A sa grande surprise, quelques-uns des voisins attendaient sur le pas de leur porte pour la voir partir. Quand elle apparut, des voix joyeuses s'élevèrent : « Dieu vous bénisse! », « Bonne chance! » Un sanglot de reconnaissance lui étrangla la gorge. Comme elle remontait la rue, on l'aspergea de grains de blé, en vœu de fertilité. Elle aurait des enfants et tout le monde l'aimerait.

L'église paroissiale était à l'autre bout de la ville, dans le quartier riche où Aliena habiterait à compter du soir même. Son frère et elle passèrent devant le monastère où, en ce moment, les moines devaient célébrer leur office dans la crypte. Le prieur Philip avait promis d'assister au festin du mariage pour bénir le nouveau couple. Aliena espérait qu'il tiendrait parole. Il avait représenté une force importante dans sa vie, depuis le jour où, six ans plus tôt, il lui avait acheté sa première laine à Winchester.

Ils atteignirent l'église, bâtie par Alfred avec l'aide de Tom. Il y avait foule dehors. Le mariage serait célébré en anglais, sous le portail; ensuite on dirait une messe en latin à l'intérieur de l'église. Les ouvriers d'Alfred étaient tous là, comme la plupart des anciens tisserands d'Aliena. Des acclamations l'accueillirent.

Alfred attendait en compagnie de sa sœur Martha et d'un maçon, Dan. Il portait une tunique neuve cramoisie et des bottes immaculées. Il avait de longs cheveux bruns et brillants comme ceux d'Ellen. Ellen, justement, n'était pas là. Déçue, Aliena allait demander à Martha où se trouvait sa belle-mère quand le prêtre apparut. La cérémonie commença.

En pensée, Aliena voyait défiler sa vie. Après le premier tournant qu'elle avait pris, six ans plus tôt, en s'engageant à l'égard de son père, elle en rencontrait un second aujourd'hui, avec cette autre promesse qu'elle s'apprêtait à faire à un homme. Jusqu'à présent, Aliena avait vécu pour les autres plus que pour elle-même. Ce matin, sa rencontre avec Jack avait constitué une bouleversante exception. La scène lui paraissait aussi peu réelle que si elle l'avait rêvée. Jamais elle n'en soufflerait mot à personne. Ce serait un secret qu'elle garderait pour elle et qu'elle évoquerait de temps en temps, comme un avare au cœur de la nuit comptant son trésor.

On allait échanger les vœux. Répétant après le prêtre, Aliena prononça les paroles sacrées : « Alfred, fils de Tom le bâtisseur, je te prends pour mari et je jure de t'être toujours fidèle. » En disant cela, elle faillit éclater en sanglots.

C'était le tour d'Alfred. Pendant que lui aussi prononçait son serment, la foule se trouva distraite par une certaine agitation. Aliena surprit le regard de Martha qui murmura : « C'est Ellen. »

Le prêtre fronça les sourcils pour rétablir le silence et dit : « Alfred et Aliena sont maintenant mariés aux yeux de Dieu et puisse la bénédiction... »

Il ne termina jamais sa phrase. Une voix sonore retentit au fond de l'église : « Je maudis cette union ! »

Un frémissement d'horreur parcourut la congrégation.

Le prêtre, décontenancé, tenta de répéter : « Et puisse la bénédiction... », mais il s'arrêta, pâlit et fit un signe de croix. Aliena se retourna. Ellen se tenait derrière elle, au centre d'un cercle que la foule avait laissé vide en s'écartant. Elle tenait d'une main un coquelet vivant et un long couteau de l'autre. Du sang jaillissait du cou tranché du volatile. « Je maudis ce mariage qui ne sera que chagrin », lança-t-elle. Ses paroles glacèrent le cœur d'Aliena. « Je maudis ce mariage qui ne sera que stérilité, je maudis ce mariage qui ne sera qu'amertume, haine, affliction et regret. Je maudis ce mariage qui ne sera qu'impuissance. » En prononçant ce mot, elle lança en l'air le coq agonisant. Des gens s'enfuirent en criant. Aliena, figée, ne pouvait détacher son regard d'Ellen. Le coq tomba et rebondit, aspergeant de sang l'assistance la plus proche, en plein sur Alfred qui sauta en arrière, terrifié.

Quand on osa relever les yeux, Ellen avait disparu.

Martha avait mis des draps de lin blanc et une couverture de laine neuve sur le lit, le grand lit de plumes qui avait été celui d'Ellen et de Tom et qu'occuperaient maintenant Alfred et Aliena. On n'avait pas revu Ellen depuis le mariage. La fête s'était passée sans entrain, comme un pique-nique raté par temps glacial. Chacun s'occupait tristement à manger et à boire, car il n'y avait rien d'autre à faire. Les invités étaient tous partis au coucher du soleil, sans lancer aucune des grasses plaisanteries habituelles à propos de la nuit de noce des nouveaux mariés.

Martha s'était couchée en arrivant dans l'autre pièce. Quant à Richard, il avait regagné la petite maison d'Aliena, qui serait désormais la sienne.

Alfred parlait de bâtir une demeure en pierre l'été prochain. Il s'en était vanté auprès de Richard durant le festin. « Elle comportera une chambre à coucher, une grande salle et un magasin, avait-il dit. Quand la femme de John Silversmith la verra, elle en voudra une exactement pareille. Après, tous les riches de la ville réclameront leur maison de pierre.

— Avez-vous déjà dessiné un plan? » avait demandé Richard d'une voix où Aliena avait décelé une nuance de scepticisme.

— J'ai quelques vieux dessins de mon père, tracés à l'encre sur du parchemin, dont l'un représente la maison qu'il avait commencé à bâtir il y a longtemps pour Aliena et William Hamleigh. Je m'en inspirerai. »

Aliena s'était détournée, écœurée. Quelle grossièreté que de mentionner cette affaire en un jour pareil! Tout l'après-midi, Alfred s'était montré exubérant, versant du vin, racontant des histoires drôles en échangeant des coups d'œil grivois avec ses compagnons. Il paraissait heureux.

Maintenant, assis au bord du lit, il ôtait ses bottes. Aliena dénoua les rubans qui retenaient ses cheveux. Elle ne savait que penser de la malédiction d'Ellen. Que voulait-elle dire? Quelle arrière-pensée avait-elle? Au contraire de la majorité des gens, Aliena, quoiqu'un peu choquée, était plus intriguée qu'effrayée.

On ne pouvait pas en dire autant d'Alfred. Quand le coq sacrifié était retombé sur lui, il avait failli s'évanouir. Richard avait dû le secouer, littéralement, en le saisissant par le plastron de sa tunique. Il avait assez vite retrouvé ses esprits et, ensuite, il s'était forcé à un entrain factice qui cachait mal son angoisse.

Aliena se sentait étrangement calme. Elle n'attendait aucun plaisir de ce qui allait suivre, mais du moins n'y était-elle pas contrainte et forcée. Ce serait déplaisant, mais pas humiliant. Surtout, il n'y aurait pas de témoins.

236

Elle ôta sa robe.

« Par le Christ, dit Alfred, quel long couteau! »

Elle détacha la courroie qui fixait le poignard à son avant-bras gauche puis se glissa dans le lit, vêtue de sa camisole.

Alfred se débarrassa de ses chausses et, debout devant le lit, lança à Aliena un regard paillard. « Ote ton vêtement, dit-il. J'ai bien le droit de voir à quoi ressemble ma femme. »

Aliena hésitait. Elle répugnait un peu à se montrer nue, mais ce serait maladroit de lui refuser la première chose qu'il demandait. Docilement, elle s'assit et passa sa camisole par-dessus sa tête, s'efforçant d'oublier que le même geste, le matin, pour Jack, était un geste de joie.

« Oh! La belle paire », s'écria Alfred. Il s'approcha d'elle et lui prit un sein. Ses grandes mains étaient rugueuses, ses ongles sales. Son mouvement brutal la fit tressaillir. Il éclata de rire, recula et ôta sa tunique. Puis il revint près du lit et d'un coup sec tira le drap qui recouvrait Aliena.

La jeune femme se sentit instantanément à la merci de l'homme, vulnérable, nue sous son regard. Il glissa sa main entre les jambes d'Aliena. Elle se crispa, puis s'obligea à se détendre. « Bonne fille », dit-il moqueusement. Le doigt qu'il insinua en elle lui fit mal. Alfred poussa un grognement.

Elle eut envie de pleurer. Elle s'était doutée qu'elle ne prendrait aucun plaisir, mais elle ne s'attendait pas à trouver Alfred si insensible. Il ne lui avait même pas donné le moindre baiser. Il ne m'aime pas, songea-t-elle. Il n'a aucune affection pour moi. Je suis une jeune et belle pouliche qu'il va chevaucher. En fait, il traiterait un cheval avec plus de tendresse : il le flatterait et le caresserait pour l'apprivoiser, il lui parlerait doucement pour le calmer. Elle refoula ses larmes. C'est moi qui l'ai choisi, se raisonna-t-elle. Personne ne m'a obligée à épouser cet homme, je n'ai plus qu'à le supporter.

« Tu es sèche comme un jour sans bière, murmura Alfred.

— Pardon... », murmura-t-elle.

Il cracha sur sa main et répéta sa tentative. Cet acte parut à Aliena d'un épouvantable mépris. Elle se mordit la lèvre et détourna les yeux.

Quand il lui écarta les cuisses, elle se força à le regarder. Après tout, autant s'habituer à lui, puisqu'elle devrait le supporter

237

jusqu'à la fin de ses jours. Alfred s'agenouilla entre ses jambes. Une ombre de contrariété passa sur son visage. Il passa une main sous la camisole qu'il portait encore. « Par le Christ, marmonna-t-il. Tu es si molle que j'en perds mes moyens. J'ai l'impression de peloter un cadavre.

— Je ne sais pas quoi faire, dit Aliena, au bord des larmes.

— Il y a des filles qui aiment ça, grogna-t-il, et qui savent sans qu'on leur apprenne! » Qui aiment ça! répéta-t-elle intérieurement. Non! Puis elle se rappela comment le matin même elle avait gémi et pleuré de bonheur. Mais quel rapport entre ce matin et ce soir?

C'était trop bête. Elle se redressa, écarta la main d'Alfred. « Laisse-moi faire », dit-elle. Sous la camisole, elle trouva un sexe mou et sans vie. Elle le pressa doucement puis le caressa du bout des doigts, guettant une réaction sur le visage d'Alfred, mais il avait l'air en colère.

« Plus fort », réclama-t-il.

Elle continua avec plus de vigueur, mais sans résultat apparent. Soudain Alfred poussa un cri de douleur et s'écarta. Elle avait eu un geste trop brusque. « Stupide vache! » s'écria-t-il en lui assenant une gifle qui la fit basculer sur le côté.

Recroquevillée sur le lit, elle gémissait de peur et de douleur. « Tu n'es bonne à rien, maudite! cria-t-il, furieux.

— J'ai fait de mon mieux!

— Imbécile! »

Il la poussa brutalement hors du lit. Elle tomba sur la paille étalée par terre. « C'est la faute de cette sorcière d'Ellen, marmonna-t-il. Elle m'a toujours détesté. »

Aliena s'agenouilla sur le sol. Alfred ne semblait plus disposé à la frapper encore. Sa colère avait fait place à l'amertume. « Reste là, dit-il. Tu n'es bonne à rien comme épouse, alors évite mon lit. Couche-toi par terre, comme une chienne. » Il marqua un temps. « Je ne peux pas supporter que tu me regardes », dit-il avec nervosité. Il chercha des yeux la chandelle et l'éteignit d'un coup en la faisant tomber.

Aliena demeura immobile dans l'obscurité. Elle entendit Alfred s'agiter sur le matelas de plumes, tirer la couverture, taper les oreillers. Elle osait à peine respirer. Il s'agita longtemps dans tous les sens mais il ne se releva pas, et ne lui adressa plus la parole. Il finit par se calmer et son souffle devint régulier. Lorsqu'elle fut sûre qu'il était endormi, elle traversa la pièce en rampant, attentive aux craquements de la paille, et alla se réfugier dans un coin où elle se blottit parfaitement éveillée. De crainte de réveiller Alfred, elle retenait ses larmes, mais le chagrin était plus fort. Elle se mit à sangloter doucement. Elle pleura jusqu'au moment où elle finit par s'endormir.

3

Tout l'hiver Aliena fut malade.

Elle dormait mal, enveloppée dans son manteau, par terre au pied du lit d'Alfred, et dans la journée elle était accablée par une désespérante lassitude. Souvent elle avait des nausées, et elle mangeait donc très peu mais, malgré cela, elle prenait du poids. Elle était certaine que sa poitrine et ses hanches avaient grossi, de même que sa taille.

Comme elle en était incapable, c'était Martha qui se chargeait de diriger la maison d'Alfred. A eux trois, ils formaient une bien triste famille. Martha n'avait jamais aimé son frère, Aliena méprisait passionnément son mari, aussi n'était-ce pas étonnant qu'Alfred passât le plus de temps possible loin de la maison, au travail durant la journée et à la taverne chaque soir. Martha et Aliena s'occupaient des provisions, de la cuisine et le soir, sans enthousiasme, faisaient de la couture. Aliena attendait le printemps, quand le temps serait assez doux pour qu'elle aille retrouver, les dimanches après-midi, sa clairière secrète. Là, seule, elle rêverait en paix de Jack.

En attendant, Richard lui servait de consolation. Il avait un destrier noir plein de feu, une épée neuve, un écuyer équipé d'un poney. Une fois de plus, il se battait pour le roi Stephen, car la guerre se poursuivit avec la nouvelle année. Maud s'était échappée du château d'Oxford, glissant entre les mains de Stephen, et son frère, Robert de Gloucester, avait repris Wareham. Le vieux jeu de balançoire se renouvelait interminablement, chaque camp tour à tour gagnant et perdant. Aliena, elle, respectait son serment et du moins pouvait-elle trouver là une certaine satisfaction.

Au début de l'année, Martha eut ses premières règles. Aliena lui prépara une tisane d'herbe et de miel pour calmer les crampes, répondit à ses questions sur la condition féminine; puis elle alla quérir la boîte de linges qu'elle gardait à cet effet pour son propre usage. La boîte n'était pas dans la maison et, après réflexion, elle se rendit compte qu'elle ne l'avait pas apportée avec ses affaires de jeune mariée.

Mais le mariage remontait à trois mois!

Ce qui voulait dire que depuis trois mois elle n'avait pas eu besoin de linges. Pas depuis le jour de son mariage. Pas depuis qu'elle avait fait l'amour avec Jack.

Elle laissa Martha assise auprès du feu de la cuisine, à boire sa tisane au miel, et traversa la ville en direction de son ancienne maison. Richard n'était pas là, mais elle avait encore une clé. Elle trouva sans mal la boîte, en effet, mais elle ne repartit pas aussitôt. Elle s'assit auprès de l'âtre froid, enroulée dans son manteau et plongée dans ses pensées.

Elle avait épousé Alfred à la Saint-Michel. On avait maintenant passé Noël: un quart de l'année s'était écoulé. Il y avait eu trois nouvelles lunes. Pourtant, sa boîte de chiffons était intacte là-haut, sur l'étagère, auprès de la petite pierre à aiguiser que Richard utilisait pour affûter les couteaux de cuisine.

Le pire, c'était que pas une fois elle n'avait fait l'amour avec Alfred.

Après cette horrible première nuit, il avait essayé encore à trois reprises: une fois le soir suivant, puis une semaine plus tard et encore un mois après, un jour qu'il était rentré à la maison particulièrement ivre. Mais il restait complètement impuissant. Aliena l'avait encouragé, poussée par le sens du devoir. Mais chaque échec augmentait la fureur d'Alfred et elle avait commencé à avoir peur. Elle préféra l'éviter, porter des vêtements peu séduisants, se déshabiller hors de ses regards et tenter de lui faire oublier ce sujet. Elle se demandait maintenant si elle n'aurait pas dû persévérer. Mais elle savait au fond que rien n'y ferait. Était-ce la malédiction d'Ellen, l'impuissance d'Alfred ou le souvenir de Jack? Elle était sûre maintenant qu'Alfred ne lui ferait jamais l'amour.

Il comprendrait vite que le bébé n'était pas de lui. Elle fixa avec consternation les cendres froides en se demandant pourquoi la malchance la poursuivait avec tant d'acharnement. Alors qu'elle essayait de tirer le meilleur parti d'un mauvais mariage, il fallait qu'elle se retrouve enceinte d'un autre, après un seul matin d'amour avec lui.

Inutile de s'apitoyer sur elle-même. Mieux valait réfléchir. Elle posa la main sur son ventre. Elle comprenait maintenant pourquoi elle avait grossi, pourquoi elle avait sans cesse la nausée, pourquoi elle était toujours fatiguée. Il y avait là un petit être nouveau. Elle sourit. Comme elle serait heureuse d'avoir un bébé...

Elle secoua la tête. Non, elle ne serait pas heureuse. Alfred allait la tuer, la jeter dehors, massacrer le bébé... Elle eut soudain le terrible pressentiment qu'il ferait tout son possible pour détruire l'enfant, par exemple en donnant des coups de pied dans le ventre de la mère. Elle essuya son front mouillé de sueur froide.

Je ne vais rien lui dire, décida-t-elle.

Mais pourrait-elle garder secrète sa grossesse ? Peut-être. Elle s'était déjà mise à porter des vêtements amples et sans forme. Si elle avait la chance de ne pas trop grossir... C'était le cas de certaines futures mères. Alfred était le moins observateur des hommes. Les femmes de la ville risquaient de deviner son secret, mais elle comptait sur elles pour ne rien dire, tout au moins pas à leurs maris. Oui, se répéta-t-elle, elle réussirait à lui cacher la vérité jusqu'à la naissance du bébé. Et après ? Eh bien, au moins la petite créature arriverait-elle sans dommage au monde. Restait qu'Alfred saurait quand même que le bébé n'était pas de lui. Ce serait l'enfer.

Aliena ne voulait pas penser si loin. Elle avait décidé de la meilleure solution pour les six mois à venir. En attendant, elle essaierait de réfléchir à ce qu'elle ferait une fois le bébé venu au monde.

Je me demande si c'est un garçon ou une fille, songea-t-elle.

Elle emporta la boîte de chiffons propres pour Martha. Je te plains, Martha, se dit-elle avec lassitude ; tu as encore tous les malheurs devant toi.

Philip passa l'hiver à ruminer ses problèmes.

Il avait été horrifié par la malédiction d'Ellen lancée dans une église en plein office. Il n'avait plus aucun doute : c'était bien une sorcière. Comme il regrettait, dans sa folle indulgence, de lui avoir

243

pardonné ses insultes contre la règle de saint Benoît! Il aurait dû savoir qu'une femme capable d'un tel sacrilège ne se repentirait jamais vraiment. Enfin, cette affreuse histoire avait quand même une conséquence heureuse : une fois de plus, Ellen avait quitté Kingsbridge où on ne l'avait pas revue. Philip formait le souhait fervent qu'elle ne revienne jamais.

Aliena, elle, était visiblement malheureuse avec Alfred, même si Philip ne croyait pas à l'effet de la malédiction. Il ne savait pratiquement rien de la vie conjugale, mais il devinait qu'une personne vive et instruite comme Aliena ne pouvait que souffrir de partager la vie d'un homme à l'esprit aussi lent et étroit qu'Alfred.

Aliena aurait dû épouser Jack, bien sûr. Philip s'en rendait compte maintenant et il se reprochait de s'être si obstinément buté sur les projets qu'il avait faits pour Jack; il n'avait pas compris les vrais besoins de ce garçon. Philip avait eu tort de lui imposer une vie monastique pour laquelle il n'était pas fait. Et maintenant Kingsbridge avait perdu l'intelligence et l'énergie de Jack.

Tout avait commencé par le désastre de la foire aux toisons. Le prieuré était plus endetté que jamais. Philip avait congédié la moitié des ouvriers du chantier parce qu'il n'avait plus d'argent pour les payer. La population de la ville avait donc diminué, ce qui signifiait que le marché du dimanche avait régressé et que les revenus provenant des loyers avaient décliné. Kingsbridge était sur la pente descendante.

Le pire, c'était le moral des habitants. Bien qu'ils eussent rebâti leurs maisons et repris quelques activités, ils n'avaient plus confiance dans l'avenir. Les projets, les constructions, les entreprises, tout cela pouvait être anéanti en un jour par William Hamleigh, si l'envie le prenait de lancer une nouvelle attaque.

Philip résolut de faire quelque chose pour mettre un terme à cette déchéance, quelque chose de spectaculaire pour annoncer à tous que Kingsbridge était prêt à lutter.

L'idéal, ce serait un miracle. Si les os de saint Adolphe guérissaient une princesse de la peste ou faisaient jaillir de l'eau pure d'un puits croupissant, les gens afflueraient à Kingsbridge en pèlerinage. Mais depuis des années le saint n'avait accompli aucun prodige. Philip se demandait parfois si sa façon pratique et énergique de gouverner le prieuré ne déplaisait pas au saint, car les miracles semblaient se produire plus fréquemment dans des monastères moins raisonnables et plus passionnément religieux. Philip avait été éduqué à une école plus réaliste. Le père Peter, l'abbé de son premier monastère, disait toujours : « Priez pour demander des miracles, mais plantez aussi des choux. »

Le symbole de la vie, de l'énergie de Kingsbridge, c'était la cathédrale. Toute une nuit, il pria pour qu'un miracle se produise et qu'il la trouve achevée au réveil. Hélas! Au matin le chœur n'avait toujours pas de toit et les murs de la nef n'avaient pas rejoint ceux du transept.

Philip n'avait pas engagé de nouveau maître bâtisseur, horrifié par le montant des gages que ceux-ci demandaient. Vraiment, Tom n'était pas cher. En attendant, Alfred dirigeait sans trop de mal les effectifs réduits du chantier. Il était devenu plutôt morose depuis son mariage, comme quelqu'un qui aurait durement triomphé de nombreux rivaux pour devenir roi avant de découvrir que la royauté est un pesant fardeau. Mais il était autoritaire, savait prendre des décisions et les autres le respectaient.

Cependant, Tom avait laissé un vide irrémédiable. Il manquait à Philip personnellement, pas seulement comme maître bâtisseur. Tom s'intéressait au sens symbolique des églises et Philip aimait les discussions qu'ils entretenaient sur ce sujet. Il y avait trop peu de gens comme lui dans la vie du prieur. Malgré sa jeunesse, Jack avait les mêmes préoccupations. Aliena aussi, mais elle avait sombré dans son triste mariage. Cuthbert le Chenu devenait vieux maintenant et Milius le trésorier s'absentait souvent du prieuré, pris par la tournée des élevages, comptant les arpents, les brebis et les sacs de laine.

« L'hiver a été doux, dit Alfred un matin peu après Noël. Nous pourrons reprendre le chantier plus tôt que d'habitude. »

Philip réfléchit. La voûte serait construite cet été. Quand elle serait terminée, on pourrait utiliser le chœur et Kingsbridge ne serait plus une ville cathédrale sans cathédrale. Le chœur était la partie la plus importante d'une église : là se trouvaient l'autel et les saintes reliques, conservées dans la partie qu'on appelait le presbytère. La plupart des services y étaient célébrés. On utilisait l'ensemble de l'église seulement le dimanche et les jours fériés. Une fois le chœur consacré, le chantier deviendrait église, même inachevée.

Si l'église pouvait être ouverte l'été prochain, le prieur obtiendrait l'événement qu'il désirait. Le comté étonné verrait que Kingsbridge était guérie de sa blessure.

« Peux-tu finir pour la Pentecôte ? » demanda Philip.

Alfred hésita. « La pose de la voûte réclame le maximum de talent et de compétence, dit-il. On ne peut pas travailler dans la précipitation ni laisser les apprentis se charger de l'ouvrage... »

Son père aurait répondu clairement, pensa Philip avec agacement. « Suppose, reprit-il, que je te donne des moines en un supplément de main-d'œuvre. Est-ce que cela t'aiderait ?

— Un peu. En fait, c'est plutôt de maçons que nous avons besoin.

— Peut-être pourrais-je en trouver un ou deux de plus », dit Philip. Un hiver doux permettrait une tonte prématurée, aussi pouvait-il espérer vendre sa laine plus tôt que d'habitude.

« Je ne sais pas, peut-être, dit Alfred sans conviction.

— Et si j'offrais une prime aux maçons ? proposa Philip. Une semaine de gages supplémentaire si la voûte est prête pour le dimanche de Pentecôte.

— Je ne peux pas m'engager, dit Alfred, comme choqué de cette suggestion.

— Eh bien, dit Philip un peu irrité, il faut essayer. Qu'est-ce que tu en dis ?

— Je ne peux dire ni oui ni non, répéta Alfred, têtu. Je vais en parler aux ouvriers.

— Aujourd'hui ? interrogea Philip avec impatience.

— Oui. »

Philip rongeait son frein.

William Hamleigh et ses chevaliers arrivèrent au palais de l'évêque Waleran en même temps qu'un char à bœufs chargé de sacs de laine. La tonte de la saison nouvelle avait commencé. Comme William, Waleran achetait la laine aux fermiers au prix de l'année précédente et comptait la revendre bien plus cher. Ils n'avaient ni l'un ni l'autre beaucoup de mal à obliger leurs fermiers à les approvisionner. Les rares paysans qui avaient tenté de braver la règle étaient chassés, leurs fermes brûlées et, très vite, il n'y avait plus eu de rebelles.

En passant la porte, William leva les yeux vers la colline. Les murs inachevés du château que l'évêque n'avait jamais construit se dressaient là depuis sept ans, permanent rappel de la façon dont Waleran s'était fait battre par le prieur Philip. Sitôt que Waleran commencerait à engranger les revenus de son négoce de laine, il reprendrait sans doute les travaux. Du temps du vieux roi Henry, un évêque n'avait pas besoin d'autre protection qu'une fragile barrière de piquets de bois derrière le petit fossé qui entourait son palais. Aujourd'hui, après cinq ans de guerre civile, des hommes qui n'étaient même pas comtes ni évêques bâtissaient de redoutables châteaux forts.

Les choses allaient bien pour Waleran, songea William avec amertume en mettant pied à terre. Il était resté loyal à Henry de Winchester durant tous les changements d'allégeance de l'archevêque dont il était ainsi devenu un des plus proches alliés. Au long des années, il s'était enrichi d'un afflux régulier de propriétés et de privilèges et s'était même rendu deux fois à Rome.

William n'avait pas connu une telle chance, d'où son amertume. Bien qu'il eût fidèlement suivi chacun des retournements de Waleran et qu'il eût fourni d'importants corps de troupes aux deux camps dans la guerre civile, il n'avait toujours pas été confirmé comte de Shiring. Il avait ruminé longuement sa déception, ce qui l'avait décidé à avoir une confrontation avec Waleran.

Il gravit les marches qui menaient à l'entrée du hall, suivi de Walter et des autres chevaliers. L'intendant qui veillait derrière la porte était armé, autre signe des temps. L'évêque Waleran était assis dans un grand fauteuil au milieu de la salle, comme toujours. Baldwin, maintenant archidiacre, se tenait auprès de lui, avec l'air d'attendre les instructions. Plongé dans ses pensées, Waleran contemplait le feu, mais il leva les yeux quand William approcha.

William retrouva en saluant Waleran le mépris que ce dernier lui inspirait toujours. Les douces mains osseuses de l'évêque, ses cheveux noirs et rares, sa peau d'une mortelle pâleur et ses yeux au regard malveillant donnaient la chair de poule. Il était tout ce que William détestait : tortueux, physiquement faible, arrogant et habile.

William sentait que l'évêque n'éprouvait pas à son égard des sentiments plus amicaux. Waleran n'arrivait jamais à cacher tout

247

à fait le dégoût qu'il ressentait devant William. Il se redressa dans son fauteuil et croisa les bras sans aménité.

Ils parlèrent un moment de la guerre : une conversation malaisée et sans chaleur que William fut soulagé de voir interrompue par l'arrivée d'un messager porteur d'une lettre cachetée d'un sceau de cire. Waleran envoya le messager se restaurer à la cuisine. Il n'ouvrit pas la lettre.

William profita de l'occasion pour changer de sujet. « Je ne suis pas venu ici pour échanger des nouvelles des batailles. Je suis venu vous dire que je suis à bout de patience. »

Waleran haussa les sourcils. Le silence était sa réponse habituelle aux sujets déplaisants.

William insista sans ambages : « Voilà plus de trois ans que mon père est mort, mais le roi Stephen n'a toujours pas confirmé mon titre de comte. C'est scandaleux.

— Je suis bien de votre avis », dit Waleran d'un ton indifférent. Il jouait avec la lettre qu'il venait de recevoir, en examinait le sceau et tirait sur le ruban.

« Tant mieux, reprit William, parce qu'il va falloir que vous interveniez.

— Mon cher William, je n'ai pas le pouvoir de vous faire comte. »

William s'attendait à la réaction de Waleran et il était bien déterminé à ne pas l'accepter. « Vous avez l'oreille du frère du roi.

— Mais que lui dirai-je? Que William Hamleigh a bien servi le roi? Si c'est vrai, le roi le sait, et sinon, il le sait aussi. »

William n'était pas de taille à rivaliser en logique avec Waleran, aussi préféra-t-il changer de ton. « Vous me devez bien ça, Waleran Bigod. »

L'évêque parut légèrement irrité. Il braqua sur William la lettre qu'il tenait toujours à la main. « Je ne vous dois rien. Vous avez toujours servi vos propres intérêts, même quand vous avez suivi mes directives. Il n'y a pas de dette de gratitude entre nous.

— Je vous le répète, je n'attendrai pas plus longtemps.

— Qu'avez-vous en tête? dit Waleran d'un ton un peu narquois.

— Eh bien, d'abord, voir moi-même l'évêque Henry.

— Et puis?

248

– Je lui dirai que, puisque vous restez sourd à mes doléances, je rallie le camp de l'impératrice Maud. »

William fut content de voir Waleran changer d'expression : il pâlit et parut légèrement surpris.

« Vous allez changer encore de camp ?

– Juste une fois de plus que vous », riposta William.

La hautaine indifférence de Waleran se trouva un peu ébranlée par cette réplique. La carrière de l'évêque avait grandement bénéficié de la présence de William et de ses chevaliers dans le camp qui se trouvait être pour le moment celui de l'évêque Henry : ce serait un coup dur pour lui si le seigneur de Shiring reprenait soudain son indépendance. William scruta le visage de Waleran, tandis que celui-ci réfléchissait à cette menace. Il devina que l'évêque supputait l'effort et le prix nécessaires pour conserver William dans ses rangs.

Afin de gagner du temps, Waleran rompit le sceau de sa lettre et la déroula. Une légère rougeur apparut sur ses joues pâles. « Maudit soit cet homme, siffla-t-il.

– Qu'y a-t-il ? » demanda William.

Waleran lui tendit la missive.

William la prit et lut péniblement : « Au... très... saint... et... gracieux... évêque... »

Waleran la lui arracha des mains, agacé d'entendre William ânonner. « C'est une lettre du prieur Philip, déclara-t-il. Il m'informe que le chœur de la nouvelle cathédrale sera terminé pour la Pentecôte et il a le toupet de me demander d'y célébrer la messe.

– Comment a-t-il réussi ? fit William, surpris. Je croyais qu'il avait congédié la moitié de ses bâtisseurs. »

Waleran secoua la tête. « Je n'en sais rien, mais il a réussi, c'est un fait. » Il lança à William un regard songeur. « Certes, il vous déteste. Il voit en vous le diable incarné. »

William essayait de percer l'esprit tortueux de Waleran. « Ensuite ? fit-il.

– Ce serait un choc fatal pour Philip si vous étiez confirmé comte le dimanche de Pentecôte.

– Vous ne le feriez pas pour moi, mais vous le feriez pour contrarier Philip, bougonna William, qui sentait ses espoirs renaître.

249

« – Ce n'est pas de mon ressort, répéta Waleran, mais je vais parler à l'évêque Henry. » Il regarda William comme s'il attendait une réponse.

William hésita. Enfin, à contrecœur, il marmonna : « Je vous remercie. »

Le printemps cette année-là fut froid et triste. Le matin de la Pentecôte, il pleuvait. Aliena s'était réveillée au milieu de la nuit, souffrant du dos, et la douleur n'avait pas encore disparu. Assise dans la cuisine glacée, elle tressait les cheveux de Martha avant d'aller à l'église, tandis qu'Alfred engloutissait un solide déjeuner de pain blanc, de fromage et de bière. Soudain Aliena se redressa, les mains plaquées sur les reins. Alertée, Martha l'interrogea.

« Qu'as-tu ?

– Mal au dos », dit brièvement Aliena. Elle n'avait pas envie d'en parler, car personne ne savait, pas même Martha, qu'elle dormait par terre, dans la petite pièce exposée aux courants d'air, depuis des mois.

La fillette se leva pour aller prendre dans le feu une pierre brûlante, qu'elle enveloppa dans un vieux bout de cuir usagé et appuya contre le dos d'Aliena. Le soulagement fut immédiat. A son tour, Martha tressa les cheveux d'Aliena. Ils avaient repoussé et formaient de nouveau une masse indisciplinée de boucles brunes. Aliena se sentit mieux.

Martha et elle étaient devenues très proches depuis le départ d'Ellen. Pauvre Martha : elle avait perdu sa mère, puis sa belle-mère. Aliena, de dix ans seulement plus âgée, jouait le rôle de sœur aînée plutôt que de mère, pour l'adolescente abandonnée. Mais la personne qui lui manquait le plus, c'était son demi-frère, Jack.

Il est vrai que Jack manquait à tout le monde.

Aliena pensait constamment à lui. Où était-il ? Tout près, peut-être, à Gloucester ou à Salisbury. A moins qu'il ne soit en Normandie. Ou bien plus loin : Paris, Rome, Jérusalem, l'Égypte. Se rappelant les récits que faisaient les pèlerins de ces contrées exotiques, elle imaginait Jack au milieu d'un désert sablonneux, sculptant des pierres pour une forteresse sarrasine sous un soleil aveuglant. Pensait-il à elle aussi ?

Ses réflexions furent interrompues par un bruit de sabots, dehors, et Richard entra, tenant son cheval par la bride, homme et bête trempés et couverts de boue. Aliena versa de l'eau chaude dans un récipient pour que son frère se lave les mains et le visage pendant que Martha emmenait le cheval dans la cour. Aliena déposa sur la table de la cuisine du pain et du bœuf froid et versa une coupe de bière.

« Quelles sont les nouvelles de la guerre? » demanda Alfred.

Richard s'assit. « Nous avons été battus à Wilton, répondit-il.

– Stephen est prisonnier?

– Non, il s'est échappé, tout comme Maud avait réussi à quitter Oxford. Stephen se trouve maintenant à Winchester et Maud à Bristol. Chacun lèche ses plaies et consolide ses positions dans les régions qu'il contrôle. »

La situation s'éternisait, se dit Aliena. Un camp ou l'autre remportait une petite victoire, subissait une petite défaite, mais on ne voyait jamais la fin de la guerre.

Richard examina sa sœur et remarqua : « Tu as grossi. »

Elle acquiesça sans rien dire. Bien qu'elle fût enceinte de huit mois, personne ne connaissait la vérité. Par bonheur, le temps froid l'autorisait à se cacher sous plusieurs couches de vêtements d'hiver qui dissimulaient ses formes. Mais dans quelques semaines, le bébé allait naître et la vérité éclaterait. Elle n'avait encore aucune idée de ce qu'elle ferait.

La cloche sonna pour appeler les fidèles à la messe. Alfred enfila ses bottes et se tourna vers Aliena.

« Je ne crois pas que je vais vous accompagner, dit-elle. Je ne me sens pas bien du tout. »

Il haussa les épaules d'un air indifférent et se tourna vers Richard. « Venez, Richard, tout le monde sera là aujourd'hui : c'est le premier office célébré dans la cathédrale.

– Le plafond est fini? s'étonna Richard. Je croyais que les travaux dureraient jusqu'à la fin de l'année.

– Nous avons fait vite. Le prieur Philip a offert aux hommes une semaine de gages supplémentaire s'ils terminaient aujourd'hui. Ils ont travaillé à une vitesse stupéfiante et ce matin même nous avons descendu les derniers coffrages.

– Il faut que je voie ça », dit Richard. Il avala sa dernière bouchée de pain et de bœuf.

« Veux-tu que je reste avec toi? proposa Martha à Aliena.

– Non, merci. Vas-y. Je vais m'allonger. »

Dès qu'ils furent sortis tous les trois, Aliena s'étendit sur le lit d'Alfred, la pierre chaude sous son dos. Elle ferma les yeux, espérant dormir un peu. Soudain, elle sentit un filet d'eau tiède couler à l'intérieur de ses cuisses. Elle n'eut pas le temps de se demander ce qui lui arrivait que le filet devenait un flot. Elle se redressa brusquement. Elle savait ce que cela signifiait. Elle était en train de perdre les eaux : le bébé arrivait.

La peur la prit. Il lui fallait de l'aide. « Mildred! Mildred, venez, s'il vous plaît! » cria-t-elle en direction de la maison voisine. Mais personne ne répondit. Toute la ville était à l'église.

L'écoulement cessa, mais le lit d'Alfred était trempé. De toute façon, il fallait s'attendre à une explosion de colère de sa part car ce bébé ne pouvait être le sien. Affolée, elle pouvait à peine penser.

La douleur la tenaillait. Était-ce déjà le travail qui commençait? Elle oublia Alfred. L'enfant allait naître d'un instant à l'autre. Elle avait trop peur pour supporter l'épreuve toute seule. Il lui fallait absolument quelqu'un pour l'assister. Elle décida d'aller à l'église.

Avec peine, elle se leva et sortit. A la porte du prieuré, la force de la douleur l'obligea à s'appuyer au mur en haletant. Puis elle entra dans l'enclos.

La nouvelle cathédrale présentait un étrange aspect : le plafond de pierre arrondi serait plus tard masqué par un toit de bois triangulaire, mais pour l'instant, sans protection, il évoquait l'image d'un chauve sans chapeau. Les fidèles étaient debout, le dos tourné à Aliena, massés dans le chœur et les bas-côtés.

Tandis qu'Aliena se glissait vers les rangs des fidèles, l'évêque Waleran Bigod se leva pour prendre la parole. Comme dans un cauchemar, elle reconnut William Hamleigh près de lui. Les mots de l'évêque pénétrèrent quand même son esprit en désarroi. « ... C'est avec une grande fierté et un vif plaisir que je dois vous annoncer que Sa Majesté le roi Stephen a confirmé lord William comte de Shiring. »

Momentanément, la souffrance et la peur d'Aliena firent place à l'horreur. Depuis six ans, depuis cet affreux jour où Richard et elle étaient allés voir leur père dans la prison de Winchester, elle avait voué sa vie à reconquérir le titre et la position de sa famille. Ils avaient survécu aux voleurs et aux violeurs, aux combats et à la guerre civile. A plusieurs reprises, ils avaient cru toucher au but. D'un seul coup, tout était perdu.

Un murmure de colère parcourut la congrégation. Tout le monde ici avait souffert par la faute de William et on le redoutait encore. Aliena chercha des yeux Richard pour voir comment il réagissait, mais elle ne le trouva pas.

Le prieur Philip se leva, le visage sombre, et attaqua l'hymne. Sans entrain les fidèles reprirent après lui. Aliena s'appuya à un pilier, secouée par une nouvelle contraction. Dès que la douleur fut passée, elle s'enfonça dans la foule, à la recherche de Martha. Un groupe de femmes occupait le bas-côté nord et elle se dirigea par là. Sur son passage, les gens la regardaient curieusement. Tout à coup, un bruit étrange, comme un grondement, interrompit les chants. Le grondement augmenta.

Aliena rejoignit le groupe de femmes qui écoutait avec anxiété l'étrange rumeur. « Avez-vous vu Martha, ma belle-sœur ? » demanda Aliena à l'une d'elles, en qui elle reconnut Hilda, l'épouse du tanneur. « Je crois qu'elle est de l'autre côté », répondit celle-ci. Le grondement devint assourdissant.

Aliena suivit la direction indiquée. Au milieu de l'église, les assistants avaient tous les yeux braqués vers le haut des murs. Quelqu'un poussa un hurlement. Entre deux fenêtres voisines du triforium la paroi du fond se fissurait. Deux énormes blocs se détachèrent et tombèrent sur la foule massée au-dessous. Les cris et les hurlements redoublèrent. La panique déferla dans l'église.

Le sol tremblait sous les pieds d'Aliena, qui jouait des coudes et bousculait les gens pour se frayer un chemin dans la cohue. D'un coup d'œil, elle comprit que les énormes murs s'écartaient au sommet et que l'arrondi de la voûte se fendait. Hilda, la femme du tanneur, trébucha devant elle. Aliena tomba sur elle. Une pluie de petites pierres dégringola comme de la grêle. Puis la voûte du bas-côté se fendit et s'effondra avec un fracas d'enfer. Quelque chose lui heurta la tête et tout devint noir.

Philip avait commencé le service, plein de fierté et de reconnaissance. Il s'en était fallu de peu, mais la voûte était terminée à temps. En hâte on avait déblayé le chantier : outils, piles de pierres et madriers, échafaudages, décombres avaient été rangés. On avait balayé le chœur. Les moines avaient blanchi à la chaux la maçonnerie et tracé sur le mortier des lignes rouges pour bien faire ressortir les jointements. On avait remonté de la crypte l'autel et le trône de l'évêque, mais les reliques du saint, dans leur cercueil de pierre, étaient restées en bas : pour les déplacer il faudrait une cérémonie solennelle qui formerait l'apogée du service.

Philip avait entendu Waleran faire l'annonce de la nomination de William avec un étonnement vite transformé en colère noire. C'était si manifestement calculé pour gâcher cette journée triomphale et rappeler aux habitants de la ville qu'ils étaient toujours à la merci de leur cruel suzerain! Philip cherchait désespérément le moyen de riposter quand le grondement commença.

Au début, intrigué, il crut que c'était le tonnerre. Mais le bruit prit de l'ampleur. Les chants s'interrompirent. Philip pensa alors qu'il s'agissait de quelque étrange phénomène dont on aurait bientôt l'explication et dont l'effet le plus grave serait d'interrompre le service. Puis il leva les yeux.

Dans la troisième travée, là où l'on avait enlevé le coffrage le matin même, des fissures apparaissaient dans la maçonnerie au niveau du triforium. Elles surgissaient et se propageaient sur le mur, d'une fenêtre à l'autre, comme des serpents prêts à frapper. La première réaction de Philip fut la déception : lui qui était si heureux de voir le chœur terminé, il devait déjà envisager des réparations; puis le haut des murs parut pencher vers l'extérieur et il se rendit compte avec horreur que non seulement l'office allait être interrompu, mais transformé en catastrophe.

La courbe de la voûte se fissura à son tour. Une grosse pierre se détacha et les gens au-dessous se mirent à hurler. Philip n'eut pas le temps de voir si quelqu'un était blessé que d'autres blocs suivirent. Affolés, les fidèles se bousculaient, se piétinaient en cherchant à s'abriter de l'avalanche mortelle. Philip eut un moment l'idée folle qu'il s'agissait encore d'une attaque de William Hamleigh, puis il aperçut celui-ci, au premier rang des fidèles, qui, terrifié, assommait ses voisins pour échapper au piège. Non, William ne pouvait pas être l'auteur d'un crime dont il risquait d'être la victime.

Le plus gros des fidèles tentait de sortir de la cathédrale par le

254

côté ouest, encore ouvert. Or c'était justement cette partie-là qui s'effondrait. Philip aperçut le petit Jonathan et Johnny Huit Pence blottis au fond du bas-côté nord. C'était le coin le plus sûr, estima Philip. Puis il prit conscience qu'il devait sauver le reste de ses ouailles. « Par ici! cria-t-il, par ici! » Personne ne lui prêta attention.

Dans la troisième travée, la voûte était sur le point de s'effondrer. Philip s'efforça de pousser les gens vers l'abri du côté est qui semblait tenir. Mais une pluie de mortier tomba sur son crâne rasé et bientôt ce furent des pierres. Les gens en proie à la panique se jetaient dans tous les sens : certains s'entassaient dans les bas-côtés, d'autres contre le mur est – parmi lesquels l'évêque Waleran. D'autres essayaient toujours de gagner la sortie à l'ouest en grimpant par-dessus les tas de décombres et de cadavres. Une pierre vint frapper Philip à l'épaule. Pas très fort, mais assez pour lui faire mal. Il posa les mains sur sa tête pour protéger son crâne et regarda autour de lui. Il était seul au milieu de la seconde travée : il avait fait tout ce qu'il pouvait. Il se précipita du côté est.

Le fracas de la maçonnerie qui s'écroulait semblait moins violent, mais un nuage de poussière emplissait l'air. Philip retint son souffle. La poussière retomba lentement et il distingua la voûte, qui s'était effondrée jusqu'au bord de la première travée. Maintenant elle semblait stabilisée.

Horrifié, Philip contemplait les ruines de son église. Seule la première travée demeurait intacte. Le sol n'était que piles de débris sous lesquels gisaient des corps inertes, morts et blessés mélangés. Sept ans de travail et des masses d'argent venaient d'être anéantis, des douzaines peut-être des centaines de gens tués – tout cela en quelques minutes d'apocalypse. Philip sentit son cœur se briser en pensant à ces efforts gaspillés, à ces victimes, aux veuves et aux orphelins. Ses yeux s'emplirent de larmes.

Une voix sévère retentit à son oreille. « Voilà le résultat de votre arrogance, Philip! »

Il se retourna. L'évêque Waleran, sa robe noire couverte de poussière, le foudroyait d'un regard triomphant. Philip eut l'impression qu'on venait de le poignarder. La tragédie était déjà épouvantable, mais qu'on l'en rendît responsable, ce n'était pas supportable. Il aurait voulu protester. Impossible : les mots lui restaient coincés dans la gorge.

255

Son regard se posa sur Johnny Huit Pence et le petit Jonathan qui émergeaient de leur abri. Il serait temps plus tard de déterminer les responsabilités. Pour l'instant, des dizaines de blessés, certains encore prisonniers des décombres, réclamaient des secours. Il fallait organiser les opérations de sauvetage. Il lança à l'évêque un regard mauvais et s'écria brutalement : « Otez-vous de mon chemin ! » Stupéfait, le prélat s'écarta et Philip bondit vers l'autel.

« Écoutez-moi ! cria-t-il de toutes ses forces. Il faut nous occuper des blessés, sauver les gens ensevelis puis enterrer les morts et prier pour leur âme. Je vais désigner trois chefs pour organiser les opérations. » Du regard il fit le tour de l'assistance. « Alfred le bâtisseur est chargé du déblaiement et du sauvetage des victimes ensevelies. Je veux que tous les maçons et les manœuvres travaillent avec lui. » Parmi les moines, il fut soulagé de voir son fidèle confident, Milius, indemne. « Milius le trésorier est chargé d'enlever les morts et les blessés de l'église. Il aura besoin de jeunes et robustes assistants. Randolf l'infirmier soignera les blessés une fois sortis d'ici. Les plus âgés l'aideront, surtout les femmes. Bon... allons-y. »

Philip s'approcha d'Alfred, hébété par le choc. Si l'on avait des reproches à faire à quelqu'un, c'était à lui, en tant que maître bâtisseur, mais l'heure n'était pas aux récriminations. « Divise tes hommes en équipes, dit Philip, et attribue-leur des secteurs séparés. »

Alfred ne parut pas comprendre tout de suite puis son visage s'éclaira. « Oui. D'accord. Nous allons commencer par le côté ouest et pousser les décombres dehors au fur et à mesure.

– Bien. » Philip le laissa et s'avança à travers la foule jusqu'à Milius, déjà au travail. Le prieur le dépassa, certain que comme toujours Milius remplirait au mieux sa tâche. Il aperçut Randolf l'infirmier qui escaladait les gravats. Devant l'église, du côté ouest, se trouvait un groupe de rescapés. « Utilisez ces gens-là, dit Philip à Randolf. Envoyez quelqu'un à l'infirmerie chercher votre matériel. Que d'autres aillent à la cuisine se procurer de l'eau chaude. Demandez au cellérier du vin pour ranimer les défaillants. »

Il regarda autour de lui. Les survivants se mettaient au travail. Philip aperçut une vieille femme assise par terre, égarée. C'était

Maud l'Argent, la veuve d'un joaillier. Il l'aida à se relever et l'entraîna à l'écart. « Que s'est-il passé? répétait-elle sur le même ton monocorde. Je ne sais pas ce qui s'est passé.

– Moi non plus, Maud », répondit le prieur.

Les paroles de l'évêque Waleran lui revenaient sans cesse en tête. « *Voilà le résultat de votre arrogance, Philip!* » L'accusation le touchait au vif parce qu'elle contenait peut-être une part de vérité. Il avait toujours poussé les constructeurs à en faire plus, mieux, plus vite. Il avait poussé Alfred à terminer la voûte, tout comme il avait poussé à la création d'une foire aux toisons et poussé des hommes à occuper la carrière du comte de Shiring. Chaque fois le résultat avait tourné à la tragédie : le massacre des carriers, l'incendie de Kingsbridge, et maintenant ce désastre. De toute évidence, son ambition était en cause. Le rôle des moines c'était de mener une vie de résignation, accepter les tribulations et les épreuves de ce monde comme des leçons de patience enseignées par le Tout-Puissant.

Philip prit la résolution de laisser à Dieu l'initiative et l'ambition; lui, Philip, accepterait modestement son sort. Si Dieu voulait une cathédrale, Dieu fournirait une carrière; puisque la ville avait été incendiée, c'était signe que Dieu ne voulait pas de foire aux toisons; maintenant que l'église s'était écroulée, Philip ne la rebâtirait pas.

Ce fut alors qu'il aperçut William Hamleigh.

Le nouveau comte de Shiring était assis sur le sol de la troisième travée, sur le bas-côté nord, le visage décomposé, tremblant de douleur, un pied coincé sous une grosse pierre. Philip se demanda, tout en l'aidant à soulever la pierre, pourquoi Dieu avait choisi de laisser tant de braves gens mourir pour épargner une bête comme William.

Ce dernier faisait grand cas de sa blessure au pied, mais, à part cela, il était indemne. On l'aida à se relever. Il s'appuya sur l'épaule d'un grand gaillard de sa taille et s'éloigna en sautillant. Un bébé se mit à crier.

Tout le monde l'entendit, mais personne ne le voyait. L'étonnement fut général. Les cris reprirent et Philip se rendit compte qu'ils provenaient d'un amoncellement de pierres, sur le bas-côté. « Par ici! » cria-t-il. Il aperçut Alfred et lui fit signe. « Il y a un bébé vivant là-dessous », déclara-t-il. Ils écoutèrent attentivement les cris. C'était la voix d'un tout petit bébé, presque un nouveau-né. « Vous avez raison, dit Alfred. Déplaçons d'abord ces grosses pierres. » Avec ses aides, il se mit à déblayer les décombres qui bloquaient complètement l'arc de la troisième travée. Philip se joignit à eux. Laquelle de ses paroissiennes avait donc accouché au cours des dernières semaines ? Bien sûr, il se pouvait qu'une naissance eût échappé à son attention : si la ville avait diminué en importance au cours de l'année passée, elle était encore assez grande pour qu'un événement aussi banal pût échapper à l'attention du prieur.

Les pleurs cessèrent d'un coup. On s'immobilisa, l'oreille tendue, mais les cris ne reprirent pas. De plus belle, on recommença à déblayer. C'était dangereux, car en ôtant une pierre on risquait d'en faire écrouler d'autres et c'est pourquoi Philip avait confié cette tâche à Alfred. Mais celui-ci ne se montrait pas aussi prudent que Philip l'eut souhaité et à un moment donné le tas de pierres bascula dangereusement. « Attendez ! » cria Philip.

Tout le monde s'arrêta net. Alfred, Philip s'en rendit compte, était trop choqué pour assurer la direction des opérations. « S'il y a des vivants là-dessous, déclara Philip, quelque chose a dû les protéger. En déplaçant cette pile, nous risquons de les tuer. Procédons avec prudence. » Il désigna un groupe de maçons : « Vous trois, grimpez là-haut et prenez les pierres une par une, mais au lieu de les emporter vous-mêmes, passez-les à quelqu'un d'autre qui les mettra de côté. »

Ils se remirent au travail suivant les instructions de Philip. Maintenant que le bébé avait cessé de pleurer, ils ne savaient plus où diriger leurs efforts. Ils déblayèrent un secteur assez large. Philip travaillait sans relâche. Il voulait que ce bébé survive. Même s'il y avait des douzaines de morts, ce bébé était plus important. Il représentait le symbole de l'espoir en l'avenir.

Il finit par distinguer au-dessus des décombres le mur extérieur de la travée et l'amorce d'une fenêtre. Il semblait y avoir un espace derrière cet entassement. Peut-être quelqu'un de vivant se cachait-il là. Un maçon escalada les gravats. « Bon Dieu ! » s'exclama-t-il.

Philip pour une fois ignora le blasphème. « Est-ce que le bébé est indemne ? demanda-t-il.

— Je n'en sais rien », répondit le maçon.

L'amoncellement des débris diminuait rapidement. Une grande pierre au niveau du sol nécessita le concours de trois hommes pour le déplacer. Puis Philip aperçut le bébé.

Il venait de naître. Tout nu, il était maculé de sang et de poussière, mais on pouvait distinguer des cheveux d'une surprenante couleur carotte. En regardant de plus près, Philip constata que c'était un garçon. Blotti contre une femme, il lui tétait le sein. L'enfant était vivant et Philip sentit son cœur bondir de joie. La femme, vivante aussi, adressa au prieur un sourire heureux mais las.

C'était Aliena.

Aliena ne revint jamais dans la maison d'Alfred. Il racontait à tout le monde que le bébé n'était pas de lui et, comme preuve, montrait les cheveux roux de l'enfant, exactement de la même couleur que ceux de Jack; mais il ne chercha pas à faire le moindre mal ni au bébé ni à Aliena. Il se contenta de leur interdire sa maison.

Aliena regagna sa demeure dans le quartier pauvre. Elle était soulagée qu'Alfred ne se vengeât pas davantage, heureuse aussi de ne plus avoir à dormir par terre au pied de son lit comme un chien. Mais surtout elle était fière et ravie de son adorable bébé. Il avait des cheveux roux, des yeux bleus, la peau bien blanche et il lui rappelait terriblement Jack.

Si personne ne savait pourquoi l'église s'était effondrée, les théories ne manquaient pas. Les uns disaient qu'Alfred était un incapable; d'autres reprochaient à Philip d'avoir bousculé les maçons pour terminer la voûte à la Pentecôte. Des ouvriers disaient qu'on avait retiré les coffrages alors que le mortier n'était pas encore sec. Un vieux bâtisseur affirma que les murs n'avaient jamais été conçus pour supporter le poids d'une voûte de pierre.

Soixante-dix-neuf personnes avaient trouvé la mort, y compris ceux qui succombèrent plus tard à leurs blessures. Chacun s'accorda pour dire qu'il y en aurait eu davantage si le prieur Philip n'avait pas dirigé tant de gens vers le côté est. Le cimetière du prieuré étant complet à cause de l'incendie de l'année précédente, la plupart des morts furent enterrés dans l'église paroissiale.

De l'avis général, la cathédrale était maudite.

Alfred emmena ses maçons à Shiring, où il se mit à construire des maisons de pierre pour les riches. Les autres artisans quittèrent peu à peu Kingsbridge. Personne ne fut officiellement congédié et Philip continua à payer des gages, mais les hommes n'avaient plus rien à faire que de déblayer les décombres et, au bout de quelques semaines, ils étaient tous partis. Les volontaires ne vinrent plus travailler le dimanche, le marché se réduisit à quelques tristes éventaires, Malachi entassa sa famille et ses biens dans une grande charrette tirée par quatre bœufs et quitta la ville, en quête de plus verts pâturages.

Richard loua son destrier à un fermier et cet argent les fit vivre, Aliena et lui. Sans le soutien d'Alfred, il ne pouvait continuer sa carrière de chevalier et, de toute façon, à quoi cela avançait-il maintenant que William avait reçu son titre de comte ? Aliena se sentait toujours tenue par le serment qu'elle avait fait à son père, mais pour l'instant elle n'avait plus le moyen de le respecter. Richard sombra dans la léthargie. Il se levait tard, restait assis au soleil presque toute la journée et filait le soir à la taverne.

Martha vivait toujours dans la grande maison, seule avec une vieille servante. Mais elle passait le plus clair de son temps avec Aliena. Elle aimait soigner le bébé, d'autant plus qu'il ressemblait à son Jack adoré. Elle aurait voulu qu'Aliena l'appelât Jack, mais celle-ci refusa pour des raisons qu'elle-même ne s'expliquait pas très bien.

Aliena passa l'été dans la joie de la maternité. Mais quand la récolte fut engrangée, que le temps commença à fraîchir et les soirées à raccourcir, la mauvaise humeur la gagna.

Chaque fois qu'elle réfléchissait à son avenir, elle pensait à Jack. Il était parti, elle ne savait pas où, et sans doute ne reviendrait-il jamais. Mais il habitait toujours son esprit, plein de vie et d'énergie. Elle envisagea d'aller s'installer dans une autre ville où elle prétendrait être veuve. Elle songea à persuader Richard de gagner sa vie, pensa à filer de la laine, ou à prendre des lessives, ou à s'engager comme servante dans une des rares familles encore assez riches pour avoir des domestiques ; mais chaque nouveau projet était accueilli avec un rire méprisant par le Jack imaginaire qu'elle avait dans sa tête et qui disait : « Rien ne marchera sans moi. »

Le matin qu'elle avait passé avec Jack avant son mariage avec Alfred représentait le plus grand péché qu'elle eût jamais commis. Elle ne doutait pas d'en être punie maintenant. Mais il y avait aussi des moments où elle avait l'impression que c'était la seule bonne chose de sa vie; et lorsqu'elle regardait son bébé, elle n'arrivait pas à le regretter. Mais un bébé ne suffisait pas. Elle se sentait incomplète, inassouvie. Sa maison lui semblait trop petite, Kingsbridge à demi mort, la vie monotone.

A la fin de l'été, le fermier ramena le destrier : il n'en avait plus besoin. Richard et Aliena se trouvèrent soudain sans revenus. Un jour du début de l'automne, Richard alla à Shiring vendre son armure. En son absence, et alors qu'Aliena dînait seule de quelques pommes, la mère de Jack entra dans la maison.

« Ellen! s'écria Aliena stupéfaite.

– Je suis venu voir mon petit-fils, annonça Ellen avec calme.

– Mais comment avez-vous su?...

– On apprend des choses, même dans la forêt. » Elle s'approcha du berceau pour regarder l'enfant endormi. Son visage s'adoucit. « Allons, allons, on sait bien de qui il est le fils. Il est en bonne santé?

– Il n'a jamais été malade... Il est petit, mais costaud, dit fièrement Aliena. Comme sa grand-mère », ajouta-t-elle. Elle examina Ellen. Celle-ci était plus mince que lorsqu'elle était partie, elle avait la peau hâlée et portait une courte tunique de cuir. Ses pieds étaient nus. Elle avait l'air jeune et en pleine forme : la vie de forêt semblait lui convenir. Aliena calcula qu'elle devait avoir trente-cinq ans. « Vous avez l'air de bien vous porter, dit-elle.

– Vous me manquez tous, dit Ellen. Vous, Martha et même votre frère Richard. Et mon Jack me manque. Et Tom. » Sa voix se brisa.

« Est-ce que quelqu'un vous a vue venir ici? Les moines pourraient encore vous arrêter.

– Il n'y en a pas un à Kingsbridge qui aurait le cran de le faire..., dit-elle en ricanant. Mais j'ai quand même pris mes précautions, personne ne m'a vue. » Il y eut un silence. Ellen dévisagea Aliena, un peu mal à l'aise sous le regard pénétrant de ses étranges yeux couleur de miel. Elle parla enfin : « Vous gâchez votre vie.

– Que voulez-vous dire ? » répondit Aliena, mais les paroles d'Ellen avaient aussitôt éveillé un écho en elle.

« Vous devriez aller retrouver Jack.

– Mais je ne peux pas.

– Pourquoi donc ?

– D'abord je ne sais pas où il est.

– Moi, je le sais. »

Le cœur d'Aliena se mit à battre plus vite. Elle croyait que personne ne savait ce qu'il était devenu. C'était comme s'il avait disparu de la surface de la terre. Mais elle allait pouvoir maintenant l'imaginer dans un endroit précis. Cela changeait tout. Peut-être n'était-il pas loin. Elle pourrait lui montrer son bébé.

« Je sais en tout cas quelle direction il a prise.

– Laquelle ? demanda précipitamment Aliena.

– Saint-Jacques-de-Compostelle.

– Oh ! Mon Dieu. » Le cœur d'Aliena se serra. Compostelle nécessitait un voyage de plusieurs mois.

« Il espérait, reprit Ellen, parler aux jongleurs sur la route et apprendre quelque chose sur son père. »

Aliena hocha la tête. Jack avait toujours souffert d'en savoir si peu sur son père. Mais qui disait qu'il reviendrait ? Au cours d'un aussi long trajet, il trouverait certainement une cathédrale où il travaillerait, et puis il s'installerait. En partant à la recherche de son père, il avait perdu son fils.

« C'est si loin, dit Aliena. Je voudrais bien pouvoir aller le rejoindre.

– Pourquoi pas ? répliqua Ellen. Des milliers de gens vont là-bas en pèlerinage. Pourquoi pas vous ?

– J'ai fait le serment à mon père de m'occuper de Richard jusqu'à ce qu'il devienne comte, dit-elle à Ellen. Je ne pourrai pas l'abandonner. »

Ellen ne cacha pas son scepticisme. « Comment comptez-vous l'aider en ce moment ? dit-elle. Vous êtes sans le sou et William est le nouveau comte. Richard a perdu toute chance de reprendre le comté. Vous ne lui êtes pas plus utile à Kingsbridge que vous le seriez à Compostelle. Vous avez consacré votre vie à ce malheureux serment. Maintenant vous ne pouvez plus rien faire. Je ne vois pas comment votre père pourrait vous le reprocher. Si vous voulez mon avis, le plus grand service que vous pourriez rendre à

Richard serait de l'abandonner quelque temps et de lui donner l'occasion d'apprendre l'indépendance. »

C'était vrai, songea Aliena, que pour l'instant elle ne servait à rien, qu'elle restât à Kingsbridge ou non. Était-ce possible qu'elle fût libre maintenant, libre d'aller trouver Jack? Cette seule idée faisait battre son cœur. « Mais je n'ai pas d'argent pour partir en pèlerinage, annonça-t-elle.

— Qu'est-il arrivé à ce grand destrier?

— Nous l'avons toujours...

— Vendez-le.

— Comment le pourrais-je? C'est celui de Richard!

— Bonté divine, qui diable l'a acheté? fit Ellen avec colère. Est-ce Richard qui a travaillé dur pendant des années pour monter une affaire de laine? Est-ce Richard qui a négocié avec des paysans avides et des acheteurs flamands sans pitié? Est-ce Richard qui est allé faire la collecte de la laine, qui l'a entreposée, qui a dressé un éventaire à la foire et qui l'a vendue? Ne me dites pas que c'est le cheval de Richard!

— Il serait furieux...

— Très bien. Espérons que la colère ne l'empêchera pas de travailler pour la première fois de sa vie. »

Aliena ouvrit la bouche pour répliquer, puis la referma. Ellen avait raison. Richard avait toujours compté sur elle pour tout. Pendant qu'il se battait, elle avait été obligée de l'entretenir. Mais la guerre était finie. C'était elle qui avait acheté ce fichu cheval; elle avait le droit de le revendre.

Elle s'imaginait retrouvant Jack. Elle voyait son visage qui lui souriait. Ils s'embrasseraient. Un frisson de plaisir lui parcourut les reins. Elle en fut gênée.

« Voyager, bien sûr, poursuivit Ellen, est une aventure risquée.

— Voilà une chose qui ne m'inquiète pas, fit Aliena en souriant. Je voyage depuis l'âge de dix-sept ans.

— De toute façon, il y aura des centaines de gens sur la route de Compostelle. Vous pourrez vous joindre à un groupe de pèlerins. Vous ne serez pas obligée de voyager seule.

— Vous savez, soupira Aliena, si je n'avais pas le bébé, je crois que je le ferais.

— C'est à cause du bébé que vous devez le faire, justement, insista Ellen. Il a besoin d'un père. »

Aliena n'avait pas encore considéré les choses de cette façon : ce voyage n'intéressait qu'elle-même. Mais elle comprenait maintenant que le bébé avait besoin de Jack autant qu'elle. Elle trouva soudain terriblement injuste que cet enfant grandisse sans connaître le génie brillant, unique et adorable qu'était son père.

En somme, elle était en train de se persuader elle-même de partir et elle en éprouva un frisson d'appréhension. « Je ne pourrai pas emmener le bébé à Compostelle, objecta-t-elle encore.

— Vous n'y êtes pas obligée, répondit Ellen.

— Qu'est-ce que je pourrais en faire?

— Me le laisser. Je le nourrirai de lait de chèvre et de miel sauvage. »

Aliena secoua la tête. « Je ne pourrais pas supporter d'être séparée de lui. Je l'aime trop.

— Si vous l'aimez, dit Ellen, allez chercher son père. »

Aliena trouva un bateau à Wareham. Lorsque, enfant, elle avait fait la traversée avec son père, c'était sur un des bateaux de guerre normands, de longs vaisseaux étroits, dont les flancs incurvés se terminaient en pointe à l'avant et à l'arrière. Il y avait une rangée de rames sur chaque côté et une voile de cuir carrée. Le navire qui devait l'emmener en Normandie était du même genre, mais plus large et plus profond, capable de transporter une cargaison. Il arrivait de Bordeaux et elle avait vu les matelots pieds nus décharger de grandes caisses de vin destinées aux caves des riches.

Aliena s'était résignée à laisser le bébé, mais cela lui brisait le cœur. Chaque fois qu'elle le regardait, elle repassait dans sa tête tous les arguments qui la poussaient à partir. Il n'empêche : elle ne voulait pas se séparer de lui.

Ellen l'avait accompagnée à Wareham. Là, Aliena s'était jointe à deux moines de l'abbaye de Glastonbury qui allaient visiter leur propriété de Normandie. Il y avait trois autres candidats passagers : un jeune écuyer qui, après quatre ans passés avec un parent anglais, rentrait dans sa famille à Toulouse; plus deux jeunes maçons qui avaient entendu dire que les salaires étaient plus élevés et les filles plus jolies de l'autre côté de l'eau. Le matin où ils devaient appareiller, ils attendirent tous à la taverne tandis que l'équipage chargeait de lourds lingots d'étain de Cornouailles. Les maçons vidèrent plusieurs pots de bière, sans être ivres pour autant. Aliena serrait le bébé dans ses bras et pleurait en silence.

Le bateau enfin fut prêt à lever l'ancre. La robuste jument noire qu'Aliena avait achetée à Shiring, n'ayant jamais vu la mer, refusa de monter sur la passerelle. Mais grâce à l'enthousiaste collaboration de l'écuyer et des maçons, on finit par l'amener à bord.

Aliena, aveuglée par les larmes, confia son bébé à Ellen qui le prit en disant : « J'ai eu tort de vous conseiller cette solution. »

Les larmes d'Aliena redoublèrent. « Mais il y a Jack, sanglotat-elle. Je ne peux pas vivre sans lui, je sais que je ne peux pas. Il faut que je le trouve.

— Bien sûr, approuva Ellen. Je ne vous suggère pas de renoncer au voyage; mais vous ne pouvez pas laisser votre bébé. Emmenez-le avec vous. »

Éperdue de gratitude, Aliena redoubla de sanglots. « Vous croyez vraiment?

— Il a été heureux comme tout de chevaucher avec vous. Le reste du voyage se passera de la même façon. D'ailleurs, il n'aime pas beaucoup le lait de chèvre.

— Allons, pressons, mesdames, dit le capitaine du vaisseau. La marée va tourner. »

Aliena reprit son enfant et embrassa Ellen. « Merci. Je suis si heureuse.

— Bonne chance », murmura Ellen.

Aliena monta en courant à bord.

Le navire prit aussitôt la mer. Comme il sortait à la rame de la rade de Poole, il se mit à pleuvoir. En l'absence d'abri sur le pont, Aliena s'installa à fond de cale, avec les chevaux et la cargaison. Quand la nuit tomba et que le bateau jeta l'ancre, Aliena se joignit aux moines dans leurs prières. Puis elle dormit d'un sommeil agité, le bébé dans les bras.

Ils touchèrent terre à Barfleur, le lendemain, et Aliena trouva à se loger dans la ville la plus proche : Cherbourg. Elle passa toute une journée à circuler dans la cité, parlant aux aubergistes et aux bâtisseurs, leur demandant s'ils se rappelaient un jeune maçon anglais aux cheveux d'un roux flamboyant. Personne ne se souvenait de lui. Il y avait beaucoup de Normands roux, aussi ne l'avaient-ils peut-être pas remarqué. Ou bien il avait pu débarquer par un autre port.

Aliena ne comptait pas retrouver la trace de Jack si vite, mais néanmoins le découragement la prit. Elle repartit le lendemain vers le sud, en compagnie d'un vendeur de couteaux et de sa joyeuse épouse flanquée de leurs quatre enfants. Malgré la protection que lui assurait cette famille, elle gardait son poignard à la lame aiguisée attaché par une courroie à son avant-bras gauche. Elle n'avait pas l'air riche : ses vêtements étaient chauds mais sans élégance et son cheval était plus robuste que fringant. Elle prenait soin de garder quelques pièces de monnaie dans une bourse et de ne jamais montrer à personne la lourde ceinture qu'elle portait sous sa tunique et où elle avait serré son argent. Elle nourrissait le bébé discrètement, en évitant de laisser les étrangers voir sa poitrine.

Cette nuit-là, un merveilleux coup du hasard la réconforta. Les voyageurs s'arrêtèrent dans un petit village du nom de Lessay, où Aliena rencontra un moine qui se souvenait fort bien d'un jeune maçon anglais fasciné par la nouvelle voûte en ogives de l'église abbatiale. Le moine se souvenait même d'avoir entendu Jack raconter qu'il avait débarqué à Honfleur, ce qui expliquait pourquoi il n'y avait pas trace de lui à Cherbourg. Ce fut pour Aliena la confirmation qu'elle était sur la bonne piste.

Elle finit par quitter le moine et s'allongea pour dormir sur le sol de l'hôtellerie de l'abbaye. En sombrant dans le sommeil, elle serra fort le bébé contre elle et murmura dans la petite oreille toute rose : « Nous allons retrouver ton papa. »

A Tours, le bébé tomba malade.

La ville était riche, sale et surpeuplée. Des rats couraient en meute autour des grands entrepôts à grains, sur les bords de la Loire. On y trouvait aussi de nombreux pèlerins car Tours était un point de départ traditionnel pour le pèlerinage de Compostelle. Aliena eut le plus grand mal à se loger et elle dut descendre dans une taverne délabrée sur les quais, tenue par deux vieilles sœurs trop âgées et trop frêles pour faire convenablement le ménage.

Au début, elle ne passa guère de temps à l'auberge. Elle explorait les rues, son bébé dans les bras, en demandant des nouvelles de Jack. Mais la ville était traversée par un flux si dense de visiteurs que les aubergistes ne pouvaient même pas se rappeler leurs pensionnaires de la semaine précédente; aussi était-ce inutile de leur parler d'un épisode datant d'un an. Aliena s'arrêta néanmoins sur tous les chantiers de construction pour demander si on avait employé là un jeune maçon anglais aux cheveux rouges du nom de Jack. En vain.

Elle était déçue. Elle avait perdu sa trace depuis Lessay.

267

Aurait-il changé d'avis en cours de route? Elle regagna son logement assez déprimée.

Cette nuit-là, souffrant de maux d'estomac, elle ne put fermer l'œil. Le lendemain elle se sentait trop mal pour sortir et passa toute la journée au lit dans la taverne, incommodée par la puanteur du fleuve qui montait par la fenêtre ouverte, et les relents de vin renversé et de cuisine à l'huile qui imprégnaient l'escalier. Le lendemain matin, le bébé était malade.

Il la réveilla en pleurant. Il avait les mêmes ennuis d'estomac qu'Aliena, avec, en plus, de la fièvre. Il n'avait encore jamais été souffrant et Aliena ne savait que faire.

Une jeune et charmante servante travaillait à la taverne, Aliena lui demanda d'aller à l'abbaye acheter de l'eau bénite. Elle songea à faire venir un médecin, mais ils voulaient toujours saigner et elle ne pensait pas que ce remède soulagerait beaucoup son bébé.

La jeune servante revint avec sa mère. Celle-ci fit brûler dans un bol en fer des herbes sèches, qui dégagèrent une âcre fumée; celle-ci parut absorber les mauvaises odeurs de la pièce. « Le bébé va avoir soif, dit la femme. Donnez-lui le sein aussi souvent qu'il le demande. Buvez beaucoup vous-même, de façon à avoir assez de lait. C'est tout ce que vous pouvez faire.

— Va-t-il guérir? demanda Aliena avec inquiétude.

— Je ne sais pas, ma chérie, répondit la femme, compatissante. Avec les tout-petits, on ne peut jamais savoir. Ils survivent en général à des choses comme ça. Mais parfois non. C'est votre premier?

— Oui.

— Rappelez-vous que vous pouvez toujours en avoir d'autres. »

Mais, songea Aliena, c'est le bébé de Jack et j'ai perdu Jack. Elle n'en dit rien, remercia la femme et lui paya ses herbes.

Une fois seule, elle coupa l'eau bénite d'eau ordinaire, et en mouilla un chiffon pour rafraîchir la tête du bébé.

A mesure que la journée passait, son état parut empirer. Aliena lui donnait le sein quand il pleurait, lui chantait des berceuses quand il s'éveillait et le rafraîchissait avec de l'eau bénite quand il dormait. Il tétait fréquemment mais par à-coups. Heureusement Aliena ne manquait pas de lait. Mais elle était encore elle-même malade et ne se nourrissait que de pain sec et de vin trempé d'eau. Au fur et à mesure que les heures passaient, elle en vint à détester

268

la chambre où elle se trouvait avec ses murs nus souillés par les mouches, son plancher rugueux, sa porte qui fermait mal, sa misérable petite fenêtre, et ses quatre meubles, exactement : le lit branlant, un tabouret à trois pieds, un poteau où accrocher ses vêtements et un chandelier à trois branches, mais qui n'avait qu'une chandelle.

Aliena passa de nouveau une mauvaise nuit. Vers l'aube, le souffle du bébé devint moins rauque, et il cessa de gémir et de se débattre. Aliena se mit à pleurer en silence. Elle avait perdu la piste de Jack et son bébé allait mourir ici, dans une maison pleine d'inconnus, au milieu d'une ville étrangère. Il n'y aurait jamais d'autres Jack et elle n'aurait jamais d'autre bébé. Peut-être allait-elle mourir elle aussi. Ce serait le mieux.

Au lever du jour, elle souffla la chandelle et s'endormit épuisée.

Un grand remue-ménage venant du rez-de-chaussée l'éveilla brutalement. Le soleil était levé et une forte animation régnait au bord du fleuve. Le bébé était immobile, le visage enfin paisible. Une peur affreuse étreignit d'Aliena qui tâta la poitrine du nourrisson : elle n'était ni brûlante ni froide. Puis l'enfant poussa un profond soupir et ouvrit les yeux. Aliena crut s'évanouir de soulagement.

Elle prit son fils dans ses bras, le serra contre elle et il se mit à pleurer avec énergie. Il était guéri. Sa température était normale et il ne semblait pas souffrir. Elle lui donna le sein qu'il téta avidement. Puis il plongea dans un sommeil satisfait.

Aliena s'aperçut que ses symptômes à elle avaient disparu aussi, bien qu'elle se sentit très fatiguée. Peut-être était-ce l'eau bénite de Saint-Martin qui avait guéri le bébé? Cet après-midi-là, elle se rendit sur la tombe du saint pour lui exprimer sa gratitude.

Dans la grande église abbatiale, elle regardait les bâtisseurs au travail, songeant à Jack qui, elle l'espérait tant, pourrait peut-être encore voir son bébé. Elle se demanda s'il ne s'était pas écarté de la route prévue. Peut-être travaillait-il à Paris, sculptant des pierres pour une nouvelle cathédrale là-bas. Tandis qu'elle pensait à lui, son regard se posa sur une console que les maçons étaient en train d'installer. La sculpture représentait une silhouette d'homme qui semblait soutenir sur son dos le poids du pilier. Elle ne put retenir un cri. Sans l'ombre d'un doute, c'était Jack qui avait taillé cette silhouette tordue et suppliciée. Il avait donc séjourné ici!

Le cœur battant, elle s'approcha des hommes au travail. « Cette console... dit-elle hors d'haleine. L'homme qui l'a sculptée était anglais, n'est-ce pas? »

Un vieil ouvrier au nez cassé lui répondit : « C'est exact : c'est Jack Jackson qui l'a fait. Je n'ai jamais rien vu de pareil de ma vie.

— Quand est-il passé? » interrogea Aliena. Elle retint son souffle tandis que le vieil homme grattait ses cheveux grisonnants.

« Ça doit faire près d'une année. Il n'est pas resté longtemps. Le maître ne l'aimait pas. » Il baissa la voix. « Si vous voulez savoir la vérité, Jack était trop bien. Il pouvait en remontrer au maître bâtisseur. Il a donc dû partir.

— A-t-il dit où il allait? demanda Aliena tout excitée.

— Cet enfant-là, reprit le vieil homme en regardant le bébé, c'est le sien, si on se fie à ses cheveux.

— Oui, c'est le sien.

— Jack sera content de vous voir, vous pensez? »

Aliena comprit que l'ouvrier soupçonnait Jack de l'avoir quittée. Elle éclata de rire. « Oh, oui! cria-t-elle. Il sera content de me voir.

— Il a dit qu'il allait à Compostelle.

— Merci! » lança Aliena, radieuse. Et, à la stupéfaction ravie du vieil homme, elle l'embrassa.

Les chemins de pèlerinage traversant la France convergeaient à Ostabat, au pied des Pyrénées. Là, le groupe d'une vingtaine de pèlerins avec lesquels Aliena voyageait augmenta jusqu'à près de soixante-dix personnes aux pieds endoloris mais à l'humeur joyeuse. S'y mêlaient des citoyens prospères, d'autres qui fuyaient sans doute la justice, quelques ivrognes, et plusieurs moines et clercs. Les hommes de Dieu voyageaient pour des raisons de piété, mais les autres semblaient surtout décidés à prendre du bon temps. On parlait plusieurs langues, le flamand, un dialecte allemand et une langue du sud de la France qu'on appelait la langue d'oc. Ces différences ne les empêchaient pourtant pas de communiquer et ensemble ils chantaient, jouaient, racontaient des histoires et fleurtaient même parfois.

Après Tours, Aliena reperdit la trace de Jack. Il y avait moins de jongleurs sur sa route qu'elle l'avait imaginé. L'un des pèlerins flamands, un homme qui avait déjà fait le voyage, assura qu'elle en rencontrerait davantage sur le versant espagnol.

Il avait raison. A Pampelune, Aliena se réjouit de lier connaissance avec un jongleur qui, en effet, avait parlé à un jeune Anglais aux cheveux roux, à la recherche d'informations concernant son père.

A mesure que les pèlerins fatigués avançaient lentement vers la côte en traversant le nord de l'Espagne, Aliena faisait d'autres rencontres. La plupart des jongleurs se souvenaient de Jack. Tous s'accordaient à dire qu'il était à Compostelle : personne ne l'avait rencontré sur le chemin du retour. Aliena se sentait de plus en plus excitée.

Le bébé, maintenant âgé de six mois, était sain et joyeux. Tout allait s'arranger à Compostelle.

Elle arriva dans la ville le jour de Noël. D'abord elle alla droit à la cathédrale pour assister à la messe. L'église, naturellement, était bondée. Aliena circula dans la foule, scrutant chaque visage. Pas de Jack. C'est vrai qu'il n'était pas très dévot : en fait il n'allait à l'église que pour y travailler.

Aux premières lueurs du jour, elle était debout. En arpentant les rues poussiéreuses, elle s'attendait à chaque tournant à tomber sur Jack. Comme il serait surpris quand il la verrait! Et heureux! Comme elle ne le trouvait pas dans les rues, elle entreprit de faire le tour des auberges. Dès que le travail eut repris, elle se rendit sur les chantiers pour interroger les maçons. Elle connaissait en dialecte castillan les mots *maçon* et *roux*; de plus les habitants de Compostelle avaient l'habitude des étrangers, aussi parvint-elle à se faire comprendre. Mais elle ne trouva pas trace de Jack. Elle commençait à s'inquiéter. Ce n'était pas le genre d'homme à passer inaperçu et il avait dû vivre ici plusieurs mois. Pourquoi ne s'en souvenait-on pas? Elle pensa aussi repérer une de ses sculptures. Pas la moindre.

Vers le milieu de la matinée, elle rencontra une tenancière de taverne rubiconde et quadragénaire, qui parlait français et se souvenait de Jack.

« Un beau gars. Il est à vous? Bah! Aucune des filles d'ici n'est parvenue à rien avec lui. Il est arrivé vers le milieu de l'été, mais il n'est pas resté longtemps. Il n'a pas dit où il allait. Je l'aimais bien. Si vous le trouvez, embrassez-le de ma part. »

Aliena regagna sa chambre et s'allongea sur le lit, fixant le plafond. Le bébé pleurnichait, mais pour une fois elle ne s'occupa pas

271

de lui. Elle était épuisée, déçue et souffrait du mal du pays. Ce n'était pas juste. Tout avait bien fonctionné jusqu'à Compostelle. Et voilà qu'il avait filé ailleurs!

Comme il n'avait pas repassé les Pyrénées et qu'il n'y avait rien à l'ouest de Compostelle qu'un bout de côte et un océan qui s'étendait jusqu'au bout du monde, Jack avait dû se diriger vers le sud. Il ne lui restait plus qu'à repartir sur sa jument noire, son bébé dans les bras. Vers le cœur de l'Espagne.

Jusqu'où devrait-elle marcher avant d'arriver au bout de son pèlerinage?

Jack passa Noël avec son ami Rachid al-Haroun à Tolède. Rachid était un Sarrasin baptisé qui avait fait fortune en important des épices d'Orient, du poivre surtout. Ils s'étaient rencontrés à la messe de midi dans la grande cathédrale, puis étaient revenus en se promenant sous le doux soleil d'hiver, par les rues étroites et le bazar odorant, jusqu'au quartier riche.

La maison de Rachid était en pierre d'un blanc étincelant, bâtie autour d'une cour où coulait une fontaine. Les arcades ombragées de la cour rappelaient à Jack le cloître du prieuré de Kingsbridge. Tandis qu'en Angleterre elles protégeaient du vent et de la pluie, elles avaient ici pour but d'abriter de la chaleur du soleil.

Rachid et ses invités, assis sur des coussins posés à même le sol, dînaient autour d'une table basse. Les épouses et les filles s'occupaient des hommes, ainsi que diverses servantes dont la place dans la maison n'était pas toujours claire : en tant que chrétien, Rachid ne pouvait avoir qu'une seule épouse, mais Jack le soupçonnait d'avoir discrètement associé les traditions orientales à la règle de l'Église.

Les femmes constituaient d'ailleurs la principale attraction de l'hospitalière maison de Rachid. Elles étaient toutes belles. Son épouse était une aimable et sculpturale créature à la peau brune et lisse, aux somptueux cheveux noirs et aux yeux sombres. Ses trois filles lui ressemblaient, en plus jeunes et plus minces. L'aînée était fiancé à un des convives, le fils d'un marchand de soie de la ville. « Ma Raya est la fille parfaite », déclara Rachid, tandis qu'elle passait autour de la table un bol d'eau parfumée dans lequel les hôtes de son père se trempaient les mains. « Elle est attentive, docile et belle. Josef a bien de la chance. »

272

La seconde fille était fière et même altière. Elle semblait prendre ombrage des louanges qu'on prodiguait à sa sœur. Elle versa un breuvage dans le gobelet de Jack.

« Qu'est-ce que c'est ? demanda-t-il.

– Un cordial à la menthe poivrée », répondit-elle, malgracieuse. Elle avait horreur de servir ce vagabond sans le sou, elle qui était fille d'un homme important.

C'était la troisième fille, Aïcha, que Jack préférait. Depuis trois mois qu'il séjournait chez son ami, il avait appris à la connaître. Agée de quinze ou seize ans, elle était petite et vive, toujours souriante. Malgré sa jeunesse, elle avait une intelligence éveillée et posait sans cesse des questions à Jack sur l'Angleterre et la façon dont on vivait là-bas. Elle se moquait souvent des manières de la société de Tolède, du snobisme des Arabes, de la délicatesse des Juifs et du mauvais goût des nouveaux riches chrétiens. Ses commentaires faisaient parfois rire Jack aux larmes. Bien que la plus jeune, elle semblait la moins innocente des trois sœurs. Il y avait quelque chose dans la façon dont elle regardait Jack, en se penchant pour déposer devant lui une assiette de crevettes épicées, qui trahissait à n'en pas douter une nature peu farouche. Elle surprit le regard de Jack et répéta : « Un cordial à la menthe poivrée », en imitant si parfaitement les façons hautaines de sa sœur que Jack se mit à rire. Lorsqu'il était avec Aïcha, il lui arrivait d'oublier Aliena pendant des heures.

Mais, loin de cette maison, Aliena occupait ses pensées comme s'il l'avait quittée la veille. Bien qu'il ne l'eût pas vue depuis plus d'un an, il gardait d'elle un souvenir douloureusement vivace. Il se rappelait chacune de ses expressions : rieuse, songeuse, méfiante, inquiète, ravie, étonnée et, surtout, passionnée. Il n'avait rien oublié de son corps, il croyait caresser encore la courbe de son sein, sentir la douce peau de ses cuisses, retrouver le goût de ses baisers et sentir l'odeur de son désir.

Imprégné de nostalgie, il imaginait Aliena dans sa vie quotidienne. A la fin de la journée, elle aidait Alfred à retirer ses bottes, s'asseyait pour dîner avec lui, l'embrassait, faisait l'amour avec lui et donnait le sein à un bébé qui ressemblait à Alfred. Ces visions le torturaient, mais ne l'empêchaient pas de rêver d'elle.

Aujourd'hui, jour de Noël, Aliena allait sans doute rôtir un cygne et le servir paré de ses plumes. Il y aurait du posset à boire,

273

un breuvage fait de bière, d'œufs, de lait et de noix de muscade. Les mets qui se trouvaient devant Jack n'auraient pas pu être plus différents : plats savoureux d'agneau étrangement épicé, riz mêlé à des noix et salades assaisonnées de jus de citron et d'huile d'olive. Jack avait mis un certain temps à s'habituer à la cuisine espagnole. On compensait la viande relativement rare par l'imagination débordante avec laquelle on la cuisait, frottée de toutes sortes d'épices et, au lieu de l'éternel pain des Anglais, on trouvait une grande variété de fruits et de légumes.

Jack vivait à Tolède avec un petit groupe de clercs anglais. Ils faisaient partie d'une communauté internationale d'érudits qui comprenait des Juifs, des musulmans et des Arabes chrétiens. Les Anglais s'occupaient à traduire des ouvrages de mathématiques d'arabe en latin pour les rendre accessibles aux chrétiens. Il régnait dans ce groupe une atmosphère de fiévreuse excitation à mesure que ses membres découvraient et exploraient les trésors de la science arabe. Jack, accueilli sans difficulté comme étudiant, n'avait pas encore eu besoin de travailler pour gagner sa vie : les clercs lui offraient le gîte et le couvert, et lui auraient fourni une robe neuve et des sandales s'il en avait eu besoin.

Rachid était un de leurs protecteurs. Négociant international, parlant plusieurs langues, il était cosmopolite. Chez lui, il utilisait le castillan, la langue de l'Espagne chrétienne, plutôt que le mozarabique. Sa famille pratiquait aussi le français, la langue des Normands, qu'il fréquentait en tant que commerçants. Rachid aimait s'entretenir avec les érudits de leurs théories et il s'était tout de suite pris d'amitié pour Jack qui venait dîner chez lui plusieurs fois par semaine.

Ce jour-là, comme ils commençaient leur repas, Rachid demanda à Jack : « Que vous ont enseigné les philosophes cette semaine ?

— J'ai lu Euclide. » Les *Éléments de géométrie* avaient été un des premiers livres traduits.

« Euclide est un drôle de nom pour un Arabe, lança Ismaïl, le frère de Rachid.

— Il était grec, expliqua Jack. Il vivait avant la naissance du Christ. Son œuvre a été perdue par les Romains, mais sauvée par les Égyptiens. Elle nous parvient donc en arabe.

— Et maintenant les Anglais la traduisent en latin ! s'exclama Rachid. Cela m'amuse beaucoup.

274

« – Mais dans ton pays qu'as-tu appris exactement ? » demanda Josef, le fiancé de Raya.

Jack hésita. C'était difficile à expliquer. Il essaya de se montrer pratique : « Mon beau-père, le bâtisseur, m'a enseigné à faire certaines opérations de géométrie : comment diviser une ligne exactement en deux, comment tracer un angle droit et comment dessiner un carré à l'intérieur d'un autre de façon que le plus petit ait la moitié de la surface du plus grand.

– A quoi servent ces calculs ? » interrompit Josef. Il y avait un soupçon de mépris dans sa voix, car il était un peu jaloux de l'attention que Rachid accordait aux propos de Jack.

« Ces opérations sont essentielles pour établir les plans des constructions, répondit aimablement Jack, sans relever le ton de Josef. Regarde cette courbe. La surface des arcades couvertes est exactement la même que celle de la partie en plein air qui se trouve au centre. La plupart des petites cours sont construites ainsi, y compris les cloîtres des monastères. C'est parce que ces proportions sont les plus agréables. Si le centre est trop grand, il ressemble à une place de marché ; trop petit, il donne l'impression qu'il y a un trou dans le toit.

– Je ne savais pas ça ! fit Rachid, toujours ravi d'apprendre quelque chose de nouveau.

– Mais, dit Josef, tu pouvais faire toutes ces opérations géométriques avant d'avoir lu Euclide. Je ne vois pas en quoi la lecture de cet ouvrage t'avance ?

– Il vaut toujours mieux comprendre ce qu'on fait, protesta Rachid.

– D'ailleurs, reprit Jack, maintenant que je comprends les principes de la géométrie, j'arrive à trouver des solutions à des problèmes qui déconcertaient mon beau-père. » Il s'en voulait de son manque d'éloquence. Euclide lui était apparu comme l'éclair aveuglant d'une révélation, mais il ne parvenait pas à communiquer la passionnante importance de sa découverte. Il poursuivit : « C'est la méthode d'Euclide qui est la plus intéressante, dit-il. Il prend cinq axiomes – des vérités évidentes en soi – et à partir de là déduit tout le reste par la logique.

– Donne-moi un exemple d'axiome, dit Rachid.

– On peut prolonger une ligne indéfiniment.

– Non, on ne peut pas », dit Aïcha, qui passait une coupe de figues.

275

Les invités furent quelque peu surpris d'entendre une fille intervenir dans la discussion, mais Rachid eut un rire indulgent. Aïcha était sa fille favorite. « Et pourquoi pas? dit-il.

— Il faut bien qu'elle finisse à un moment donné, affirma-t-elle.

— Mais dans ton imagination, insista Jack, elle pourrait se poursuivre indéfiniment.

— Dans mon imagination, répliqua-t-elle, l'eau pourrait remonter les collines et les chiens parler latin. »

Sa mère qui venait d'entrer entendit cette réplique.

« Aïcha! lança-t-elle. Dehors! »

Les hommes éclatèrent de rire. Aïcha fit la grimace et sortit. Le père de Josef dit : « Celui qui l'épousera aura du pain sur la planche! » Les rires fusèrent de nouveau. Jack s'y joignit; puis il remarqua qu'ils le regardaient tous, comme si c'était lui le sujet de la plaisanterie.

Après le dîner, Rachid montra sa collection de jouets mécaniques. Il avait un réservoir dans lequel on pouvait mélanger l'eau et le vin, qui en ressortaient séparément; une merveilleuse horloge à eau comptait les heures de la journée avec une incroyable exactitude; une cruche se remplissait d'elle-même sans jamais déborder; et une petite statue en bois, représentant une femme avec des yeux taillés dans une sorte de cristal, absorbait l'eau dans la chaleur de la journée et la répandait dans la fraîcheur du soir, si bien qu'elle avait l'air de pleurer. Jack partageait la fascination de Rachid pour ses jouets, avec une préférence pour la statue pleureuse qui l'intriguait; car, si les mécanismes des autres étaient simples une fois expliqués, personne ne comprenait vraiment comment celle-là fonctionnait.

Dans l'après-midi, ils s'assirent sous les arcades autour de la cour pour jouer, sommeiller ou bavarder. Jack aurait voulu appartenir à une grande famille comme celle-là, avec des sœurs, des oncles, des beaux-frères, et une maison familiale où ils pouvaient tous se retrouver. Il se rappela soudain la conversation qu'il avait eue avec sa mère la nuit où elle l'avait sauvé du cachot du prieuré. Il l'avait interrogée sur son père et elle avait dit : « *Oui, là-bas, en France, il avait une grande famille.* » J'ai quelque part une famille comme celle-ci, songea Jack. Les frères et les sœurs de mon père sont mes oncles et mes tantes. J'ai peut-être des cousins de mon âge. Je me demande si je les trouverai jamais.

Il se sentait partir à la dérive. Il pouvait survivre n'importe où mais il n'était attaché nulle part. Il avait été sculpteur, bâtisseur, moine et mathématicien, et il ne savait pas lequel était le vrai Jack si tant est qu'il y en eût un. Il se demandait parfois s'il deviendrait jongleur comme son père ou hors-la-loi comme sa mère. A dix-neuf ans, il était sans foyer et sans racines, sans famille et sans but dans la vie.

Il joua aux échecs avec Josef et gagna la partie. Puis Rachid survint. « Josef, donne-moi ton fauteuil : je veux en entendre davantage sur Euclide. »

Josef docilement céda sa place à son futur beau-père, puis s'éloigna ; pour son compte, il en avait assez entendu.

Rachid s'adressa à Jack : « Tu te plais ici ?

— Ton hospitalité est sans égale, répondit Jack qui avait appris les bonnes manières à Tolède.

— Merci. Mais je parlais d'Euclide.

— Je regrette de n'avoir pas réussi à expliquer l'importance de ce livre. Vois-tu...

— Je crois que je comprends, dit Rachid. Comme toi, j'aime la connaissance pour la connaissance.

— Oui.

— Tout de même, un homme doit gagner sa vie. »

Jack ne voyait pas où Rachid voulait en venir, aussi le laissa-t-il poursuivre. Mais l'autre demeura muet, les yeux mi-clos. Jack s'inquiéta soudain : Rachid lui reprochait-il de ne pas travailler ? « Je pense qu'un jour je vais me remettre à la construction, dit-il pour rompre le silence.

— Bien.

— Quand j'ai quitté Kingsbridge, monté sur le cheval de ma mère, avec les outils de mon beau-père dans une sacoche en bandoulière, je croyais qu'il n'y avait qu'une façon de bâtir une église : des murs épais terminés par des arcs arrondis, avec de petites fenêtres surmontées d'un toit de bois ou d'une voûte de pierre. Les cathédrales que j'ai vues en allant de Kinsgbridge à Southampton m'ont appris des choses différentes. Mais c'est la Normandie qui a changé ma vie.

— J'imagine », dit Rachid d'un ton ensommeillé. Il n'avait pas l'air très intéressé, aussi Jack se remémora-t-il en silence ce temps-là.

Quelques heures après avoir débarqué à Honfleur, il contemplait déjà l'église abbatiale de Jumièges. C'était la plus haute église qu'il eût jamais vue, mais elle avait les arcs arrondis habituels et un toit de bois – sauf dans la salle capitulaire où l'abbé Urso avait fait construire un plafond de pierre tout à fait nouveau. Au lieu d'une voûte lisse et continue ou d'une voûte d'arêtes, ce toit-là avait des nervures qui partaient du haut des piliers pour se rejoindre à l'apex du toit. Les nervures étaient épaisses et robustes, les sections triangulaires de plafond entre elles minces et légères. Le moine qu'il rencontra expliqua à Jack qu'il était plus facile de bâtir de cette façon. Comme on posait les nervures d'abord, les sections intermédiaires étaient plus simples à réaliser. Ce type de voûte était aussi plus léger. Le moine espérait que Jack lui apprendrait les innovations techniques pratiquées en Angleterre, mais il fut déçu sur ce point. Pourtant l'évidente admiration de l'Anglais pour la voûte en nervures fit plaisir à son interlocuteur et il lui confia qu'il y avait une église à Lessay, non loin de là, entièrement bâtie avec des voûtes à nervures.

Le lendemain, Jack se rendit à Lessay et passa tout l'après-midi dans l'église à en admirer la construction. Le plus étonnant, notat-il, c'était la façon dont les nervures, en descendant du faîte de la voûte jusqu'au chapiteau qui couronnait les colonnes, mettaient en évidence la façon dont le poids du toit était supporté par les pièces les plus robustes. Les nervures rendaient visible la logique de la construction.

Jack partit vers le sud, vers le comté d'Anjou, et s'engagea pour des travaux de réparation à l'église abbatiale de Tours. Il n'eut aucun mal à persuader le maître bâtisseur de lui laisser faire un essai. Les outils qu'il avait en sa possession montraient qu'il était maçon et, au bout d'un jour de travail, le maître comprit qu'il avait devant lui un bon artisan. Ce n'était pas pure vanité s'il s'était vanté auprès d'Aliena de pouvoir trouver du traval n'importe où au monde.

Parmi les outils qu'il avait reçus en héritage, se trouvait la règle d'un pied de Tom. Seuls les maîtres bâtisseurs en possédaient une et, quand les autres découvrirent celle de Jack, on lui demanda comment il était devenu maître à un si jeune âge. Sa première réaction fut d'avouer qu'il n'était pas vraiment maître bâtisseur ; puis il préféra faire comme si. Après tout, il avait bel et bien dirigé le chantier de Kingsbridge alors qu'il était moine et il savait dessiner des plans tout aussi bien que Tom. Le maître pour lequel il travaillait fut agacé de découvrir qu'il avait peut-être engagé un rival. D'ailleurs, un jour, Jack suggéra une modification au moine chargé du chantier et dessina sur le sol ce qu'il proposait. Ce fut le début de ses ennuis. Le maître bâtisseur acquit la conviction que Jack voulait prendre sa place. Il commença à traquer les erreurs dans le travail de l'Anglais et le chargea de la tâche monotone de tailler les blocs.

Jack ne tarda pas à repartir. Il se rendit à l'abbaye de Cluny, le quartier général d'un empire monastique qui s'étendait sur toute la chrétienté. C'était l'ordre de Cluny qui avait créé et parrainé le pèlerinage maintenant fameux sur la tombe de saint Jacques à Compostelle.

Tout le long de la route de Compostelle on trouvait des églises dédiées au saint et des monastères clunysiens pour abriter les pèlerins. Comme le père de Jack avait été jongleur sur la route du pèlerinage, on pouvait penser qu'il était passé par Cluny.

Hélas! Il n'y avait pas de jongleurs à Cluny. Jack n'apprit rien de plus sur son père.

Son voyage toutefois ne fut pas inutile. Tous les arcs que Jack avait vus jusqu'à l'instant où il entra dans l'église abbatiale de Cluny étaient semi-circulaires et toutes les voûtes adoptaient soit la forme de tunnels, comme un long alignement d'arcs arrondis réunis ensemble; ou la forme d'arêtes, comme la croisée où deux tunnels se rencontraient. Les arcs de Cluny n'étaient pas semi-circulaires.

Ils s'élevaient en ogives. Tous : ceux des grandes arcades, ceux des bas-côtés, et – stupéfiant – au-dessus de la nef se trouvait un plafond de pierre que l'on ne pouvait décrire que comme une voûte cintrée en ogive. On avait toujours enseigné à Jack qu'un arc était solide parce qu'il faisait partie d'un cercle, lui-même de forme parfaitement ronde. Il aurait donc pensé que les arcs ovales n'avaient aucune résistance. En fait, lui expliquèrent les moines, les arcs en ogive étaient considérablement plus solides que les anciens arcs ronds. L'église de Cluny en donnait la preuve car, malgré l'énorme poids de la masse de maçonnerie qui constituait la voûte, elle était très haute.

Jack ne resta pas longtemps à Cluny. Il poursuivit vers le sud, sur la route des pèlerins, ne s'en écartant qu'exceptionnellement. Au début de l'été, on rencontrait des troubadours tout le long du chemin, dans les villes plus importantes ou à proximité des monastères clunysiens. Ils déclamaient leurs récits en vers devant des foules de pèlerins massés au pied des églises et des autels, s'accompagnant parfois à la viole, exactement comme Aliena le lui avait expliqué. Jack les aborda tous en leur demandant s'ils avaient connu un troubadour du nom de Jack Shareburg : personne ne put lui répondre positivement.

Les églises qu'il visita dans le sud-ouest de la France et le nord de l'Espagne continuaient de l'étonner. Elles étaient toutes bien plus hautes que les cathédrales anglaises. Certaines comportaient des voûtes cintrées à nervures. Les nervures, allant d'un pilier à l'autre en traversant la voûte de l'église, permettaient de bâtir par étape, travée par travée, au lieu de tout construire d'un coup. Elles contribuaient aussi à changer l'aspect d'un sanctuaire. En soulignant les divisions entre les travées, elles révélaient que l'édifice était constitué d'une série d'unités identiques, comme un pain coupé en tranches, ce qui imposait ordre et logique à l'énorme espace intérieur.

Jack arriva à Compostelle au milieu de l'été. Il n'imaginait pas qu'il existât au monde des pays aussi chauds. Saint-Jacques était une église haute à couper le souffle, et la nef, encore en construction, portait elle aussi une voûte cintrée à nervures. Jack poursuivit sa route vers le sud.

Les royaumes d'Espagne avaient subi le joug sarrasin jusqu'à une époque récente; en fait, presque tout le pays, au sud de Tolède, était encore sous domination musulmane. L'aspect des constructions sarrasines passionna le jeune homme : leurs intérieurs frais, hauts de plafond, leurs arcades élancées, leurs murs d'un blanc éblouissant au soleil. Mais le plus intéressant de tout, ce fut de découvrir l'existence de voûtes à nervures et d'arcs en ogive dans l'architecture musulmane. Peut-être était-ce là que les Français avaient puisé leurs idées nouvelles.

Il ne pourrait jamais plus travailler à une église comme la cathédrale de Kingsbridge, songeait-il au cours d'un doux après-midi, écoutant d'une oreille distraite le rire des femmes quelque part dans les profondeurs de la grande maison fraîche. Son désir était toujours de bâtir la plus belle cathédrale du monde, mais ce ne

280

serait pas un édifice massif comme une forteresse. Il utiliserait les techniques nouvelles, les voûtes à nervures et les arcs ovales. Mais il ne pensait pas qu'il copierait tout à fait ce qu'il avait vu. Aucune des églises qu'il avait visitées n'avait tiré tout le parti possible de cette technique. Une image se formait dans son esprit. Les détails en étaient encore flous, mais l'impression d'ensemble s'imposait : c'était une construction spacieuse et aérée, avec de hautes fenêtres qui laissaient passer des flots de soleil et une voûte si élevée qu'elle semblait toucher le ciel.

« Il va falloir une maison à Josef et à Raya, dit Rachid. Si tu la bâtissais, tu trouverais ensuite d'autres travaux. »

Jack n'avait jamais pensé à construire des maisons. « Tu crois qu'ils voudraient de moi comme maçon ? demanda-t-il, sceptique.

– Peut-être. »

Il y eut un autre long silence. Jack essayait de s'imaginer en bâtisseur de maisons particulières pour les riches marchands de Tolède. Était-ce bien sa vie ?

Rachid se redressa. « Je t'aime bien, Jack, déclara-t-il. Tu es un honnête homme, tu as une conversation intéressante, ce qui n'est pas le cas de la plupart des gens que j'ai rencontrés. J'espère que nous serons toujours amis.

– Moi aussi, dit Jack, un peu surpris par cette déclaration impromptue.

– Je suis chrétien, je ne garde pas les femmes de ma famille enfermées, comme le font certains de mes frères musulmans. D'un autre côté, je suis arabe, ce qui signifie que je ne leur donne pas tout à fait la... pardonne-moi, la licence à laquelle sont habituées d'autres femmes. Je leur permets de rencontrer mes hôtes masculins et de leur parler. Je laisse même des amitiés se développer. Mais au moment où les amitiés commencent à s'épanouir en quelque chose de plus – comme c'est naturellement le cas entre jeunes gens – alors j'attends de l'homme qu'il fasse une démarche officielle. Toute autre attitude serait insultante.

– Bien sûr, approuva Jack.

– Je savais que tu comprendrais. » Rachid se leva et posa une main affectueuse sur l'épaule de Jack. « Je n'ai jamais eu le bonheur d'avoir un fils ; mais si ç'avait été le cas, je pense qu'il aurait été comme toi.

281

– En plus brun, j'espère! »

Rachid parut un moment déconcerté, puis il éclata de rire. « Oui! dit-il tout joyeux. Plus brun! » Et il entra dans la maison, riant toujours.

Les autres invités prirent congé. Tandis que l'après-midi fraîchissait, Jack resta assis, seul, à méditer ce que Rachid venait de lui dire. A n'en pas douter, il lui offrait un marché. S'il épousait Aïcha, Rachid l'aiderait à commencer sa carrière de constructeur pour les riches de Tolède. Il ne fallait pas négliger l'avertissement, cependant : s'il ne comptait pas épouser la jeune fille, il ne lui restait qu'à s'éloigner. Les gens en Espagne avaient des façons plus raffinées que les Anglais, mais, quand besoin en était, ils pouvaient se montrer fermes.

Lorsque Jack réfléchissait à sa situation, il s'étonnait lui-même. Est-ce moi? se demandait-il. Est-ce Jack Jackson, le bâtard d'un homme pendu pour vol, qui a été élevé dans la forêt, puis apprenti maçon, puis moine fugitif? Est-ce qu'on m'offre vraiment la superbe fille d'un riche marchand arabe, plus une existence assurée dans cette ville embaumée? Ce serait trop beau. J'ai même de l'affection pour cette fille! reconnaissait-il en lui-même.

Le soleil déclinant, l'ombre gagnait la cour. Il ne restait que deux personnes sous l'arcade : lui et Josef. Comme par un fait exprès, Raya et Aïcha apparurent. Malgré une sévérité de façade en ce qui concernait tout contact physique entre les jeunes gens, la mère des jeunes filles savait exactement ce qui se passait, et Rachid probablement aussi. On laissait aux amoureux quelques moments de solitude; puis, avant qu'ils n'aillent trop loin, la mère surgirait dans la cour, feindrait la contrariété et ordonnerait à ces demoiselles de rentrer.

A l'autre bout de la cour, Raya et Josef s'embrassaient. Jack se leva en voyant Aïcha s'approcher. Elle portait une longue robe en coton d'Égypte, un tissu que Jack n'avait jamais vu avant son arrivée en Espagne. Plus doux que la laine et plus fin que le lin, il soulignait souplement les mouvements d'Aïcha, et sa blancheur semblait lumineuse dans le crépuscule.

La jeune fille s'approcha de Jack avec un sourire malicieux. « Qu'est-ce qu'il t'a dit? » demanda-t-elle.

Jack comprit qu'elle parlait de son père. « Il a proposé de m'aider à m'installer comme bâtisseur de maisons.

– Quelle dot! lança-t-elle avec mépris. Je n'arrive pas à y croire! Il aurait pu au moins t'offrir de l'argent. »

Jack aimait la franchise d'Aïcha, qui tranchait sur les manières contournées de la diplomatie sarrasine traditionnelle. « Je n'ai pas tellement envie de passer ma vie à bâtir des maisons », déclara-t-il.

La voix d'Aïcha devint grave. « Tu m'aimes bien?

– Tu sais bien que oui. »

Elle fit un pas en avant, se dressa sur la pointe des pieds et l'embrassa. Elle sentait le musc et l'ambre gris. Elle ouvrit la bouche et sa langue vint en jouant pointer entre les lèvres de Jack qui, instinctivement, prit la jeune fille dans ses bras. Le coton de sa robe était si léger qu'il avait l'impression de toucher sa peau nue. Elle lui saisit la main et la porta à son sein. Elle avait un corps mince et musclé, les seins menus, fermes. La respiration de la jeune fille s'accéléra, révélant la montée de son désir. Un peu choqué, Jack sentit qu'elle glissait une main au bas de son ventre, entre ses jambes... Il caressa les seins offerts, pinça légèrement la pointe. Aïcha sursauta et s'écarta, haletante.

« Je t'ai fait mal? murmura-t-il.

– Non! »

L'image d'Aliena surgit dans l'esprit de Jack, en même temps qu'une onde de culpabilité. Allons! Il était ridicule. Pourquoi s'accuser de trahir une femme qui en avait épousé un autre?

Aïcha ne le quittait pas des yeux. Malgré la pénombre du crépuscule, on voyait son visage rayonnant de désir. Elle se serra contre Jack. « Caresse-moi encore, chuchota-t-elle, plus fort... »

Quand il se pencha pour l'embrasser, elle se cambra en arrière, faisant saillir ses seins menus. Jack en devina les pointes dressées sous le tissu léger de la tunique. A travers le coton, il les prit entre ses lèvres, puis les mordilla du bout des dents.

Elle tressaillit, frissonna et, redressant la tête, l'embrassa avec passion. Il sentit la forme de son jeune corps s'imprimer contre le sien. Il était excité, affolé et même un peu désemparé : Aïcha brûlait d'un feu qu'il n'avait jamais connu jusque-là. Elle gémissait tout bas, prononçant des mots incompréhensibles d'une douceur enivrante.

Une voix impérieuse retentit, qui coupa court à leurs fiévreux élans. « Raya! Aïcha! Venez tout de suite! » appelait leur mère.

Aïcha leva vers Jack un regard éperdu de désir, et l'embrassa une dernière fois avec violence, lèvres contre lèvres, jusqu'à le meurtrir. « Je t'aime », murmura-t-elle avant de partir en courant vers la maison.

Jack la suivit des yeux. Raya la rejoignit d'un pas plus calme. Leur mère lança un regard désapprobateur à Jack et à Josef, puis passa derrière ses filles et ferma la porte d'un geste ferme. Jack se mit à réfléchir sur la leçon à tirer de cette étrange scène.

Josef interrompit sa rêverie. « Quelles belles filles, toutes les deux! » dit-il avec un clin d'œil complice.

Jack hocha la tête d'un air absent et, en compagnie de Josef, se dirigea vers la grille. A peine passaient-ils sous l'arche qu'un serviteur jaillit de l'ombre et verrouilla la porte derrière eux.

« L'ennui, quand on est seulement fiancé, dit Josef en riant grossièrement, c'est qu'on a mal quelque part. » Jack ne répondit pas. « Je vais aller chez Fatima pour arranger ça. » Jack connaissait de réputation le bordel de Fatima où, malgré le nom sarrasin, presque toutes les filles avaient la peau claire. Les rares prostituées arabes étaient très chères. « Tu veux venir? proposa Josef.

— Non, répondit Jack. C'est ailleurs que j'ai mal. Bonne nuit. » Il s'éloigna rapidement. Josef n'était pas habituellement son compagnon favori et ce soir, en plus, Jack se trouvait d'humeur peu indulgente.

L'air frais de la nuit lui fit du bien tandis qu'il regagnait le collège où l'attendait un lit dur dans le dortoir. Il abordait un tournant important de son existence, il s'en rendait compte. On lui offrait une vie d'aisance et de prospérité, à deux conditions : oublier Aliena et renoncer à son rêve de bâtir la plus belle cathédrale du monde.

Cette nuit-là, il vit Aïcha venir à lui, nue, luisante d'huile parfumée. Elle se caressait contre lui mais se dérobait chaque fois qu'il tentait de l'enlacer.

Lorsqu'il s'éveilla, sa décision était prise.

Les serviteurs refusèrent de laisser entrer Aliena dans la maison de Rachid al-Haroun. Sans doute la prenaient-ils pour une mendiante, se dit-elle en attendant à la porte, avec sa tunique poussiéreuse, ses bottes usées et son bébé dans les bras. « Dites à Rachid al-Haroun que je cherche son ami Jack Jackson d'Angleterre », demanda-t-elle en français. Les serviteurs à la peau brune comprendraient-ils un seul mot? Après s'être consultés à mi-voix dans leur langue, un des serviteurs, un grand gaillard aux cheveux comme la toison d'un mouton noir, la fit entrer dans la maison.

Aliena attendit nerveusement sous le regard des autres domestiques qui la dévisageaient sans vergogne. Cet interminable pèlerinage ne lui avait pas encore appris la patience. Après l'échec subi à Compostelle, elle avait pénétré dans l'intérieur de l'Espagne jusqu'à Salamanque. Personne là-bas ne se souvenait d'un jeune homme aux cheveux roux qui s'intéressait aux cathédrales et aux troubadours, mais un moine charitable l'avait informée de l'existence, à Tolède, d'une communauté d'érudits anglais. Faible espoir... Mais Tolède n'était pas très loin, aussi reprit-elle la route.

Une autre déception l'y attendait. Oui, Jack était bien venu ici – elle sentit l'espoir renaître – mais, hélas, il était déjà parti. Décidément, il lui glissait entre les mains comme un furet! Pourtant, il n'avait plus qu'un mois d'avance sur elle. Une fois de plus, personne ne savait où il était allé.

De Compostelle, elle était sûre qu'il s'était dirigé vers le sud, puisqu'il n'y avait pas d'autre possibilité. D'ici, malheureusement, on pouvait partir dans tous les sens : vers le nord-est, pour retourner en France; vers l'ouest, pour gagner le Portugal; vers le sud, en direction de Grenade où, de la côte espagnole, il pouvait s'embarquer pour Rome, Tunis, Alexandrie ou Beyrouth.

Aliena avait résolu d'abandonner ses recherches si elle ne trouvait pas une indication sérieuse qui lui serve de début de piste. Elle était épuisée et si loin de chez elle! A bout de courage et de forces, elle n'envisageait plus de continuer sa course sans autre espoir de réussite que le hasard. Elle était prête à regagner l'Angleterre en essayant d'oublier Jack pour toujours.

Un nouveau serviteur sortit de la maison blanche; il portait une tenue plus élégante et parlait français. Il regarda Aliena avec méfiance, mais s'adressa à elle de façon courtoise. « Vous êtes une amie de monsieur Jack?

– Oui, je viens d'Angleterre. J'aimerais parler à Rachid al-Haroun. »

Le domestique jeta un coup d'œil au bébé.

« Je suis une parente de Jack », expliqua Aliena. Ce n'était pas tout à fait faux : elle était la femme fugitive du demi-frère de Jack, c'était un lien...

Le serviteur ouvrit grand la porte. « Veuillez me suivre. »

Soulagée, Aliena lui emboîta le pas. Un refus aurait mis fin à son voyage.

A la suite de l'homme, elle traversa une cour agréable, ornée d'une fontaine jaillissante. Elle se demandait quel hasard avait amené Jack dans la demeure de ce riche marchand. Qu'avaient-ils en commun ? Jack avait-il récité les contes en vers qu'il connaissait à l'ombre de ces arcades ?

Ils pénétrèrent dans la maison, une demeure somptueuse avec ses pièces fraîches, hautes de plafond, dallées de pierre et de marbre, garnies de meubles admirablement sculptés et de tapisseries magnifiques. Ils franchirent deux passages voûtés, une porte en bois, puis Aliena eut l'impression qu'ils arrivaient dans les appartements des femmes. De la main, le serviteur lui fit signe d'attendre, puis toussota doucement.

Aussitôt, une grande Sarrasine en robe noire se glissa dans la pièce, mordillant un bout de tissu de son vêtement, avec une attitude insultante dans n'importe quelle langue. Elle considéra Aliena et demanda en français : « Qui êtes-vous ? »

Aliena se redressa de toute sa hauteur. « Je suis dame Aliena, fille du défunt comte de Shiring, dit-elle d'un ton aussi hautain qu'elle en était capable. Je suppose que j'ai le plaisir de m'adresser à l'épouse de Rachid, le marchand de poivre. » A ce jeu-là, elle était aussi bonne que n'importe qui.

« Que voulez-vous ?

— Je suis venue voir Rachid.

— Il ne reçoit pas de femmes. »

Aliena se rendit compte qu'elle n'avait à espérer aucune aide de cette femme. Mais, comme elle n'avait pas d'autre recours, elle insista : « Peut-être recevra-t-il une amie de Jack...

— Jack est votre mari ?

— Non. » Aliena hésita. « C'est mon beau-frère. »

La femme haussa un sourcil sceptique. Tout dans son expression révélait qu'elle soupçonnait plutôt Aliena, séduite et abandonnée avec un bébé, de poursuivre Jack, le coupable, dans le but de l'obliger à l'épouser et à entretenir l'enfant.

Elle se détourna et cria dans une langue inconnue d'Aliena. Trois jeunes femmes firent leur entrée, à l'évidence ses filles. Elle leur expliqua quelque chose tandis qu'elles examinaient Aliena. Il

286

s'ensuivit une brève conversation dans laquelle le mot *Jack* revenait souvent.

Aliena, humiliée, eut la tentation de tourner les talons et de déguerpir. Mais c'était abandonner du même coup sa quête. Ces femmes odieuses représentaient son dernier espoir. Elle haussa le ton pour interrompre leur conversation. « Où est Jack ? » Sa voix, qu'elle voulait énergique, sortit de sa gorge comme un misérable gémissement.

Les filles se turent.

« Nous ne savons pas, répondit la mère.

– Quand l'avez-vous vu pour la dernière fois ? »

La femme hésita. « Il a quitté Tolède le lendemain de Noël », déclara-t-elle à contrecœur.

Aliena se contraignit à sourire amicalement. « Vous rappelez-vous s'il a donné une indication sur sa destination ?

– Je vous le répète, nous ne savons pas où il est.

– Peut-être s'est-il confié à votre mari ?

– Non, pas du tout. »

Aliena, au désespoir, eut la certitude que la Sarrasine savait quelque chose qu'elle se refusait obstinément à lui révéler. Aliena se sentit soudain faible et lasse. Les larmes aux yeux, elle avoua : « Jack est le père de mon enfant. Vous ne pensez pas qu'il aimerait voir son fils ? »

La plus jeune des trois filles commença une phrase que sa mère interrompit aussitôt. Il y eut un bref et sec échange : la mère et la fille avaient la même vivacité de tempérament. Mais la fille finit par se taire.

Aliena attendit. Rien. Les quatre femmes se contentaient de l'observer. Malgré leur hostilité, Aliena visiblement les intriguait et elles ne faisaient rien pour la chasser. Elle n'avait toutefois aucune raison de s'incruster. Autant s'en aller, retourner à son logement et faire ses préparatifs pour le long voyage de retour jusqu'à Kingsbridge. Elle prit une profonde inspiration. « Je vous remercie de votre hospitalité », déclara-t-elle d'un ton calme et froid.

Fugitivement, la mère eut l'air un peu gênée.

Aliena quitta la pièce, les larmes aux yeux.

Le serviteur, qui attendait dehors, la raccompagna. Comme ils arrivaient à la porte, Aliena entendit des pas précipités. Elle se retourna pour apercevoir la plus jeune des filles accourant vers elle. Elle s'arrêta et attendit. Le domestique paraissait mal à l'aise.

La jeune fille était petite et svelte, très jolie, avec une peau dorée et des yeux bruns presque noirs. Elle portait une robe blanche auprès de laquelle Aliena se sentit sale et poussiéreuse. « Vous l'aimez? » murmura-t-elle avec un fort accent.

Aliena hésita. Elle comprit qu'elle n'avait plus rien à perdre. « Oui, avoua-t-elle, je l'aime.

— Est-ce qu'il vous aime? »

Aliena s'apprêtait à répondre oui; puis elle se rendit compte qu'elle n'avait pas revu Jack depuis plus d'un an. « Il m'aimait, murmura-t-elle.

— Je crois qu'il vous aime encore, reprit la jeune fille.

— Qu'est-ce qui vous fait croire cela? »

Les yeux de la fille s'emplirent de larmes. « Je le voulais pour moi. Et j'ai presque failli l'avoir. » Elle regarda le bébé. « Les cheveux roux et les yeux bleus. » Des larmes coulèrent sur ses joues brunes et lisses.

Aliena comprit enfin la raison de l'hostilité avec laquelle on l'avait accueillie. La mère voulait que Jack épouse sa fille. Celle-ci avait sans doute tout juste seize ans, mais tant de sensualité qu'elle était déjà femme. Aliena se demanda ce qui s'était passé exactement entre eux. « Vous avez " presque failli " l'avoir? répéta-t-elle.

— Oui, répliqua la fille d'un ton de défi. Je sais qu'il m'aimait bien. J'ai eu le cœur brisé lorsqu'il est parti. Maintenant, je comprends. » Elle perdit sa contenance et le chagrin assombrit son ravissant visage.

Aliena, prise de sympathie pour cette jeune fille qui avait aimé Jack sans retour posa la main sur son épaule, dans un geste de réconfort. Mais elle avait mieux à faire que de s'apitoyer. « Écoutez, reprit-elle d'un ton pressant. Savez-vous où il est allé? »

L'autre leva les yeux et hocha la tête en sanglotant.

« Dites-le-moi, je vous en prie!

— Paris, lâcha l'autre.

— Paris! » Aliena jubilait. Elle avait retrouvé la piste! Paris était loin, mais le voyage lui ferait traverser un pays déjà familier. Elle se sentit toute ragaillardie. Elle finirait par le trouver, à présent, elle n'en doutait plus.

« Vous allez partir pour Paris aussi? demanda la fille.

– Oh oui! répondit Aliena. Je suis venue jusqu'ici... je ne vais pas m'arrêter maintenant. Merci de m'avoir renseignée... Merci beaucoup.

– Je veux qu'il soit heureux », murmura la jeune Sarrasine simplement.

Le serviteur commençait à s'agiter, craignant peut-être des ennuis. « Il n'a rien dit d'autre? demanda Aliena. Quelle route il allait choisir... quelque chose qui pourrait m'aider?

– Il veut se rendre à Paris parce que quelqu'un lui a assuré qu'on bâtissait là-bas de belles églises. »

Aliena acquiesça. Elle aurait pu le deviner toute seule.

« Il a emmené la dame qui pleure.

– La dame qui pleure? répéta Aliena sans comprendre.

– Mon père lui a offert la dame qui pleure.

– Une dame? »

La jeune fille secoua la tête. « Je ne connais pas les mots. Une dame. Elle pleure. Des yeux.

– Vous parlez d'un tableau? Le portrait d'une dame?

– Je ne comprends pas », balbutia la fille. Elle jeta par-dessus son épaule un regard inquiet. « Il faut que je parte. »

Quelle que fût cette dame qui pleurait, cela n'avait pas l'air très important. « Merci de m'avoir aidée », répéta Aliena.

La jeune Sarrasine se pencha et posa un baiser sur le front du bébé. Ses larmes tombèrent sur les joues rebondies du nourrisson. « Je voudrais être à votre place », dit-elle à Aliena. Puis elle fit demi-tour et rentra en courant dans la maison.

Jack habitait rue de la Boucherie, dans un faubourg de Paris, situé sur la rive gauche de la Seine. Dès le lever du jour, il sella son cheval. Au bout de la rue, il tourna à droite et passa devant la tour de guet qui gardait le Petit Pont, la passerelle conduisant à l'île de la Cité, au milieu du fleuve.

De chaque côté, les maisons de bois s'avançaient sur le pont. Dans la brèche, au centre, se trouvaient des bancs de pierre où, plus tard dans la matinée, de célèbres professeurs tiendraient leurs classes en plein air. Jack s'engagea dans la Juiverie, la grand-rue de l'île. Les boulangeries débordaient d'étudiants pressés d'acheter leur déjeuner. Jack s'offrit un pâté à l'anguille fumée.

Il tourna à gauche en face de la synagogue, puis à droite devant le palais du roi et franchit le Grand Pont qui menait sur la rive droite. Tout le long, les petites échoppes des changeurs et des joailliers commençaient à s'ouvrir aux chalands. Au bout du pont, il franchit une autre porte et pénétra dans le marché aux poissons, où les affaires allaient déjà bon train. Il se fraya un chemin à travers la foule et s'engagea sur la route boueuse qui menait à la ville de Saint-Denis.

Alors qu'il séjournait encore en Espagne, il avait entendu parler par un maçon itinérant de l'abbé Suger et de la nouvelle église qu'il bâtissait à Saint-Denis. Durant tout son voyage vers le nord à travers la France, à l'occasion des travaux épisodiques qu'il faisait chaque fois qu'il avait besoin d'argent, il entendit souvent mentionner le nom de Saint-Denis. Les bâtisseurs, semblait-il, y utilisaient les deux techniques nouvelles : les voûtes à nervures et les arcs ovales. La combinaison des deux, paraît-il, était assez stupéfiante.

Il chevaucha plus d'une heure à travers les champs et les vignobles. La route, non pavée, passait par la colline de Montmartre, couronnée à son sommet d'un temple romain en ruine, et traversait le village de Clignancourt. A une lieue plus loin, il atteignit la petite ville, ceinte de murs, de Saint-Denis.

Denis, le premier évêque de Paris, avait été décapité à Montmartre. Il était parti, portant dans ses mains sa tête tranchée, à travers la campagne, jusqu'au moment où il avait fini par tomber. A cet endroit, une pieuse femme l'avait enseveli et sur sa tombe on avait érigé un monastère. L'église, par la suite, était devenue la sépulture des rois de France. L'actuel abbé, Suger, était un homme puissant et ambitieux qui, après avoir réformé le monastère, entreprenait maintenant de moderniser le sanctuaire.

Jack arrêta son cheval au milieu de la place du marché pour contempler la face ouest de l'église. Il n'y avait rien là de révolutionnaire. C'était une façade toute droite, à l'ancienne, avec deux tours jumelles et trois portails aux voûtes arrondies. Il aimait assez la façon agressive dont les piliers jaillissaient du mur, mais il n'aurait pas fait deux lieues rien que pour voir cela.

Il attacha son cheval à une balustrade, devant l'édifice, et s'approcha. La sculpture des trois portails avec ses sujets animés, ciselés soigneusement, n'était pas mal réussie. Jack entra.

290

L'intérieur offrait un contraste saisissant. La nef proprement dite était précédée d'un vestibule bas de plafond, le narthex. En levant les yeux, Jack eut un frisson d'excitation. Les bâtisseurs avaient utilisé ici la voûte en nervures et les arcs en ogive. Jack constata aussitôt que les deux techniques s'alliaient parfaitement : la grâce de l'ogive était accentuée par les nervures qui en suivaient le dessin.

Entre les nervures, au lieu du mélange habituel de mortier et de moellon, le bâtisseur avait disposé des pierres taillées comme pour un mur. Plus robuste, la couche de pierre pouvait sans doute être plus mince, et donc plus légère, supposa Jack.

En se démanchant le cou à s'en donner des crampes, il observa un autre remarquable détail de cette combinaison. Deux arcs en ogive de largeur différente pouvaient arriver à la même hauteur : il suffisait d'ajuster la courbe de l'arc. Cela donnait à la travée un aspect régulier difficile à obtenir avec les arcs de cercle, dont la courbure fixe s'ajustait moins bien à la forme de la voûte.

Jack frotta son cou douloureux à force de regarder en l'air. Il éprouvait plus de jubilation que si on venait de le couronner roi. Voilà, songea-t-il, comment il allait bâtir sa cathédrale.

Il entra dans le corps principal de l'église. La nef, longue et large, était ancienne et plutôt banale. A la croisée du transept, des marches descendaient vers la crypte abritant les tombes royales, et d'autres conduisaient au chœur. De la place où Jack se tenait, un effet d'optique dû aux flots de soleil qui entraient par les fenêtres de l'est faisait croire que le haut des murs n'était pas terminé.

Il suivit la travée sud jusqu'à la croisée. Comme il arrivait près du chœur, il éprouva une impression étrange. Toute cette lumière qui emplissait le grand vaisseau vide du sanctuaire pénétrait, remarqua-t-il, par des rangées de hautes fenêtres, dont certaines en vitraux colorés. Comment avait-on pu multiplier ainsi les ouvertures ? On aurait dit qu'il y en avait plus en surface que de murs.

Jack monta les marches qui accédaient au chœur. De là, il scruta l'entremêlement des colonnes de lumière et de pierre qui se dressaient devant lui. Il avait déjà eu cette vision quelque part : dans son imagination, en rêve, car c'était exactement l'église qu'il voulait bâtir, avec ses vastes fenêtres et ses voûtes élancées, une structure d'air et de lumière qui paraissait tenir par enchantement.

291

Revenant à la réalité, il étudia attentivement la technique de construction. Le principe de la voûte en nervures, formée d'un plafond constitué de quelques côtes solides et d'espaces entre les nervures comblés avec des matériaux légers, *ce principe avait été appliqué à tout l'édifice.* Le mur du chœur comportait un certain nombre de colonnes entre lesquelles on avait percé des fenêtres. L'arcade séparant le chœur des bas-côtés n'était pas un mur mais une rangée de piliers réunis par des arcs en ogive, ce qui laissait de larges espaces par lesquels la lumière venant des fenêtres se déversait au milieu de l'église. La travée elle-même était divisée en deux par une rangée de colonnes élancées.

On avait combiné ici les arcs en ogive et la voûte en nervures, comme dans le narthex, mais en beaucoup plus raffiné. Le narthex, lui, était musclé, ses nervures et ses moulures trop grosses, ses arcs trop petits. Là, tout était fin, léger, délicat, aéré. Les moulures étaient étroites, les colonnettes longues et minces.

On aurait pu croire l'édifice trop fragile pour tenir debout, mais les nervures montraient clairement comment les piliers et les colonnes soutenaient le poids de la construction. C'était la preuve que la plus grande église ne devait pas sa solidité à des murs épais percés de fenêtres minuscules et soutenu par des piliers massifs. A condition que la charge fût répartie avec précision sur un squelette conçu à cet effet, le reste de la construction pouvait être en maçonnerie légère, en verre ou même vide. Jack était fasciné. Après la découverte d'Euclide, cette révélation l'enthousiasmait plus encore. Cette église qu'il avait imaginée tant de fois dans son esprit, voilà qu'il la contemplait dans la réalité, qu'il la touchait, que son regard se perdait jusqu'à sa voûte qui atteignait le ciel.

Pris d'une sorte de transe, il fit le tour du côté incurvé, où les nervures s'élevaient au-dessus de sa tête comme les branches parfaites d'une forêt d'arbres en pierre. Cette architecture révolutionnaire trouvait son magnifique complément dans les vitres colorées. Jack n'avait jamais vu de vitraux en Angleterre, mais il en avait déjà rencontré plusieurs exemples en France : toutefois, réduits aux petites fenêtres des églises d'autrefois, ils ne rendaient pas leur plein effet. Ici, la lumière du soleil matinal irradiant par les fenêtres somptueusement colorées avait un pouvoir magique. Jack faisait l'expérience de la beauté pure. Il parcourut encore la nef, puis les bas-côtés qui s'incurvaient pour se rejoindre à l'extrémité est, formant un déambulatoire semi-circulaire. Bientôt il se retrouva à son point de départ.

Une femme, se tenait là, dans la lumière.

Il la reconnut aussitôt.

Elle sourit. Son cœur s'arrêta.

Aliena mit une main en visière au-dessus de ses yeux pour se protéger du soleil qui l'éblouissait. Comme matérialisé par le flamboiement de lumière colorée d'où elle émergeait, une silhouette aux cheveux de feu s'approcha d'elle.

Aliena se sentit défaillir.

Longtemps ils se contemplèrent en silence, les yeux brillant d'une émotion intense.

Lorsque Jack parla, ce fut d'une voix rauque. « C'est vraiment toi?

– Oui... Oui, Jack. C'est vraiment moi. »

Brisée par la tension trop forte, elle se mit à pleurer. Jack la serra contre lui, en même temps que le bébé qu'elle portait dans ses bras, et la caressa en la consolant comme une enfant. Elle savourait son contact, retrouvant son odeur familière, écoutant la chère voix apaisante tout en baignant de larmes l'épaule maigre de Jack.

Enfin il posa la question la plus troublante : « Aliena, que fais-tu ici?

– Je te cherche », répondit-elle simplement.

Il parut stupéfait.

« Mais comment m'as-tu trouvé? »

Elle sourit au travers de ses larmes. « Je t'ai suivi.

– Suivi?

– J'ai demandé partout si on t'avait vu. J'ai interrogé surtout des maçons, mais aussi des moines et des aubergistes.

– Tu veux dire..., murmura-t-il en ouvrant des yeux incrédules, tu veux dire que tu es allée en Espagne?

– A Compostelle, à Salamanque, à Tolède.

– Depuis combien de temps voyages-tu?

– Trois quarts d'une année.

– Mais pourquoi?

– Parce que je t'aime. »

Les yeux pleins de larmes, il murmura : « Moi aussi.

– C'est vrai? Tu m'aimes encore?

– Oh oui! » Elle sentait qu'il disait vrai. Il se pencha par-dessus le bébé et embrassa doucement les lèvres d'Aliena. Sentir la bouche de Jack sur la sienne lui donna le vertige.

Le bébé se mit à pleurer.

« Comment s'appelle-t-il? demanda Jack.

– Je ne lui ai pas encore donné de nom.

– Pourquoi? Il lui en faut un!

– Je voulais te consulter.

– Moi? fit Jack surpris. Et Alfred? C'est au père de... » Sa phrase s'étrangla dans sa gorge. « Pourquoi... Est-ce que... Est-ce qu'il est de moi?

– Regarde-le », dit-elle.

Jack se rendit compte qu'il avait devant lui la réplique de sa chevelure si rousse.

« Bonté divine, s'écria-t-il, mon fils! »

Aliena guettait sur son visage la réaction à cette nouvelle extraordinaire. Allait-il se réjouir? Ou regretter sa jeunesse et sa liberté? Un homme, en général, dispose de neuf mois pour s'habituer à l'idée de paternité. Jack devait s'y faire d'un seul coup. Il caressa la tête du bébé et sourit. « Notre fils, fit-il. Je suis si heureux! »

Aliena, ferma les yeux de bonheur. Tout s'arrangeait, enfin...

Soudain Jack s'assombrit. « Et Alfred? Est-ce qu'il sait...?

– Bien sûr. Il n'a eu qu'à regarder l'enfant. D'ailleurs... reprit-elle, embarrassée, d'ailleurs ta mère a jeté la malédiction sur le mariage et Alfred n'a jamais pu, tu sais... n'a jamais pu rien faire.

– Ce n'est que justice », dit-il avec un rire cruel.

Aliena n'aimait pas cette joie méchante. « Ce fut une période très dure pour moi, précisa-t-elle d'un ton de léger reproche.

– Pardonne-moi, fit-il aussitôt. Comment Alfred a-t-il réagi?

– En voyant le bébé, il m'a jetée dehors.

– S'est-il montré violent?

– Non.

– Quel porc, quand même!

– Je me réjouis qu'il nous ait jetés dehors. Cela m'a décidée à partir à ta recherche. J'ai réussi, je t'ai trouvé. Je suis si heureuse que j'en perds la tête.

294

« — Tu as été très courageuse, déclara Jack. C'est inouï!

— Je le referais », affirma-t-elle avec ferveur.

Comme il l'embrassait de nouveau, une voix dit en français :
« Si vous ne pouvez pas vous empêcher d'avoir une conduite impudique dans l'église, restez dans la nef, je vous prie. »

C'était un jeune moine à l'air sévère. « Pardonnez-moi, mon père », dit Jack. Il prit le bras d'Aliena. Ils descendirent les marches du chœur et se dirigèrent vers le transept sud. « J'ai été moine quelque temps, rappela Jack. Je sais combien c'est dur de regarder des amants heureux s'embrasser. »

Des amants heureux, songea Aliena. Oui, voilà ce que nous sommes.

Ils sortirent de l'église sur la place du marché. Aliena avait du mal à croire à la réalité, à ce bonheur presque insoutenable.

« Alors, dit Jack, que faisons-nous maintenant?

— Je ne sais pas, répondit-elle en souriant.

— Moi, je sais : Acheter une miche de pain, une flasque de vin et déjeuner dans les champs.

— C'est le paradis... »

En plus du pain et du vin, ils choisirent un morceau de fromage chez une crémière de la place du marché. Puis ils gagnèrent les champs. Aliena ne quittait pas Jack des yeux, comme s'il risquait de s'évaporer d'un instant à l'autre.

« Comment Alfred se débrouille-t-il sur le chantier? demanda-t-il.

— Oh! Je ne t'ai pas dit! » Les derniers événements précédant son départ lui revinrent, vivaces, à la mémoire. « Il y a eu une terrible catastrophe. Le toit de la cathédrale s'est écroulé.

— Quoi! »

L'exclamation de Jack effaroucha son cheval qui fit un écart. Il lui tapota l'encolure pour le calmer. « Comment est-ce arrivé?

— On ne sait pas. Les ouvriers avaient réussi à terminer la voûte de trois travées pour la Pentecôte, et pendant le service tout s'est écroulé. Il y a eu soixante-dix-neuf morts. C'est épouvantable. »

Jack était sincèrement bouleversé.

« Quel malheur! Comment le prieur Philip a-t-il supporté cette épreuve?

— Mal. Il a renoncé à construire. Il a perdu toute son énergie, il ne fait plus rien. »

Jack avait du mal à imaginer Philip sans énergie, lui qui avait toujours montré tant d'enthousiasme et de détermination, même dans les pires moments.

« Et les artisans? reprit-il. Que sont-ils devenus?

— Chacun est parti de son côté. Alfred habite Shiring où il bâtit des maisons.

— Kingsbridge est à moitié vide, non?

— La ville redevient village, comme autrefois.

— Je me demande quelle erreur Alfred a commise? marmonna Jack.

— Cette voûte de pierre n'a jamais figuré dans les plans originaux de Tom. Alfred avait renforcé les arcs-boutants pour en supporter le poids, il pensait que c'était suffisant. »

La nouvelle du désastre avait dégrisé Jack, et ils avancèrent en silence. A une demi-lieue de Saint-Denis, ils attachèrent les chevaux à l'ombre d'un orme et s'assirent au coin d'un champ de blé vert, près d'un petit ruisseau, pour pique-niquer. Jack but une gorgée de vin et fit claquer sa langue. « L'Angleterre n'a rien de comparable aux vins français, vraiment! » Il rompit le pain et en tendit un morceau à Aliena.

Timidement, Aliena délaça son corsage pour donner le sein au bébé. Sous le regard de Jack, elle rougit et chercha quelque chose à dire pour cacher sa gêne. « As-tu une idée pour son nom? Si on l'appelait Jack?

— Je ne sais pas, fit-il d'un air songeur. Jack était le père que je n'ai jamais connu. Son nom risque de porter malchance à notre fils. Mon vrai père, ou celui qui en a tenu lieu, c'était Tom le bâtisseur.

— Tu voudrais appeler le bébé Tom?

— Je crois que oui.

— Tom était si grand! Plutôt Tommy, non?

— D'accord pour Tommy », acquiesça Jack.

Parfaitement indifférent à la solennité de l'instant, Tommy s'était endormi, repu. Aliena l'allongea sur le sol, un mouchoir plié sous sa tête en guise d'oreiller. Son embarras ne s'était pas complètement dissipé : elle ne savait pas trop quelle contenance prendre vis-à-vis de Jack. Elle aurait aimé faire l'amour avec lui, ici, sur l'herbe, mais elle n'osait pas le lui suggérer. De son côté, Jack aussi semblait hésitant.

« Si je te dis quelque chose, murmura-t-il, tu me promets de ne pas m'en vouloir?

– Vas-y. »

Lentement, tout bas, il lui avoua : « Depuis l'instant où je t'ai vue, je ne pense à rien d'autre qu'à ton corps nu sous ta robe.

– Ah! Je ne t'en veux pas du tout! s'écria-t-elle. Je suis heureuse. »

Il la regardait avidement, la gorge nouée.

Elle lui tendit les bras et il se rapprocha d'elle. Deux ans ou presque s'étaient écoulés depuis la dernière et unique étreinte amoureuse qu'ils avaient connue ensemble. Une étreinte si passionnée, si brûlante et si désespérée qu'Aliena s'inquiéta. Aujourd'hui l'amour ne leur paraîtrait-il pas banal? Après tant de temps, tant d'épreuves, tant d'espoir, la déception serait insoutenable.

Ils s'allongèrent sur l'herbe. Aliena ferma les yeux et sentit un baiser léger sur ses paupières. La main de Jack vint caresser son corps qui réagit en frissonnant délicieusement. « Chaque nuit, chaque jour, je pensais à toi, dit-il.

– Je suis si heureuse de t'avoir retrouvé », murmura-t-elle en le serrant très fort contre elle.

Ils s'aimèrent avec douceur, dans l'air baigné de soleil, accompagnés par le murmure du ruisseau près d'eux. Tommy, discret, dormit et ne s'éveilla que lorsqu'ils furent rhabillés.

La statue de la dame n'avait pas pleuré depuis son départ d'Espagne. Jack, n'ayant pas percé le secret de son fonctionnement, ne s'expliquait pas pourquoi elle ne pleurait pas hors de son pays d'origine. Il se doutait seulement que les larmes qui apparaissaient à la tombée de la nuit avaient un rapport avec le brusque rafraîchissement de l'air. Or les couchers de soleil étaient plus progressifs dans les pays du Nord.

Bien qu'elle fût plutôt encombrante, il conservait la statue comme un souvenir de Tolède. Elle lui rappelait Rachid et (ce qu'il ne dit pas à Aliena) la jeune Aïcha aussi. Un jour qu'un maçon de Saint-Denis cherchait un modèle pour sculpter une statue de la Vierge, Jack apporta la dame de bois à la loge des maçons et l'y laissa.

Il avait été engagé par l'abbé pour travailler à la reconstruction de l'église. Le nouveau chœur, qui l'avait tellement intrigué, n'était pas tout à fait terminé. Or il devait être achevé à temps pour la cérémonie de consécration au milieu de l'été. Déjà l'énergique abbé s'apprêtait à rebâtir la nef dans le même style et Jack fut chargé de tailler les pierres pour en préparer un stock d'avance.

L'abbaye lui loua une maison au village, où il s'installa avec Aliena et Tommy. La première nuit qu'ils vécurent dans leur maison, ils la passèrent à faire l'amour. Vivre comme mari et femme leur semblait la chose la plus naturelle du monde, comme s'ils l'avaient toujours fait. Personne ne leur demanda si leur union était bénie par l'Église.

Le maître bâtisseur de Saint-Denis était de loin le plus habile maçon que Jack eût jamais rencontré. Comme on terminait le nouveau chœur et qu'on s'apprêtait à commencer la nef, Jack ne perdait pas une miette des techniques nouvelles que le maître maçon pratiquait. L'abbé Suger, quant à lui, quoique totalement acquis aux idées neuves, s'intéressait plus à la décoration qu'à l'architecture. Le projet qui l'occupait en priorité était la construction d'un tombeau pour les restes de saint Denis et de ses deux compagnons, Rusticus et Eleutherius. Les reliques, jusqu'alors conservées dans la crypte, seraient placées dans le chœur, à la vue de tous. Les trois châsses reposeraient dans une sépulture en pierre plaquée de marbre noir, surmontée d'une église miniature en bois doré. Les travaux étaient bien avancés : la base du tombeau était en place et, dans la loge des charpentiers, un artisan minutieux s'occupait à dorer soigneusement le bois de l'église miniature avec une peinture à l'or sans prix. Suger n'était pas homme à faire les choses à moitié.

Quel extraordinaire organisateur, pensait Jack en assistant aux préparatifs de la consécration. Suger invita une foule de notables, dont la plupart acceptèrent, à commencer par le roi et la reine de France, ainsi que dix-neuf évêques et archevêques, y compris l'archevêque de Canterbury. Jack voyait souvent Suger arpenter le monastère dans sa robe de laine rustique, donnant des instructions à un troupeau de moines qui le suivaient comme des canetons. Cet abbé lui en rappelait un autre : Philip de Kingsbridge. Comme Philip, Suger avait été élevé au monastère. Comme Phi-

298

lip, il en avait réorganisé les finances et rétabli la gestion des biens pour en accroître les revenus; comme Philip, il dépensait ses bénéfices à construire. Comme Philip, il était actif, énergique et entreprenant.

Pourtant, selon Aliena, Philip n'était plus rien de tout cela. Jack n'y croyait pas. Philip éteint? Autant imaginer Waleran Bigod charitable. Le prieur, c'était vrai, avait connu une série de terribles déceptions – et d'abord l'incendie de la ville. Jack en frémissait encore. Philip s'en était peut-être mal remis. En tout cas la ville avait perdu de son entrain, Jack s'en souvenait fort bien : l'atmosphère de crainte et d'incertitude avait tout envahi comme une odeur légère mais tenace de déchéance. Philip comptait certainement sur la cérémonie d'inauguration comme symbole d'un espoir nouveau. Quand la messe s'était terminée en sanglante catastrophe, il avait baissé les bras.

Tous les bâtisseurs étaient partis de Kingsbridge, le marché déclinait et la population diminuait. Les jeunes gens, d'après Aliena, préféraient Shiring. L'échec était moral plus que matériel : le prieuré, en effet, possédait toujours la totalité de ses biens, y compris les grands troupeaux qui chaque année rapportaient des centaines de livres. S'il ne s'était agi que d'argent, Philip aurait sûrement pu reprendre la construction, après avoir rassuré les maçons, souvent superstitieux et qui hésitaient à travailler quand l'église s'était écroulée une première fois. Le principal problème, à en croire Aliena, était que Philip avait perdu la volonté de le faire.

A deux ou trois jours de la cérémonie, évêques, archevêques, ducs et comtes arrivaient à Saint-Denis. Suger en personne escortait les visiteurs les plus distingués pour une visite guidée de l'édifice. Tous étaient frappés par la légèreté de la nouvelle construction et par la luminosité des hautes fenêtres à vitraux. Comme tous les grands prélats de France se trouvaient réunis à Saint-Denis, Jack en conclut que le nouveau style allait être bientôt largement imité; les maçons qui avaient travaillé à Saint-Denis seraient très demandés. Il se félicitait de plus en plus d'avoir choisi d'en faire partie : sa carrière en bénéficierait et il augmentait grandement ses chances de réaliser lui-même une cathédrale.

Le roi Louis arriva le samedi avec sa femme et sa mère, et ils s'installèrent dans la maison de l'abbé. Cette nuit-là, on chanta dans l'église du crépuscule à l'aube. Au lever du soleil, la place devant le parvis était noire d'une foule de paysans et de citoyens de Paris attendant d'assister à la plus grande réunion de personnalités religieuses et civiles qu'ils verraient jamais. Sitôt Tommy nourri, Jack et Aliena se joignirent à l'assistance. Un jour, songea Jack, je dirai à Tommy : « Tu ne t'en souviens pas, mais, quand tu avais un an, tu as vu le roi de France. »

Le public, bien sûr, n'était pas admis dans l'église que les hommes d'armes du roi entouraient d'une barrière infranchissable ; mais par les portes grandes ouvertes on pouvait voir la nef occupée par les seigneurs et les dames de la noblesse. Grâce à la surélévation du chœur, il était également possible de suivre sans trop de peine la cérémonie.

Une soudaine agitation se répandit au bout de la nef. Ensemble les seigneurs s'inclinèrent. Par-dessus leurs têtes courbées, Jack vit le roi franchir le portail sud et entrer dans l'église. Il ne distinguait pas ses traits, mais pouvait suivre la tache pourpre de sa tunique qui s'avançait au centre de la croisée. Le roi s'agenouilla devant le grand autel.

Les évêques et les archevêques suivaient en procession, vêtus de robes blanches brodées d'or. Chaque évêque portait sa crosse de cérémonie. Ils traversèrent lentement l'église, gravirent les marches du chœur puis gagnèrent les places qui leur avaient été réservées autour des fonts baptismaux qui contenaient – Jack le savait car il avait observé les préparatifs – des pintes d'eau bénite. Les prières et les hymnes se succédèrent un long moment, si bien que la foule commença à s'agiter. Puis, menée par les évêques, la procession repartit.

A la grande déception des spectateurs, elle quitta l'église par le portail sud et disparut dans le cloître. Mais on la vit bientôt ressortir des bâtiments monastiques et longer l'église par l'extérieur. Les évêques portaient chacun un goupillon et un vase d'eau bénite ; au fur et à mesure de leur progression, ils plongeaient le goupillon dans l'eau et aspergeaient les murs de l'édifice. La foule se porta en avant, quémandant aussi une bénédiction et cherchant à toucher les robes d'une éblouissante blancheur. Les hommes d'armes repoussaient les plus audacieux à coups de gourdin. Jack resta prudemment à l'écart des matraques. Tant pis pour la bénédiction !

La procession poursuivit sa marche majestueuse le long du flanc nord et la foule fit de même, piétinant les tombes du cimetière. Quand il atteignit la partie neuve où se tenaient les ateliers des artisans, le cortège déferla autour des loges et des cabanes, dans une incroyable bousculade qui menaçait d'aplatir les légères constructions de bois. Les hommes du roi redoublèrent de coups.

Jack commençait à se sentir inquiet. « Tout ça ne me plaît pas, dit-il à Aliena.

– A moi non plus. Sortons de cette foule. »

Avant qu'ils aient pu se dégager, une bagarre éclata entre les hommes du roi et un groupe de jeunes gens, au premier rang. Les soldats maniaient énergiquement leurs gourdins, mais les jeunes, au lieu de s'enfuir, ripostaient. Les évêques en queue de procession s'engouffrèrent dans le cloître après avoir prestement jeté leurs dernières gouttes d'eau bénite. Une fois les saints hommes disparus, la foule reporta son intérêt sur les hommes d'armes. Quelqu'un lança une pierre qui atteignit un soldat en plein front. Il s'écroula au milieu des acclamations. Ses compagnons accoururent au secours du blessé.

On risquait l'émeute.

Par malheur, la cérémonie était suspendue, le temps que les évêques et le roi descendent dans la crypte chercher les reliques de saint Denis, auxquelles ils feraient faire le tour du cloître, sans ressortir du sanctuaire. Il n'y avait donc aucune salutaire distraction à espérer. Désœuvrés, énervés, échauffés par le soleil brûlant, les participants avaient besoin de donner libre cours à leurs émotions.

Comme les hommes du roi étaient armés, mais pas les spectateurs, les soldats eurent d'abord l'avantage. Là-dessus, quelqu'un eut la brillante idée de pénétrer dans les cabanes des artisans pour y chercher des armes. Deux jeunes gens enfoncèrent à coups de pied la porte de la loge des maçons et en ressortirent, des masses à la main. Les maçons perdus dans la foule étaient trop peu nombreux pour s'opposer à cette malheureuse initiative.

Jack et Aliena essayèrent de battre en retraite, mais la foule les poussait en avant et ils se trouvèrent pris au piège. Jack serrait Tommy bien fort contre sa poitrine, tout en se débattant pour garder la main d'Aliena dans la sienne. Son regard surprit un petit homme à l'air sournois et à la barbe noire qui sortait de la loge des maçons en emportant la statue de la dame qui pleurait. Je ne la reverrai jamais, songea-t-il avec regret; mais il était trop occupé à lutter contre la bousculade pour se soucier du vol.

Ce fut ensuite la loge des charpentiers que l'on mit au pillage et, si celle des forgerons résista aux assauts, la foule eut tôt fait d'enfoncer le mur fragile de la loge des couvreurs pour en ressortir avec de lourds outils dangereusement aiguisés. Jack eut la certitude que la manifestation ne se terminerait pas sans morts.

Malgré tous ses efforts, Jack ne pouvait résister au courant qui le déportait vers le cœur de la lutte. Son voleur à la barbe noire aussi, remarqua-t-il, qui, au lieu de filer avec son butin, se trouvait emporté dans la même direction par la pression de la foule.

Impulsivement, Jack passa le bébé à Aliena. « Reste près de moi », conseilla-t-il. Puis il empoigna le petit voleur et lui arracha la statue des mains. L'homme résista pour la forme, mais Jack était plus fort et de toute façon le voleur préféra sauver sa peau que récupérer son butin. Il lâcha prise.

Jack brandit la statue à bout de bras et se mit à crier : « Vénérez la Madone! » Tout d'abord, personne n'y prit garde. Puis les gens les plus proches s'immobilisèrent. « Ne touchez pas à la Sainte Vierge! » cria-t-il à pleins poumons. On commença à s'écarter de lui superstitieusement, tandis que Jack poursuivait : « C'est un péché que de souiller l'image de la Vierge! » Il tenait la statue très haut au-dessus de sa tête et avançait vers l'église. Je vais peut-être réussir, songea-t-il avec un sursaut d'espoir. Peu à peu, on arrêtait de se battre pour voir ce qui se passait.

Il jeta un coup d'œil derrière lui. L'émeute perdait de sa violence. La foule commençait à répéter ses paroles avec respect : « C'est la mère de Dieu... Je vous salue, Marie... Faites place à l'effigie de la Sainte Vierge... » Ils voulaient un spectacle, et puisque Jack en donnait un, on oubliait de cogner. Jack avança gravement tandis que la foule s'écartait sur son passage. Il atteignit le portail nord de la basilique. Là, il posa la statue avec beaucoup de respect sous l'ombre fraîche de la voûte. Elle avait un peu plus de deux pieds de haut et paraissait bien moins impressionnante posée par terre.

La foule se regroupait autour du portail. Jack ne savait plus quoi faire. Sans doute attendait-on un sermon. Il s'était comporté en homme de Dieu, exposant la statue et la faisant respecter par ses avertissements sonores, mais c'était la limite de ses talents de prêtre. La crainte le prit : comment les gens allaient-ils réagir s'il les décevait maintenant?

Un mouvement soudain parcourut les rangs.

Jack regarda derrière lui. Quelques personnalités de la procession s'étaient avancées dans le transept pour savoir ce qui se passait mais rien de visible ne justifiait l'apparente stupéfaction des badauds.

« Un miracle ! » cria quelqu'un ; et de nombreuses voix reprirent : « Un miracle ! Un miracle ! »

Jack se tourna vers la statue et comprit : de l'eau coulait de ses yeux. Il fut d'abord aussi impressionné que la foule mais, très vite, il se rappela sa théorie : la dame pleurait à cause d'un brusque changement de température. Or la statue venait de passer de la chaleur du jour à la fraîcheur du portail. Voilà qui expliquait les larmes. Mais pour l'assistance ignorante du phénomène, la statue pleurait, et c'était un miracle.

Une femme au premier rang lança un denier au pied de la statue. Jack réprima un sourire d'ironie. Quelle idée de donner de l'argent à un morceau de bois ! Mais l'habitude entretenue par l'Église voulait qu'on associe argent et sainteté. Plusieurs personnes dans la foule suivirent l'exemple de la femme.

Jack n'aurait jamais imaginé que le jouet de Rachid puisse rapporter le moindre sou. En réalité, il n'en rapporterait pas à Jack car les gens cesseraient leurs offrandes s'ils voyaient qu'elles allaient dans la poche de Jack. Mais, pour n'importe quelle église, la statue représentait une fortune. Jack, en un éclair, comprit ce qui lui restait à faire, et il se mit à parler avant même d'avoir réfléchi à toutes les conséquences de son idée. Les mots lui venaient au fur et à mesure qu'il bâtissait son projet.

« La Vierge qui pleure ne m'appartient pas, elle appartient à Dieu », commença-t-il. Le silence se fit. C'était le discours que la foule attendait. Les évêques qui chantaient dans l'église n'intéressaient plus personne. « Pendant des centaines d'années, elle a langui au pays des Sarrasins », reprit l'orateur en improvisant une histoire inventée de toutes pièces. Bah ! Les prêtres eux-mêmes se souciaient peu de vérité historique en matière de miracles et de saintes reliques. « Elle a parcouru bien des lieues, mais son voyage n'est pas encore terminé. Sa destination est l'église cathédrale de Kingsbridge, en Angleterre. »

Jack surprit le regard d'Aliena qui le fixait avec stupéfaction.

« C'est ma sainte mission de la ramener à Kingsbridge. Là, elle trouvera sa place. Là, elle connaîtra la paix. » Il marqua une pause, avant d'ajouter, sous le coup d'une ultime inspiration : « J'ai été désigné comme maître bâtisseur de la nouvelle église de Kingsbridge. »

Aliena écarquilla les yeux, de plus en plus étonnée. « La Vierge qui pleure a ordonné qu'on lui construise une nouvelle église à Kingsbridge et, avec son aide, j'élèverai pour elle un autel aussi beau que le nouveau chœur qu'on vient d'édifier ici pour abriter les saintes reliques de saint Denis. »

Les pièces qui jonchaient le sol lui donnèrent l'idée de sa conclusion. « Vos dons serviront à la sainte entreprise, dit-il. La Madone accorde sa bénédiction à tout homme, femme et enfant qui participe à la construction de sa nouvelle demeure. »

Il y eut un moment de silence ; puis les pièces recommencèrent à pleuvoir au pied de la statue. En lançant son offrande, les uns disaient : « Alleluia » ou « Loué soit Dieu ». D'autres demandaient une bénédiction ou une faveur précise : « Guérissez Robert », « Faites qu'Anne ait un enfant », ou encore « Donnez-nous une bonne récolte ». Jack scrutait les visages : ils étaient excités, transportés de bonheur. Il baissa les yeux et vit avec émerveillement l'argent s'entasser comme la neige à ses pieds.

La Madone qui pleure eut le même effet dans chaque bourg et dans chaque village sur la route, jusqu'à Cherbourg. Jack et Aliena parcouraient la grand-rue, le temps que la foule se rassemble ; puis, après s'être arrêtés devant l'église pour donner l'occasion à la population de se regrouper, ils déposaient la statue dans l'ombre fraîche du bâtiment où elle se mettait à pleurer.

Alors les gens se bousculaient faire un don à la cathédrale de Kingsbridge.

Après le premier miracle, l'aventure avait failli rater. Les évêques et les archevêques ayant examiné la statue l'avaient déclarée authentiquement miraculeuse, si bien que l'abbé Suger voulait la garder pour Saint-Denis. Il en avait offert à Jack une livre, puis dix et enfin cinquante. Lorsqu'il comprit que Jack ne s'intéressait pas à l'argent, il menaça de prendre la Madone de force ; heureusement l'archevêque Théobald de Canterbury l'en empêcha. Séduit par les possibilités financières de la statue, il entendait bien la voir partir pour Kingsbridge, qui se trouvait dans son diocèse. Suger avait cédé de mauvaise grâce, non sans exprimer de sérieux doutes sur l'authenticité du miracle.

Jack avait annoncé aux artisans de Saint-Denis qu'il engagerait ceux qui voudraient le suivre jusqu'en Angleterre, ce qui ne convenait pas, là non plus, à Suger. La plupart des artisans, en fait, préféraient rester où ils étaient, en vertu du principe que mieux vaut tenir que courir; mais certains, venus justement d'Angleterre, étaient tentés de rentrer au pays. De plus la nouvelle se répandrait, car c'était le devoir de chaque maçon d'informer ses frères de l'ouverture des nouveaux chantiers. En quelques semaines, des artisans de toute la chrétienté rejoindraient Kingsbridge, comme Jack lui-même avait travaillé sur six ou sept chantiers différents au cours des deux dernières années. Aliena souleva la question de savoir ce qu'il ferait si le prieuré de Kingsbridge ne le nommait pas maître bâtisseur. Jack n'en avait aucune idée.

L'archevêque Theobald, ayant revendiqué pour l'Angleterre la Vierge qui pleure, refusa de laisser Jack partir seul avec son trésor. Il avait désigné deux prêtres de son entourage, Reynold et Edward, pour accompagner Jack et Aliena dans leur voyage. Jack, au début, avait rechigné, mais il s'était vite pris d'amitié pour eux. Reynold était un jeune homme à l'esprit vif qui s'intéressait beaucoup aux mathématiques que Jack avait apprises à Tolède. Edward, plus âgé, affable, était assez gourmand. Leur principale fonction était de s'assurer, bien sûr, que les dons des fidèles ne finissaient pas dans la bourse de Jack.

Ils quittèrent Cherbourg par la route de Barfleur, où ils devaient s'embarquer pour Wareham. Ils n'étaient pas encore arrivés au centre de la petite bourgade du bord de mer, portant la statue sur un tréteau de bois pour l'exposer aux regards, que Jack eut l'impression que quelque chose n'allait pas comme d'habitude.

Les gens ne contemplaient pas la Madone. Ils examinaient Jack.

Les prêtres à leur tour s'en aperçurent et Reynold murmura à Jack : « Que se passe-t-il?

– Je n'en sais rien.

– Les gens sont plus fascinés par vous que par la statue! Vous êtes déjà venu ici?

– Jamais. »

Aliena intervint : « Ce sont les plus vieux qui s'intéressent à Jack. Les jeunes admirent la statue. »

Elle avait raison. Les enfants et les jeunes gens témoignaient pour la Madone d'une curiosité normale. C'étaient les gens plus âgés qui tournaient leur attention vers Jack. Bientôt, il constata qu'ils avaient peur. Quelqu'un fit même le signe de croix devant lui. « Qu'est-ce qu'ils ont contre moi ? » se demanda-t-il tout haut.

La procession, toutefois, attirait des badauds aussi sûrement que d'habitude et elle arriva sur la place du marché suivie d'une foule imposante. On déposa la Madone devant l'église. Les fidèles entrèrent dans le sanctuaire. D'ordinaire, les membres du clergé venaient parler à Reynold et à Edward. Après les explications d'usage, on transportait la statue à l'intérieur, où elle se mettait à pleurer. La Madone ne leur avait fait défaut qu'une fois, un jour de froid où Reynold avait insisté pour suivre la procédure habituelle en dépit des avertissements de Jack. Maintenant on respectait son avis.

Le temps, aujourd'hui, était parfait. C'était autre chose qui n'allait pas. Une crainte superstitieuse se lisait sur les visages tannés des marins et des pêcheurs. Les gens restaient à distance, parlaient à voix basse en regardant Jack par en dessous.

Enfin le prêtre apparut. Le plus souvent, les hommes d'Église manifestaient d'abord une curiosité un peu méfiante, mais celui-ci se conduisit d'emblée comme un exorciste, brandissant une croix devant lui en manière de bouclier et tenant dans l'autre main un calice d'eau bénite. « Qu'est-ce qu'il compte faire ? demanda Reynold. Chasser des démons ? » Le prêtre s'avança, psalmodiant des phrases en latin, et s'approcha de Jack. Il dit en français : « Je t'ordonne, esprit mauvais, de retourner avec les fantômes ! Au nom...

— Je ne suis pas un fantôme, espèce d'imbécile ! s'écria Jack sans ambages.

— ... du Père, du Fils et du Saint-Esprit... poursuivit le prêtre.

— Nous sommes en mission pour l'archevêque de Canterbury, intervint Reynold. Nous avons sa bénédiction.

— Ce n'est pas un fantôme, protesta Aliena. Je le connais depuis l'âge de douze ans. »

Le prêtre hésita. « Tu es le fantôme d'un homme mort voilà vingt-quatre ans », annonça-t-il. Plusieurs voix dans la foule approuvèrent et le prêtre reprit son incantation.

« Je n'ai que vingt ans, dit Jack. Peut-être que je ressemble simplement à l'homme dont vous parlez. »

Quelqu'un sortit de la foule. « Ce n'est pas seulement que tu lui ressembles, lança-t-il. Tu es lui... Exactement comme le jour où tu es mort. »

Un murmure de crainte superstitieuse parcourut la foule. Jack, interloqué, se tourna vers l'intervenant. C'était un homme d'une quarantaine d'années, à la barbe grisonnante, portant la tenue d'un artisan prospère ou d'un petit négociant. Il n'avait rien d'un excité. Jack s'adressa à lui d'une voix mal assurée. « Mes compagnons me connaissent, dit-il. Deux d'entre eux sont des prêtres. Le bébé est mon fils. Sont-ils des fantômes aussi ? »

L'homme se troubla.

Une femme aux cheveux blancs, debout auprès de lui, demanda : « Tu ne me reconnais pas, Jack ? »

Jack sursauta comme si on venait de le piquer. Il avait peur. « Comment connaissez-vous mon nom ?

— Parce que je suis ta mère, répondit-elle.

— Sûrement pas ! » cria Aliena. Jack perçut dans sa voix un accent d'affolement. « Je connais sa mère et ce n'est pas vous ! Que se passe-t-il, enfin ?

— De la magie noire ! dit le prêtre.

— Attendez une minute, intervint Reynold. Jack est peut-être apparenté à l'homme qui est mort. Avait-il des enfants ?

— Non, fit l'homme à la barbe grise.

— Vous en êtes sûr ?

— Il ne s'est jamais marié.

— Ça ne veut rien dire. »

Il y eut quelques ricanements. Le prêtre foudroya du regard les coupables.

« De toute façon, observa l'homme à la barbe grise, il y a vingt-quatre ans qu'il est mort et ce Jack-ci assure qu'il n'a que vingt ans.

— Comment est-il mort ? demanda Reynold.

— Noyé.

— Avez-vous vu le corps ? »

Il y eut un silence. L'homme à la barbe grise répondit enfin : « Non, je n'ai jamais vu son corps.

— Est-ce que quelqu'un l'a vu ? » insista Reynold, qui sentait la victoire approcher.

Personne ne répondit.

« Votre père est vivant ?

« – Il est mort avant ma naissance.

– Que faisait-il?

– Il était jongleur. »

Un frémissement parcourut la foule et la femme aux cheveux blancs s'écria : « Mon Jack aussi était jongleur!

– Mais ce Jack que voici est maçon, déclara Reynold. J'ai vu son travail. Toutefois, il est peut-être le fils de Jack le troubadour. » Il s'adressa au jeune homme : « Comment appelait-on votre père? Jack le jongleur, je suppose?

– Non. On l'appelait Jack Shareburg. »

Le prêtre répéta le nom en le prononçant à la française : « Jack Cherbourg! »

Jack était ahuri. Il n'avait jamais compris le nom de son père, mais maintenant c'était clair. Comme bien des voyageurs, on l'appelait du nom de la ville d'où il venait. « Oui, dit Jack d'un air songeur. Bien sûr, Jack Cherbourg. »

Enfin il retrouvait la trace de son père, si longtemps après avoir renoncé à la chercher! Alors qu'il était allé jusqu'en Espagne, ce qu'il voulait était là, sur la côte de Normandie. Il arrivait au bout de sa quête, soudain las et satisfait, comme s'il venait de se décharger d'un lourd fardeau après l'avoir porté longtemps.

« Alors, tout est clair, dit Reynold en promenant sur la foule un regard triomphant. Jack Cherbourg ne s'est pas noyé. Il est arrivé en Angleterre, a vécu là quelque temps, a connu une fille, puis il est mort. La femme a donné naissance à un garçon à qui elle a donné le nom de son père. Jack ici présent a maintenant vingt ans et ressemble trait pour trait à ce qu'était son père il y a vingt-quatre ans. » Reynold se tourna vers le prêtre. « Pas d'inquiétude, mon père. Ce n'est qu'une réunion de famille. »

Aliena prit la main de Jack et la serra. Il était stupéfait. Il y avait cent questions à poser et il ne savait par où commencer. Il murmura : « Pourquoi étiez-vous sûr de sa mort?

– Tout le monde à bord du *Vaisseau blanc* est mort, affirma l'homme à la barbe grise.

– Le *Vaisseau blanc*?

– Je me souviens, dit Edward. Un naufrage célèbre. L'héritier du trône s'est noyé. Là-dessus, Maud a pris sa place et ce fut le début du conflit avec Stephen.

– Mais que faisait-il sur ce navire? » dit Jack.

308

La vieille femme qui avait parlé plus tôt répondit : « Il devait distraire les seigneurs pendant la traversée. » Elle hocha la tête en regardant Jack. « Alors, tu dois être son fils. Mon petit-fils. Je suis confuse de t'avoir pris pour un fantôme. Tu lui ressembles tant.

– Ton père était mon frère, dit l'homme à la barbe grise. Je suis ton oncle Guillaume. »

Jack découvrait enfin la famille qui lui avait tant manqué : les parents de son père. Il n'était plus seul au monde. Il avait retrouvé ses racines.

« Eh bien, voici mon fils Tommy, annonça-t-il. Regardez ses cheveux roux. »

La vieille femme, avec un regard attendri pour le bébé, murmura : « Mon Dieu, me voilà arrière-grand-mère ! »

Tout le monde éclata de rire.

« Je me demande, fit Jack, comment mon père est arrivé en Angleterre... »

5

« Alors Dieu dit à Satan : " Regarde mon serviteur, Job. Regarde-le. Voilà un brave homme assurément. " » Philip marqua une pause. Il ne se servait pas d'une traduction de la Bible, il improvisait librement sa version de l'histoire. « " Dis-moi si ce n'est pas un homme parfait et vertueux, qui craint Dieu et ne commet aucun mal. " Alors Satan déclara : " Bien sûr qu'il t'adore. Tu lui as tout donné. Regarde-le. Sept fils et trois filles. Sept mille moutons, trois mille chameaux, cinq cents paires de bœufs et cinq cents ânes. Voilà pourquoi c'est un brave homme. " Alors Dieu dit : " Très bien. Prends-lui ses biens et vois ce qui se passe. " C'est ce que fit Satan. »

Tout en prêchant, Philip ne cessait de penser à une lettre mystérieuse reçue le matin même de l'archevêque de Canterbury. Il commençait par le féliciter d'avoir obtenu la miraculeuse Vierge qui pleure. Philip ignorait tout de cette Vierge pleureuse, mais il était tout à fait certain de n'en posséder aucun exemplaire. L'archevêque continuant en exprimant sa joie d'apprendre que Philip reprenait la construction de la nouvelle cathédrale. Or le prieur n'avait pas remis les pieds sur le chantier en ruine. Il attendait un signe de Dieu et pour l'instant célébrait la messe dominicale dans la nouvelle petite église paroissiale. Pour finir, l'archevêque Théobald approuvait sa sage décision de désigner comme maître bâtisseur quelqu'un qui avait travaillé au nouveau chœur de Saint-Denis. Si Philip avait entendu comme tout le monde parler de l'abbaye de Saint-Denis et du célèbre abbé Suger, le plus puissant prélat du royaume de France, il ignorait tout de ce nouveau chœur auquel la lettre faisait allusion et en tout cas il n'avait nommé aucun maître bâtisseur. Philip en arrivait à croire que la lettre était destinée à quelqu'un d'autre et qu'elle lui avait été envoyée par erreur.

« Que dit alors Job quand il eut perdu toute sa fortune et que ses enfants moururent ? Se mit-il à maudire Dieu ? A adorer Satan ? Non ! Il dit : " Je suis né nu et je mourrai nu. Le Seigneur donne et le Seigneur reprend... Béni soit le nom du Seigneur. " Voilà ce que dit Job. Et Dieu alors dit à Satan : " Ne l'avais-je pas prévu ? " »

Autrefois, l'abbé Peter évitait les sermons, qui lui paraissaient d'expression trop libre, de communication trop directe avec les fidèles. Dans son esprit, ceux-ci devaient se contenter d'assister en spectateurs silencieux aux mystérieux rites sacrés célébrés en mots latins qu'ils ne comprenaient pas. Mais depuis l'enfance de Philip, les choses avaient évolué. Au lieu de demeurer les observateurs muets d'une cérémonie mystique, les fidèles exigeaient des explications, des règles, des encouragements, des exhortations, d'une Église qui faisait de plus en plus partie intégrante de leur vie quotidienne.

« Je crois que Satan a eu une conversation avec Dieu à propos de Kingsbridge, enchaîna Philip. Je crois que Dieu dit à Satan : " Regarde mes fidèles de Kingsbridge. Ne sont-ils pas de bons chrétiens ? " Et Satan dit : " Ils sont bons parce qu'ils réussissent bien. Tu leur as donné de bonnes récoltes, de belles saisons, des clients pour leurs échoppes et la protection des comtes. Mais retire-leur tout cela, et ils se rangeront de mon côté. " Alors Dieu dit : " Que veux-tu faire ? " Et Satan dit : " Brûler la ville. " Alors Dieu dit : " Très bien, brûle-la et vois ce qui se passe. " Alors Satan envoya William Hamleigh pour mettre le feu à notre foire aux toisons. »

Philip puisait de grandes consolations dans l'histoire de Job. Comme lui, Philip avait travaillé dur toute sa vie pour accomplir de son mieux la volonté de Dieu ; et, comme Job, il avait été récompensé par la malchance, l'échec, la déchéance. Cependant, il s'efforçait encore courageusement, par ses sermons, de remonter le moral de ses ouailles, sans grand résultat.

Il reprit : « Et alors Dieu dit à Satan : " Regarde maintenant ! Tu as brûlé cette ville jusqu'au sol et ils me construisent quand même une nouvelle cathédrale. Prétends-tu encore que ce ne sont

312

pas de braves gens ? " Mais Satan dit : " J'ai été trop doux avec eux. La plupart ont échappé à cet incendie. Laisse-moi leur envoyer une vraie catastrophe et vois alors ce qui se passe. " Et Dieu soupira et dit : " Que veux-tu encore ? " Et Satan dit : " Faire tomber sur leur tête le toit de la nouvelle église. " Et c'est ce qu'il fit... comme nous le savons. »

Dans l'assemblée qui l'écoutait, Philip ne voyait presque personne qui dans cette terrible catastrophe n'avait pas perdu au moins un parent. La veuve Meg avait eu autrefois un bon mari et trois robustes fils; tous morts; depuis, elle ne parlait plus et ses cheveux étaient blancs. D'autres étaient mutilés. Peter Pony avait eu la jambe droite broyée.

Devant lui, à même le sol, il y avait un homme qui avait perdu l'usage de ses membres.

Allons, son esprit vagabondait ! Il revint à son sermon. « Que fit Job ? Sa femme lui dit : " Maudis Dieu et meurs. " Mais il n'obéit pas. Satan en fut pour sa déception. Et je vous le dis » – Philip leva la main dans un geste dramatique pour bien souligner son argument – « je vous le dis, Satan va être déçu par les gens de Kingsbridge ! Car nous continuons à adorer le vrai Dieu, tout comme l'a fait Job malgré ses malheurs. »

Il marqua un nouveau temps pour laisser la congrégation méditer. Malgré sa conviction, il voyait bien qu'il n'avait pas réussi à les toucher. Les visages levés vers lui étaient attentifs, mais pas pénétrés. En vérité, Philip manquait du souffle de l'inspiration. Il était trop pragmatique. Son travail parfois entraînait les gens – c'était le cas jadis – mais jamais ses paroles.

Il aborda la meilleure partie de l'histoire. « Qu'est-il arrivé à Job après que Satan l'eut accablé ? Eh bien, Dieu lui rendit plus qu'il n'avait au départ... Deux fois plus ! Là où il avait fait paître sept mille moutons, il en eut quatorze mille. Les trois mille chameaux qu'il avait perdus furent remplacés par six mille et il engendra sept autre fils et trois autres filles. »

Aucune réaction. Philip éleva le ton. « Et Kingsbridge sera de nouveau prospère un jour. Les veuves se remarieront et les veufs trouveront des épouses; les femmes auront d'autres enfants; nos rues seront pleines de gens, nos échoppes regorgeront de pain et de vin, de cuir et de cuivre, de tissus et de chaussures; un jour, enfin, nous rebâtirons notre cathédrale. »

Le malheur, c'était qu'il n'était pas sûr d'y croire lui-même ; aussi manquait-il de conviction. Et les fidèles restaient insensibles.

Baissant les yeux vers le gros livre posé devant lui, il traduisit en anglais les mots latins : « Et Job vécut encore cent quarante ans pour voir ses fils et ses petits-fils, et ses arrière-petits-fils. Et il mourut vieux et chargé d'années. » Il referma le livre.

Il sentit, venant du fond de la petite église, une certaine agitation qui l'agaça. Il se rendait compte que son sermon n'avait pas eu l'effet espéré, mais il aurait aimé quelques minutes de silence pour que tous en méditent la leçon. Par la porte ouverte, Philip aperçut une masse de gens vers laquelle commençaient à se diriger les fidèles qui quittaient l'office. Que se passait-il ?

Toutes les hypothèses défilèrent dans son esprit : une bataille, un incendie, un accident, une troupe de cavaliers inconnus. Mais jamais, il n'aurait pu imaginer ce qui l'attendait. D'abord, deux prêtres apparurent portant une statue de femme sur une planche drapée d'une nappe d'autel brodée. La solennité de leur attitude donnait à penser que la statue représentait une sainte, ou même la Vierge. Derrière les prêtres s'avançaient deux personnes. Le prieur en resta bouche bée, Aliena et Jack !

Philip considéra Jack avec un mélange de joie et d'exaspération. Le jour où ce garçon est entré dans cette ville pour la première fois, songea-t-il, la vieille cathédrale a brûlé. Depuis lors, il n'a pas cessé de produire des situations étranges. Mais le bonheur de Philip l'emportait largement sur son irritation. Malgré tous les ennuis que Jack lui avait causés, il avait vécu avec lui bien des moments intéressants. Le prieur le regarda attentivement. En deux ans d'absence, il avait vieilli de dix. Son regard las était lourd d'expérience. Jusqu'où était-il allé ? Et comment Aliena l'avait-elle retrouvé ?

La procession s'avança jusqu'au milieu de l'église. Philip ne bougeait pas, attendant les événements. Un frémissement d'excitation animait les fidèles qui reconnaissaient Jack et Aliena. Soudain s'éleva un murmure respectueux en même temps qu'une voix disait : « Elle pleure ! »

La nouvelle courut de bouche en bouche : « Elle pleure ! Elle pleure ! » Philip observa la statue. En effet : de l'eau coulait de ses yeux. La mystérieuse lettre de l'archevêque parlant d'une miraculeuse Madone qui pleure prit enfin son sens. C'était donc cela !

Quant à la question de savoir si ces pleurs étaient miraculeux, Philip réservait son jugement. Il distinguait que les yeux semblaient faits de pierre ou peut-être d'une sorte de cristal, alors que le reste de la statue était en bois : était-ce l'explication du phénomène ?

Les prêtres posèrent le support sur le sol de façon que la Madone fît face à la congrégation. Puis Jack prit la parole.

« La Madone qui pleure est venue à moi dans un lointain, lointain pays », commença-t-il. Philip se résigna à contrecœur à le laisser prendre en main la situation car il ne voulait pas agir avec précipitation. D'ailleurs, il était intrigué. « C'est un Sarrasin baptisé qui me l'a offerte », poursuivit Jack. Un murmure de surprise parcourut l'assistance : dans les récits les Sarrasins apparaissaient d'ordinaire comme l'ennemi barbare au visage sombre, et peu de gens savaient que certains d'entre eux étaient chrétiens. « Tout d'abord, je me suis demandé pourquoi on me l'avait donnée. Elle m'a accompagné pendant bien des lieues... » Les fidèles étaient fascinés. Il est meilleur prédicateur que moi, songea Philip avec amertume. « Enfin, j'ai commencé à comprendre qu'elle voulait rentrer chez elle. Mais où était-ce ? L'inspiration me vint enfin. Elle voulait aller à Kingsbridge. »

Un brouhaha d'exclamation stupéfaites lui répondit. Philip demeurait sceptique. Il connaissait la différence entre la façon dont Dieu opérait et celle de Jack. Or, ce qu'il entendait, cette version des faits, portait l'empreinte de Jack.

Philip garda le silence. Jack reprit :

« Dès lors, j'ai pensé : « Où l'emmènerai-je ? Quel autel lui sera consacré à Kingsbridge ? Dans quelle église trouvera-t-elle sa place ? » Son regard qui parcourut l'intérieur simple et blanchi à la chaux de l'église paroissiale disait clairement : de toute évidence, cela ne suffira pas. « Et ce fut comme si j'entendais une voix qui m'ordonnait : " Toi, Jack Jackson, tu vas m'élever un autel et me bâtir une église. " »

Philip commençait à deviner où Jack voulait en venir. La madone serait l'étincelle qui rallumerait l'enthousiasme des gens pour la cathédrale. La statue ferait ce que le sermon de Philip sur Job n'avait pas obtenu – ce qui ramena le prieur à la question précédente : est-ce la volonté de Dieu ou seulement celle de Jack ?

« Alors j'ai demandé : " Avec quoi ? " Je n'ai pas un sou. La voix m'a répondu : " Moi, je fournirai l'argent. " Eh bien, nous sommes partis avec la bénédiction de l'archevêque Théobald de Canterbury. » Jack lança un coup d'œil à Philip en prononçant le nom du prélat. Compris, songea Philip. Il veut me notifier qu'il a de puissants appuis.

Le regard de Jack revint à la congrégation. « Sur toute la route, de Paris à la Normandie, sur la mer et sur le chemin de Kingsbridge, les chrétiens dévots ont offert de l'argent pour construire l'autel de la Vierge qui pleure. » Jack fit signe à des gens qui attendaient dehors.

Deux Sarrasins enturbannés entrèrent d'un pas solennel dans l'église, portant sur leurs épaules un coffre cerclé de fer.

Les villageois reculèrent, surpris. Même Philip fut stupéfait. Il savait, en théorie, que les Sarrasins avaient la peau brune, mais il n'en avait jamais vu en réalité, et cette réalité lui coupait le souffle. Leurs longues robes de couleurs vives n'avaient jamais eu leurs pareilles sous le ciel de Kingsbridge. Ils fendirent la foule impressionnée et s'agenouillèrent devant la Madone en posant avec révérence le coffre sur le sol.

On n'entendait pas un bruit, pas une respiration tandis que Jack tournait la grande clé dans l'immense serrure et soulevait le couvercle. Chacun, le cou tendu, voulait voir mieux que son voisin. Jack inclina le coffre.

Dans un bruit de cascade, un flot de pièces d'argent déferla, par centaines, par milliers. Les gens n'avaient pas assez d'yeux pour admirer un tel trésor.

Jack haussa la voix. « Je l'ai ramenée chez elle, et je fais don de cet argent pour la construction de la nouvelle cathédrale. » Il se tourna, regarda Philip droit dans les yeux et fit de la tête un petit salut comme pour dire : à vous.

Philip avait horreur d'être manipulé de cette façon, mais en même temps il devait reconnaître que Jack avait réussi de main de maître. Le prieur se ressaisit. Pas question de céder. Les gens pouvaient bien acclamer la Vierge qui pleure, mais seul Philip déciderait si elle serait exposée dans la cathédrale de Kingsbridge, auprès des ossements de saint Adolphe.

Quelques personnes interrogeaient timidement les Sarrasins. Philip descendit de sa chaire et s'approcha pour écouter. « Je viens d'un pays qui est loin, très loin », répondait l'un d'eux. Philip nota avec surprise qu'il parlait l'anglais comme un pêcheur du Dorset.

Mais qui, à Kingsbridge savait que les Sarrasins parlaient une langue bien à eux?

« Comment s'appelle votre pays? demanda quelqu'un.

– L'Afrique. »

De tous les pays qui formaient l'Afrique, le prieur se demanda duquel ce Sarrasin était originaire. Et s'il s'agissait d'un endroit cité dans la Bible, comme l'Égypte ou l'Éthiopie?

Une petite fille tendit un doigt hésitant pour toucher la peau brune de l'homme qui lui sourit. Encouragée, la fillette demanda :

« Comment c'est, en Afrique?

– Il y a de grands déserts et des figuiers.

– Des figuiers?

– Ce sont des arbres qui produisent un fruit, la figue. Elle ressemble à une fraise et a le goût d'une poire. »

Philip fut subitement frappé d'un vif soupçon. « Dis-moi, Sarrasin, lança-t-il, dans quelle ville au juste es-tu né?

– Damas », fit l'homme.

Les doutes de Philip se confirmaient. Furieux, il prit Jack par le bras et l'entraîna à l'écart. D'un ton sévère, mais sans élever la voix, il l'interpella : « A quoi joues-tu?

– Que voulez-vous dire? répliqua Jack, feignant l'innocence.

– Ces deux-là ne sont pas des Sarrasins. Ce sont des pêcheurs de Wareham. Avec de la teinture sur le visage et sur les mains. »

Jack ne sembla pas gêné le moins du monde de voir sa ruse découverte. Il sourit. « Comment avez-vous deviné?

– Je suis sûr que cet homme n'a jamais vu une figue de sa vie. D'autre part Damas n'a jamais été en Afrique. Heureusement que les habitants de Kingsbridge sont ignorants de ces choses-là. A quoi rime cette supercherie?

– C'est une tromperie bien innocente, dit Jack en accentuant son séduisant sourire.

– Il n'y a pas de tromperie innocente, rétorqua Philip, glacial.

– Très bien. » Jack reconnut que Philip était en colère. Il reprit son sérieux. « Mon histoire est comme une enluminure sur une page de la Bible. Ce n'est pas la vérité, c'est son illustration. Les hommes du Dorsetshire passés au brou de noix rendent la vérité spectaculaire. Et cette vérité, c'est que la Vierge qui pleure vient d'une terre sarrasine. »

Les deux prêtres et Aliena étaient venus rejoindre Philip et

317

Jack. Sans tenir compte de leur présence, Philip poursuivit : « Le dessin d'un serpent ne fait pas peur. Une illustration n'est pas un mensonge. Mais tes Sarrasins ne sont pas des illustrations, ce sont des imposteurs.

— Nous avons recueilli bien plus d'argent après avoir inventé les Sarrasins », expliqua Jack.

Philip regarda les pièces entassées sur le sol. « Les gens croient sans doute qu'il y a là de quoi bâtir toute une cathédrale. Moi, j'estime le tout à une centaine de livres. Tu sais que ça ne paiera même pas une année de travail.

— L'argent est comme les Sarrasins, expliqua Jack. C'est un symbole. Vous pouvez déjà commencer la construction. »

C'était vrai. Rien n'empêchait Philip de reprendre le travail. La Vierge était exactement ce qu'il fallait pour redonner vie à Kingsbridge. Elle attirerait les gens de partout et de toute sorte : pèlerins et érudits aussi bien que badauds. Elle redonnerait courage aux habitants de la ville qui y verraient un bon présage. Philip, qui attendait un signe de Dieu, aurait bien voulu croire que c'en était un. Mais toute cette affaire ressemblait trop à une mise en scène de Jack.

Le plus jeune des deux prêtres se présenta : « Je suis Reynold, et voici Edward. Nous travaillons pour l'archevêque de Canterbury. Il nous a chargés d'accompagner la Vierge qui pleure.

— Si vous avez la bénédiction de l'archevêque, riposta Philip, pourquoi avez-vous besoin de Sarrasins de foire pour donner une existence légitime à la Madone ? »

Edward prit l'air penaud. « C'était l'idée de Jack, intervint Reynold, mais j'avoue que je n'y ai vu aucun mal. Vous ne mettez sûrement pas en doute la Madone, Philip ?

— Vous pouvez m'appeler père, riposta Philip. Travailler pour l'archevêque ne vous donne pas le droit d'être condescendant envers vos supérieurs. La réponse à votre question est oui. J'ai des doutes sur la Madone. Je ne l'installerai pas dans l'enceinte de la cathédrale tant que je ne serai pas convaincu qu'il s'agit d'une statue sacrée.

— Une statue de bois qui pleure, dit Reynold, que voulez-vous de plus miraculeux ?

— Ce n'est pas parce que ces pleurs ne s'expliquent pas que le phénomène constitue un miracle. La transformation d'eau liquide en glace solide n'est pas plus explicable, mais personne n'y voit rien de miraculeux.

– L'archevêque serait extrêmement déçu si vous refusiez la Madone. Il a dû se battre pour l'arracher à l'abbé Suger qui la voulait à Saint-Denis. »

Philip comprit la menace sous-entendue. Le jeune Reynold va devoir se décarcasser autrement plus s'il compte m'intimider, songea-t-il. « Je suis tout à fait sûr, reprit le prieur d'un ton suave, que l'archevêque ne comprendrait pas que j'accepte la Vierge sans m'être livré à une enquête sur son authenticité. »

Il y eut un mouvement à leurs pieds. Philip baissa les yeux et aperçut l'infirme qu'il avait remarqué au début de son sermon. Le malheureux se traînait sur le sol, essayant d'approcher de la statue. Mais, de tous côtés, la foule lui barrait le chemin. Philip machinalement s'écarta pour le laisser passer. Du coup, il échappa à la vigilance des Sarrasins qui empêchaient les gens de toucher la statue. Philip vit l'homme tendre la main et n'eut pas le temps d'arrêter son geste. A peine l'infirme avait-il effleuré le bord de la robe en bois qu'il poussa un cri de triomphe. « Je le sens! s'écria-t-il. Je le sens! »

Tous les regards se tournèrent vers lui.

« Je sens mes forces qui reviennent! » s'exclama-t-il.

Philip, sachant ce qui allait se passer, n'en croyait pas ses yeux. L'homme fléchit une jambe, puis l'autre. Il tendit une main et quelqu'un la saisit. Au prix d'un effort surhumain, l'infirme se redressa.

Une exclamation passionnée jaillit de la foule.

Quelqu'un cria : « Essaie de marcher! »

Sans lâcher la main qui l'aidait, l'homme fit un pas hésitant, suivi d'un autre. Les gens l'observaient dans un silence de mort. Au troisième pas, il trébucha et l'assistance poussa un gémissement déçu. Mais l'homme retrouva son équilibre et poursuivit sa marche.

Sous les acclamations, il descendit la nef, escorté des fidèles. Il réussit même à courir quelques pas. Philip observa les deux prêtres : Reynold était pétrifié et le visage d'Edward ruisselait de larmes. De toute évidence, ils n'étaient pas complices. Philip s'en prit à Jack : « Comment oses-tu me jouer un tour pareil? s'écria-t-il, furieux.

– Un tour? Quel tour?

– Cet homme est nouveau à Kingsbridge. Dans un jour ou deux il disparaîtra pour toujours, les poches pleines de ton argent. Je sais comment on pratique ces choses-là. Tu n'es pas le premier, malheureusement, à feindre un miracle. Il n'a jamais rien eu aux jambes, n'est-ce pas? Encore un pêcheur de Wareham. »

Le regard coupable de Jack suffit à l'accuser.

« Jack, intervint Aliena, je t'avais dit que tu ne devais pas trop en faire. »

Les deux prêtres, abasourdis, se rendaient compte qu'on les avait complètement dupés. Reynold, bouillant de rage, se tourna vers Jack. « Vous n'aviez pas le droit! » balbutia-t-il.

Philip était aussi triste que furieux. Il avait espéré au fond de son cœur que la Madone était authentique, car il aurait su comment s'en servir pour redonner vie au prieuré et à la ville. Mais ce ne serait pas le cas.

Autour du petit groupe, ne demeurait qu'une poignée de fidèles, en contemplation devant la statue. « Cette fois, dit-il à Jack, tu es allé trop loin.

– Les larmes sont vraies... il n'y a pas de truc là-dedans, protesta Jack. Mais l'infirme était de trop, je l'avoue.

– C'est pire qu'une erreur, dit Philip très en colère. Quand les gens apprendront la vérité, ils douteront désormais de *tous* les miracles.

– Pourquoi apprendraient-ils la vérité?

– Parce qu'il faudra que je leur explique pourquoi la Madone ne prendra pas place dans la cathédrale. Il n'est plus question, naturellement, que j'accepte cette statue.

– Je crois, commença Reynold, que c'est une décision un peu hâtive...

– Quand je voudrai votre avis, jeune homme, répliqua Philip, je vous le demanderai. »

Reynold se tut, mouché, mais Jack insista. « Êtes-vous sûr d'avoir le droit de priver vos ouailles de la Vierge? Regardez-les. » Il désignait les quelques paroissiens encore dans l'église. Parmi eux, la veuve Meg était agenouillée devant la statue, son visage ruisselant de larmes. Jack ne savait pas, pensa Philip, que Meg avait perdu toute sa famille dans l'effondrement du toit. L'émotion de la veuve l'ébranlait, si bien qu'il se demanda si Jack au

320

fond n'avait pas raison. Pourquoi priver les gens de ce soutien? Parce que c'est malhonnête, se répondit-il sévèrement : la croyance des gens se fondait sur un miracle truqué.

Jack s'agenouilla auprès de Meg. « Pourquoi pleures-tu? demanda-t-il.

– Elle est muette », avertit Philip.

C'est alors que Meg déclara à haute et intelligible voix : « La Vierge a souffert comme moi. Elle comprend. »

Philip parut frappé par la foudre.

« Vous voyez? exulta Jack. La statue apaise les souffrances... Qu'est-ce que vous avez?

– Elle est muette, répéta Philip obstinément. Elle n'a pas prononcé un mot depuis plus d'un an.

– C'est vrai! renchérit Aliena. Meg est devenue muette après avoir perdu son mari et ses fils dans la catastrophe.

– Muette? répéta Jack. Mais alors...

– Vous pensez que c'est un miracle? intervint Reynold, désorienté. Un vrai? »

Philip se tourna vers Jack. Dans l'émotion qui étreignait le jeune homme, il n'y avait pas trace de supercherie.

Philip était profondément troublé. Il venait de voir la main de Dieu effectuer un prodige. « Eh bien, Jack, dit-il d'une voix tremblante, malgré tout ce que tu as fait pour discréditer la Vierge qui pleure, il semble que Dieu souhaite quand même lui faire accomplir des bienfaits. »

Pour une fois, Jack ne trouva pas la réplique.

Philip s'approcha de Meg, lui prit les mains et la releva doucement. « Dieu t'a rendu la parole, Meg, dit-il d'une voix vibrante. Tu peux maintenant entamer une vie nouvelle. » Il se rappela son sermon sur l'histoire de Job : « Ainsi le Seigneur a béni les derniers jours de Job plus encore que ses premiers. » Il pensa qu'il avait prédit aux habitants de Kingsbridge qu'ils connaîtraient le même destin. Je me demande, songea-t-il en regardant le visage extasié de Meg, je me demande si ce n'est pas le début.

Le vacarme qui s'éleva au cours du chapitre où Jack présenta ses dessins pour la nouvelle cathédrale n'avait jamais connu d'équivalent.

Philip avait prévenu le jeune maçon : il y aurait des réactions. Jack avait apporté ses croquis de bonne heure, un matin, à la maison du prieur pour que Philip les découvre le premier. Philip les avait étudiés, puis il avait dit gravement : « Jack, ce sera la plus belle église d'Angleterre... Mais nous allons rencontrer quelques problèmes avec les moines. »

Jack savait, pour avoir été novice, que Remigius et ses compères s'opposeraient toujours par principe à tout projet cher au cœur de Philip : huit ans de rancœur... depuis que Philip l'avait emporté à l'élection. Remigius trouvait peu de soutien auprès de la plupart des autres frères, mais dans ce cas précis, les rangs des opposants risquaient de grossir : les moines étaient suffisamment conservateurs pour que ce dessin révolutionnaire effraie leur prudence. Toutefois, que faire, sinon en passer par là ? Il s'agirait de les convaincre. Philip ne pouvait pas entreprendre la construction de la cathédrale sans le plein appui de la majorité de ses moines.

Le lendemain donc, Jack se présenta au chapitre avec ses plans. Les moines se pressèrent pour les regarder et les murmures devinrent bientôt brouhaha. Brusquement, Philip réclama le silence si impérativement que les esprits se calmèrent. Milius le trésorier posa sa question. « Pourquoi les arcs sont-ils ovales ?

— C'est une nouvelle technique, les arcs en ogive, utilisés en France, répondit Jack. J'en ai vu dans plusieurs églises. L'arc en ogive est plus robuste et me permettra de construire une église très haute. Ce sera la nef la plus élevée d'Angleterre. »

Cette idée-là les flattait, Jack le devinait.

« Les fenêtres sont si grandes ! remarqua un autre.

— Inutile de construire des murs excessivement épais, expliqua Jack. On l'a prouvé en France. Ce sont les piliers qui soutiennent le bâtiment, plus les voûtes à nervures. Quant aux grandes fenêtres, l'effet est stupéfiant. A Saint-Denis, l'abbé y a posé des verres de couleur ornés de dessins. L'église soudain s'aère et s'illumine, au lieu de rester froide et sombre. »

De façon inespérée, certains moines approuvaient de la tête.

Mais Andrew le sacristain prit la parole d'une voix sans indulgence. « Voilà deux ans, vous étiez novice parmi nous. On vous a puni pour avoir frappé le prieur et vous vous êtes évadé. Maintenant vous vous permettez de revenir nous dire comment bâtir notre église. »

322

Sans laisser Jack répondre, un des plus jeunes moines protesta :
« Ça n'a rien à voir ! C'est le plan que nous discutons, pas le passé
de Jack ! »

On se mit à parler en même temps, et même à crier. Philip réta-
blit le silence et demanda à Jack de répondre à l'observation.

Jack s'y était préparé. « J'ai fait un pèlerinage à Saint-Jacques-
de-Compostelle en pénitence pour mon péché, père Andrew, et
j'espère que le fait de vous avoir apporté la Vierge qui pleure peut
être considéré comme le pardon de mes erreurs, dit-il humblement. Je ne suis pas destiné à être moine, mais j'espère pouvoir
servir Dieu autrement : en étant Son bâtisseur. »

L'assemblée émit un murmure d'approbation, sauf Andrew qui
n'avait pas terminé : « Quel âge as-tu ? interrogea-t-il, bien qu'il
connût sûrement la réponse.

– Vingt ans.

– C'est très jeune pour un maître bâtisseur.

– Tout le monde me connaît. Je vis ici depuis que je suis
enfant. » Depuis le jour où j'ai mis le feu à votre ancienne église,
songea-t-il avec quelque remords. « J'ai fait mon apprentissage
avec le premier maître bâtisseur. Vous avez tous vu comment je
travaille la pierre. Quand j'étais novice, j'ai servi au prieur Philip
et à Tom le bâtisseur de secrétaire des travaux. Je demande humblement aux frères de me juger sur mon travail et non sur mon
âge. »

Il vit un des moines sourire au mot *humblement* et comprit que
c'était une légère erreur : tout le monde savait que, quelles que
fussent ses qualités, l'humilité n'en faisait pas partie.

Andrew profita aussitôt de cet avantage. « Humblement ?
s'écria-t-il, feignant d'être scandalisé. Était-ce humble de ta part
d'annoncer aux maçons de Paris, voilà déjà trois mois, que tu avais
été nommé maître bâtisseur ? »

Cette réflexion fut accueillie par des exclamations indignées.
Jack maîtrisa un mouvement d'humeur. Comment diable Andrew
avait-il appris cela ? Reynold ou Edward avaient-ils commis une
indiscrétion ? Il improvisa une réponse. « J'espérais attirer à Kingsbridge certains des artisans. Ils seront précieux, quel que soit le
maître nommé ici. Je ne pense pas que ma présomption ait causé
le moindre tort. » Il esquissa un sourire engageant. « Mais je
regrette mon manque d'humilité. » Cette discrétion n'eut pas
l'effet escompté.

323

Milius le trésorier le tira d'affaire en posant une question facile à traiter.

« Que comptes-tu faire du chœur existant en partie effondré ?

— Je l'ai examiné avec le plus grand soin, répondit Jack. Il est réparable. Si vous me nommez maître bâtisseur aujourd'hui, je l'aurai rendu utilisable d'ici un an. En outre, vous pourrez continuer à vous en servir pendant que je bâtirai les transepts et la nef d'après les nouveaux plans. Enfin, une fois la nef terminée, je propose de démolir le chœur et d'en bâtir un nouveau en harmonie avec l'ensemble de la nouvelle architecture.

— Mais comment s'assurer, objecta Andrew, que le vieux chœur ne risque pas de s'effondrer ?

— L'effondrement a été causé par la voûte en pierre, qui ne figurait pas dans les plans originaux. Les murs n'étaient pas assez solides pour la soutenir. Je propose de revenir au projet de Tom et de construire un plafond de bois. »

Il y eut un murmure de surprise. La cause de l'effondrement avait fait l'objet d'interminables controverses. « Pourtant, insista Andrew, Alfred avait augmenté la taille des arcs-boutants pour supporter le poids supplémentaire. »

En effet, Jack s'était étonné d'abord, mais il croyait avoir trouvé la réponse. « Ils n'étaient pas encore suffisants, surtout au sommet. Si vous inspectez les ruines, vous constaterez que la partie de la structure qui a cédé, c'étaient les fenêtres hautes, une zone très peu renforcée. »

Cette explication parut les satisfaire. Jack sentit qu'en répondant avec assurance, il augmentait ses chances.

Remigius se leva. Jack attendait depuis longtemps son intervention. « J'aimerais lire aux frères réunis en chapitre un verset des Saintes Écritures », dit-il d'un ton théâtral. Philip acquiesça de la tête. Remigius s'approcha du pupitre et ouvrit la grande bible. L'image même de la rancœur, observa Jack. Il s'était cru destiné à être un chef, mais son caractère faible le lui interdisait, si bien qu'il sombrait dans l'aigreur et créait tous les ennuis possibles à ceux qui valaient mieux que lui. « Le Livre de l'Exode, murmura-t-il en tournant les pages de parchemin. Chapitre vingt. Verset quatorze. » Où voulait-il en venir ? Remigius lut : « Tu ne commettras point l'adultère. » Il referma bruyamment le livre et regagna sa place.

D'un ton où perçait une certaine exaspération, Philip l'interrogea : « Peut-être voudriez-vous nous dire, frère Remigius, pourquoi vous avez choisi ce court verset au milieu de notre discussion concernant des plans de construction? »

Remigius braqua sur Jack un doigt accusateur. « Parce que l'homme qui veut être notre maître bâtisseur vit dans le péché! » tonna-t-il.

Jack n'en croyait pas ses oreilles. Il s'écria d'un ton indigné : « Il est vrai que notre union n'a pas encore été bénie par l'Église en raison de circonstances particulières, mais nous nous marierons dès qu'il vous plaira.

— Impossible, rétorqua Remigius triomphant, Aliena est déjà mariée.

— Cette union n'a jamais été consommée!

— Le couple a été béni à l'église, c'est le principal.

— Si vous ne me permettez pas de l'épouser, comment puis-je éviter de commettre l'adultère? répliqua Jack, furieux.

— En voilà assez! » C'était la voix de Philip. Le prieur avait l'air à bout. « Jack, dit-il, vis-tu dans le péché avec l'épouse de ton frère?

— Vous ne le saviez pas? demanda Jack, décontenancé.

— Bien sûr que non! rugit Philip. Crois-tu que je serais resté silencieux si je l'avais su? »

Un silence gêné accueillit ses paroles. On n'avait pas l'habitude d'entendre Philip crier. Jack comprit que la situation tournait très mal pour lui. Son crime, bien sûr, était bénin à ses propres yeux, mais les moines se montraient très sévères sur ces choses-là. L'ignorance où était Philip de sa vie avec Aliena aggravait encore son cas, car Remigius en avait profité pour prendre Philip en défaut et le ridiculiser. Le prieur n'avait plus le choix : il devait se montrer des plus fermes pour prouver sa bonne foi.

« Vous ne pouvez tout de même pas faire subir à la future cathédrale les conséquences de la punition que vous voulez m'infliger! observa Jack.

— Alors, abandonne cette femme, déclara Remigius d'un air ravi.

— Allez vous faire voir, Remigius! dit Jack. C'est la mère de mon enfant : il a un an! »

Remigius se rassit, de plus en plus satisfait.

« Jack, avertit Philip, si tu parles ainsi au chapitre, tu seras prié de sortir. »

Jack savait qu'il fallait se calmer, mais il en était incapable. « C'est ridicule! s'exclama-t-il. Vous me dites d'abandonner ma compagne et notre enfant! Ce n'est pas de la moralité, c'est de la manie! »

Malgré sa contrariété, Philip laissa passer dans ses yeux bleu clair une lueur de sympathie que Jack connaissait bien. « Tu peux interpréter les lois de Dieu avec une certaine souplesse tout humaine, déclara le prieur. Mais notre rôle, à nous moines, est de nous montrer sévères. Nous ne pourrons pas t'accepter comme bâtisseur aussi longtemps que tu vivras dans l'adultère. »

Jack se souvint à propos d'un autre verset des Écritures : « Jésus a dit : "Que celui d'entre vous qui n'a jamais péché lui jette la première pierre".

— Certes, riposta Philip, mais Jésus a dit aussi à la femme adultère : " Va et ne pèche plus. " » Il se tourna vers Remigius. « J'imagine que vous retireriez votre objection si l'adultère cessait?

— Bien sûr! » dit Remigius avec un sourire complaisant.

Malgré son désespoir, Jack nota que Philip avait habilement manœuvré Remigius. Il avait fait de l'adultère la question décisive, écartant par là toute discussion sur les nouveaux plans. Mais Jack n'était pas pour autant prêt à céder. « Je ne la quitterai pas, affirma-t-il.

— Et si c'était une séparation provisoire? » suggéra Philip.

Jack resta silencieux. Cette question le prenait au dépourvu. « Que voulez-vous dire?

— Tu pourrais épouser Aliena à condition que son premier mariage soit annulé.

— Ce serait possible?

— Et même automatique si, comme tu le prétends, le mariage n'a jamais été consommé.

— Que faut-il faire?

— T'adresser à une cour ecclésiastique – normalement, le tribunal de l'évêque Waleran. Mais, dans ton cas, je te conseille de voir directement l'archevêque de Canterbury.

— L'archevêque acceptera-t-il ma demande?

— En toute justice, oui. »

C'était là une réponse, observa Jack, qui n'était pas sans équivoque. « Donc, en attendant le verdict, nous devrons vivre séparés?

326

– Si tu veux être nommé maître bâtisseur de la cathédrale de Kingsbridge... oui.

– Vous me demandez, déclara Jack, de choisir entre les deux choses que j'aime le plus au monde.

– Pas pour longtemps », murmura Philip.

La réelle compassion que contenaient ces mots n'échappa pas à Jack, qui se rendit compte que Philip souffrait du rôle qu'on lui faisait jouer. Du coup, sa colère diminua et aussi sa tristesse. « Combien de temps ? demanda-t-il.

– Une année, probablement.

– Une année !

– Vous n'aurez pas à vivre dans des villes différentes, précisa Philip. Tu pourras voir Aliena et l'enfant.

– Savez-vous qu'elle est allée me chercher jusqu'en Espagne ? répliqua Jack. Vous vous rendez compte ? » Mais les moines comprenaient-ils quelque chose à l'amour ? Jack reprit d'un ton amer : « Maintenant il faut que je lui annonce que nous devons nous séparer... »

Philip se leva et posa une main sur l'épaule de Jack : « Le temps passera plus vite que tu ne crois, je te le promets, assura-t-il. D'ailleurs tu seras occupé... à bâtir la nouvelle cathédrale. »

6

En huit ans, la forêt s'était transformée. Jack n'aurait jamais cru se perdre dans un territoire qu'il avait connu jadis comme sa poche, mais il s'était trompé. Les sentiers d'autrefois étaient envahis par la végétation, les daims, les ours et les poneys sauvages en avaient ouvert de nouveaux; des ruisseaux avaient changé de cours; de vieux arbres étaient tombés et les jeunes avaient grandi. Les distances aussi s'étaient modifiées : elles semblaient plus petites et les collines moins abruptes. Surtout, Jack se sentait étranger. Et cette impression se transformait en angoisse, car il n'avait aucune idée de l'endroit où se trouvaient les hors-la-loi.

Il avait parcouru à cheval une grande partie du chemin, mais il dut mettre pied à terre dès qu'il eut quitté la grand route, car les basses branches l'empêchaient de chevaucher. Ce retour sur les lieux de son enfance lui inspirait une tristesse tout à fait irraisonnée. Sa vie était devenue tellement problématique : son amitié en dents de scie avec le prieur Philip; son amour frustré pour Aliena; sa dévorante ambition de bâtir la plus belle cathédrale du monde; l'ardent besoin de découvrir la vérité à propos de son père...

Il se demanda si sa mère avait changé depuis deux ans qu'il était parti. Il avait hâte de la revoir. Lui-même se débrouillait bien tout seul, mais c'était si rassurant d'avoir dans sa vie quelqu'un qui est toujours prêt à se battre pour vous. Ce réconfort lui avait beaucoup manqué.

Il lui avait fallu la journée entière pour atteindre l'endroit de la forêt où ils vivaient autrefois. Le bref après-midi d'hiver touchait maintenant sa fin. Il allait devoir renoncer à chercher leur vieille grotte pour s'abriter durant la nuit. Il ferait froid. Pourquoi suis-je si angoissé? se demanda-t-il. Autrefois je passais toutes mes nuits dans la forêt.

Ce fut elle qui le trouva.

Il était sur le point de renoncer. Une piste étroite, presque invisible, utilisée sans doute seulement par les blaireaux et les renards, s'arrêtait devant un buisson touffu. Il n'avait d'autre solution que de revenir sur ses pas. Il fit pivoter son cheval et se trouva face à elle.

« Tu as oublié comment on se déplace sans bruit dans la forêt, dit-elle. Je t'entendais à une demi-lieue. »

Jack sourit. Elle n'avait pas changé. « Bonjour, mère », dit-il. Il posa un baiser sur sa joue puis, dans un élan d'affection, la serra dans ses bras.

Elle toucha son visage. « Tu es plus mince que jamais. »

Ellen était brune et éclatante de santé, les cheveux encore drus et sombres, sans un fil gris. Ses yeux avaient la même couleur dorée et ils semblaient voir jusqu'au fond de l'âme de Jack. « Tu n'as pas changé, dit-il.

— Où es-tu allé?

— A Compostelle, et même plus loin, jusqu'à Tolède.

— Aliena est partie à ta recherche...

— Elle m'a trouvé. Grâce à toi.

— Tant mieux, dit-elle en souriant. Je suis si heureuse. »

Elle le conduisit à travers la forêt jusqu'à la grotte, à une demi-lieue à peine. Peu à peu Jack retrouvait ses souvenirs. Un feu de bois flambait et trois torches crachotaient une flamme tremblotante. Ellen lui offrit une chope du cidre qu'elle faisait avec des pommes sauvages et du miel et il firent rôtir quelques châtaignes. Jack, qui savait de quoi manque un habitant de la forêt et qu'il ne peut pas fabriquer seul, avait apporté à sa mère des couteaux, de la corde, du savon et du sel. Elle se mit à dépouiller un lapin. « Comment vas-tu, mère? demanda-t-il enfin.

— Bien », répondit-elle machinalement. Puis elle précisa d'un ton grave : « Je pleure toujours Tom le bâtisseur. Je n'ai pas envie d'un autre mari.

— Es-tu heureuse de cette vie dans la forêt?

— Oui et non. J'ai l'habitude de vivre ici, j'aime être seule. Je n'ai jamais supporté que des prêtres touche-à-tout me dictent ma conduite. Mais vous me manquez, toi, Martha et Aliena – et je regrette de ne pas voir davantage mon petit-fils, ajouta-t-elle en souriant. Mais je ne pourrai jamais revenir vivre à Kingsbridge. Pas après avoir jeté la malédiction sur un mariage chrétien. Le prieur Philip ne me pardonnera jamais. Enfin, je n'aurai pas tout raté si j'ai réussi à vous réunir, Aliena et toi. » Elle leva les yeux sur Jack et, avec un sourire tendre, demanda : « Alors, comment trouves-tu la vie d'homme marié?

– Eh bien, fit-il d'un ton hésitant, nous ne sommes pas mariés. Aux yeux de l'Église, Aliena est toujours la femme d'Alfred.

– Ne sois pas stupide. L'Église n'y connaît rien!

– Les prêtres savent qui ils ont marié. Ils m'interdisent de travailler à la nouvelle cathédrale aussi longtemps que je vivrai avec l'épouse d'un autre. »

Les yeux d'Ellen lancèrent des éclairs. « Alors tu l'as abandonnée?

– Oui. Jusqu'à ce qu'elle obtienne l'annulation de son mariage. »

Sa mère posa de côté la peau de lapin. Maniant de ses mains ensanglantées un couteau bien aiguisé, elle se mit à découper la carcasse et plongea au fur et à mesure les morceaux dans la marmite qui bouillonnait sur le feu. « Le prieur Philip m'a joué le même tour autrefois, quand j'étais avec Tom, dit-elle en taillant à gestes vifs la viande crue. « Décidément, il faut qu'il se venge de sa chasteté obligatoire sur les amoureux et qu'il leur interdise de savourer ce qu'il n'a pas le droit de faire lui-même. Comme il ne peut rien contre les couples mariés par l'Église, il guette toutes les occasions de gâcher la vie à ceux qui ne le sont pas et il se sent mieux. »

Jack hocha la tête. Il avait accepté l'inévitable, mais chaque soir, quand il quittait Aliena et que la porte se refermait sur elle, le laissant dehors, il en voulait à Philip et comprenait la rancœur persistante de sa mère.

« Mais ce n'est pas pour toujours, dit-il d'une voix morne.

– Qu'en pense Aliena?

– Pas beaucoup de bien, répondit Jack avec une grimace. Mais elle estime que c'est sa faute puisqu'elle a commencé par épouser Alfred.

– C'est vrai. Et c'est ta faute à toi de t'obstiner à vouloir bâtir des cathédrales. »

331

Jack eut une moue déçue. « Mère, c'est tellement excitant! Les églises sont plus grandes, plus hautes, plus belles et plus difficiles à construire, elles sont plus ornées, plus sculptées que tout autre édifice... »

Elle secoua la tête, perplexe. « Je ne saurai jamais où tu as trouvé ces idées de grandeur. » Elle se mit à nettoyer l'intérieur de la peau : elle utiliserait la fourrure. « Ce n'est certainement pas un héritage de tes ancêtres. »

C'était la phrase qu'il attendait. « Mère, quand j'étais sur le continent, j'ai appris des choses à propos de mes ancêtres. »

Elle s'interrompit net dans son geste. « Au nom du ciel, que veux-tu dire?

— J'ai retrouvé la famille de mon père.

— Bonté divine! s'écria-t-elle. Comment as-tu fait cela? Où sont-ils? A quoi ressemblent-ils?

— Il y a une ville de Normandie qui s'appelle Cherbourg. C'est de là qu'il est venu.

— Comment peux-tu en être sûr?

— Je lui ressemble tant qu'on m'a pris pour son fantôme. »

Sa mère s'assit lourdement sur un tabouret. Jack se reprochait d'avoir annoncé trop brutalement cette nouvelle mais il ne s'attendait pas à voir sa mère si bouleversée. « Parle-moi... de sa famille?

— Son père est mort, mais sa mère vit toujours. Elle a été très gentille avec moi dès l'instant qu'elle m'a reconnu pour son petit-fils. Son frère aîné est un charpentier, il a une femme et trois enfants. Mes cousins. » Il sourit. « N'est-ce pas merveilleux? Nous avons des parents! »

Elle avait l'air plus désemparée que joyeuse. « Oh! Jack, je regrette tant de ne pas t'avoir donné une éducation normale.

— Moi pas », répliqua-t-il d'un ton léger. Il n'aimait pas les manifestations de remords chez sa mère : cela lui ressemblait si peu. « Je suis content d'avoir fait la connaissance de mes cousins. Même si je ne les revois jamais, c'est bon de savoir qu'ils existent.

— Je comprends », murmura-t-elle en hochant tristement la tête.

Jack prit une profonde inspiration. « Sa famille croyait que mon père s'était noyé dans un naufrage, il y a vingt-quatre ans. Il était à bord d'un bateau, appelé le *Vaisseau blanc*, qui a coulé juste au large de Barfleur. On pensait que tout le monde s'était noyé. Personne n'a su que mon père avait survécu, car il n'est jamais revenu à Cherbourg.

332

– Il est allé à Kingsbridge, affirma-t-elle.

– Mais pourquoi ? »

Elle soupira. « Il s'est cramponné à un tonneau et la mer l'a rejeté sur le rivage près d'un château, expliqua-t-elle. Quand il alla y annoncer la nouvelle du naufrage, il y trouva plusieurs puissants barons qui parurent grandement consternés de le voir arriver. Ils le firent prisonnier et l'emmenèrent en Angleterre. Au bout de quelques semaines ou de quelques mois – il ne savait plus – il s'est retrouvé à Kingsbridge.

– Il n'a rien dit d'autre à propos du naufrage ?

– Seulement que le vaisseau a coulé très vite, comme si on avait fait un trou dans la coque.

– On dirait qu'on a voulu se débarrasser de lui... » Elle acquiesça. « Quand ces puissants se sont rendu compte qu'ils ne pourraient pas le garder prisonnier éternellement, ils l'ont tué. »

Jack s'agenouilla devant sa mère et l'obligea à le regarder. D'une voix qui tremblait d'émotion, il demanda : « Mais, mère, qui étaient-ils, ces hommes ?

– Tu me l'as déjà demandé.

– Tu ne m'as jamais répondu.

– Parce que je ne veux pas que tu perdes ta vie à essayer de venger la mort de ton père. »

Elle le traitait encore comme un enfant qu'il faut protéger de ses propres caprices, se dit-il. Il essaya de se calmer, de se montrer raisonnable. « Ma vie, je vais la consacrer à bâtir la cathédrale et à aimer Aliena. Mais je veux savoir pourquoi on a pendu mon père. Les seules personnes capables de m'éclairer sont celles qui ont fait contre lui un faux témoignage. Il faut que je sache qui c'était.

– A l'époque, je ne connaissais pas leurs noms. »

Elle gagnait du temps, tergiversait. Jack s'énerva.

« Mais maintenant tu le sais !

– Oui, je le sais », dit-elle. Elle fondit en larmes et Jack se rendit compte de l'épreuve pénible qu'elle subissait. « Je vais te le dire, parce que je vois bien que tu ne cesseras jamais de m'interroger. » Elle s'essuya les yeux.

Jack attendait, le souffle suspendu.

« Ils étaient trois. Un moine, un prêtre et un chevalier.

– Leurs noms ? demanda Jack durement.

– Tu leur demanderas pourquoi ils ont osé mentir après avoir prêté serment ?

333

– Oui.

– Et tu espères qu'ils te répondent?

– Peut-être pas. En tout cas, je leur poserai la question et je verrai leur réaction. Ce sera déjà un indice.

– Tu ne pourras peut-être même pas poser cette question.

– Mère, je veux essayer! »

Elle poussa un soupir. « Le moine était le prieur de Kingsbridge.

– Philip!

– Non. Pas Philip. Avant Philip. Son prédécesseur, James.

– Mais il est mort.

– Je t'ai prévenu : tu ne pourras peut-être même pas interroger les coupables. »

Le regard de Jack se durcit. « Et les autres?

– Le chevalier était Percy Hamleigh, le comte de Shiring.

– Le père de William!

– Oui.

– Il est mort, lui aussi!

– Oui. »

Jack était désespéré. Si tous les témoins étaient morts, le secret de leur conduite ne serait jamais dévoilé.

« Qui était le prêtre? insista-t-il sans trop d'espoir.

– Waleran Bigod. Il est maintenant évêque de Kingsbridge.

– Et lui est encore vivant! » fit Jack avec un soupir de soulagement.

Le château de l'évêque Waleran fut terminé pour Noël. William Hamleigh et sa mère s'y rendirent à cheval, par un beau matin, au début de la nouvelle année. On l'apercevait de loin, de l'autre côté de la vallée. Il était bâti au sommet du versant opposé, dominant de son imposante silhouette la campagne environnante.

En traversant la vallée, ils passèrent devant l'ancien palais qui servait maintenant d'entrepôt pour les toisons. Les revenus de la laine avaient financé la construction du nouveau château.

Ils remontèrent au pas la pente douce et suivirent la route jusqu'aux douves à sec qu'ils traversèrent pour atteindre une porte aménagée dans un mur de pierre. Avec ses remparts, ses douves et ses murailles, c'était un château bien protégé, plus achevé que celui de William et même que certains palais du roi.

Dans la cour intérieure un massif donjon carré, haut de trois étages, faisait paraître minuscule l'église bâtie à côté.

William aida sa mère à mettre pied à terre. Ils laissèrent leurs chevaliers conduire leurs montures à l'écurie et gravirent les marches qui menaient à la grande salle.

Il était midi. Les serviteurs de Waleran dressaient la table. Quelques-uns de ses archidiacres, doyens, employés et parasites traînaient dans les parages dans l'attente du dîner. William et Regan patientèrent, tandis qu'un intendant se rendait aux appartements de l'évêque pour annoncer leur arrivée.

William brûlait d'une ardente et torturante jalousie. Aliena était amoureuse, tout le comté le savait. Elle avait donné naissance à un enfant de l'amour et son mari trompé l'avait jetée à la rue. Son bébé dans les bras, elle était partie à la recherche de l'homme qu'elle aimait et avait fini par le trouver après avoir fouillé la moitié de la chrétienté. Dans tout le sud de l'Angleterre, on ne se lassait pas de raconter son histoire. William se sentait malade de haine chaque fois qu'il l'entendait. Depuis, il préparait sa vengeance.

On leur indiqua un escalier et on les conduisit dans l'appartement de Waleran, qu'ils trouvèrent assis à une table en compagnie de Baldwin, maintenant archidiacre. Les deux prélats comptaient de l'argent sur une nappe à carreaux, triant les pièces d'argent en piles de douze et les déplaçant de carrés noirs vers des carrés blancs. Baldwin se leva, s'inclina devant lady Regan, puis s'empressa de ranger la nappe et les pièces.

Waleran quitta la table à son tour pour s'installer dans le fauteuil auprès du feu. Il se déplaçait rapidement, comme un insecte, et William retrouva ce sentiment de mépris qu'il connaissait bien. Il se força néanmoins à se montrer poli. Il avait récemment entendu parler de l'horrible sort du comte de Hereford, qui était mort en état d'excommunication après s'être querellé avec son évêque. Son corps avait été enseveli en terre non consacrée. Quand William imaginait son propre corps enterré sans bénédiction, exposé aux assauts de tous les monstres et démons des Enfers, il défaillait de frayeur. Jamais il ne se disputerait avec son évêque.

Waleran était aussi pâle et maigre que jamais dans sa robe noire qui pendait sur lui comme un chiffon séchant sur un arbre. Il ne changerait jamais. William savait que lui, par contre, avait vieilli.

La bonne chère et le vin étaient ses principaux plaisirs, il s'empâtait de plus en plus malgré la vie active qu'il menait, si bien que la coûteuse cotte de mailles qu'on lui avait fabriquée et offerte pour ses vingt et un ans avait été remplacée deux fois au cours des sept années suivantes.

Waleran rentrait tout juste de York après une absence de six mois. « Votre voyage a-t-il été une réussite ? lui demanda poliment William.

— Non, répondit Waleran sèchement. L'évêque Henry m'a envoyé là-bas pour tenter de résoudre un conflit qui traîne depuis quatre ans sur le point de savoir qui doit devenir archevêque de York. J'ai échoué. La querelle continue. »

Ne parlons pas de ce qui fâche, pensa William qui reprit : « Durant votre absence, il y a eu beaucoup de changements par ici. Surtout à Kingsbridge.

— A Kingsbridge ? répéta Waleran, surpris. Je croyais que ce problème avait été réglé une fois pour toutes. »

William secoua la tête. « Philip possède la Vierge qui pleure.

— Que diable me racontez-vous là ? s'exclama Waleran, irrité.

— C'est une statue en bois de la Vierge, répondit la mère de William, qui à certains moments pleure de vraies larmes : de l'eau coule de ses yeux. Les gens croient que c'est miraculeux.

— Mais c'est miraculeux ! s'exclama William. Une statue qui pleure ! »

Waleran lui lança un regard méprisant.

« Miraculeux ou non, reprit Regan, des milliers de gens sont déjà venus la voir. Quant au prieur Philip, il a repris la construction de la cathédrale. On est en train de réparer le chœur et d'y mettre un nouveau toit en madriers. On creuse les fondations de la croisée et de nouveaux maçons sont arrivés de Paris.

— De Paris ? s'étonna Waleran.

— La cathédrale sera bâtie dans le style d'une église qui se trouve à Saint-Denis, paraît-il.

— Des arcs en ogive, observa Waleran. J'en ai entendu parler à York. »

Peu importait à William le style de la cathédrale de Kingsbridge. « Ce qui arrive, reprit-il, c'est que des jeunes gens de mes fermes vont s'installer à Kingsbridge pour travailler comme ouvriers, que le marché là-bas est de nouveau ouvert chaque dimanche, ce qui enlève du négoce à Shiring... C'est toujours la même histoire ! »

Il s'arrêta, embarrassé. Waleran soupçonnerait-il un autre motif ? Mais l'évêque restait songeur.

« La pire erreur que j'aie jamais commise, murmura-t-il, ce fut d'aider Philip à devenir prieur.

– Il va falloir les arrêter dans leur élan, une fois de plus, suggéra William.

– Que voulez-vous faire ? interrogea Waleran en le regardant d'un air vague.

– De nouveau mettre la ville à sac. » Et à cette occasion, je tuerai Aliena et son amant, ajouta-t-il intérieurement. Il se tourna vers le feu pour que sa mère ne croise pas son regard.

« Je ne suis pas sûr que vous le puissiez, observa Waleran.

– Pourquoi pas ? Je l'ai déjà fait...

– La dernière fois, vous aviez une bonne raison : la foire aux toisons.

– Maintenant, c'est le marché. Kingsbridge n'a jamais reçu la permission du roi Stephen.

– Ce n'est pas tout à fait la même chose. Philip abusait de son droit en tenant une foire aux toisons, et vous l'avez aussitôt attaqué. Mais voilà six ans maintenant que le marché dominical a lieu à Kingsbridge et d'ailleurs, c'est à huit lieues de Shiring. Il est donc autorisé. »

William réprima sa colère. Il aurait voulu secouer Waleran qui se conduisait comme une vieille femme craintive, mais il ne s'y risquerait jamais.

Tandis qu'il ravalait ses protestations, un intendant entra dans la pièce et s'immobilisa sans un mot près de la porte. « Qu'y a-t-il ? demanda Waleran.

– Un homme insiste pour vous voir, monseigneur. Un nommé Jack Jackson. Un bâtisseur, de Kingsbridge. Faut-il que je le renvoie ? ».

William sentit son cœur battre plus vite. L'amant d'Aliéna ! Comment l'homme se trouvait-il ici juste au moment où William complotait sa mort ? Peut-être avait-il des pouvoirs surnaturels ? William se crispa d'angoisse.

« De Kingsbridge ? interrogea Waleran avec intérêt.

– C'est le nouveau maître bâtisseur là-bas, expliqua Regan, celui qui a rapporté la Vierge qui pleure.

337

« – Intéressant, murmura Waleran. Voyons de quoi il a l'air. Fais-le entrer », dit-il à l'intendant.

William contemplait la porte avec une terreur superstitieuse. Il s'attendait à voir un homme effrayant, drapé dans un manteau noir, entrer à grands pas et le désigner d'un doigt accusateur. Mais, quand Jack franchit la porte, William s'étonna de sa jeunesse. Il n'avait guère plus de vingt ans. Il avait des cheveux roux et des yeux bleus dont l'éclat vif passa sur William, s'arrêta sur Regan – dont les horribles furoncles qui couvraient son visage attiraient le regard de tous ceux qui n'y étaient pas habitués – et vint se poser sur Waleran. Le bâtisseur ne manifestait pas la moindre timidité de se trouver en présence des deux hommes les plus puissants du comté; à part cette étonnante assurance, il n'avait pas l'air bien redoutable.

Comme William, Waleran sentit la fierté dans l'attitude du jeune bâtisseur et y réagit d'un ton froid et hautain. « Eh bien, mon garçon, que veux-tu?

– La vérité, lança Jack. Combien d'hommes avez-vous fait pendre? »

William retint son souffle. L'insolence de la question le choquait profondément. Regan se pencha en avant, examinant Jack comme si elle cherchait où elle l'avait déjà rencontré. Waleran affichait un air froidement amusé.

« C'est une devinette? ironisa-t-il. J'ai fait pendre plus d'hommes que je ne peux en compter. Il y en aura bientôt un de plus si tu ne me parles pas avec plus de respect.

– Je vous demande pardon, monseigneur, dit Jack sans aucune trace de frayeur. Vous souvenez-vous de tous?

– Je crois, répondit Waleran, intrigué malgré lui. Je suppose que tu t'intéresses à l'un d'eux en particulier?

– Il y a vingt-deux ans, à Shiring, vous avez assisté à la pendaison d'un homme du nom de Jack Shareburg. »

William entendit sa mère pousser un cri étouffé.

« C'était un jongleur, continua Jack. Vous souvenez-vous de lui? »

William sentit nettement l'atmosphère de la salle s'alourdir. Il y avait quelque chose d'inquiétant chez ce Jack Jackson, quelque chose qui faisait peur à Waleran et à Regan. « Peut-être que je m'en souviens, en effet », murmura Waleran. William perçut dans sa voix une certaine tension. Que signifiait tout cela?

338

« Je serais étonné que vous l'ayez oublié, lança Jack comme une provocation. L'homme a été condamné sur le témoignage de trois personnes. Deux d'entre elles aujourd'hui sont mortes. Vous êtes la troisième. »

Waleran acquiesça. « Il avait volé quelque chose au prieuré de Kingsbridge : un calice orné de joyaux. »

Un éclat dur brilla dans les yeux bleus de Jack. « Il n'avait rien fait de semblable.

— Je l'ai surpris moi-même portant le calice.

— Vous avez menti. »

Il y eut une pause. Quand Waleran reprit la parole, sa voix était calme, mais il avait le visage dur comme du fer. « Je pourrais te faire arracher la langue pour ce que tu viens de dire, déclara-t-il.

— Je veux savoir seulement pourquoi vous avez menti, répliqua Jack, comme s'il n'avait pas entendu la terrible menace. Vous pouvez être franc : William n'est pas dangereux pour vous et sa mère semble déjà au courant de l'affaire. »

William regarda sa mère. En effet, elle ne manifestait ni surprise ni curiosité. William n'y comprenait plus rien. La visite de Jack, en tout cas, n'avait aucun rapport naturel ou surnaturel avec le secret projet qu'il faisait de tuer l'amant d'Aliena.

« Tu accuses l'évêque de parjure ? lança Regan à Jack.

— Je ne répéterai pas cette accusation en public, expliqua Jack froidement. Je n'ai pas de preuves et d'ailleurs la vengeance ne m'intéresse pas. J'aimerais simplement comprendre pourquoi vous avez fait pendre un innocent.

— Sors d'ici », dit Waleran d'un ton glacial.

Jack acquiesça, comme s'il n'en attendait pas davantage. Bien qu'il n'eût pas obtenu de réponses à ses questions, il arborait l'air satisfait de quelqu'un qui voit ses soupçons confirmés.

Pour William, cet entretien n'était toujours pas plus clair. Dans un brusque élan, il s'écria : « Attends un moment ! »

Jack se retourna et le regarda de son air railleur. « En quoi... », commença William. Il dut s'éclaircir la voix. « En quoi cela t'intéresse-t-il ? Pourquoi es-tu venu ici poser ces questions ?

— Parce que l'homme qu'on a pendu était mon père », riposta Jack, et il sortit.

Il y eut un silence dans la pièce. Ainsi donc, songea William, l'amant d'Aliena, le maître bâtisseur de Kingsbridge, était le fils d'un voleur qu'on avait pendu à Shiring. Alors? Pourquoi Mère semblait-elle anxieuse et Waleran ébranlé?

L'évêque murmura d'un ton amer : « Voilà vingt ans que cette femme me talonne. » Il était d'ordinaire si réservé que William fut presque choqué de l'entendre exprimer ainsi ses sentiments.

« Elle a disparu après l'effondrement de la cathédrale, dit Regan. Je croyais que nous ne la reverrions jamais.

— Maintenant c'est son fils qui vient nous hanter. » Il y avait dans la voix de Waleran quelque chose qui ressemblait à de la peur.

« Pourquoi ne le jetez-vous pas aux fers, proposa William, pour vous avoir accusé de parjure? »

Waleran lui lança un regard de mépris. « Regan, votre fils est un véritable idiot », dit-il calmement.

Étant donné la réaction de l'évêque, William réussit à comprendre que l'accusation de parjure devait être justifiée. Jack en avait tiré la même conclusion.

« Quelqu'un d'autre est-il au courant? demanda-t-il.

— Le prieur James, répondit Regan, a confessé son parjure avant de mourir au sous-prieur Remigius. Mais Remigius a toujours été de notre côté contre Philip, il n'est donc pas dangereux. La mère de Jack connaît une partie des faits, mais pas tous; sinon elle aurait déjà utilisé ses informations. Mais Jack a voyagé : peut-être a-t-il découvert des éléments que sa mère ignorait. »

William sentit que cette étrange histoire émergée du passé pouvait le servir. Comme si l'idée venait de surgir dans son esprit, il lança : « Alors éliminons Jack Jackson. »

Waleran se contenta de secouer la tête d'un air méprisant.

« Cela ne servirait qu'à attirer l'attention sur lui et sur les accusations qu'il porte », dit Regan.

William était déçu. Une si belle occasion lui échappait! Il réfléchit, tandis que le silence se prolongeait, puis une nouvelle idée lui vint et il dit : « Pas nécessairement. »

Les autres le regardèrent sans conviction.

« Jack pourrait être tué sans que sa mort attire spécialement l'attention, continua William.

— Très bien. Et comment? demanda Waleran.

— Il pourrait succomber au cours d'une attaque de Kingsbridge », expliqua William, qui eut la satisfaction de lire sur les deux visages la même expression de respect surpris.

En fin d'après-midi, Jack fit le tour du chantier avec le prieur Philip. On avait déblayé les ruines du chœur et les décombres formaient deux grands tas dans l'enclos du prieuré. Les maçons, montés sur de nouveaux échafaudages, reconstruisaient les murs écroulés. Le long de l'infirmerie s'alignait un grand tas de madriers.

« Tu avances vite, nota Philip.

– Pas aussi vite que j'aimerais, hélas ! » répondit Jack.

Ils inspectèrent les fondations des transepts. Quarante ou cinquante ouvriers, au fond des trous, chargeaient des pelletées de boue dans des seaux, tandis que d'autres, au niveau du sol, actionnaient les treuils qui remontaient les seaux. De gros blocs de pierres grossièrement taillés, destinés aux fondations, s'entassaient non loin de là.

Jack introduisit Philip dans son propre atelier, beaucoup plus grand que ne l'avait été celui de Tom. Un des côtés, complètement ouvert, permettait un meilleur éclairage. La moitié de la surface au sol était occupée par ses croquis sur plâtre. Il avait posé des planches sur la terre, les avait entourées d'une bordure de bois haute de deux pouces, puis avait rempli de plâtre le cadre ainsi formé. Une fois le plâtre sec, il était assez dur pour supporter qu'on marche dessus, et avec un petit bout de fil de fer aiguisé, on pouvait y tracer des dessins. Jack utilisait des compas, une règle et une équerre. Les traits fraîchement gravés étaient blancs et bien nets, mais ils ne tardaient pas à virer au gris, ce qui signifiait qu'on pouvait faire de nouveaux dessins par-dessus les anciens sans risque de confusion. C'était une idée qu'il avait prise en France.

Presque tout le reste de la cabane était occupé par l'établi sur lequel Jack travaillait le bois et préparait les gabarits qui serviraient à tailler les pierres. La lumière déclinait : il ne travaillerait plus aujourd'hui. Il commença à ranger ses outils.

Philip prit un gabarit. « C'est pour quoi faire, celui-là ?

– La plinthe à la base d'un pilier.

– Tu prépares les choses longtemps à l'avance.

– J'ai hâte de commencer à bâtir vraiment. »

Leurs conversations à cette époque était brèves et se bornaient à l'actualité du chantier.

Philip reposa la pièce de bois. « On m'attend pour complies, dit-il en se détournant.

– Et moi dans ma famille », répliqua Jack d'un ton acide.

Philip s'arrêta, se retourna comme pour dire quelque chose, l'air triste, et sortit.

Jack ferma à clé sa boîte à outils. Il venait de faire une remarque stupide. Il avait accepté le travail aux conditions fixées par Philip et c'était absurde maintenant de s'en plaindre. Mais il en voulait tant à Philip qu'il n'arrivait pas toujours à le cacher.

Le crépuscule tombait quand il quitta l'enclos du prieuré pour se rendre à la petite maison du quartier pauvre où Aliena vivait avec son frère, Richard. Elle l'accueillit avec un sourire lumineux mais ils ne s'embrassèrent pas. Ils ne se touchaient plus maintenant, de crainte d'éveiller leur désir et de céder à leur passion au risque d'être surpris à enfreindre la promesse faite au prieur Philip.

Tommy jouait par terre. Il avait maintenant un an et demi et son obsession était d'entasser les objets les uns sur les autres. Il avait devant lui quatre ou cinq écuelles qu'il ne se lassait pas d'empiler, les plus petites dans les plus grandes, puis, sans succès, les plus grandes dans les plus petites. Jack fut frappé de constater que Tommy ne savait pas d'instinct qu'une grande écuelle ne tenait pas à l'intérieur d'une petite; c'était une notion que les humains devaient acquérir. Tommy apprenait les rapports spatiaux tout comme Jack quand il essayait d'imaginer la forme d'une pierre dans une voûte arrondie.

L'enfant le fascinait et l'inquiétait en même temps. Jusqu'alors Jack ne s'était jamais soucié de trouver du travail, de garder un emploi et de subvenir à ses besoins. Il était parti pour traverser la France sans songer un instant au risque de se retrouver démuni et affamé. Maintenant il se préoccupait de sécurité. Le devoir de s'occuper de Tommy était plus impérieux que le souci de lui-même. Pour la première fois de sa vie, il avait des responsabilités.

Aliena posa sur la table une cruche de vin et un gâteau aux épices. Il emplit une coupe et se mit à la boire à petites gorgées. Aliena déposa devant Tommy une tranche de gâteau, mais l'enfant n'avait pas faim et il l'éparpilla sur les roseaux qui tapissaient le sol.

« Jack, dit Aliena. J'ai besoin de plus d'argent.

« – Je te donne douze pence par semaine, fit Jack, surpris. Je n'en gagne que vingt-quatre.

– Pardonne-moi, mais tu vis seul... tu n'as pas besoin de tant. »

Jack trouvait sa demande déraisonnable. « Mais un ouvrier ne gagne que six pence par semaine... et certains d'entre eux ont cinq ou six enfants ! »

Aliena se rembrunit. « Jack, je ne sais pas comment les femmes d'ouvriers tiennent leur maison... Je n'ai jamais appris. Je ne dépense rien pour moi. Mais tu viens souper ici chaque soir. Et il y a Richard...

– Comment, Richard ? fit Jack en colère. Pourquoi ne subvient-il pas à ses besoins ?

– Il ne l'a jamais fait. »

Jack estimait qu'Aliena et Tommy constituaient une charge suffisante pour lui. « Richard, que je sache, n'est pas sous ma responsabilité !

– Mais sous la mienne, répliqua-t-elle. En me prenant avec toi, tu l'as pris aussi.

– Je ne me souviens pas d'avoir accepté cela ! s'exclama-t-il, furieux.

– Ne t'énerve pas. »

C'était trop tard.

« Richard a vingt-trois ans – deux ans de plus que moi, reprit Jack. Pourquoi l'entretiendrais-je ? Pourquoi faudrait-il que je mange du pain sec au déjeuner et que je paie du bacon à Richard ?

– D'ailleurs, je suis de nouveau enceinte, annonça Aliena sans transition.

– Quoi ?

– J'attends un autre bébé. »

La colère de Jack se dissipa aussitôt. « C'est merveilleux !

– Tu es content ? Je craignais que tu ne te mettes en colère.

– En colère ? Mais je suis ravi ! Je n'ai jamais connu Tommy bébé. Je vais enfin découvrir ce que j'ai manqué.

– Mais... les responsabilités supplémentaires, l'argent...

– Au diable l'argent ! Je suis simplement de mauvaise humeur parce que nous devons vivre séparés. Nous avons des tas d'argent. Mais un autre bébé ! J'espère que c'est une fille... » Il réfléchit et fronça les sourcils. « Mais quand... ?

– Juste avant que le prieur Philip nous ait obligés à vivre séparés, je suppose.

343

« – Peut-être à la Toussaint, fit-il en souriant. Tu te souviens de cette nuit-là ? »

Elle rougit.

« Je me souviens...

– J'aimerais faire l'amour maintenant, déclara-t-il d'une voix tendre.

– Moi aussi. »

Ils se prirent les mains par-dessus la table.

La porte s'ouvrit toute grande et Richard entra, en nage, poussiéreux, menant par la bride un cheval écumant. « J'ai de mauvaises nouvelles », annonça-t-il, hors d'haleine.

Aliena ramassa le bébé pour le protéger des sabots du cheval. « Lesquelles ? demanda Jack.

– Nous devons tous quitter Kingsbridge demain, déclara-t-il.

– Pourquoi ?

– William Hamleigh se prépare à incendier de nouveau la ville dimanche.

– Oh non ! » cria Aliena.

Jack sentit son sang se glacer. Il revoyait la scène, trois ans plus tôt, quand les cavaliers de William avaient envahi la foire aux toisons, brandissant leurs torches et leurs gourdins. Il se rappelait la panique, les cris, l'odeur de chair brûlée. Il revit le corps de son beau-père, le front enfoncé. La nausée le prit.

« Comment le sais-tu ? demanda-t-il à Richard.

– J'étais à Shiring, j'ai vu des hommes de William acheter des armes chez l'armurier.

– Ça ne veut pas dire...

– Ce n'est pas tout. Je les ai suivis à la taverne, j'ai écouté leurs conversations. Ils discutaient des moyens de défense de Kingsbridge et constataient que la ville n'en a pas.

– Mon Dieu, gémit Aliena, c'est vrai. » Elle regarda Tommy et porta la main à son ventre où le bébé à venir grandissait. Puis elle releva la tête et Jack croisa son regard. Tous deux pensaient la même chose.

« Ensuite, continua Richard, j'ai bavardé avec quelques-uns d'entre eux, qui ne me connaissent pas. Je leur ai parlé de la bataille de Lincoln, en disant que je cherchais à m'engager. Ils m'ont dit d'aller à Earlscastle, immédiatement car ils devaient partir le lendemain, la bataille ayant lieu dimanche.

344

– Dimanche, murmura Jack.

– Je suis allé jusqu'à Earlscastle pour m'en assurer.

– Richard, protesta Aliena, c'était dangereux.

– Tous les indices concordent : les allées et venues de messagers, les armes qu'on affûte, les chevaux qu'on entraîne... Non, il n'y a pas de doute. » D'une voix vibrante de haine, Richard conclut : « Aucun crime ne satisfera jamais ce démon de William : il en veut toujours plus. » Il porta la main à son oreille droite et d'un geste machinal tâta sa vilaine cicatrice.

Jack observait Richard. C'était un fainéant et un bon à rien, mais il y avait un domaine où son jugement méritait attention : les choses militaires. S'il disait que William préparait une attaque, il avait sans doute raison. « C'est une catastrophe », murmura-t-il. Trois ans plus tôt, la foire aux toisons avait brûlé ; l'année d'après, la cathédrale s'était écroulée sur les fidèles. Maintenant, ceci. On y verrait la fatalité de la malchance. Même si, en s'enfuyant, on évitait un bain de sang, Kingsbridge serait anéantie. Plus personne ne voudrait y vivre, venir au marché ni travailler. La construction de la cathédrale elle-même s'arrêterait. Au moment où on commençait à remonter la pente...

« Il faut prévenir le prieur Philip, dit Aliena, tout de suite. »

Jack acquiesça. « Les moines seront au souper. Allons-y. »

Aliena prit Tommy dans ses bras et ils dévalèrent la colline en direction du monastère.

« Quand la cathédrale sera terminée, remarqua Richard, on pourra y tenir le marché. Ce sera une protection contre les attaques.

– En attendant, répondit Jack, le revenu du marché nous est indispensable pour payer la cathédrale. »

Richard, Aliena et Tommy attendirent dehors, tandis que Jack entrait dans le réfectoire des moines. Un jeune frère lisait tout haut en latin – Jack reconnut un terrifiant passage de l'Apocalypse – tandis que les autres soupaient silencieusement. Il s'immobilisa sur le seuil et croisa le regard de Philip. Étonné, le prieur se leva de table et se dirigea vers lui.

« Mauvaise nouvelle, fit Jack sombrement. Je vais laisser Richard vous l'annoncer. »

Ils discutèrent dans la pénombre caverneuse du chœur en cours de réparation. En quelques phrases Richard donna tous les détails

345

à Philip. Quand il eut terminé, le prieur leva les bras au ciel : « Mais nous n'avons pas une foire aux toisons... rien qu'un petit marché !

— Du moins avons-nous la possibilité d'évacuer la ville demain, intervint Aliena. Personne ne doit risquer d'être blessé. Après nous rebâtirons nos maisons, comme nous l'avons fait la dernière fois.

— A moins que William ne décide de poursuivre les fugitifs, suggéra Richard, lugubre. Ça ne m'étonnerait pas du tout.

— Même si nous nous en tirons tous, je crois que c'est la fin du marché, assura Philip, accablé. Les gens auront peur de dresser leurs éventaires à Kingsbridge.

— C'est aussi la fin de la cathédrale, ajouta Jack. Au cours des dix dernières années, l'église a brûlé, puis elle s'est effondrée, et un grand nombre de maçons ont péri dans l'incendie de la ville. Un nouveau désastre, je le crois, sera le dernier. Les gens y verront une malédiction. »

Philip réfléchissait. Il n'avait pas encore quarante ans, calcula Jack, mais son visage se creusait de rides et sa frange était maintenant plus grise que noire. Pourtant, une lueur dangereuse brilla dans ses yeux bleu clair lorsqu'il affirma : « Je ne vais pas accepter cela. Je ne pense pas que ce soit la volonté de Dieu. »

Jack trouva le prieur bien présomptueux. « Ne pas accepter cela » ? Et comment faire autrement ? Les poulets ont-ils la liberté de ne pas accepter le renard ? « Que comptez-vous faire ? interrogea-t-il d'un ton sceptique. Prier le ciel que William tombe de son lit et se rompe le cou ? »

L'idée de résistance excitait Richard. « Battons-nous, dit-il. Pourquoi pas ? Nous sommes des centaines. William va emmener cinquante hommes, cent tout au plus : nous pourrions l'emporter par le seul poids de nos effectifs.

— Et combien des nôtres, protesta Aliena, seront tués dans la lutte ? »

Philip secouait la tête. « Les moines ne se battent pas, dit-il d'un ton de regret.

— Je ne peux pas exiger des citoyens ce que je ne fais pas moi-même.

— Ne comptez pas non plus sur mes maçons pour se battre. Ce n'est pas leur spécialité. »

Richard étant le plus entraîné dans le domaine militaire, Philip s'adressa à lui.

« Y a-t-il un moyen de défendre la ville autrement qu'en acceptant une bataille rangée?

— Pas sans murailles, dit Richard. Nous n'avons rien à opposer à l'ennemi que nos corps.

— Des murailles, répéta Jack d'un ton songeur.

— Nous pourrions mettre William au défi de régler le problème en combat singulier : un affrontement entre champions. Mais je ne crois pas qu'il accepterait, dit Richard.

— Des murailles feraient l'affaire? demanda Jack, suivant sa pensée.

— Cela pourrait nous sauver une autre fois, répondit Richard avec impatience. Mais comment veux-tu en bâtir du jour au lendemain?

— Pourquoi pas?

— Bien sûr que non, ne sois pas...

— Taisez-vous, Richard », dit Philip d'un ton énergique. Il se tourna vers Jack. « A quoi penses-tu? »

« Un mur n'est pas difficile à construire, dit Jack.

— Continue. »

Jack réfléchissait rapidement. Les autres écoutaient, suspendus à ses lèvres. « Il n'y a pas d'arc, poursuivit-il, pas de voûte, pas de fenêtre, pas de toit... *On peut* construire un mur du jour au lendemain, à condition d'avoir les hommes et les matériaux nécessaires.

— Qu'avons-nous comme matériaux? interrogea Philip.

— Regardez autour de vous, répondit Jack. Voici les blocs de pierres déjà taillés, prévus pour les fondations. Il y a un tas de madriers plus haut qu'une maison. Dans le cimetière se trouvent les décombres provenant de l'effondrement du toit. Au bord de la rivière, encore un tas de pierres en provenance de la carrière. Nous ne sommes pas à court de matériaux.

— Et la ville est pleine de bâtisseurs », renchérit Philip.

Jack s'excitait de plus en plus.

« On peut charger les moines de l'organisation. Les bâtisseurs feront le travail qualifié. Comme manœuvres, nous aurons toute la population de la ville. » Il réfléchit rapidement. « La muraille devrait courir tout le long de la berge de la rivière. Il faudrait démonter le pont. Ensuite, on ferait grimper la muraille au flanc de la colline, en bordure du quartier pauvre, pour venir rejoindre le mur est du prieuré... jusqu'au nord... et redescendre jusqu'à la berge. Je ne sais pas s'il y a assez de pierre...

347

— Une muraille n'a pas besoin d'être en pierre pour être efficace, affirma Richard. Un simple fossé, surmonté d'un rempart édifié avec la terre provenant du fossé suffira, surtout dans un endroit où l'ennemi doit monter pour attaquer.

— La pierre est sûrement préférable, observa Jack.

— Préférable, mais pas essentielle. Le but d'une muraille est d'imposer un délai à l'ennemi alors que lui-même se trouve exposé, ce qui permet aux défenseurs de le bombarder à partir d'une position abritée.

— Le bombarder? répéta Aliena. Avec quoi?

— Des pierres, de l'huile bouillante, des flèches... Il y a un arc dans la plupart des maisons de la ville...

— Alors, reprit Aliena en frissonnant, nous finissons encore par nous battre.

— Mais pas au corps à corps, pas tout à fait. »

Jack était déchiré. La solution la plus sûre restait quand même d'aller chercher refuge dans la forêt, en espérant que William renoncerait à poursuivre. Mais s'il n'y renonçait pas? Le danger serait-il plus grand de rester ici, à l'abri d'une muraille? Évidemment, si le plan tournait mal et que William et ses hommes trouvent le moyen d'ouvrir une brèche dans le mur, le carnage serait horrible. Jack regarda Aliena et Tommy, pensa à l'enfant qui grandissait dans le ventre d'Aliena. « N'y aurait-il pas une solution intermédiaire? proposa-t-il. Nous pourrions évacuer les femmes et les enfants, tandis que les hommes défendraient les murs?

— Non, merci, déclara Aliena d'un ton ferme. Ce serait le plus mauvais choix. Nous n'aurions ni murailles ni hommes pour assurer notre protection. »

Elle avait raison, reconnut Jack. On ne pouvait pas laisser les femmes et les enfants dans la forêt sans aucune garde. William pourrait choisir d'aller les massacrer plutôt que d'attaquer la ville fortifiée.

« Jack, reprit Philip, c'est toi le bâtisseur. Pouvons-nous à ton avis édifier une muraille en un jour?

— Je n'ai jamais essayé, répliqua Jack. Il n'est pas question, bien sûr, de tracer des plans. Il faudra assigner une section à chaque artisan et le laisser suivre son jugement. Le mortier sera à peine sec pour dimanche matin. Ce sera la muraille la plus bâclée d'Angleterre. Mais oui, nous pouvons y arriver. »

Philip se tourna vers Richard. « Vous avez vu toutes sortes de batailles. Avec une muraille, pouvons-nous réellement résister à William?

– Assurément, répondit Richard. Il compte sur un raid éclair, il ne s'attend pas à un siège. S'il tombe sur une ville fortifiée, il perdra ses moyens... »

Philip enfin se tourna vers Aliena. « Vous faites partie des plus vulnérables, avec un enfant à protéger. Qu'en pensez-vous? Devrions-nous fuir dans la forêt en espérant que William ne nous y pourchassera pas, ou bien rester ici et élever une muraille pour l'empêcher d'entrer? »

Jack guettait sa réponse.

« Ce n'est pas une simple question de sécurité, répondit Aliena après un moment de silence. Philip, vous avez consacré votre vie à ce prieuré. Jack, la cathédrale est ton rêve. En fuyant vous perdrez tout ce qui fait votre vie. Quant à moi... Eh bien, j'ai une raison particulière de vouloir résister à la puissance de William Hamleigh. Je dis qu'il faut rester.

– Très bien, conclut Philip. Bâtissons une muraille. »

A la nuit tombante, Richard et Philip, munis de lanternes, parcoururent les limites de la ville pour décider de l'emplacement où l'on élèverait la muraille. La ville, située sur une petite colline, était bordée par la rivière sur deux côtés. Les berges étaient trop meubles pour soutenir un mur de pierre sans solides fondations, aussi Jack proposa-t-il d'édifier là une palissade en bois. Richard approuva : l'ennemi ne pourrait pas attaquer, sauf de la rivière, ce qui était presque impossible.

Sur les deux autres flancs, certaines sections du mur ne seraient que de simples remblais sur fossés. Richard assura que ce serait efficace là où le terrain en pente obligeait l'ennemi à attaquer en montant. Toutefois, un mur de pierres serait indispensable sur le terrain plat.

Jack fit le tour du village, pour rassembler ses bâtisseurs, les tirant de leurs maisons – parfois de leurs lits – ou de la taverne. Il leur expliqua l'urgence de la situation et comment la ville allait l'affronter; puis il affecta à chaque homme une partie de la muraille : la palissade aux charpentiers, le mur de pierre aux maçons et les remparts aux apprentis et aux manœuvres. Il demanda à chaque responsable de marquer son secteur avec des piquets et de la corde avant d'aller se coucher en réfléchissant à la meilleure façon de faire. Bientôt le périmètre de la ville se dessina – ligne en pointillé de lumières vacillantes : c'étaient les artisans qui faisaient leurs tracés à la lueur des lanternes. Le forgeron alluma son feu et se prépara pour passer le restant de la nuit à fabriquer des pelles. Seuls les moines, qui étaient allés se coucher à la tombée du jour, dormaient encore dans une bienheureuse ignorance.

Mais à minuit, alors que les artisans terminaient leurs préparatifs et que la plupart des habitants s'étaient retirés pour discuter en chuchotant des nouvelles sous les couvertures, les moines étaient à leur tour bien réveillés. On abrégea l'office et on leur distribua du pain et de la bière au réfectoire, tandis que Philip leur donnait ses instructions. Ils seraient les organisateurs du lendemain. On les répartit en équipes, chacune travaillant sous les ordres d'un bâtisseur qui surveillerait le creusement, le déblaiement, les transports. Leur priorité, souligna Philip dans son discours, était de s'assurer que le bâtisseur fut constamment approvisionné en matériaux : pierres et mortier, madriers et outils.

Pendant que Philip parlait, Jack se demandait ce que faisait William Hamleigh. Earlscastle était à une bonne journée de cheval de Kingsbridge, mais William ne ferait pas le trajet en un jour, car son armée arriverait épuisée. Ils partiraient ce samedi matin au lever du soleil. Ils ne chevaucheraient pas tous ensemble, mais séparément, et dissimuleraient leurs armes et leurs armures pour éviter de donner l'alarme. Ils se regrouperaient discrètement dans l'après-midi, à un endroit situé à une heure ou deux de Kingsbridge, sans doute au manoir d'un des plus gros fermiers de William. Dans la soirée, ils boiraient de la bière, affûteraient leurs lames et se raconteraient d'horribles histoires sur leur précédent triomphe : des histoires de jeunes gens mutilés, de vieillards piétinés sous les sabots des destriers, de filles violées et de femmes sodomisées, d'enfants décapités et de bébés jetés sur la pointe des épées. Demain matin dimanche, ils attaqueraient. Cette fois, nous allons les arrêter, se dit Jack. Mais il tremblait de peur.

Chaque équipe de moines repéra sa section de mur et sa source de matériaux. Puis, quand la première lueur de l'aube fit pâlir l'horizon à l'est, ils firent la tournée du quartier qu'on leur avait assigné, frappant aux portes et réveillant les habitants tandis que la cloche du monastère sonnait avec insistance.

Au lever du jour, l'opération était lancée. Les jeunes gens et les femmes assuraient le gros œuvre, tandis que les aînés apportaient les vivres et la boisson, et que les enfants faisaient les courses et transmettaient des messages. Jack ne cessait de parcourir le chantier, surveillant avec angoisse les progrès du travail. Il s'assurait que les différentes sections de la muraille s'uniraient en une jointure bien nette. Il plaisantait, souriait et ne cessait d'encourager les travailleurs.

Le soleil monta dans un ciel tout bleu. La journée allait être chaude. La cuisine du prieuré fournit des barils de bière, que Philip ordonna de couper d'eau. Jack approuva, car les gens qui travaillaient beaucoup boiraient abondamment et il ne voulait pas les voir s'endormir.

Malgré le terrible danger, il régnait une étonnante atmosphère d'allégresse : les gens avaient l'air d'oublier le péril qui était la raison même de toute cette activité. Toutefois Philip repéra quelques habitants qui quittaient discrètement la ville. Ou bien ils allaient tenter leur chance dans la forêt ou, plus probablement ils se rendaient chez des parents dans les villages voisins qui leur donneraient l'hospitalité.

A midi, Philip fit de nouveau sonner la cloche et le travail s'interrompit pour le dîner. Le prieur fit l'inspection de la muraille avec Jack pendant que les travailleurs se restauraient. Malgré leurs efforts, ils n'avaient guère progressé. La muraille avait tout juste atteint le niveau du sol, les remparts de terre n'étaient encore que des monticules et il y avait de grandes brèches dans la palissade en bois.

A la fin de la tournée, Philip s'inquiéta : « Aurons-nous terminé à temps ? »

Jack, qui s'était volontairement montré joyeux et optimiste toute la matinée, retrouva sa gravité. « A ce rythme-là, non, répondit-il.

— Comment pouvons-nous accélérer les choses ?

— La seule façon de bâtir plus vite, c'est de bâtir plus mal.

— Alors bâtissons plus mal... mais comment ? »

Jack réfléchit. « Pour le moment, nous avons des maçons qui

construisent les murs, des charpentiers qui dressent des palissades, des manœuvres qui font des travaux de terrassement et des habitants de la ville qui vont chercher les matériaux et qui les transportent. Or la plupart des charpentiers sont capables de construire un mur droit et les manœuvres d'ériger une palissade. Alors demandons aux charpentiers d'aider les maçons, chargeons les manœuvres de construire les palissades et commandons aux habitants de creuser le fossé et d'élever les remblais. Dès que tout cela tournera, les plus jeunes moines, déchargés de l'organisation, pourront aider aux gros travaux.

– Très bien. »

Ils donnèrent les nouvelles instructions tandis qu'on terminait le dîner. Non seulement ce serait le mur le plus mal construit d'Angleterre, se dit Jack ; ce serait sans doute aussi celui qui tiendrait le moins longtemps. S'il était encore debout dans une semaine, ce serait un vrai miracle.

Au cours de l'après-midi, la fatigue commença de gagner les gens, surtout ceux qui avaient veillé toute la nuit. L'atmosphère de liesse se dissipa et les travailleurs poursuivirent leurs efforts avec acharnement. Les murailles s'élevèrent, le fossé se creusa et les brèches commencèrent à se combler. Tout le monde s'arrêta pour souper, tandis que le soleil déclinait à l'ouest, puis on se remit à l'ouvrage.

A la tombée de la nuit, le mur n'était pas terminé.

Philip instaura un tour de veille, ordonna à tous, sauf aux gardes, de prendre quelques heures de sommeil et dit qu'il ferait sonner la cloche à minuit. Les gens, épuisés, allèrent se coucher.

Jack se rendit à la maison d'Aliena. Richard et elle étaient toujours éveillés.

« Je veux, déclara Jack à Aliena, que tu ailles avec Tommy te cacher dans les bois. »

Il y avait pensé toute la journée. D'abord, il avait repoussé cette idée, mais à mesure que le temps passait, lui revenait en mémoire l'horrible souvenir du jour où William avait incendié la ville en pleine foire aux toisons ; en fin de compte il décida de mettre Aliena à l'abri.

« Je préfère rester, répondit-elle avec fermeté.

– Aliena, insista Jack, je ne sais pas si nos efforts auront des résultats et je ne veux pas que tu sois ici si William Hamleigh franchit cette muraille.

– Mais je ne peux pas m'en aller alors que tout le monde va se battre », dit-elle, essayant de le raisonner.

Il n'en était pas au stade où le raisonnement le touchait.

« Si tu pars maintenant, on ne le saura pas.

– On finira par s'en apercevoir.

– A ce moment-là, ce sera fini.

– Pense à la honte que nous éprouverons.

– Je m'en moque! » s'écria-t-il, fou de rage de ne pas trouver les mots qui la persuaderaient. « Je veux que tu sois en sûreté! »

Ses éclats de voix réveillèrent Tommy qui se mit à pleurer. Aliena le prit dans ses bras et le berça. « Je ne suis pas certaine d'être plus en sûreté dans la forêt.

– William n'ira pas fouiller les bois. C'est la ville qui l'intéresse.

– Il pourrait s'intéresser à moi.

– Tu n'aura qu'à te cacher dans ta clairière. Personne ne va jamais là-bas.

– William pourrait la découvrir accidentellement.

– Écoute-moi. Tu seras plus en sûreté là-bas qu'ici. Je le sais.

– N'empêche que je resterai.

– Je ne veux pas de toi ici, s'écria-t-il.

– Eh bien, je reste quand même », répliqua-t-elle avec un sourire.

Jack réprima un juron. Il était inutile de discuter avec elle dès l'instant qu'elle avait pris sa décision : elle était entêtée comme une mule. Il tenta de la supplier. « Aliena, j'ai peur de ce qui va se passer demain.

– Moi aussi, dit-elle. Et je préfère que nous ayons peur ensemble. »

Il savait qu'il devrait céder, mais il était trop inquiet. « Alors, tant pis pour toi », dit-il avec colère et il sortit en claquant la porte.

Dehors il respira l'air de la nuit qui finit par le calmer. Il était encore horriblement inquiet, mais c'était ridicule de s'abandonner à la colère. Ils seraient peut-être morts tous les deux le lendemain matin.

Il rentra. Elle était là où il l'avait laissée, l'air triste. « Je t'aime », murmura-t-il. Ils s'étreignirent longuement.

Quand il ressortit, la lune était levée. Au fond, Aliena avait peut-être raison : elle serait plus en sûreté ici que dans les bois. Du moins pourrait-il faire de son mieux pour la protéger.

Il ne dormirait pas, même s'il se couchait. Il craignait que les gens ne se réveillent pas à minuit et que William surprenne la ville sans défense. Il massacrerait et brûlerait tout sur son passage. Il fit nerveusement le tour de la ville. La muraille de pierre lui arrivait à la taille, ce qui n'était pas suffisant. Les palissades étaient assez hautes, mais il y avait encore des brèches où une centaine d'hommes pourrait s'engouffrer en quelques instants. Au stade où ils en étaient, les remblais n'arrêteraient pas un bon cheval. Il restait encore beaucoup à faire.

Il fit halte à l'endroit où se trouvait jadis le pont. On l'avait démonté et on avait entreposé les madriers dans le prieuré.

Comme il contemplait l'eau éclairée par la lune, il aperçut une silhouette qui approchait en suivant la palissade. Un frisson d'appréhension le parcourut, mais ce n'était que le prieur Philip, qui n'arrivait pas plus que Jack à trouver le sommeil.

La rancœur de Jack envers le prieur avait momentanément disparu devant la menace représentée par William. « Si nous survivons à cet assaut, déclara-t-il, nous devrions reconstruire petit à petit convenablement la muraille en pierre.

— Je suis d'accord, acquiesça Philip avec chaleur. Il faudrait que d'ici un an nous ayons un rempart tout autour de la ville.

— Juste ici, là où le pont franchit la rivière, je placerai une porte et une barbacane pour pouvoir arrêter les envahisseurs sans démanteler le pont.

— Ce n'est pas le genre de choses où nous autres moines excellons : organiser les défenses d'une ville. »

Jack hocha la tête : la violence n'était pas leur domaine. « Mais si vous n'organisez pas les choses, qui le fera?

— Richard, le frère d'Aliena, peut-être? »

L'idée surprit Jack, mais un moment de réflexion l'amena à la conclusion qu'elle était excellente. « Il le ferait bien, cette tâche l'occuperait et je n'aurais plus à l'entretenir », répondit-il avec enthousiasme. Il regarda Philip avec une admiration qu'il n'arrivait pas à dissimuler. « Vous n'arrêtez jamais d'inventer des solutions, n'est-ce pas? »

Philip haussa les épaules. « J'aimerais que tous nos problèmes puissent être résolus aussi simplement. »

Les pensées de Jack revinrent à la muraille. « Kingsbridge sera donc désormais une ville fortifiée, et pour toujours.

– Pour toujours, je ne sais pas, mais certainement jusqu'au retour de Jésus.

– On ne sait jamais, dit Jack d'un ton songeur. Il viendra peut-être un temps où des sauvages comme William Hamleigh ne seront plus au pouvoir ; où les lois protégeront les gens au lieu de les asservir ; où le roi fera la paix au lieu de faire la guerre. Pensez-y : une époque où les villes d'Angleterre n'auront pas besoin de murs ! »

Philip secoua la tête. « Quelle imagination tu as ! murmura-t-il. On ne verra pas cela avant le jour du Jugement dernier ! »

– Sans doute pas.

– Il doit être près de minuit. L'heure de recommencer.

– Philip, avant que vous ne partiez...

– Quoi donc ? »

Jack prit une profonde inspiration. « Il est encore temps de changer nos plans. Nous pouvons évacuer la ville maintenant.

– As-tu peur, Jack ? dit Philip avec bonté.

– Oui. Mais pas pour moi. Pour ma famille. »

Philip hocha la tête. « A mon avis, si tu pars maintenant, tu seras sans doute en sûreté... demain. Mais William peut revenir un autre jour. Si nous le laissons faire demain, nous vivrons *toujours* dans la crainte. Toi, moi, Aliena, le petit Tommy : il grandira dans la peur de William, ou d'un autre William. »

Il avait raison, se dit Jack. Pour que des enfants comme Tommy grandissent libres, leurs parents devaient cesser de fuir devant William.

« Très bien », fit-il en soupirant.

Philip alla sonner la cloche. C'était un chef qui maintenait la paix, qui rendait la justice et n'opprimait pas les pauvres, songea Jack. Mais fallait-il vraiment être moine pour cela ?

La cloche se mit à sonner. Les lampes s'allumèrent dans les maisons et les artisans sortirent en se frottant les yeux et en bâillant. Le travail reprit avec lenteur et il y eut quelques échanges d'injures entre manœuvres ; mais Philip avait fait mettre en marche la boulangerie du prieuré. Et bientôt on distribua du pain chaud et du beurre frais, ce qui ragaillardit tout le monde.

A l'aube, Jack fit un autre tour avec Philip, tous deux scrutant avec angoisse l'horizon encore sombre dans la crainte de voir apparaître des cavaliers. La palissade au bord de la rivière était

355

presque terminée, il ne restait plus que quelques toises. Sur les deux autres flancs, les remblais arrivaient maintenant à hauteur d'homme et la profondeur du fossé creusé devant lui ajoutait trois ou quatre pieds. Un homme pourrait sans doute y grimper, non sans mal d'ailleurs, mais sûrement pas un cheval.

La muraille aussi était à hauteur d'homme, mais les trois ou quatre dernières rangées de pierres n'offraient qu'un faible rempart, car le mortier n'était pas sec. L'ennemi toutefois ne s'en apercevrait qu'en essayant d'escalader la muraille.

A part les quelques brèches dans la palissade, le travail était terminé. Philip donna de nouveaux ordres. Les vieillards et les enfants devaient gagner le monastère pour se réfugier au dortoir. Jack était ravi : Aliena resterait avec Tommy loin derrière la ligne de front. Les artisans continueraient leur tâche, mais certains manœuvres furent désignés pour former des escadrons de soldats, sous le commandement de Richard. Chaque groupe était responsable de la défense du secteur de mur qu'il avait bâti. Les habitants de la ville et les femmes en possession d'un arc se posteraient derrière les murs pour arroser l'ennemi de flèches. Ceux qui n'avaient pas d'armes jetteraient des pierres dont il fallait préparer des tas. L'eau bouillante étant une arme efficace, on faisait chauffer des chaudrons pour en déverser sur les assaillants aux endroits stratégiques. Quelques personnes possédaient des épées, mais il n'était pas souhaitable de devoir s'en servir. Un corps à corps signifierait que l'ennemi aurait envahi la ville en dépit de la construction du mur.

Depuis quarante-huit heures, Jack n'avait pas dormi. Il avait la migraine et les yeux brûlants. Assis sur le toit de chaume d'une maison, près de la rivière, il contemplait la palissade que les charpentiers se hâtaient de terminer. Tout à coup l'idée lui vint que les hommes de William pourraient jeter des flèches enflammées par-dessus le mur pour tenter de mettre le feu à la ville sans avoir à y pénétrer eux-mêmes. Il sauta de son toit et remonta d'un pas lent la colline jusqu'à l'enclos du prieuré. Richard avait eu la même idée car il avait déjà posté quelques moines, munis de tonneaux d'eau et de seaux, aux emplacements stratégiques.

Au moment où il quittait le prieuré, il entendit ce qui semblait être des cris d'alarme.

Le cœur battant, il grimpa sur le toit de l'écurie pour inspecter les champs vers l'ouest. Sur la route qui amenait au pont, à environ une demi-lieue, un nuage de poussière trahissait l'approche d'un groupe important de cavaliers.

Jusqu'alors, tout avait gardé un caractère irréel ; mais maintenant les destructeurs de Kingsbridge étaient là, sur la route, et l'horrible menace prenait toute sa réalité !

Jack éprouva la brusque envie de retrouver Aliena, mais il n'en avait plus le temps. Il sauta à terre et dévala la pente jusqu'au bord de la rivière. Une poignée d'hommes était rassemblée autour de la dernière brèche, en train d'enfoncer des pieux dans le sol et de clouer hâtivement les deux dernières traverses pour terminer le travail, sous le regard des habitants qui ne s'étaient pas réfugiés au réfectoire. Sur les pas de Jack, Richard déboucha à son tour. « Il n'y a personne de l'autre côté de la ville ! cria-t-il. Si on nous prend à revers, on est fichus ! Retournez à vos postes, vite ! » Comme les habitants s'ébranlaient, il marmonna en direction de Jack : « Il n'y a pas de discipline... absolument pas de discipline ! »

Jack observa de nouveau la route : le nuage de poussière approchait et on commençait à distinguer les silhouettes des cavaliers – des démons jaillis de l'enfer, pensa-t-il, n'ayant en tête que mort et destruction. Ils existaient parce que des comtes et des rois trouvaient bon de les employer. Philip était peut-être stupide en matière d'amour et de mariage, mais au moins il avait trouvé comment diriger une communauté sans l'aide de sauvages pareils.

Le nombre de cavaliers dépassait la cinquantaine prévue par Richard : ils étaient près de cent, fonçant vers l'emplacement du pont. Puis ils ralentirent et Jack retrouva quelque courage en les voyant arrêter leurs chevaux dans la prairie, de l'autre côté de la rivière et contempler par-dessus l'eau l'enceinte toute neuve de la ville. Quelqu'un près de Jack se mit à rire. Un autre lui fit écho, puis les rires se répandirent comme un feu de broussaille, et il y eut bientôt cinquante, cent, deux cents hommes et femmes riant à gorge déployée à la vue des hommes d'armes coincés sur la mauvaise rive du fleuve, sans personne à combattre.

Quelques cavaliers mirent pied à terre pour se concerter. Dans la légère brume matinale, Jack crut apercevoir au centre du groupe les cheveux jaunes et le visage rougeaud de William Hamleigh.

Au bout d'un long moment, les hommes remontèrent en selle, se

357

regroupèrent et repartirent. Les gens de Kingsbridge éclatèrent en folles acclamations, mais Jack savait que William n'avait pas renoncé si facilement. Les hommes d'armes, d'ailleurs, ne reprenaient pas le chemin par où ils étaient venus. Ils remontaient la rivière en la longeant. Richard s'approcha de Jack. « Ils cherchent un gué. Ils vont traverser la rivière pour passer par les bois et nous attaquer de l'autre côté. Faites circuler la nouvelle. » Jack s'empressa de faire le tour de l'enceinte pour transmettre le message de Richard. Au nord et à l'est, la muraille était en terre ou en pierre. Elle englobait le mur est de l'enclos du prieuré, à quelques pas seulement du réfectoire où s'étaient réfugiés Aliena et Tommy. Richard avait posté Oswald, le maquignon, et Dick Richards, le fils du tanneur, sur le toit de l'infirmerie avec leurs arcs et leurs flèches : c'étaient les meilleurs archers de la ville. Jack gagna le coin nord-est et grimpa sur le remblai de terre, scrutant par-delà le champ les bois d'où allaient émerger les hommes de William.

Le soleil montait dans le ciel. Encore une journée chaude et sans nuage. Les moines firent le tour de l'enceinte, pour distribuer du pain et de la bière. Jack se demandait jusqu'où irait William en amont de la rivière. Il y avait à une demi-lieue de là un gué où un bon cheval pouvait traverser à la nage, mais le passage paraîtrait risqué à un étranger, et sans doute William irait-il une lieue plus loin où il trouverait un gué moins profond.

Jack pensait à Aliena. Il aurait voulu aller la voir au réfectoire, mais il hésitait à quitter le rempart; car d'autres pourraient l'imiter et la muraille resterait sans défense.

Il hésitait encore quand un cri lui parvint : les cavaliers réapparaissaient. Ils sortaient des bois, à l'est, si bien que Jack, en suivant leurs mouvements, avait le soleil dans les yeux. Astucieuse stratégie, reconnut Jack, dont la vue se brouillait de larmes. Il se rendit compte néanmoins qu'ils chargeaient. Jack se figea de peur. Les assaillants étaient déterminés à ouvrir une brèche dans le mur de protection.

Les chevaux traversèrent le champ au triple galop. Un ou deux assiégés lancèrent quelques flèches. Richard, posté auprès de Jack, explosa : « C'est trop tôt! trop tôt! Attendez qu'ils soient dans le fossé... Là, vous ne pourrez pas les manquer! » On l'entendit mal et une petite pluie de flèches vint se gaspiller sur les pousses d'orge encore vertes, au bord du champ. Comme force militaire, nous ne valons vraiment rien, songea Jack. Seule la muraille peut nous sauver. Il avait une pierre dans une main et dans l'autre, une fronde comme celle dont il se servait étant enfant, quand il abattait des canards pour son dîner. Saurait-il encore viser? Ses doigts étaient si crispés sur son arme qu'ils en étaient blancs et Jack s'obligea à se détendre. Les pierres étaient efficaces contre les canards, mais bien ridicules devant ces hommes en armures et montés sur leurs puissants chevaux dont le galop de tonnerre approchait à chaque seconde. Jack avait la gorge sèche. Certains assaillants, il le constata, étaient armés d'arcs et de flèches enflammées. Les archers se dirigèrent vers les murs de pierre et les autres hommes d'armes vers les remblais de terre. Donc William ne pensait pas prendre d'assaut la muraille : il ne se rendait pas compte que le mortier était si frais qu'on pouvait faire tomber le mur à la main. Jack connut un bref instant de triomphe.

Puis les attaquants atteignirent les murs.

Les défenseurs tiraient au petit bonheur et une grêle de flèches s'abattit sur les cavaliers. Même en visant mal, ils firent plusieurs victimes. Les chevaux arrivèrent au fossé. Les uns renâclèrent, d'autres plongèrent pour remonter de l'autre côté. Juste en face de l'endroit où se trouvait Jack, un énorme gaillard vêtu d'une cotte de mailles bosselée fit sauter par-dessus le fossé son destrier qui se reçut au bas du remblai. Il commença à grimper la pente. Jack chargea sa fronde et lança sa pierre. Il n'avait pas perdu la main : le caillou toucha le cheval entre les naseaux. Pataugeant déjà dans la terre meuble, l'animal poussa un hennissement de douleur, se cabra et fit demi-tour au petit trot, tandis que le cavalier glissait sur le sol et dégainait son épée.

La plupart des chevaux avaient tourné bride, soit de leur propre initiative, soit sur l'ordre de leurs cavaliers. Quelques hommes d'armes attaquaient à pied et d'autres revenaient, prêts à lancer un nouvel assaut. D'un coup d'œil par-dessus son épaule, Jack constata que plusieurs toits de chaume étaient en feu, malgré les efforts des jeunes femmes de la ville qui s'employaient à éteindre les flammes. Jack se dit avec consternation que leur plan allait échouer. Malgré leur acharnement héroïque des dernières trente-six heures, les sauvages qui les attaquaient allaient franchir la muraille, incendier la ville et massacrer la population.

Les assaillants lancèrent une nouvelle charge; ceux d'entre eux qui avaient perdu leur monture attaquèrent les remparts à pied. Des pierres et des flèches tombaient en pluie ininterrompue sur eux. Jack actionnait sans relâche sa fronde, chargeant et lançant, chargeant et lançant comme une machine. Sous cette grêle de projectiles, un certain nombre d'ennemis tombèrent. Juste devant Jack, un cavalier désarçonné perdit son casque, révélant une crinière de cheveux jaunes : William en personne.

Pas un des chevaux ne parvint en haut du remblai, mais quelques combattants à pied réussirent et, sous le regard horrifié de Jack, les assiégés durent combattre au corps à corps, luttant contre les épées et les lances de l'ennemi avec des bâtons et des haches. Jack était consterné : la ville était en train de perdre la bataille.

Mais chaque assaillant qui franchissait la muraille se trouva entouré aussitôt de huit ou dix habitants frappant sans merci et pas un des agresseurs n'en réchappa. Les assiégés entreprirent alors de repousser ceux qui attaquaient en bas des remparts. Les cavaliers encore en selle tournaient en rond, indécis, tandis que quelques escarmouches se poursuivaient sur la pente des remblais. Jack souffla un moment, heureux de ce répit, non sans craindre pourtant le prochain assaut de l'ennemi.

William brandit son épée et cria pour attirer l'attention de ses hommes. Il agita sa lame en l'air puis la braqua vers la muraille. Les hommes se regroupèrent et s'apprêtèrent à attaquer une fois de plus.

Jack profita de l'occasion.

Il choisit une lourde pierre, chargea sa fronde et visa William avec soin.

La pierre fila suivant une trajectoire aussi droite qu'un trait tracé par un maçon et toucha William en plein milieu du front, avec une telle violence qu'on entendit le choc du caillou sur l'os.

William s'écroula.

Il y eut un flottement parmi les hommes et la charge se trouva stoppée dans son élan.

Un grand gaillard brun sauta à terre et se précipita vers le comte. Jack crut reconnaître Walter, le valet de William et son constant compagnon. Jack espéra follement que William était mort. Mais il bougea et son valet l'aida à se relever, tout étourdi. Dans les deux camps, les regards étaient tournés vers lui, la grêle de pierres et de flèches suspendue.

Encore vacillant, William, aidé de Walter, monta en croupe sur le cheval de celui-ci. L'hésitation planait dans les rangs. Chacun se demandait si leur chef allait pouvoir continuer. De son épée Walter rallia les hommes puis, à l'indicible soulagement de Jack, la pointa vers les bois.

Walter éperonna le cheval et la troupe partit au galop. Ceux qui combattaient encore sur les remparts abandonnèrent la bataille pour se précipiter à travers champs à la suite de leur chef.

Les habitants de Kingsbridge poussèrent des hurlements de joie. Jack regarda autour de lui, encore abasourdi. Était-ce terminé ? Il avait du mal à y croire. Les incendies s'éteignaient, des hommes dansaient sur les remblais en s'étreignant. Richard s'approcha et lui donna une grande claque dans le dos. « C'est le mur qui les a arrêtés, Jack, dit-il. Ton mur. »

Tout le monde, moines et civils, se rassemblait autour des deux hommes pour les féliciter et se congratuler.

« Ils sont partis pour de bon ? demanda Jack.

— Oh oui ! répondit Richard. Ils ne reviendront pas, maintenant qu'ils ont découvert que nous sommes décidés à défendre les murs. William sait qu'on ne peut pas prendre une ville protégée par une enceinte si les assiégés sont résolus à résister. Ou alors avec une nombreuse armée et un siège de six mois.

— Alors, dit Jack ahuri, c'est fini ? »

Aliena se fraya un chemin à travers la foule, Tommy dans les bras. Jack les embrassa ensemble. Ils étaient en vie, ils étaient réunis et ils en remerciaient le ciel.

Jack sentit d'un seul coup l'effet de ses deux jours sans sommeil. Une sorte de faiblesse le prit. Il aurait voulu s'allonger. Mais pas question : de jeunes maçons l'empoignaient et le hissaient sur leurs épaules. Les acclamations fusaient de toutes parts. La foule formait cortège. Jack aurait voulu dire que ce n'était pas lui qui avait sauvé les habitants de Kingsbridge, qu'ils avaient gagné eux-mêmes leur victoire ; mais on ne l'écouterait pas, car la foule voulait un héros. A mesure que la nouvelle se répandait que la victoire était acquise, les vivats augmentaient. Depuis tant d'années qu'ils vivent dans la crainte de William, songea Jack, aujourd'hui ils ont enfin gagné leur liberté. On lui fit faire le tour de la ville en procession triomphale et lui saluait de la main, souriait et attendait avec impatience le moment où il pourrait poser sa tête sur un oreiller et sombrer dans un sommeil réparateur.

7

La foire aux toisons de Shiring était plus florissante que jamais. La place de l'église paroissiale, où avaient lieu les marchés et les exécutions aussi bien que la foire annuelle, était envahie d'éventaires et de chalands. On vendait surtout de la laine, mais il y avait aussi des étalages de tout ce qui s'achetait et se vendait en Angleterre : des épées neuves étincelantes, des selles artistement décorées, des cochons de lait bien gras, des bottes rouges, des gâteaux au gingembre et des chapeaux de paille. Arpentant la place avec l'évêque Waleran, William calculait que le marché allait lui rapporter plus d'argent que jamais. Il n'en éprouvait pourtant aucun plaisir.

Il souffrait encore de l'humiliation de sa défaite à Kingsbridge. Il avait cru attaquer sans rencontrer la moindre résistance et incendier facilement la ville. Or il avait perdu dans cette affaire des hommes et des chevaux, il avait été repoussé, il avait échoué. Surtout, il avait deviné que ce mur maudit était dû à Jack Jackson, l'amant d'Aliena, celui-là même qu'il voulait tuer.

Il n'avait pas réussi à se débarrasser de Jack cette fois-ci, mais il était décidé à prendre sa revanche.

Waleran aussi pensait à Kingsbridge. « Je ne sais toujours pas comment ils ont réussi à bâtir si vite ces remparts, dit-il.

— Des remparts de pacotille, marmonna William.

— Mais que vous n'avez pas su franchir, rétorqua Waleran. D'ailleurs, je suis sûr que le prieur Philip s'occupe déjà à les renforcer. Si j'étais lui, je consoliderais la muraille et je la surélèverais, je construirais une barbacane et je désignerais un guetteur pour la nuit. Vos raids sur Kingsbridge sont terminés. »

William, au fond, était d'accord, mais il refusait de céder. « Je peux toujours assiéger la ville.

— C'est une autre affaire. Le roi tolérera une attaque rapide, mais un siège prolongé, au cours duquel les habitants ont le temps d'envoyer au roi une demande de protection... c'est beaucoup plus gênant.

— Stephen ne fera pas un geste contre moi, affirma William. Il a besoin de mes services. » Toutefois il n'était pas si convaincu. Mais il faisait traîner la discussion pour choisir le moment où il présenterait la requête qui occupait toutes ses pensées.

Une femme laide et maigre s'avança, poussant devant elle une jolie fillette d'environ treize ans. La mère écarta le léger corsage de son enfant pour révéler ses petits seins à peine éclos. « Soixante pence », souffla la mère. William sentit un frémissement dans ses reins, mais il fit non de la tête et l'écarta.

La petite prostituée avait brusquement fait surgir l'image d'Aliena. Elle n'était guère qu'une enfant quand il l'avait prise de force, presque dix ans plus tôt. Un jour qu'il ne parvenait pas à oublier. Il ne l'aurait sans doute plus jamais maintenant, mais il pouvait encore empêcher un autre de la posséder.

Waleran, songeur, marchait sans regarder devant lui. Les gens s'écartaient sur son chemin, comme s'ils craignaient d'être même effleurés par les plis de sa robe noire. Il reprit la parole : « Vous savez que le roi s'est emparé de Faringdon?

— J'y étais. » Au cours de la victoire la plus décisive de toute cette longue guerre civile, Stephen avait fait prisonniers des centaines de chevaliers, recueilli un important équipement et repoussé Robert de Gloucester jusqu'à l'ouest du pays. La victoire avait été telle que Ranulf de Chester, le vieil ennemi de Stephen dans le Nord, avait déposé les armes et juré allégeance au roi.

« Maintenant que Stephen est plus sûr de lui, reprit Waleran, il sera moins tolérant envers ceux de ses barons qui mènent leur propre guerre.

— Peut-être », répondit William. Puisqu'il avait l'occasion d'approuver Waleran, c'était peut-être le moment d'en profiter pour glisser sa requête. Il hésitait, embarrassé. Il lui faudrait se découvrir. L'idée de révéler un peu de son âme à un homme aussi impitoyable que l'évêque Waleran lui faisait horreur.

« Vous devriez laisser Kingsbridge en paix, du moins pour quelque temps, poursuivit Waleran. Vous avez la foire aux toisons, votre marché hebdomadaire, même si le négoce de la laine est moins florissant qu'autrefois. Et les terres les plus fertiles du comté sont directement sous votre contrôle ou cultivées par vos fermiers. Ma situation personnelle, aussi, est meilleure qu'autrefois. J'ai amélioré ma propriété, je me suis bâti un château. J'ai moins besoin de lutter contre le prieur Philip – au moment même où cela devient d'ailleurs politiquement dangereux. »

Sur tout le marché, on cuisinait et on vendait des plats dont l'odeur embaumait l'air : soupe aux épices, pain frais, confiseries, jambons bouillis, bacon frit, tartes aux pommes. William eut une moue dégoûtée. « Allons au château », proposa-t-il.

Les deux hommes quittèrent la place du marché et remontèrent la colline. Le sherif les avaient invités à dîner. A la porte du château, William s'arrêta.

« Vous avez peut-être raison en ce qui concerne Kingsbridge, avoua-t-il.

– Je suis heureux de vous l'entendre dire.

– Mais je tiens quand même à me venger de Jack Jackson. Si vous le voulez, vous pouvez m'en offrir l'occasion. »

Waleran haussa les sourcils. Son expression disait clairement qu'il était prêt à écouter mais qu'il ne se considérait lié par aucune obligation.

« Aliena, poursuivit William, a demandé l'annulation de son mariage.

– Je sais.

– A votre avis, quelle sera la réponse?

– Le mariage n'a jamais été consommé, semble-t-il.

– Cela suffit?

– Sans doute. D'après Gratien – un érudit que j'ai d'ailleurs rencontré personnellement –, ce qui constitue un mariage c'est l'accord mutuel des deux parties; mais il affirme aussi que l'acte de l'union physique " complète " ou " perfectionne " le mariage. Il précise que si un homme épouse une femme et qu'il ne s'accouple pas avec elle, puis qu'il en épouse une seconde avec laquelle il y a accouplement, alors c'est le second des deux mariages qui est valide, c'est-à-dire celui qui a été consommé. La fascinante Aliena aura sans nul doute évoqué ces arguments dans sa requête si elle a eu de bons conseils, et je fais confiance là-dessus au prieur Philip. »

365

William s'impatientait. « En somme, elle va obtenir l'annulation ?

— A moins que quelqu'un n'oppose un argument contre Gratien. En fait, il en existe deux : un d'ordre théologique, un d'ordre pratique. L'argument théologique est que la définition de Gratien condamne le mariage de Joseph et de Marie, puisqu'il n'a pas été consommé. L'argument pratique est que, pour des raisons politiques ou pour réunir deux propriétés, on arrange très communément des mariages entre deux enfants physiquement incapables de consommation. Si la future épouse ou le futur époux meurt avant la puberté, le mariage, selon la définition de Gratien, serait invalidé et cela pourrait avoir des conséquences très gênantes. »

William était incapable de suivre ces ratiocinations mais il entrevoyait une éclaircie. « Ce que vous voulez dire, c'est que la décision peut pencher dans un sens ou dans l'autre.

— Oui.

— Et tout dépend de celui qui exerce une certaine pression.

— Tout à fait. Dans le cas d'Aliena, rien d'important n'est en jeu : pas de propriétés, pas de problème d'allégeance, pas d'alliance militaire. Mais si une personnalité théologique – un archidiacre par exemple – se piquait d'attaquer la position de Gratien, on refuserait sans doute l'annulation. »

Waleran lança à William un regard entendu sous lequel l'autre se tortilla d'un air embarrassé. « Je crois que je peux deviner ce que vous allez me demander, William.

— Je veux que vous vous opposiez à l'annulation. »

Waleran plissa les yeux. « Je n'arrive pas à savoir si vous êtes amoureux de cette maudite femme ou si vous la détestez.

— Eh bien, reconnut William, moi non plus. »

Aliena était assise sur l'herbe, dans la pénombre verte que répandait le hêtre. La cascade faisait jaillir des gouttes d'eau comme des larmes sur les rochers à ses pieds. Elle était dans la clairière où Jack autrefois lui racontait des histoires. C'était là qu'elle lui avait donné ce premier baiser, là qu'elle était tombée amoureuse de lui tout en refusant de se l'avouer. Elle regrettait maintenant de tout son cœur de ne pas lui avoir cédé aussitôt, de ne pas l'avoir épousé. Aujourd'hui, envers et contre tout, elle serait sa femme.

Elle s'allongea pour reposer son dos douloureux. On était au plus fort de l'été, l'air était brûlant et immobile. Elle avait encore au moins six semaines à supporter avant l'accouchement. Parfois elle était si lourde qu'elle s'attendait à des jumeaux. Mais quand Martha, la demi-sœur de Jack, avait collé l'oreille contre son ventre, elle n'avait entendu qu'un seul battement de cœur.

C'était Martha qui s'occupait de Tommy ce dimanche après-midi-là pour qu'Aliena et Jack puissent se retrouver dans les bois, un moment, seuls à parler de leur avenir. L'archevêque avait refusé l'annulation, parce que, semblait-il, l'évêque Waleran s'y était opposé. D'après Philip, ils pouvaient refaire une demande, mais en attendant, ils devaient continuer de vivre séparés. Philip convenait que c'était injuste, mais reconnaissait là la volonté de Dieu. Aliena rétorquait qu'il s'agissait surtout de mauvaise volonté.

L'amertume du regret était un poids aussi pénible à porter que sa grossesse. Elle regrettait d'avoir fait du mal à Jack, elle regrettait ce qu'elle s'était fait à elle-même. Elle regrettait même les souffrances infligées au méprisable Alfred, qui habitait à présent Shiring et ne se montrait jamais à Kingsbridge. Elle avait vingt-six ans maintenant, sa vie était gâchée, et c'était entièrement sa faute.

Elle songea avec nostalgie aux premiers jours passés avec Jack. Quand elle l'avait rencontré pour la première fois, ce n'était qu'un petit garçon, tellement différent des autres. Plus tard elle avait continué à le considérer comme un enfant. Elle qui avait écarté tous les prétendants, ne voyait pas en Jack un futur mari. Aussi s'était-elle laissé approcher et connaître.

Lorsqu'elle regardait en arrière, sa vie avant Jack lui semblait vide. Elle avait déployé une activité surhumaine pour créer son commerce de laine, mais ces jours pleins d'ardeur lui apparaissaient aujourd'hui sans joie, comme un palais désert ou une table chargée de plats d'argent et de coupes d'or vides.

Elle entendit des pas et se redressa, aux aguets. C'était Jack, Mince et gracieux, efflanqué comme un chat. Il s'assit auprès d'elle et l'embrassa doucement sur la bouche. Il sentait la transpiration et la poussière de pierre. « Il fait si chaud, dit-il. Baignons-nous dans le torrent. »

La tentation était irrésistible.

Jack se dépouilla de ses vêtements. Aliena le dévorait des yeux.

Cela faisait des mois qu'elle n'avait pas vu son corps nu. Il avait une poitrine toute lisse. Il attendait qu'elle se déshabille à son tour. Intimidée, car il n'avait jamais vu nu son corps déformé par la grossesse, elle délaça avec lenteur le col de sa robe de toile, puis la passa par-dessus sa tête. Elle guettait avec inquiétude l'expression de Jack, craignant qu'il ne déteste son ventre gonflé, mais il ne manifestait aucune répugnance; au contraire, une expression de tendresse se peignit sur son visage. J'aurais dû m'en douter, se dit-elle; j'aurais dû savoir qu'il m'aimait vraiment.

D'un mouvement agile, il s'agenouilla sur le sol devant elle et posa un baiser sur la peau tendue de son ventre. Elle eut un rire embarrassé.

« Allons nous baigner », dit-elle. Elle se sentirait moins gênée dans l'eau.

Le bassin au pied de la cascade avait environ trois pieds de profondeur. Aliena se laissa glisser dans l'eau, délicieusement fraîche sur sa peau brûlante. Elle frémit de délice. Jack descendit auprès d'elle. Il n'y avait pas la place pour nager. Il avança la tête sous la cascade pour laver ses cheveux. Aliena se sentait bien dans l'eau qui soulageait le poids de son ventre. Elle y plongea la tête.

Lorsqu'elle reparut à la surface, Jack l'embrassa.

Tout essoufflée, elle se mit à rire en se frottant les yeux. Il l'embrassa encore. Elle tendit les bras pour garder son équilibre et sa main se referma sur le sexe durci de Jack. Elle poussa un petit cri de plaisir.

« Tu me manques », lui souffla Jack à l'oreille. Sa voix était rauque de désir, et d'une autre émotion aussi, peut-être de la mélancolie.

Aliena avait la gorge sèche. « Allons-nous violer notre promesse? demanda-t-elle.

— Maintenant et à jamais.

— Que veux-tu dire?

— Nous n'allons plus vivre séparés. Nous quittons Kingsbridge.

— Que feras-tu?

— J'irai dans une autre ville bâtir une autre cathédrale.

— Tu ne seras pas maître bâtisseur. Tu ne feras pas les plans.

— Un jour je peux avoir une autre chance. Je suis jeune... »

C'était possible, mais peu probable, Aliena le savait. Jack aussi. Le sacrifice qu'il faisait pour elle l'émut aux larmes. Personne ne l'avait jamais aimée à ce point; personne jamais ne l'aimerait ainsi. Mais elle ne voulait pas accepter qu'il renonce à tout. « Je ne le ferai pas, déclara-t-elle.

– Quoi?

– Je ne vais pas quitter Kingsbridge.

– Pourquoi pas? fit-il avec irritation. N'importe où ailleurs nous pouvons vivre comme mari et femme sans que personne s'en soucie. Nous pourrions même nous marier à l'église. »

Elle lui caressa le visage. « Je t'aime trop pour t'enlever à la cathédrale de Kingsbridge.

– C'est à moi de décider.

– Jack, je t'adore de m'avoir proposé cela. Que tu sois prêt à renoncer à l'œuvre de ta vie pour vivre avec moi est... J'ai le cœur qui éclate de voir que tu m'aimes tant. Mais je ne veux pas être la femme qui te prive du travail que tu aimais. Je ne suis pas disposée à partir de cette façon. Toute notre vie en pâtirait. Tu me le pardonnerais peut-être, moi jamais.

– Je sais bien, fit Jack avec tristesse, qu'il est inutile de lutter avec toi une fois que tu as pris ta décision. Il faut pourtant faire quelque chose.

– Essayons encore une fois d'obtenir l'annulation. Nous vivrons séparés le temps qu'il faudra. »

Jack était au bord des larmes.

« Et nous viendrons ici tous les dimanches, pour enfreindre notre promesse. »

Il se pressa contre elle et elle sentit de nouveau son désir.

« Tous les dimanches?

– Oui.

– Tu risques de te retrouver enceinte une troisième fois.

– Nous en courrons le risque. Je vais reprendre la fabrication du tissu, comme autrefois. J'ai acheté la laine que Philip n'avait pas vendue et je vais organiser un réseau de tisserands dans la ville. Ensuite, j'utiliserai le moulin à fouler.

– Comment as-tu payé Philip? interrogea Jack, étonné.

– Je ne l'ai pas encore payé. Je le réglerai en balles de tissu. »

Jack hocha la tête et observa d'un ton amer : « Il a accepté parce qu'il veut que tu restes à Kingsbridge pour que j'y reste aussi. »

Aliena acquiesça. « En plus, l'affaire lui rapportera du tissu bon marché.

– Quel homme! Il obtient toujours ce qu'il veut. »

Aliena comprit qu'elle avait gagné. Elle embrassa Jack. « Je t'aime », dit-elle doucement. Il lui rendit son baiser, ses mains coururent sur le corps d'Aliena à la recherche de caresses intimes qui la firent gémir. Il s'arrêta net et déclara : « Je veux être avec toi chaque nuit, pas seulement le dimanche. »

Elle lui embrassa l'oreille. « Un jour, murmura-t-elle. Je te le promets. »

Il passa derrière elle, glissa ses jambes entre les siennes, caressa ses seins gonflés, joua avec les pointes tendues. Enfin il la prit et elle frissonna de plaisir.

Ils firent l'amour lentement, doucement, dans la fraîcheur du bassin, accompagnés par le murmure de la cascade à leurs oreilles. Jack passa un bras autour de ses hanches et ses mains habiles vinrent la caresser en même temps qu'il la possédait. Ce plaisir nouveau, intense, s'augmentait peut-être du fait qu'elle ressentait tant de tristesse. Elle s'abandonna à ses sensations qui bientôt la submergèrent. La jouissance la prit par surprise et elle fut secouée de spasmes si profonds qu'elle en jeta un cri.

Il resta en elle pendant qu'elle reprenait souffle. Il ne bougeait pas, mais elle se rendit compte qu'il n'avait pas joui. Elle tenta de l'encourager, mais il ne réagit pas. Elle tourna la tête pour l'embrasser. L'eau qui mouillait son visage était tiède. Il pleurait.

CINQUIÈME PARTIE
1152-1155

1

Au bout de sept ans, Jack avait terminé les transepts et le résultat était à la hauteur de ses espérances. Il avait amélioré les idées prises à Saint-Denis, en allégeant les éléments d'architecture : les fenêtres, les arcs et la voûte elle-même. La forêt des piliers s'élevait gracieusement pour se transformer en nervures qui venaient se croiser au milieu de la voûte. Les hautes fenêtres en ogive inondaient de lumière l'intérieur de l'église. Les moulures étaient fines et délicates, les sculptures un entrelacs de feuillages en pierre.

Un jour, des fissures apparurent dans le triforium.

Jack fut en même temps choqué et déconcerté. De l'avis des maçons les plus compétents, la structure était solide ; mais une fissure, en tout état de cause, indiquait une faiblesse. La voûte, quoique haute, n'avait rien de démesuré. Jack n'avait pas commis l'erreur d'Alfred en posant une voûte de pierre sur une structure qui n'était pas conçue pour en supporter le poids : ses murs à lui avaient été calculés pour la supporter. Pourtant, les fissures étaient apparues dans le triforium à peu près au même endroit que la première fois, dans la cathédrale d'Alfred. Si ce dernier avait commis une erreur de calcul, Jack était certain de ne pas avoir fait la même chose. Un nouveau facteur intervenait, que Jack ne connaissait pas et ne comprenait pas.

Ce n'était pas dangereux, pas à court terme. Les failles, comblées aussitôt avec du mortier, n'avaient pas encore reparu. Le bâtiment était sain, mais il était faible. Pour Jack, cette faiblesse gâchait son travail. Il voulait une église capable de durer jusqu'au jour du Jugement.

Il descendit l'escalier de la tourelle jusqu'à la galerie où il avait installé son plan au sol, dans le coin, sous le bon éclairage d'une des fenêtres du portail nord. Il se mit à dessiner la plinthe d'un pilier de la nef. Il traça un losange, puis un carré à l'intérieur du losange, puis un cercle au milieu du carré. Les principaux fûts de la colonne jailliraient des quatre pointes du losange dans les quatre directions, formant des arcs ou des nervures. Les fûts subsidiaires partant des coins du carré deviendraient les nervures de la voûte, traversant en diagonale la nef et le bas-côté. Le cercle du centre représentait le cœur du pilier.

Tous les plans de Jack étaient fondés sur des formes géométriques simples et sur des proportions assez compliquées. Il connaissait, notamment, et utilisait le rapport entre la racine carrée de deux et la racine carrée de trois, calcul qu'il avait appris à Tolède, et dont la plupart des maçons anglais étaient incapables. Ils avaient des notions élémentaires, par exemple qu'un cercle passant par les quatre coins d'un carré a un diamètre plus grand que le côté du carré, dans la proportion de racine de deux par rapport à un. Cette proportion-là était la plus ancienne formule utilisée par les maçons car, dans un bâtiment simple, c'était la formule qui régissait la proportion entre la largeur extérieure et la largeur intérieure, donc l'épaisseur du mur.

La tâche de Jack se compliquait de l'obligation où le mettait le prieur de tenir compte de la signification religieuse des nombres. Depuis que Philip avait décidé de dédier la cathédrale à la Vierge Marie, car la Vierge qui pleure accomplissait plus de miracles que la tombe de saint Adolphe, il avait demandé à Jack d'utiliser les chiffres neuf et sept –, ceux de Marie. Jack avait dessiné pour la nef neuf travées et pour le nouveau chœur, qui devait être construit en dernier, sept. L'arcade intermédiaire des bas-côtés aurait sept arcs par travée et la façade ouest neuf fenêtres en ogive. Jack n'avait pas d'opinion sur la symbolique religieuse de ces chiffres, mais il comprenait d'instinct qu'en utilisant toujours les mêmes nombres, il améliorerait l'harmonie de l'ensemble.

Il fut interrompu dans son travail de dessin par le maître couvreur qui se heurtait à un problème et demandait à Jack de le résoudre.

Jack le suivit dans l'escalier de la tourelle et, par le triforium, déboucha sur le toit. Ils franchirent les dômes arrondis qui formaient la partie supérieure de la voûte à nervures. Au-dessus d'eux, les couvreurs déroulaient de grandes feuilles de plomb pour les clouer aux poutres, en commençant par le bas et en remontant de façon que les feuilles supérieures chevauchent celles du dessous pour protéger de la pluie.

Jack comprit tout de suite le problème. Il avait posé un clocheton décoratif à l'extrémité d'une vallée séparant deux toits en pente, mais il en avait laissé la conception à un maître maçon qui n'avait pas prévu de passage pour l'écoulement de l'eau de pluie. Le maçon devrait donc modifier la pente du toit. Il dit au maître couvreur de transmettre ses instructions à son collègue, puis il revint à son dessin. La surprise qui l'attendait le laissa sans voix : Alfred était en bas.

Dix ans s'étaient écoulés pendant lesquels ils ne s'étaient pas adressé la parole. De temps en temps, ils s'étaient vus de loin, à Shiring ou à Winchester. Quant à Aliena, elle n'avait même pas aperçu Alfred depuis neuf ans, même si, selon les lois de l'Église, ils étaient toujours mariés. Martha allait voir son frère environ une fois par an dans sa maison de Shiring. Elle en rapportait toujours les mêmes nouvelles : il construisait des maisons pour les bourgeois de Shiring, ses affaires prospéraient, il vivait seul, il n'avait pas changé.

Aujourd'hui Alfred n'avait pas l'air prospère du tout. Jack lui trouva l'air fatigué et abattu. Alfred avait toujours été grand et fort, mais Jack le trouva maigre. Son visage s'était creusé et la main avec laquelle il repoussa une mèche de cheveux, jadis large et grasse, était osseuse.

« Bonjour, Jack », dit Alfred.

Son expression cachait sous une onctuosité forcée une certaine agressivité.

« Bonjour, Alfred, fit Jack, méfiant. La dernière fois que je t'ai vu, tu portais une tunique de soie et tu t'empâtais.

– C'était il y a trois ans... avant la première mauvaise récolte.

– C'est vrai. » Trois mauvaises récoltes d'affilée avaient provoqué une famine. Des serfs étaient morts de faim, de nombreux fermiers demeuraient sans ressources et les bourgeois de Shiring ne pouvaient probablement plus se permettre de commander de magnifiques maisons neuves en pierre. Alfred en ressentait les effets.

377

« Qu'est-ce qui t'amène à Kingsbridge, après tout ce temps? demanda Jack.

— J'ai entendu parler de tes transepts et je suis venu voir, fit-il d'un ton où perçait malgré lui l'admiration. Où as-tu appris cette technique?

— A Paris », répliqua sèchement Jack. Il n'avait aucune envie de discuter de cette expérience avec Alfred, qui avait été la cause de son exil.

« Bien. » Alfred semblait embarrassé, puis il reprit avec une feinte indifférence : « J'aimerais travailler ici, rien que pour apprendre ces nouveaux procédés. »

Jack était abasourdi. Alfred avait-il vraiment le toupet de lui demander du travail? Pour gagner du temps, il interrogea : « Et ton équipe?

— Je travaille tout seul maintenant, répondit Alfred avec autant de nonchalance que possible. Il n'y a plus assez de travail pour une équipe.

— De toute façon, nous n'engageons pas, déclara Jack sur le même ton. Nous avons tous les hommes qu'il nous faut.

— Mais tu peux toujours employer un bon maçon, n'est-ce pas? »

Jack perçut une sorte de supplication sous l'apparente désinvolture et il comprit qu'Alfred était dans une mauvaise passe. Il décida de jouer franc jeu. « Après la vie que nous avons eue, Alfred, je suis la dernière personne à qui tu devrais demander de l'aide.

— En effet, tu es la dernière, répondit honnêtement Alfred. J'ai essayé partout. Personne n'engage. C'est la famine. »

Jack pensa à toutes les fois où Alfred l'avait maltraité, tourmenté et battu. C'était Alfred qui l'avait poussé à entrer au monastère, puis qui l'avait chassé de sa maison et de sa famille. Il n'avait aucune raison de lui venir en aide : il avait même tout lieu de se féliciter de son infortune. « Je ne te prendrais pas, affirmat-il, même si j'avais besoin d'hommes.

— Je pensais que j'avais une chance. Après tout, c'est mon père qui t'a appris ce que tu sais. C'est grâce à lui que tu es un maître bâtisseur. Tu ne veux pas m'aider en souvenir de lui? »

En souvenir de Tom, Jack fut pris de remords. A sa façon, Tom avait tenté d'être un beau-père honnête. Il n'était ni doux ni

378

compréhensif, mais il ne traitait pas mieux ses propres enfants. Il avait même témoigné beaucoup de patience et de générosité en transmettant à Jack son savoir et sa compétence. Enfin et surtout, il avait toujours, ou presque, rendu heureuse la mère de Jack. Après tout, songea celui-ci, me voilà maître bâtisseur, sur le point de réaliser mon ambition en construisant la plus belle cathédrale du monde. A côté de moi, Alfred est pauvre, affamé et sans travail. N'est-ce pas une vengeance suffisante?

Non, se dit-il.

Puis la raison lui revint.

« Très bien, fit-il. Je t'engage en mémoire de Tom.

— Merci, répondit Alfred, le visage impénétrable. Est-ce que je dois commencer tout de suite? »

Jack acquiesça. « Nous sommes en train de poser les fondations de la nef, tu n'as qu'à nous rejoindre. »

Alfred lui tendit la main. Jack hésita un instant, puis la serra. Il avait toujours sa poigne robuste.

Alfred parti, Jack resta à contempler ses dessins sans les voir. Avait-il pris la bonne décision? La voûte d'Alfred s'était effondrée, aussi ne lui confierait-il pas des travaux difficiles comme la construction d'une voûte ou d'un arc : des murs droits et des sols, c'était là son domaine.

Jack réfléchissait encore quand la cloche de midi sonna le dîner. Les maçons mariés rentraient chez eux et les célibataires prenaient leurs repas dans la loge. Sur certains chantiers, on fournissait la nourriture pour éviter les retards à la reprise du travail, l'absentéisme et l'abus d'alcool; mais le menu des moines était souvent frugal et la plupart des travailleurs préféraient se débrouiller par eux-mêmes. Jack habitait la vieille maison de Tom le bâtisseur avec Martha, sa demi-sœur, qui lui tenait lieu de gouvernante. Elle s'occupait aussi de Tommy et du second enfant de Jack, une fille prénommée Sally, quand Aliena avait du travail. Enfin, d'ordinaire, elle préparait le dîner de Jack et des enfants; Aliena parfois venait les rejoindre.

Jack quitta l'enclos du prieuré et marcha d'un pas vif. En chemin, une pensée le frappa. Alfred comptait-il revenir s'installer dans la maison avec Martha? Après tout, c'était sa sœur. Jack n'avait pas pensé à ce risque en engageant Alfred.

Supposition stupide, se dit-il après réflexion. L'époque où

379

Alfred faisait la loi était passée depuis longtemps. Le maître bâtisseur de Kingsbridge, c'était Jack et, s'il interdisait à Alfred de s'installer dans la maison, Alfred ne transgresserait pas son ordre.

Pourtant, il s'attendait presque à le trouver assis à la table de la cuisine et il fut soulagé de voir qu'il n'en était rien. Aliena surveillait le repas des enfants tandis que Martha remuait le contenu d'une marmite sur le feu. Le fumet du ragoût d'agneau faisait venir l'eau à la bouche.

Il posa un rapide baiser sur le front d'Aliena. Elle avait trente-trois ans maintenant, mais elle paraissait toujours dix ans de moins. Ses cheveux formaient la même abondante masse de boucles brunes, elle avait la même bouche généreuse, les mêmes magnifiques yeux sombres. On ne voyait les effets du temps et des grossesses que lorsqu'elle était nue : sa superbe poitrine s'était un peu alourdie, ses hanches et son ventre n'avaient plus leur minceur juvénile.

Jack jeta un regard affectueux aux enfants : à neuf ans, Tommy était un robuste garçon aux cheveux roux, grand pour son âge, qui engloutissait son ragoût comme s'il n'avait pas mangé depuis une semaine ; Sally, sept ans, avait les boucles brunes de sa mère et un sourire qui révélait un creux entre les dents de devant. Chaque matin, Tommy allait à l'école au prieuré pour apprendre à lire et à écrire, mais, comme les moines n'acceptaient pas les filles, Aliena donnait elle-même des leçons à Sally.

Jack s'assit pendant que Martha retirait la marmite du feu pour la poser sur la table. Quelle fille étrange, pensa Jack. Elle avait maintenant vingt ans passés, mais ne semblait pas du tout s'intéresser au mariage. Elle avait toujours été attachée à Jack et semblait parfaitement satisfaite de lui servir de gouvernante. Jack, sans aucun doute, présidait à la plus originale maisonnée du comté. Aliena et lui étaient deux des principaux notables de la ville : lui le maître bâtisseur de la cathédrale, et elle la plus grande fabricante de tissu en dehors de Winchester. Tout le monde les traitait comme mari et femme, il leur était défendu pourtant de passer leurs nuits ensemble et ils habitaient des maisons séparées, Aliena avec son frère, Jack avec sa demi-sœur. Tous les dimanches après-midi et chaque jour férié, ils disparaissaient et tout le monde savait ce qu'ils faisaient, sauf, bien sûr, le prieur Philip. Pendant ce temps, la mère de Jack se cantonnait dans sa grotte de la forêt parce qu'elle était réputée sorcière.

De temps en temps, Jack éprouvait une bouffée d'exaspération. Quand lui permettrait-on enfin d'épouser Aliena? Il restait allongé sans dormir dans son lit à écouter Martha ronfler dans la chambre voisine, en se disant : j'ai vingt-huit ans, pourquoi dois-je dormir seul? Le lendemain, il était d'une humeur massacrante avec le prieur Philip, rejetant toutes les suggestions et les demandes du chapitre en les jugeant impraticables ou trop coûteuses, refusant d'envisager des compromis, buté et brutal. Philip alors l'évitait quelques jours et laissait la tempête se calmer.

Aliena, elle aussi, souffrait et c'était Jack qui en faisait les frais. Elle se montrait impatiente et intolérante, critiquant tout ce qu'il faisait, mettant les enfants au lit dès son arrivée, prétendant qu'elle n'avait pas faim lorsqu'il mangeait. Au bout d'un jour ou deux de cette humeur, elle éclatait en sanglots en s'excusant et ils étaient de nouveau heureux jusqu'à l'explosion suivante, quand la tension devenait trop forte.

Jack servit un peu de bouillon dans une écuelle et commença de dîner. « Devine qui est venu sur le chantier ce matin? dit-il. Tu ne trouveras jamais. Alfred. »

Martha laissa tomber le couvercle de la marmite sur la pierre de l'âtre avec un grand fracas. Jack lut la crainte sur son visage. Il se tourna vers Aliena et vit qu'elle aussi avait pâli.

« Que fait-il à Kingsbridge? interrogea celle-ci.

— Il cherche du travail. La famine a appauvri les marchands de Shiring, j'imagine, et ils ne font plus construire de maisons de pierre comme autrefois. Il a congédié son équipe et n'arrive pas à trouver de travail pour lui-même.

— J'espère que tu l'as jeté dehors! s'exclama-t-elle.

— Il m'a demandé en souvenir de Tom de l'engager », répondit Jack, un peu nerveux. Il ne s'attendait pas à la réaction si violente des deux femmes. « Au fond, je dois tout à Tom.

— Damnation! s'écria Aliena, consternée.

— En tout cas, dit Jack, je l'ai engagé.

— Non! hurla Aliena. Comment as-tu pu? Tu ne peux pas le laisser revenir à Kingsbridge... ce démon! »

Sally se mit à pleurer. Tommy regardait sa mère en ouvrant de grands yeux. « Alfred n'est pas le diable, protesta Jack. C'est un homme affamé, sans le sou. Je l'ai aidé en souvenir de son père.

— Tu ne le plaindrais pas s'il t'avait forcé à dormir par terre au pied de son lit comme un chien pendant neuf mois.

381

– Il m'a fait pire... Demande à Martha.

– Et à moi aussi, renchérit Martha.

– J'ai estimé, conclut Jack, que l'état de déchéance où il se trouve suffit à me venger.

– Eh bien, pas moi! tonna Aliena. Par le Christ, tu es un fieffé imbécile, Jack Jackson. Il y a des moments où je remercie Dieu de ne pas t'avoir épousé. »

Jack détourna la tête. Il savait qu'elle n'en pensait rien, mais c'était quand même assez déplaisant à entendre. Il reprit sa cuiller et se mit à manger. Aliena caressa la tête de Sally et lui mit un bout de carotte dans la bouche. L'enfant s'arrêta de pleurer.

Tommy fixait toujours Aliena, bouche bée et effrayé. « Mange, Tommy, ordonna Jack. C'est bon. »

Ils terminèrent leur dîner en silence.

L'année où les transepts furent terminés, au printemps, le prieur Philip alla dans le Sud faire une tournée des propriétés du monastère. Après trois mauvaises années consécutives, il avait besoin d'une bonne récolte et tenait à vérifier dans quel état se trouvaient les fermes.

Il emmenait Jonathan. L'orphelin du prieuré était maintenant un grand jeune homme de seize ans, un peu gauche mais intelligent. Comme Philip au même âge, il n'avait pas le moindre doute sur ce qu'il voulait faire de sa vie : il avait achevé son noviciat, prononcé ses vœux et il était devenu frère Jonathan. Comme Philip, il s'intéressait aussi à l'aspect matériel du service de Dieu et il servait d'assistant à Cuthbert le Chenu, le vieux cellérier. Philip était fier de lui : il était dévot, travailleur et aimé de tous.

Les deux hommes étaient escortés de Richard, le frère d'Aliena, qui avait fini par trouver sa place à Kingsbridge. Une fois les murailles de la ville achevées et consolidées, Philip avait suggéré à la guilde paroissiale de nommer Richard officier du guet, responsable de la sécurité de la ville. C'était lui qui organisait les veilles de nuit et qui surveillait l'entretien et l'amélioration des murs; les jours de marché et de fêtes, il avait pouvoir d'arrêter les ivrognes et les fauteurs de trouble. Ces tâches devenues essentielles à mesure que la ville se développait n'étaient pas du ressort des moines. Aussi la guilde paroissiale, en qui Philip avait vu tout d'abord un adversaire de son autorité, s'était-elle révélée fort utile. Et Richard était heureux. Il avait une trentaine d'années, mais sa vie active lui conservait une allure jeune.

Philip regrettait que la sœur de Richard ne fût pas aussi bien installée dans la vie. Si l'Église avait fait preuve d'injustice envers quelqu'un, c'était bien Aliena. Jack était l'homme qu'elle aimait et le père de ses enfants, mais l'Église lui interdisait de l'épouser et contre toute logique la maintenait mariée à Alfred. La mauvaise volonté de l'évêque bloquait le décret d'annulation. C'était scandaleux. Philip se sentait coupable, même s'il n'était pas directement responsable.

Vers la fin du voyage, alors qu'ils traversaient la forêt par un beau matin ensoleillé, le jeune Jonathan déclara : « Je me demande pourquoi Dieu fait mourir les gens de faim. »

C'était une question que chaque jeune moine posait tôt ou tard et on pouvait y répondre de bien des façons. « Ne reproche pas cette famine à Dieu, déclara Philip.

– Mais c'est bien Dieu qui a fait le temps qui a causé les mauvaises récoltes !

– La famine n'est pas seulement due aux mauvaises récoltes, expliqua Philip. Il y en a toujours périodiquement, mais les gens n'en meurent pas. Ce qu'il y a de grave cette fois, c'est que la crise survient après d'épuisantes années de guerre civile.

– Quel rapport ? »

Ce fut Richard, le soldat, qui répondit. « La guerre est fatale à l'agriculture, dit-il. On massacre les troupeaux pour nourrir les armées, on brûle les récoltes pour que l'ennemi n'en profite pas et les fermes sont négligées car les chevaliers sont pris par la guerre.

– Dans ces cas-là, ajouta Philip, les gens ne sont pas disposés à consacrer du temps et de l'énergie à défricher des terres, à agrandir les troupeaux, à creuser des fossés et à bâtir des granges.

– Nous, nous n'avons jamais arrêté de faire ce genre de travail, protesta Jonathan.

– Les monastères sont différents. La plupart des fermiers abandonnent leur exploitation durant les combats si bien que, quand le mauvais temps arrive, ils ne sont pas en état d'en supporter les conséquences. Les moines voient plus loin, eux. Mais nous avons un autre problème. A cause de la famine, le prix de la laine s'est effondré.

383

– Je ne vois pas le rapport, répéta Jonathan.

– C'est sans doute parce que les victimes de la famine ont autre chose en tête que des soucis de vêtement. » C'était la première fois, de la mémoire de Philip, que le prix de la laine n'avait pas augmenté. Il avait dû ralentir le rythme de construction de la cathédrale, cesser d'accepter de nouveaux novices et supprimer la viande et le vin du régime des moines. « Mais souviens-toi, reprit Philip, tous ces maux sont causés par la guerre et non par le mauvais temps.

– J'espère, s'exclama Jonathan avec une passion juvénile, qu'il y a un endroit spécial en Enfer pour les comtes et les chevaliers qui provoquent tant de misère.

– Je l'espère... Que les saints nous préservent, qu'est-ce qui se passe ? »

Un étrange personnage avait jailli des broussailles, tête baissée. Ses vêtements étaient en haillons, ses cheveux en désordre et son visage noir de poussière. Philip crut d'abord que le malheureux fuyait un ours enragé.

L'homme accéléra et se jeta sur Philip qui, pris par surprise, en tomba de cheval.

Son agresseur tomba sur lui. L'homme avait une odeur de bête et les cris qu'il poussait n'étaient guère humains. Philip se débattait comme il pouvait. L'homme semblait chercher à s'emparer de la sacoche de cuir que Philip portait sur son épaule. Le prieur comprit qu'il essayait de le voler. Il n'y avait rien dans la sacoche qu'un livre, *Le Cantique des Cantiques*. Philip faisait des efforts désespérés pour se dégager, non parce qu'il tenait spécialement à ce livre, mais à cause de la saleté répugnante du voleur.

Plus il s'agitait, plus il s'empêtrait dans la courroie de son sac. Le voleur ne lâchait pas prise. Ils roulèrent l'un sur l'autre. Philip se rendit vaguement compte que son cheval s'était échappé. Enfin Richard empoigna le voleur. Philip se redressa mais, au lieu de se relever tout de suite, étourdi et hors d'haleine, il reprit son souffle, se tâta : rien de cassé.

Richard avait plaqué l'homme au sol et le maintenait d'un pied posé entre ses omoplates, la pointe de son épée appuyée sur sa nuque. Jonathan, abasourdi, tenait par la bride les deux chevaux qui restaient.

Philip se releva maladroitement. Quand j'avais l'âge de

Jonathan, je pouvais tomber de cheval et ressauter aussitôt en selle, pensa-t-il non sans dépit.

« Si vous gardez ce cloporte à l'œil, dit Richard, je vais rattraper votre cheval. » Il tendit son épée à Philip.

« D'accord, mais gardez votre épée. Je n'en aurai pas besoin. »

Richard hésita, puis rengaina son arme. Le voleur ne bougeait pas. D'ailleurs, le malheureux, trop faible pour étrangler un poulet, n'avait présenté un réel danger. Richard partit à la recherche du cheval de Philip.

Quand le voleur vit Richard s'éloigner, il changea d'expression. Philip devina aussitôt qu'il guettait l'occasion de s'enfuir. Il l'arrêta donc. « Voudrais-tu quelque chose à manger? » demanda-t-il.

L'homme regarda Philip comme s'il avait affaire à un fou.

Le prieur alla vers le cheval de Jonathan et ouvrit un sac de selle d'où il tira un pain. Il le rompit et en offrit la moitié au voleur. Comme s'il craignait qu'on change d'avis, l'homme s'en empara et en fourra aussitôt le plus gros dans sa bouche.

Philip s'assit sur le sol pour se reposer et l'observer. L'homme mangeait comme un animal, s'efforçant d'avaler le plus possible avant qu'on ait l'idée de lui retirer sa pitance. Maintenant qu'il le voyait mieux, Philip se rendait compte que l'homme qu'il avait pris pour un vieillard n'avait guère plus de vingt-cinq ans.

Quand Richard revint, ramenant le cheval de Philip, il s'indigna de voir le voleur en train de manger. « Pourquoi lui avez-vous donné notre nourriture? dit-il à Philip.

— Parce qu'il meurt de faim. »

Richard ne répondit pas, mais son expression disait clairement qu'à son avis les moines perdaient le sens.

L'homme avait dévoré tout le pain. « Comment t'appelles-tu? » demanda Philip.

L'homme, méfiant, hésita. Philip pensa qu'il n'avait peut-être pas parlé à un autre être humain depuis longtemps. Il répondit enfin : « David. »

En tout cas, se dit Philip, il n'avait pas perdu l'esprit.

« Que t'est-il arrivé, David? interrogea-t-il.

— J'ai perdu ma ferme après la dernière récolte.

— Qui était ton propriétaire?

— Le comte de Shiring. »

385

William Hamleigh! Philip n'était pas surpris.

Des milliers de fermiers n'avaient pas pu payer leur loyer après les trois mauvaises récoltes. Philip, quand les fermiers se trouvaient dans ce cas, oubliait simplement de réclamer. De toute façon, un fermier qui se trouvait en difficulté finissait toujours par venir demander la charité au prieuré. Mais d'autres propriétaires, notamment le comte William, profitaient de la crise pour expulser les fermiers défaillants et reprendre possession du domaine. Résultat : une augmentation considérable du nombre des hors-la-loi vivant dans la forêt et attaquant les voyageurs. C'était pourquoi Philip emmenait partout Richard comme garde du corps.

« Et ta famille ? demanda Philip.

— Ma femme est retournée chez sa mère avec le bébé. Il n'y avait pas de place pour moi. »

C'était une histoire malheureusement banale. « David, reprit Philip, c'est un péché de porter la main sur un moine et c'est mal de vivre du vol.

— Comment donc voulez-vous que je vive ? s'écria le malheureux.

— Si tu peux rester dans la forêt, attrape des oiseaux.

— Je ne sais pas !

— Comme voleur, poursuivit Philip, tu ne vaux rien. Quelle chance de réussite avais-tu, sans arme, contre trois, dont l'un, Richard que voici, est armé jusqu'aux dents ?

— J'étais à bout.

— Eh bien, la prochaine fois que tu seras désespéré, va jusqu'à un monastère. Il y a toujours quelque chose à manger pour un pauvre. » Philip se leva. Il avait dans la bouche le goût amer de l'hypocrisie : en réalité les monastères ne pouvaient absolument pas nourrir tous les hors-la-loi. La plupart d'entre eux n'avaient vraiment d'autre choix que le vol. Mais le rôle d'un prieur était de guider les hommes vers une existence vertueuse, pas de trouver des excuses au péché.

Philip ne pouvait pas en faire plus pour le mendiant. Il reprit à Richard les rênes de son cheval et remonta en selle. « Passe ton chemin et ne pèche plus », conseilla-t-il en citant Jésus. Puis il poussa son cheval.

« Vous êtes vraiment trop bon, observa Richard en lui emboîtant le pas.

« — Mon vrai défaut, riposta Philip en secouant tristement la tête, c'est que je ne suis pas assez bon. »

Le dimanche précédant la Pentecôte, William Hamleigh se maria. C'était une idée de sa mère, qui le harcelait depuis des années pour qu'il prît femme et conçût un héritier. Il avait toujours remis cette corvée au lendemain. Les femmes l'ennuyaient, l'angoissaient même, sans qu'il sache vraiment pourquoi, il n'avait pas envie d'y réfléchir. Il ne cessait de promettre qu'il se marierait bientôt, mais il ne passait jamais aux actes.

Ce fut Regan pour finir qui lui trouva une épouse.

Elle s'appelait Elizabeth. C'était la fille de Harold de Weymouth, un riche chevalier, chaud partisan de Stephen. Comme sa mère l'expliqua à William, avec un peu d'efforts il aurait pu trouver mieux, épouser la fille d'un comte, mais puisqu'il ne voulait pas s'occuper de son propre sort, Elizabeth ferait l'affaire.

William l'avait vue à la cour du roi, à Winchester, et Regan avait surpris son regard sur cette enfant à la jolie frimousse, entourée d'une masse de boucles châtain clair, aux seins ronds, aux hanches étroites : exactement le type de William. Elizabeth avait quatorze ans.

En la voyant, William s'était imaginé qu'il la rencontrait par une nuit sombre et la prenait de force dans une ruelle de Winchester. L'idée du mariage ne lui avait pas traversé l'esprit. Cependant Regan ne tarda pas à découvrir que le père n'était pas hostile à cette union; quant à la fille, c'était une enfant obéissante qui ferait ce qu'on lui dirait. Ayant assuré à William que ne se renouvellerait pas l'humiliation infligée à leur famille par Aliena, Mère arrangea une rencontre.

William était nerveux. La dernière fois qu'il s'était trouvé dans la même situation, il avait vingt ans, pas d'expérience. Jeune fils de chevalier, il faisait la connaissance d'une arrogante jeune dame de la noblesse qui le traitait de haut. Mais aujourd'hui, endurci par les combats, âgé de trente-sept ans, comte de Shiring depuis dix ans, il n'allait pas s'énerver bêtement comme un blanc-bec à cause d'un rendez-vous avec une fille de quatorze ans.

Elle était encore plus tendue que lui, d'autant qu'elle tenait désespérément à lui plaire. Elle se mit à parler avec excitation de sa maison et de sa famille, de ses chevaux et de ses chiens, de ses parents et de ses amis. Lui restait silencieux et l'observait en essayant de l'imaginer nue.

L'évêque Waleran les maria dans la chapelle d'Earlscastle. Il y eut un grand festin qui se prolongea toute la journée. Selon la coutume, on avait invité tous les gens importants du comté et William aurait perdu la face s'il n'avait pas donné un banquet somptueux. On rôtit donc trois bœufs entiers et des douzaines de moutons et de porcs dans l'enceinte du château. Les invités épuisèrent les provisions de bière, de cidre et de vin de la cave. La mère de William présidait aux festivités, son visage défiguré arborant un air de triomphe. L'évêque Waleran, trouvant répugnantes ces réjouissances vulgaires, partit quand l'oncle de la mariée se mit à plaisanter gaillardement le jeune couple.

Celui-ci se retira à la tombée de la nuit, tandis que les invités continuaient à festoyer. William avait assisté à suffisamment de mariages pour savoir à quoi l'exposaient les inventions scabreuses des plus jeunes convives; aussi posta-t-il Walter en faction devant la chambre dont il barricada la porte pour ne pas être dérangé.

Elizabeth ôta sa tunique et ses chaussures. En simple chemise de lin, elle déclara avec simplicité : « Je ne sais pas quoi faire, il va falloir me montrer. »

Ce n'était pas tout à fait ce que William avait imaginé. Il s'approcha d'elle. Elle leva la tête et il posa un baiser sur ses lèvres douces, mais cela ne l'excita pas le moins du monde. « Ote ta chemise et allonge-toi sur le lit », ordonna-t-il.

Elle se débarrassa de sa camisole. Elle était assez rondelette, avec de gros seins aux petites pointes roses. Un léger duvet formait un triangle clair en bas de son ventre. Docilement, elle se dirigea vers le lit et s'allongea sur le dos.

En deux coups de pied, William se déchaussa de ses bottes. Il s'assit sur le lit auprès d'elle et lui pressa les seins. Elle avait la peau douce. Cette aimable fille, souriante et obligeante, ne correspondait guère à l'image, qui lui avait laissé la gorge sèche, d'une femme en proie à la passion, gémissant et transpirant sous lui. Il se sentit déçu.

Quand il posa une main sur sa cuisse, elle entrouvrit aussitôt les jambes. Il glissa son doigt en elle. Elle eut une petite grimace de douleur, puis se reprit : « C'est très bien, allez-y. »

388

Il se demanda un instant s'il ne s'y prenait pas mal. Il eut la vision fugitive d'une scène toute différente, dans laquelle ils seraient allongés côte à côte, se caressant, bavardant et faisant peu à peu connaissance. Mais le désir venait de s'éveiller en lui lorsqu'elle avait poussé un petit cri de souffrance et, balayant ses scrupules, il se mit à la traiter plus brutalement. Il ne cessait d'observer son visage tandis qu'elle luttait pour supporter l'épreuve en silence.

Il monta sur le lit et s'agenouilla au-dessus d'elle. Il n'était pas encore totalement excité. C'était son fichu sourire qui le rendait impuissant, il en était sûr. Une deuxième fois, il la fit gémir de douleur. C'était mieux. Puis cette petite idiote se remit à sourire. Il fallait qu'il efface ce rictus de son visage. Il la gifla à toute volée. Elle poussa un hurlement et sa lèvre se mit à saigner. C'était beaucoup mieux.

Il la frappa encore.

Elle éclata en sanglots.

Alors tout se passa bien.

Le dimanche suivant se trouvant être la Pentecôte, une vaste foule se presserait dans la cathédrale. L'évêque Waleran dirait la messe. Il y aurait encore plus de monde que d'habitude, car on avait hâte de voir les nouveaux transepts, tout juste terminés. Le bruit courait qu'on n'avait jamais rien vu de pareil. William en profiterait pour présenter son épouse au peuple. Il n'était pas revenu à Kingsbridge depuis son attaque ratée, mais Philip ne pouvait pas l'empêcher d'assister à un service religieux.

Deux jours avant la Pentecôte, Regan mourut subitement. Le vendredi, après le souper, se sentant oppressée, elle se coucha de bonne heure. Peu avant l'aube, la chambrière réveilla William pour lui annoncer que sa mère était très mal. Il se leva et, à moitié endormi, la rejoignit dans sa chambre où il la trouva incapable de parler, suffocante, une expression de terreur au fond des yeux.

William, terrifié par les halètements qui la secouaient et son regard fixe, qui semblait lui réclamer du secours, préféra quitter la pièce. La servante en faction à la porte lui fit honte. Il se força à rentrer dans la chambre. A la lueur de l'unique chandelle, le visage de Regan semblait se creuser. Son souffle rauque devenait si bruyant que William s'étonnait : comment le château n'était-il pas alerté? On aurait dit qu'elle criait après lui seul, comme quand il était enfant. Elle lui réclamait quelque chose, il en était sûr. Soudain il se revit gamin, envahi d'une terreur aveugle comme il n'en avait pas éprouvé depuis sa petite enfance, la terreur de prendre conscience que la seule personne qu'il aimait était un monstre. Depuis toujours, elle le martyrisait de son autorité, de son sadisme, et lui, si apeuré par les hurlements qu'il ne comprenait plus ce qu'elle lui réclamait, il devenait aveugle, sourd et muet de terreur.

Cette fois, c'était pareil et différent.

Cette fois, elle mourut.

D'abord, ses yeux se fermèrent. William se détendit un peu. Peu à peu, le souffle de Regan s'affaiblit, son visage grêlé prit une teinte grisâtre. Enfin, elle cessa de respirer.

William se tourna vers la servante.

« Elle est en paix, maintenant, n'est-ce pas? »

La servante éclata en sanglots.

William s'assit au bord du lit et contempla le visage immobile. La femme de chambre alla chercher le prêtre qui réagit avec colère : « Pourquoi ne m'avez-vous pas appelé plus tôt? » reprocha-t-il à William. Ce fut à peine si celui-ci l'entendit. Il veilla le corps jusqu'au lever du jour; puis les servantes venues procéder à sa dernière toilette lui demandèrent de partir. William descendit dans la salle commune où les habitants du château – chevaliers, hommes d'armes, clercs et domestiques – déjeunaient en silence. Il s'assit à la table auprès de sa jeune épouse et but un peu de vin. Un chevalier et l'intendant lui adressèrent la parole, mais il ne répondit pas. Walter arriva et s'assit auprès de lui. Walter le connaissait depuis assez d'années pour savoir quand il fallait se taire.

William sortit enfin de son silence. « Les chevaux sont prêts? demanda-t-il.

— Pourquoi? répondit Walter, surpris.

— Pour le voyage à Kingsbridge. Il dure deux jours, nous partirons ce matin.

— Je ne pensais pas que nous irions... étant donné les circonstances... »

William tapa sur la table. « Est-ce que j'ai dit une chose pareille?

– Non, seigneur.

– Alors, nous partons!

– Bien, seigneur, fit Walter en se levant. Je vais tout préparer. »

Ils partirent dans le milieu de l'après-midi, William, Elizabeth et l'escorte habituelle de chevaliers et de valets. William vivait dans un rêve. Il lui semblait que c'était le paysage qui passait devant lui et non le contraire. Elizabeth chevauchait à son côté, meurtrie et silencieuse. Aux repas, William croqua un peu de pain et but plusieurs coupes de vin. La nuit, il dormit d'un sommeil agité.

En approchant de Kingsbridge, ils aperçurent de loin la cathédrale qui dominait les champs verdoyants. L'ancien sanctuaire était un édifice large et trapu, avec de petites fenêtres comme des yeux de porc sous des sourcils arrondis. La nouvelle église serait totalement différente. Elle était élancée et les fenêtres semblaient extraordinairement grandes. Plus il approchait, plus l'impression s'accentuait. A côté de l'église, les bâtiments du prieuré devenaient des miniatures.

La route grouillait de cavaliers et de piétons convergeant vers Kingsbridge : la messe de Pentecôte était populaire, car elle prenait place au début de l'été, quand le temps était beau et les routes sèches. Cette année-là la curiosité pour la nouvelle cathédrale attirait encore plus de gens que d'habitude.

William et son escorte parcoururent au petit trot la dernière demi-lieue, bousculant au passage la piétaille qui ne se rangeait pas assez vite, et franchit dans un grand fracas le pont-levis de bois qui enjambait la rivière. Kingsbridge était devenue l'une des villes les plus fortifiées d'Angleterre. Une solide muraille de pierre surmontée d'un parapet crénelé l'entourait, et là où jadis le pont débouchait directement sur la grand-rue, la voie était barrée par une barbacane de pierres aux énormes portes bardées de fer ouverte le jour, mais solidement fermée la nuit. Je n'incendierai plus jamais cette ville, songea William.

Les gens regardaient la troupe du comte remonter la grand-rue vers le prieuré. William suscitait toujours la curiosité. De plus, cette fois, on découvrait aussi sa jeune épouse qui chevauchait à sa gauche. A sa droite, comme toujours, se tenait Walter.

Ils entrèrent dans l'enclos du prieuré et mirent pied à terre devant les écuries. William confia son cheval à son valet et se

391

retourna pour contempler l'église. Les parties à construire étaient délimitées au sol par un assemblage de piquets et de cordes. Mais l'attention de William se porta immédiatement sur les transepts, dont il avait tellement entendu parler. Les fenêtres étaient incroyablement grandes, comme on le lui avait rapporté. William n'avait jamais vu de sa vie un édifice pareil.

« C'est fantastique », murmura Elizabeth, rompant son silence soumis.

Impressionné, il remonta la nef à pas lents, suivi de sa jeune femme. La première travée était construite en partie et paraissait soutenir l'énorme arc en ogive qui formait l'entrée ouest de la croisée. William passa sous cet arche extraordinaire et se trouva dans la foule qui augmentait d'instant en instant.

Cette construction tenait du miracle. Tout était trop grand, trop élancé, trop gracieux et trop fragile pour tenir debout. Il n'y avait pas de murs, rien pour soutenir le toit qu'une rangée de fins piliers s'élançant vers le ciel. Comme tous ceux qui l'entouraient, William se démancha le cou pour regarder en haut et constata que les piliers s'incurvaient dans la courbe du plafond pour se rencontrer au faîte de la voûte comme les branches entremêlées des vieux ormes de la forêt.

La messe commença. On avait construit l'autel à l'entrée du chœur, réservant la croisée et les deux transepts aux fidèles qui, malgré l'espace dont ils disposaient, débordaient dans la nef en construction. William se fraya un chemin jusqu'au premier rang, où par prérogative il avait sa place, et s'installa près de l'autel près des autres nobles du comté qui le saluèrent de la tête en échangeant entre eux des murmures divers.

Le toit de bois peint de l'ancien chœur se raccordait bizarrement à la grande arche de la croisée et il était clair que le bâtisseur comptait démolir le chœur pour le refaire dans le style du nouvel édifice.

Tout en réfléchissant à ces étonnantes innovations, William balayait d'un œil vague l'assistance autour de lui. Soudain il repéra le responsable de l'ouvrage, le maître bâtisseur Jack Jackson. C'était un beau gaillard avec sa crinière de cheveux roux, qui arborait une tunique rouge sombre brodée au col et à l'ourlet, comme un noble. L'air plutôt content de lui, il tenait par la main un garçon d'environ neuf ans, son portrait tout craché. William eut

392

un pincement au cœur en devinant qu'il s'agissait de l'enfant d'Aliena – Aliena qui, justement, lui apparut au même instant. Elle se tenait un peu en retrait de Jack, avec un petit sourire d'orgueil. William sentit son cœur bondir. Elle était plus belle que jamais. Elizabeth n'était qu'un piètre substitut, une pâle imitation de la véritable Aliena. Celle-ci donnait la main à une petite fille d'environ sept ans et William se rappela qu'elle avait eu un second enfant de Jack, bien qu'ils ne fussent toujours pas mariés.

William la scruta avec une attention jalouse. Non, finalement elle n'était pas aussi jolie qu'autrefois ; elle avait des rides autour des yeux et, derrière son fier sourire, une ombre de tristesse. Toutes ces années passées à espérer l'autorisation d'épouser Jack finissaient par la miner, se dit William avec satisfaction. L'évêque Waleran avait tenu parole, il bloquait toujours l'annulation. Cette idée réconfortait souvent William.

Waleran justement, debout devant l'autel, élevait la sainte hostie au-dessus de sa tête pour l'exposer aux yeux de la congrégation. D'un seul mouvement, les centaines de gens s'agenouillèrent. William concentra un moment son attention sur l'office, mais le vertige qu'il éprouvait depuis la veille persistait et la magie de la nouvelle cathédrale, avec le soleil qui jouait entre ces invraisemblables piliers, ne faisait qu'intensifier son impression d'irréalité.

La messe touchait à sa fin. L'évêque Waleran se retourna, face aux fidèles. « Nous allons maintenant prier pour l'âme de la comtesse Regan Hamleigh, la mère du comte William de Shiring, qui nous a quittés dans la nuit de vendredi. »

Un brouhaha parcourut l'assistance, mais William fixait l'évêque d'un œil horrifié. Il venait de comprendre enfin ce que sa mère avait essayé de lui transmettre en mourant. Elle réclamait un prêtre, *mais William ne l'avait pas appelé.* Il l'avait regardée s'affaiblir, il avait vu ses yeux se fermer, son souffle s'arrêter et il l'avait laissée mourir sans confession. Comment avait-il pu faire une chose pareille ? Depuis la nuit de vendredi, l'âme de sa mère était en enfer, souffrant les tourments qu'elle lui avait si souvent décrits avec tant de détails, et sans prières pour soulager son supplice ! Il avait le cœur si lourd de remords qu'il eut l'impression un moment que lui aussi allait mourir. « Que va-t-il m'arriver ? » dit-il à voix haute, et les gens autour de lui le regardèrent avec surprise.

Une fois la messe terminée et les moines sortis en procession, William resta agenouillé devant l'autel. Le reste des fidèles s'éparpilla dehors au soleil sans s'occuper de lui; tous, sauf Walter qui l'attendit. William priait de toutes ses forces, en évoquant sa mère tout en répétant le « Notre Père » et tous les autres bouts de prières dont il pouvait se souvenir. Au bout d'un moment, il se dit qu'il y avait peut-être mieux à faire : brûler des cierges par exemple; payer des prêtres et des moines pour dire régulièrement des messes pour elle; peut-être même faire construire une chapelle pour le repos de son âme. Mais tout ceci lui paraissait encore insuffisant. Il lui semblait la voir, secouant la tête, blessée et déçue et lui répétant : « Laisseras-tu encore longtemps ta mère souffrir ? »

Il sentit une main sur son épaule et releva la tête. L'évêque Waleran se tenait devant lui, toujours vêtu de la magnifique robe rouge qu'il portait à la Pentecôte. Ses yeux noirs scrutaient ceux de William et celui-ci eut le sentiment que ce regard pénétrait tous ses secrets. « Pourquoi pleurez-vous ? » demanda Waleran.

William se rendit compte qu'il avait le visage baigné de larmes. « Où est-elle ? interrogea-t-il.

— Elle est allée se faire purifier par le feu.

— Est-ce qu'elle souffre ?

— Terriblement. Mais pour ceux qui nous sont chers, nous pouvons hâter la fin de ce châtiment horrible infligé à leur âme.

— Je ferais n'importe quoi! sanglota William. Dites-moi simplement quoi! »

Les yeux de Waleran étincelaient de cupidité. « Bâtissez une église, dit-il, comme celle-ci. Mais à Shiring. »

Une fureur froide envahissait Aliena chaque fois qu'elle traversait les terres qui autrefois avaient appartenu à son père. Les fossés bouchés, les clôtures abattues, les étables délabrées la choquaient; les champs en friche l'attristaient, et les villages abandonnés lui brisaient le cœur. La faute n'en revenait pas seulement aux mauvaises récoltes. Le comté aurait pu nourrir sa population, même cette année, s'il avait été convenablement géré. Mais William Hamleigh ne savait pas mettre en valeur ses biens. Pour lui, le comté était un coffre personnel où il n'avait qu'à puiser, pas la terre nourricière de milliers de gens. Lorsque ses serfs n'avaient pas à manger, il les laissait mourir de faim. Quand ses fermiers ne pouvaient pas payer leurs loyers, il les jetait dehors. Et la surface des terres cultivées avait diminué, car les champs des fermiers ainsi dépossédés étaient retournés à leur état naturel. William n'avait pas l'intelligence de voir qu'à long terme il travaillait contre son propre intérêt.

Le pire pour Aliena, c'était qu'elle s'estimait en partie responsable de cette déchéance. Richard et elle n'avaient pas réussi à récupérer la propriété familiale. Ils avaient renoncé depuis qu'Aliena avait perdu toute sa fortune. Mais la blessure n'était pas guérie et la promesse faite à son père obsédait encore Aliena.

Chaque fois qu'elle pensait au temps béni où elle avait auprès de lui sa présence brillante, fière et sévère, elle ressentait comme un coup d'épée la douleur de sa disparition. Sa vie, à partir de l'instant où le comte avait été fait prisonnier, lui semblait avec le recul une série de vaines activités... jusqu'au jour où Jack était entré dans sa vie.

Mais, peu à peu, l'interdiction d'épouser Jack avait tout flétri. Elle en était venue à haïr le prieur Philip qu'elle considérait jadis comme son sauveur et son mentor. Depuis des années maintenant, elle n'avait pas eu avec lui une conversation amicale. Bien sûr, ce n'était pas sa faute si l'annulation était régulièrement refusée. Mais c'était lui qui avait insisté pour les faire vivre séparés et Aliena ne pouvait s'empêcher de lui en vouloir.

Elle adorait ses enfants et s'inquiétait de devoir les élever de façon si bizarre, avec un père qui partait à l'heure du coucher. Jusqu'alors, par bonheur, ils n'en semblaient pas affectés : Tommy était un robuste et beau garçon qui aimait courir, jouer au ballon et au soldat ; Sally, une charmante fillette qui racontait d'interminables histoires à ses poupées, adorait regarder Jack tracer ses plans. Leur amour simple était le seul élément solide et normal dans l'étrange vie d'Aliena.

Elle souffrait plus profondément du malheur de Jack. Elle l'adorait, personne ne savait à quel point, sauf peut-être Ellen qui comprenait tout. Elle l'aimait parce qu'il l'avait ramenée à la vie. Elle était comme une chenille dans un cocon et lui l'en avait tirée pour lui apprendre qu'elle était papillon. Elle aurait passé toute son existence sans rien savoir des joies et des peines de l'amour s'il n'avait pas surgi dans sa clairière secrète pour la charmer de ses récits, l'embrasser avec une infinie douceur, et réveiller l'amour qui dormait au fond de son cœur. Malgré sa jeunesse, il avait été si patient, si tolérant. Pour cela, elle l'aimerait toujours.

En traversant la forêt, elle pensa qu'elle rencontrerait peut-être Ellen, la mère de Jack. Ils la voyaient de temps en temps, à une foire ou à une autre; environ une fois par an elle se glissait à la tombée de la nuit jusqu'à Kingsbridge pour passer la soirée avec ses petits-enfants. Aliena se sentait proche d'Ellen : c'était aussi une femme à part, au destin peu commun.

Elle ressortit de la forêt sans l'avoir vue.

Dans les champs encore cultivés, les moissons mûrissaient au soleil. La récolte serait bonne, estima-t-elle. L'été avait été pluvieux et froid, mais du moins sans les inondations et les maladies qui avaient anéanti les trois dernières moissons. Heureusement, car des milliers de gens étaient au bord de la famine et un mauvais hiver tuerait la plupart d'entre eux. Aliena s'arrêta pour faire boire ses bœufs à la mare d'un village du nom de Monksfield qui faisait partie du domaine de Earlscastle : un assez gros bourg, entouré de quelques-unes des meilleures terres du comté et qui possédait une église en pierre. Cette année, constata-t-elle, on n'avait semé que la moitié des champs : le reste était envahi de mauvaises herbes.

Deux autres voyageurs s'étaient arrêtés au milieu du village pour abreuver leurs chevaux. Aliena les regarda avec méfiance. Avant de lier connaissance, elle étudiait à qui elle avait affaire. Elle avait constaté par exemple que son charretier, parfaitement disposé à lui obéir quand ils étaient seuls, avait tendance à se montrer insolent sitôt qu'il se trouvait en compagnie d'autres hommes.

Mais aujourd'hui l'un des voyageurs était une femme. Aliena la reconnut : elle l'avait vue le dimanche de Pentecôte, à la cathédrale de Kingsbridge : c'était la comtesse Elizabeth, épouse de William Hamleigh.

Accompagné d'un homme d'armes à l'air maussade, apparemment son garde du corps, elle avait un air de chien battu. Voilà quel aurait été mon sort, songea Aliena, si j'avais épousé William!

L'homme d'armes fit un bref salut au charretier en ignorant Aliena, qui décida de ne pas proposer de continuer la route ensemble.

Tandis que les animaux s'abreuvaient, le ciel s'assombrit et un vent âpre se leva. « Un orage d'été », murmura le charretier d'Aliena en levant vers le ciel un regard inquiet. L'orage ralentirait leur avance et ils risquaient de se retrouver en pleine campagne à la nuit tombée. Quelques gouttes de pluie tombèrent. Il allait falloir chercher un refuge, pensa Aliena à contrecœur.

« Abritons-nous ici un moment, dit la jeune comtesse à son garde.

– Pas possible, répondit brutalement l'homme. Ordre du maître. »

Aliena, scandalisée d'entendre l'homme d'armes répliquer sur ce ton intervint : « Ne dites pas de bêtises ! lança-t-elle. Vous avez la charge de votre maîtresse ! »

Le garde tourna vers elle un regard surpris. « Qu'est-ce que ça peut vous faire ? fit-il grossièrement.

– Il va tomber une violente averse, idiot, répliqua Aliena de son ton le plus méprisant. Une dame ne voyage pas par un temps pareil. Votre maître vous fera fouetter pour votre stupidité. » Aliena se tourna vers la comtesse Elizabeth. La jeune femme la regardait, visiblement soulagée que quelqu'un prenne son parti contre ce mufle. Une rafale de pluie les gifla avec violence. Aliena prit sa décision. « Venez avec moi », dit-elle à Elizabeth.

Le garde n'avait pas eu le temps de réagir qu'elle entraînait la jeune femme par la main. La comtesse Elizabeth souriait comme une enfant qui quitte l'école. Aliena s'attendait que le garde les poursuive et ramène la comtesse de force, mais un éclair zébra le ciel et la pluie redoubla. Aliena et Elizabeth se mirent à courir, traversèrent le cimetière et arrivèrent à une maison de bois tout près de l'église.

La porte était ouverte. Elles se précipitèrent à l'intérieur. Un homme à l'air revêche, en tunique noire ornée d'une croix d'argent, se leva en les voyant entrer. Aliena savait que le devoir d'hospitalité constituait une charge pour les prêtres de paroisses, surtout en ces temps difficiles. Pour prévenir toute résistance, elle déclara d'un ton ferme : « Mes compagnons et moi avons besoin de nous mettre à l'abri.

– Je vous en prie. Vous êtes les bienvenus », marmonna l'homme d'Église.

C'était une maison de deux pièces pas très propres et d'un

appentis sur le côté pour les bêtes. Il y avait un tonnelet de vin sur la table. Un petit chien se mit à japper d'un air agressif lorsque les deux femmes s'assirent.

Elizabeth pressa le bras d'Aliena. « Merci beaucoup, murmura-t-elle avec des larmes de gratitude. Ranulf m'aurait obligée à continuer : il ne m'écoute jamais.

— Ne vous tourmentez pas, dit Aliena, ces grands gaillards sont tous des lâches au fond du cœur. » Elle examina Elizabeth et se rendit compte que la malheureuse lui ressemblait un peu, en plus jeune et plus faible.

« Je suis Elizabeth de Shiring, annonça la jeune femme, et vous?

— Je m'appelle Aliena. Je suis de Kingsbridge. » Elizabeth, trop jeune pour connaître le nom de celle qui avait provoqué autrefois un scandale en repoussant William Hamleigh, se contenta de remarquer : « Quel joli prénom! Il est rare. »

Une souillon au visage ingrat, les bras nus et musclés, arriva de la pièce du fond et leur offrit une coupe de vin. Sans doute la gouvernante du prêtre, pensa Aliena, et peut-être même sa femme clandestine, puisque le mariage des ecclésiastiques était interdit en théorie. Les compagnes des prêtres provoquaient des histoires sans fin. Obliger le curé à les renvoyer était une décision cruelle et impopulaire. La plupart des gens, partisans en théorie de la chasteté pour les prêtres, se montraient généralement tolérants dans la pratique, parce qu'ils connaissaient souvent la femme qui vivait avec le curé. L'Église fermait-elle donc les yeux sur ce genre de liaison. Sois reconnaissante, femme, pensa Aliena, au moins toi tu vis avec ton homme.

Le garde et le charretier arrivèrent, les cheveux trempés. Ranulf se planta devant Elizabeth. « Nous ne pouvons pas faire halte ici. »

A la surprise d'Aliena, Elizabeth céda aussitôt. « Bon, dit-elle en se levant.

— Asseyez-vous » s'écria Aliena qui la retint par la main, tout en brandissant un doigt ferme sous le nez du garde. « Si j'entends un mot de plus de toi, je demanderai aux villageois de venir au secours de la comtesse de Shiring. Ils savent comment traiter leur maîtresse, si toi tu n'en as aucune idée. »

Elle vit Ranulf hésiter. En cas de bagarre, il aurait vite raison d'Elizabeth et d'Aliena, et aussi du prêtre et du charretier; mais il ne tiendrait pas devant le renfort des villageois.

« Peut-être, dit-il enfin, la comtesse préférerait-elle continuer. » Il regarda Elizabeth d'un air mauvais.

La jeune femme paraissait terrifiée.

« Eh bien, madame la comtesse... Ranulf demande humblement à connaître votre volonté. »

Elizabeth se tourna vers Aliena.

« Dites-lui votre décision, insista celle-ci. Son devoir est d'obéir à vos ordres. »

L'attitude d'Aliena donna du courage à la jeune comtesse. Elle prit une profonde inspiration et déclara : « Nous allons nous reposer ici. Va t'occuper des chevaux, Ranulf. »

Ranulf acquiesça en marmonnant et sortit.

Elizabeth le regarda partir d'un air stupéfait.

« Ça pisse dru », commenta le charretier.

Le prêtre fut choqué par cette vulgarité. « Je suis sûr que ce sera juste une averse », dit-il d'un ton compassé. Aliena ne put s'empêcher de rire et Elizabeth l'imita. On avait l'impression que la jeune femme ne riait pas souvent.

La pluie tambourinait avec fracas. Aliena regarda par la porte ouverte. L'église n'était qu'à quelques mètres, mais on la distinguait à peine. Il fallait s'attendre à une vraie tempête.

« As-tu mis la charrette à l'abri ? demanda Aliena à son charretier.

— Avec les bêtes, répondit l'homme.

— Bon. Je ne veux pas voir mon tissu feutrer. »

Ranulf revint, trempé jusqu'aux os.

Il y eut un éclair suivi d'un long grondement de tonnerre.

« Encore un mauvais coup pour les récoltes », dit le prêtre d'un ton lugubre.

Il avait raison, se dit Aliena. Ce qu'il fallait maintenant, c'était trois semaines de chaud soleil.

Il y eut un nouvel éclair, un coup de tonnerre prolongé et une rafale qui ébranla la maison. De l'eau glacée tomba sur la tête d'Aliena qui leva les yeux, aperçut une brèche dans le toit de chaume. Elle se déplaça pour se mettre à l'abri. La pluie s'engouffrait aussi par la porte, mais personne ne semblait vouloir la fermer.

399

Aliena s'approcha d'Elizabeth. Elle était toute pâle, frissonnait bien qu'il ne fît pas froid. Aliena la serra contre elle.

« J'ai peur, murmura la jeune comtesse.

– Ça n'est qu'un orage », dit Aliena, rassurante.

Il commençait à faire très sombre dehors, alors qu'il n'était que midi. Aliena vint près de la porte. Le ciel était d'un gris de fer. On n'avait jamais vu un temps si bizarre en été. Le vent soufflait en tempête, un éclair illumina des objets que la bourrasque faisait tourbillonner : une couverture, une écuelle, un tonneau vide.

Aliena retourna s'asseoir, un peu inquiète. Une nouvelle rafale ébranla la maison. Le mât central qui maintenait le faîte du toit tremblait. La maison était l'une des mieux construites du village : si la tempête l'ébranlait, les pauvres masures devaient être près de s'écrouler. Elle se tourna vers le prêtre. « Si l'orage empire, il va falloir rassembler les villageois à l'abri dans l'église, déclara-t-elle.

– Je refuse de sortir par un temps pareil », répliqua le prêtre avec un petit rire méprisant.

Aliena le dévisagea d'un œil incrédule. « Ce sont vos ouailles, vous êtes leur berger ! »

Le prêtre la toisa d'un regard insolent. « C'est à l'évêque que je dois des comptes, pas à vous. Je ne vais tout de même pas faire n'importe quoi parce que vous en décidez ainsi !

– Mettez au moins l'attelage de labour au sec », dit Aliena. La plus précieuse richesse d'un village comme celui-ci était l'attelage de huit bœufs qui tiraient la charrue commune. Sans ces bêtes, les paysans ne pouvaient plus cultiver leur terre car aucun ne pouvait se permettre de posséder un attelage de labour personnel. Le prêtre devait en connaître la valeur ; sa prospérité en dépendait aussi.

« Nous n'en avons pas, répondit le prêtre.

– Comment cela ? s'exclama Aliena, stupéfaite.

– Nous avons dû vendre quatre bœufs pour payer le loyer ; puis nous avons tué les autres l'hiver dernier : on n'avait plus de viande. »

Voilà pourquoi les champs étaient en friche ! Les paysans n'avaient pu cultiver que les terres plus légères, en utilisant des chevaux ou de la main-d'œuvre humaine pour tirer la charrue. Cette situation était intolérable ! Quelle stupidité, mais aussi quelle cruauté de la part de William d'obliger ce village à vendre son attelage de labour! Sans lui, les paysans déjà en difficulté n'avaient plus aucun moyen de payer leurs loyers futurs. Si elle avait tenu William à cet instant, Aliena l'aurait étranglé!

Une violente bourrasque secoua la maison. Un côté du toit se souleva de quelques pouces en s'écartant du mur et, par la brèche, Aliena vit le ciel noir sillonné d'éclairs. Elle se leva d'un bond au moment où le chaume s'abattait dans la pièce. Les choses commençaient à devenir dangereuses. Par-dessus le fracas de la tempête, elle cria au prêtre : « Allez ouvrir la porte de l'église! »

De mauvaise grâce, il obéit. Il prit une clé dans un coffre, passa un manteau et disparut derrière le rideau de pluie. Aliena distribua les autres rôles : « Toi, le charretier, amène mon chariot et mes bœufs dans l'église. Ranulf, prends les chevaux. Elizabeth, venez avec moi. »

Elles mirent leurs capes et sortirent. Le vent soufflait avec une telle violence qu'elles durent se tenir par la main pour garder leur équilibre. Elles réussirent à traverser le cimetière. La pluie avait fait place à la grêle et de petits œufs de glace rebondissaient sur les pierres tombales. Dans un coin du cimetière, Aliena aperçut un pommier aussi nu qu'en plein hiver. La tourmente avait arraché ses feuilles et ses fruits. Il n'y aura pas beaucoup de pommes dans le comté cet automne, se dit-elle.

Elles atteignirent l'église et s'y engouffrèrent. Se retrouver ainsi au calme, c'était comme devenir sourd. Certains des villageois étaient déjà arrivés, trempés, accompagnés de leurs maigres biens : les poulets dans des sacs, les cochons ligotés, les vaches tenues à la longe. Les éclairs ininterrompus illuminaient l'église obscure. Bientôt le charretier apparut avec le chariot d'Aliena et Ranulf suivit avec les chevaux.

Aliena s'adressa au prêtre : « Installons les bêtes d'un côté et les gens de l'autre, avant que l'église ne commence à ressembler à une étable. » On semblait avoir accepté le fait que c'était elle qui commandait et le curé acquiesça de la tête. Peu à peu, on sépara les gens des bêtes. Les femmes emmenèrent les enfants dans le petit chœur et les hommes attachèrent les animaux aux piliers de la nef. Les villageois se regroupèrent, vivres et boissons commencèrent à circuler. Ils s'étaient préparés à un long séjour.

La violence de la tempête aurait pu laissé penser qu'elle ne durerait pas. Hélas! au contraire elle redoubla d'intensité. Aliena s'approcha d'une fenêtre. Elle n'était pas en verre, mais faite d'une fine toile translucide qui pendait en lambeaux accrochés aux châssis. Aliena se hissa sur l'appui pour regarder dehors, mais le rideau de pluie cachait le paysage.

Le vent se renforçait encore, hurlant autour des murs de l'église, au point qu'on pouvait se demander si même là on était en sûreté.

Aliena fit le tour de l'édifice. Elle avait vécu assez longtemps auprès de Jack pour connaître la différence entre la bonne et la mauvaise maçonnerie, et elle fut soulagée de constater qu'on avait fait ici du bon travail. Il n'y avait pas de fissures. L'église était construite en blocs de pierres taillées, pas en moellons, et elle semblait aussi solide qu'une montagne.

La gouvernante du prêtre alluma une chandelle. La nuit tombait pour de bon. Les enfants, épuisés d'avoir couru partout, s'enroulèrent dans leurs manteaux pour s'endormir. Les poulets blottirent leur tête sous leur aile. Elizabeth et Aliena s'assirent par terre côte à côte, dos au mur.

Aliena se sentait dévorée de curiosité à l'égard de cette pauvre fille qui assumait le rôle de la femme de William, ce rôle qu'Aliena elle-même avait refusé dix-sept ans plus tôt. Incapable de se contenir, elle dit : « Je connaissais William quand j'étais jeune fille. Comment est-il maintenant?

— Je le déteste », déclara Elizabeth sans ambages.

Aliena hocha la tête, pleine de compassion.

« Comment le connaissiez-vous? » continua Elizabeth.

Aliena s'en voulut : elle s'était mise dans un mauvais cas. « A dire vrai, quand j'avais à peu près votre âge, j'ai failli l'épouser.

— Non! Comment se fait-il que vous ne l'ayez pas fait?

— J'ai refusé et mon père m'a soutenue. Mais le scandale a été épouvantable... J'ai causé beaucoup de malheurs. Enfin, c'est du passé.

— Vous l'avez refusé! fit Elizabeth, vibrante. Vous êtes courageuse. Je voudrais bien vous ressembler. » Puis son abattement la reprit. « Mais je n'arrive même pas à résister aux serviteurs.

— Vous pourriez fort bien, vous savez, affirma Aliena.

— Comment? Ils ne font même pas attention à moi, parce que je n'ai que quatorze ans. »

Aliena réfléchit, puis entreprit de lui donner une leçon détaillée. « Pour commencer, vous devez devenir la messagère des

402

désirs de votre mari. Le matin, demandez-lui ce qu'il aimerait manger, qui il a envie de voir, quel cheval il aimerait monter, tout ce qui vous passera par la tête. Puis allez trouver le cuisinier, l'intendant, le garçon d'écurie et transmettez-leur les ordres du comte. Votre mari vous en sera reconnaissant et se fâchera contre ceux qui ne vous obéiront pas. Les gens prendront l'habitude de faire selon vos ordres. Notez ensuite qui vous obéit promptement et qui se fait tirer l'oreille. Assurez-vous que ceux qui vous aident soient bien traités : donnez-leur les tâches qu'ils aiment et réservez aux grincheux le sale travail. On comprendra vite l'intérêt de faire plaisir à la comtesse. On vous aimera beaucoup plus que William, qui de toute façon n'est guère sympathique. Vous finirez par représenter un vrai pouvoir. D'ailleurs, c'est le cas de la plupart des comtesses.

— A vous entendre, commenta Elizabeth, pensive, cela paraît facile.

— Non, ce n'est pas facile, mais si vous êtes patiente et si vous ne vous laissez pas décourager trop aisément, vous pouvez réussir.

— Je crois que oui, dit la jeune femme avec détermination. Je crois vraiment que oui. »

Elles s'assoupirent. De temps en temps, les hurlements du vent faisaient sursauter Aliena. Elle constata que la plupart des gens dormaient par à-coups, d'un sommeil entrecoupé de sursauts.

Il devait être près de minuit lorsqu'elle s'éveilla brusquement. Cette fois elle avait dormi au moins une heure. Autour d'elle, on dormait aussi d'un sommeil profond. Elle changea de position, et rajusta son manteau. La tempête ne se calmait pas, mais la fatigue l'emportait sur l'inquiétude. La pluie qui giflait les murs de l'église était comme les vagues qui se brisent sur une plage : ce bruit régulier la berça jusqu'au sommeil.

Une fois de plus, elle s'éveilla en sursaut, l'oreille tendue. Ce qui l'avait tirée du sommeil, c'était le silence. La tempête était terminée. Une faible lueur grise filtrait par les fenêtres. Tout le monde dormait à poings fermés.

Aliena se leva. Son mouvement dérangea Elizabeth qui ouvrit aussitôt les yeux.

Ensemble, elles se dirigèrent vers la porte de l'église et sortirent.

La pluie avait cessé et le vent n'était plus qu'une brise. Le ciel de l'aube, où le soleil n'était pas encore levé, avait une teinte gris perle. Aliena et Elizabeth regardèrent autour d'elles.

403

Le village avait disparu.

A part l'église, il ne restait pas un bâtiment debout. Quelques lourds madriers étaient venus s'abattre sur le flanc de l'église, mais à part cela, seules les pierres des âtres parsemant la mer de boue témoignaient de l'emplacement des maisons. A la limite du village, cinq ou six vieux arbres, des chênes et des châtaigniers tenaient encore le coup, bien qu'amputés de plusieurs branches. Tous les autres avaient été déracinés.

Stupéfaites de l'étendue des dégâts, Aliena et Elizabeth suivirent le tracé de ce qui avait été la rue. Le sol était jonché d'éclats de bois et d'oiseaux morts. Elles atteignirent la lisière des champs de blé. On aurait dit qu'un grand troupeau s'y était battu toute la nuit. Les épis de blé mûrissant étaient aplatis, brisés, arrachés. La terre était retournée et gorgée d'eau.

« Mon Dieu! murmura Aliena, horrifiée, encore une récolte de perdue! »

Elles traversèrent le champ. Les dommages étaient partout les mêmes. Elles grimpèrent sur une petite colline et, de là-haut, inspectèrent la campagne environnante. Partout où se portait leur regard, elles ne voyaient que moissons saccagées, moutons morts, arbres arrachés, prairies inondées et maisons rasées. La destruction était telle qu'Aliena se sentit envahie d'une insoutenable angoisse. On aurait dit, songea-t-elle, que la main de Dieu s'était abattue sur l'Angleterre pour détruire tout ce qu'avaient fait les hommes, à l'exception des églises.

Elizabeth était bouleversée. « C'est terrible, murmura-t-elle. Je n'arrive pas à le croire. Il ne reste rien.

— Rien, fit Aliena en écho. Il n'y aura pas de récolte cette année. Rien à manger.

— Comment les gens vont-ils faire?

— Je ne sais pas. » Envahie d'un mélange de compassion et de crainte, Aliena ajouta : « L'hiver va être rude. »

2

Quatre jours étaient passés depuis la grande tempête. Un matin, Martha redemanda de l'argent à Jack. Il s'étonna : il lui donnait déjà six pence par semaine pour tenir la maison et il savait qu'Aliena lui versait la même somme. Elle avait là-dessus à nourrir quatre adultes, deux enfants, et approvisionner deux foyers en bois de chauffage et en paille; mais beaucoup de familles nombreuses à Kingsbridge ne disposaient que de six pence par semaine pour tout : nourriture, habillement et loyer. Il lui demanda pourquoi il lui fallait davantage.

Elle parut embarrassée. « Tous les prix ont monté. Le boulanger réclame un penny pour une miche de quatre livres et...

– Un penny! » fit Jack, scandalisé. Nous devrions construire un four et cuire notre pain nous-mêmes.

– Ma foi, je le cuis parfois à la poêle.

– C'est vrai. » Jack se rappela qu'ils avaient cuit ainsi leur pain deux ou trois fois la semaine précédente.

« Mais le prix de la farine a grimpé aussi, alors on n'économise pas grand-chose.

– Nous devrions acheter du blé et le moudre nous-mêmes.

– Ce n'est pas permis. Nous devons utiliser le moulin du prieuré. D'ailleurs, le blé est cher aussi.

– Bien sûr. » Jack se rendit compte qu'il avait parlé sans réfléchir. Le pain était cher parce que la farine était chère, et la farine était chère parce que le blé était cher, et le blé était cher parce que la tempête avait saccagé la récolte – et on n'y pouvait rien. Il vit que Martha était bouleversée comme chaque fois qu'elle croyait l'avoir contrarié. Il sourit pour lui montrer que tout allait bien et lui tapota l'épaule. « Ce n'est pas ta faute, dit-il.

– Tu as l'air de si mauvaise humeur.

– Pas contre toi. » Il s'en voulait. Martha aurait préféré se couper une main plutôt que de le voler, il le savait. Il ne comprenait toujours pas pourquoi elle lui était si dévouée. Si c'était de l'amour, se dit-il, ça aurait dû lui passer maintenant, car tout le monde savait qu'Aliena était la femme qu'il aimait. Il avait envisagé un jour de renvoyer Martha pour l'obliger à sortir de sa routine : peut-être ainsi tomberait-elle amoureuse d'un bon parti. Mais il savait au fond de son cœur que cette solution lui briserait le cœur et ferait son malheur.

Il chercha sa bourse dans la poche de sa tunique et en sortit trois pennies d'argent. « Voyons si tu peux te débrouiller avec ça », dit-il. Le cadeau était de taille : la paye de Jack n'était que de vingt-quatre pennies par semaine, même s'il avait en prime des chandelles, des robes et des bottes.

Il avala le fond de sa chope de bière et sortit. Il faisait étonnamment froid pour un début d'automne. Marchant d'un pas vif, il pénétra dans l'enclos du prieuré. Le soleil n'était pas encore levé et quelques artisans seulement étaient déjà là. Il remonta la nef, inspectant les fondations. Elles étaient presque terminées, et tant mieux car il faudrait sans doute arrêter tôt cette année le travail du mortier en raison du temps froid.

Il examina les nouveaux transepts. Le plaisir qu'il éprouvait à les regarder était gâché par l'existence des fissures, qui avaient réapparu le lendemain de la grande tempête. La déception de Jack était profonde. L'ouragan avait été terrible, oui, mais son église était conçue pour survivre à cent orages de cette force. Il secoua la tête d'un air perplexe et s'engagea dans l'escalier en colimaçon qui menait à la tribune. Il aurait voulu pouvoir parler à quelqu'un qui avait bâti une église du même genre, mais il n'existait personne en Angleterre et, même en France, aucune cathédrale n'atteignait cette hauteur.

Il continua jusqu'au toit. On avait posé toutes les feuilles de plomb et il constata que le clocheton qui bloquait l'écoulement de l'eau de pluie comportait maintenant une large gouttière à sa base. Il y avait du vent là-haut et il devait se cramponner quand il s'approchait du bord : il ne serait pas le premier bâtisseur à tomber d'un toit sous l'effet d'une rafale de vent, bien plus fort en haut qu'au niveau du sol. La force du vent paraissait augmenter de façon disproportionnée à mesure qu'on montait...

Il s'arrêta, le regard perdu dans le vide. *La force du vent augmentait de façon disproportionnée à mesure qu'on montait.* C'était là la réponse à la question qui le harcelait. Ce n'était pas le *poids* de sa voûte qui provoquait les fissures : c'était la *hauteur*. Il avait bâti l'église assez solidement pour soutenir la masse, il en était sûr; mais il n'avait pas pensé au vent. Les murs très hauts étaient constamment soumis à ses assauts qui finissaient par provoquer des fissures. Debout sur le toit, fouetté par les bourrasques, Jack s'imaginait sans mal l'effet que produisaient les mêmes attaques sur la structure de pierre. Il connaissait le bâtiment si bien qu'il éprouvait la même tension que si les murs faisaient partie de son corps. Le vent poussait de côté contre l'église, de la même manière qu'il le poussait lui-même. Et, comme l'église ne pouvait pas se pencher, elle se fissurait.

Il était absolument sûr d'avoir trouvé l'explication; mais comment remédier au problème? Il fallait de toute façon renforcer le triforium pour qu'il supporte les rafales. Malheureusement des arcs-boutants supplémentaires détruiraient, à cause de leur aspect massif, l'extraordinaire effet de légèreté et de grâce qu'il avait obtenu avec tant de succès.

Mais s'il fallait en passer par là pour empêcher l'édifice de s'écrouler, il s'y résoudrait.

Il redescendit l'escalier. D'avoir compris le problème ne lui apportait aucune joie, car la solution allait anéantir son rêve. Peut-être ai-je été prétentieux, songea-t-il. J'étais si sûr de pouvoir bâtir la plus belle cathédrale du monde. Pourquoi ai-je cru que je pourrais faire mieux que n'importe qui?

Philip l'attendait près de sa planche à tracer. Un pli soucieux barrait le front du prieur dont la frange de cheveux grisonnants était en désordre. Il donnait l'impression d'avoir veillé toute la nuit.

« Il va falloir que nous diminuions nos dépenses, déclara-t-il sans préambule. Nous n'avons plus d'argent pour continuer à bâtir à la cadence actuelle. »

Jack redoutait cette nouvelle. L'ouragan avait pratiquement détruit toutes les récoltes du sud de l'Angleterre, ce qui ne man-

407

querait pas d'avoir des répercussions sur les finances du prieuré. Les problèmes d'économie le mettaient toujours mal à l'aise. Il craignait, si l'on ralentissait trop le rythme de la construction, de ne pas vivre assez vieux pour voir sa cathédrale terminée. Mais il ne montra rien à Philip de son anxiété. « L'hiver arrive, répondit-il. De toute façon, le travail ralentit à cette époque. Et le froid sera là de bonne heure cette année.

– Avant même l'arrivée du froid, reprit Philip d'un ton sombre, je veux réduire nos sorties d'argent de moitié. Immédiatement.

– De moitié!» C'était impossible.

« Les licenciements d'hiver commencent aujourd'hui. »

C'était pire que tout ce que redoutait Jack. Les travailleurs saisonniers venus avec les beaux jours repartaient en général vers le début décembre. Ils passaient les mois d'hiver à construire des maisons de bois ou à confectionner des charrues et des chariots, soit pour leur famille, soit pour les vendre. Mais cette année on n'allait pas être content de voir les hommes rentrer chez eux. « Savez-vous, observa Jack, que vous les renvoyez dans des foyers où les gens meurent déjà de faim? »

Philip le regarda sans rien dire, le visage fermé.

« Bien sûr que vous le savez, poursuivit Jack. Pardonnez-moi d'avoir posé la question.

– Si je ne prends pas ces mesures maintenant, déclara Philip avec violence, mon coffre sera vide la prochaine fois que les ouvriers viendront se faire payer. »

Jack haussa les épaules, impuissant. « Je n'ai pas d'arguments contre cela, répliqua-t-il.

– Ce n'est pas tout, ajouta le prieur. Désormais, plus d'engagement, même pour remplacer des gens qui partent.

– Nous n'engageons plus depuis des mois.

– Et Alfred?

– C'était différent, fit Jack embarrassé. En tout cas, entendu, pas d'engagement.

– Et pas de promotion. »

Jack acquiesça. De temps en temps, un apprenti ou un manœuvre demandait à être promu maçon ou tailleur de pierre. Si les autres artisans jugeaient que ses talents le méritaient, on accédait à sa requête et le prieuré devait lui payer des gages plus élevés. « La promotion est la prérogative de la loge des maçons, fit remarquer Jack.

– Je ne veux rien y changer, dit Philip. Je demande simplement aux maçons d'ajourner toutes les promotions jusqu'à la fin de la disette.

– Je leur expliquerai », promit Jack. Il avait le pressentiment que la nouvelle serait plutôt mal reçue.

« Et désormais, on ne travaillera plus les jours de la fête d'un saint. »

Les très nombreuses fêtes de saints, en principe, étaient jours fériés. Mais, à Kingsbridge, l'usage était que, quand deux fêtes de saints ou plus tombaient la même semaine, le premier était jour férié payé et le second, jour de congé facultatif non payé. La plupart des gens choisissaient de travailler le second jour. Désormais ils n'auraient plus ce choix. La deuxième fête de saint serait obligatoirement chômée et non payée.

Jack appréhendait le fait d'avoir à exposer la situation à la loge. « Tout cela passerait beaucoup mieux, fit-il observer à Philip, si je pouvais leur présenter ces mesures comme soumises à discussion, plutôt que définitives. » Philip secoua la tête. « Ils croiraient que la négociation est ouverte et proposeraient des aménagements. Par exemple, ils pourraient suggérer de travailler la moitié des jours de fête des saints et réclameraient un quota assuré de promotions. »

Il avait raison, bien sûr. « Mais n'est-ce pas raisonnable ? demanda Jack.

– Bien sûr que c'est raisonnable, répliqua Philip avec agacement. Mais il se trouve qu'il n'y a tout bonnement pas de place pour des demi-mesures. Je crains déjà que mes dispositions soient insuffisantes, je ne peux pas faire de concessions.

– Très bien », dit Jack. Philip n'était décidément pas d'humeur à envisager le moindre compromis. « Y a-t-il autre chose ? interrogea-t-il froidement.

– Oui. Cesse tes achats. Épuise tes stocks de pierre, de fer et de bois.

– Mais nous avons le bois gratis ! protesta Jack.

– Il faut quand même payer son transport jusqu'ici.

– Exact. Très bien. » Jack se dirigea vers la fenêtre pour regarder les pierres et les troncs d'arbres entassés dans l'enceinte du prieuré. Un réflexe machinal car il savait parfaitement ce qu'il avait en stock. « Ce n'est pas un problème, assura-t-il après un instant. Avec des effectifs réduits, nous avons assez de matériaux pour durer jusqu'à l'été prochain. »

Philip eut un sourire las. « Rien ne nous dit que nous engagerons des travailleurs l'été prochain. Tout dépend du prix de la laine. Tu ferais mieux de prévenir les ouvriers. »

Jack hocha la tête. « Ça va si mal que ça, alors?

— Pire que tout ce que j'ai connu. Ce qu'il faut à ce pays, c'est trois années de beau temps. Et un nouveau roi.

— Amen », fit Jack.

Philip regagna sa maison. Jack passa la matinée à se demander comment se débrouiller de ces changements. Il y avait deux façons de bâtir une nef : travée par travée, en commençant à la croisée et en progressant vers l'ouest; ou bien assise par assise, en construisant d'abord la base de la nef tout entière et en montant. La seconde méthode était plus rapide mais exigeait davantage de maçons. C'était celle que Jack avait compté utiliser. A présent il lui fallait revenir sur sa décision. Bâtir travée par travée convenait mieux à des effectifs réduits et présentait un autre avantage : les modifications qu'il apporterait à ses plans pour tenir compte de la résistance au vent seraient mises à l'épreuve partiellement avant d'être appliquées à l'ensemble du bâtiment.

Il s'interrogeait sur les effets à long terme de la crise financière. Le travail ralentirait de plus en plus au long des années. Tristement, il s'imaginait vieux, grisonnant, affaibli, bientôt enseveli dans le cimetière du prieuré à l'ombre d'une cathédrale inachevée, symbole de son échec.

Quand la cloche de midi sonna, il se rendit à la loge des maçons. Les hommes s'apprêtaient à boire leur bière et manger leur fromage. Jack remarqua pour la première fois que beaucoup d'entre eux n'avaient pas de pain. Il demanda aux maçons qui d'ordinaire rentraient chez eux pour dîner de rester un moment. « Le prieuré est à court d'argent, annonça-t-il tout de go.

— Je n'ai jamais connu un monastère à qui ça n'arrive pas tôt ou tard », observa un vieux maçon.

On l'appelait Edward Deux Nez, car il avait une verrue sur le visage presque aussi grosse que son nez. C'était un bon sculpteur qui avait l'œil pour les courbes exactes et à qui Jack avait toujours recours pour l'arrondi des piliers et des tambours. « Il faut reconnaître, poursuivit Jack, que ce couvent gère son argent mieux que la plupart des autres. Mais le prieur Philip ne peut rien contre les tempêtes et les mauvaises récoltes. Il lui faut donc réduire ses dépenses. Tout d'abord, nous cessons les achats de pierres et de bois. »

Les artisans des autres loges s'étaient rapprochés pour l'écouter. L'un des vieux charpentiers, Peter, observa : « Le bois que nous avons ne durera pas l'hiver.

– Si, répliqua Jack. Nous allons construire plus lentement, parce que nous aurons moins d'artisans. Les licenciements d'hiver commencent aujourd'hui. »

Il comprit aussitôt qu'il s'y était mal pris. Les protestations jaillissaient de tous côtés. J'aurais dû leur annoncer la nouvelle en douceur, songea-t-il. Mais il n'avait pas l'expérience de ce genre de choses. Il était maître depuis sept ans, sept ans sans la moindre crise financière.

La voix qui dominait le tumulte était celle de Pierre Paris, un des maçons venus de Saint-Denis. Après six ans passés à Kingsbridge, son anglais était encore imparfait et sa colère aggravait son accent, mais il ne se laissa pas décourager. « On ne peut pas congédier des hommes un mardi, déclara-t-il.

– C'est vrai, renchérit Jack le forgeron. Il faut leur donner jusqu'à la fin de la semaine, au moins. »

Alfred, le demi-frère de Jack, approuva : « Je me souviens que, quand mon père bâtissait une maison pour le comte de Shiring, William Hamleigh est venu congédier toute l'équipe. Mon père lui a dit qu'il devait donner à chacun une semaine de gages et il a retenu le cheval du comte jusqu'à ce qu'il lui verse l'argent. »

Merci beaucoup, Alfred, pensa Jack. Il poursuivit : « Autant que je vous dise le reste. A partir de maintenant, plus de travail les jours de fête de saints et plus de promotions. »

La colère monta dans l'assistance : « Inacceptable! » lança quelqu'un et plusieurs voix répétèrent : « Inacceptable, inacceptable! »

Jack était exaspéré. « Que me chantez-vous là? Si le prieuré n'a pas d'argent, vous ne serez pas payés. A quoi bon répéter "inacceptable, inacceptable", comme des écoliers qui apprennent le latin? »

Edward Deux Nez reprit la parole : « Nous ne sommes pas une classe d'écoliers, nous sommes une loge de maçons. La loge a le privilège des promotions et personne ne peut le lui retirer.

– Et s'il n'y a pas d'argent pour payer le supplément de salaire? riposta Jack à bout de nerfs.

411

« — Je n'y crois pas », déclara un des plus jeunes maçons.

C'était Dan Bristol, un des travailleurs saisonniers. Il n'était pas très habile tailleur mais il savait poser les pierres vite et avec soin. Jack s'adressa à lui. « Comment, tu ne le crois pas ? Que sais-tu des finances du prieuré ?

— Je sais ce que je vois, répondit Dan. Est-ce que les moines meurent de faim ? Non. Y a-t-il des cierges à l'église ? Oui. Du vin dans les magasins ? Oui. Le prieur va-t-il pieds nus ? Non. Il y a de l'argent. C'est simplement qu'on ne veut pas nous en donner. »

Plusieurs autres approuvèrent bruyamment. En fait, Dan avait tort sur au moins un point : le vin. Mais Jack était en train de perdre son crédit. Il apparaissait désormais comme le représentant du prieur et les ouvriers ne lui faisaient plus confiance. C'était injuste : il n'était pas responsable des décisions de Philip. « Écoutez, conclut-il. Je ne fais que vous transmettre ce que m'a dit le prieur. Je ne vous garantis pas que c'est vrai. Mais, même si nous ne croyons pas à ce qu'il dit, que pouvons-nous faire ?

— Nous pouvons cesser le travail, fit Dan. Tous. Tout de suite.

— Parfaitement », lança une autre voix.

Jack se rendit compte avec un peu d'affolement que le contrôle de la discussion lui échappait. « Un moment », fit-il. Il chercha désespérément quelque chose qui calmerait les esprits. « Retournons au travail maintenant, et cet après-midi j'essaierai de persuader le prieur Philip d'adoucir ces mesures.

— Je ne suis pas d'accord pour aller travailler », répliqua Dan.

Jack n'en crut pas ses oreilles. Il avait prévu bien des menaces, bien des obstacles à la construction de l'église dont il rêvait, mais jamais que les artisans eux-mêmes la saboteraient. « Pourquoi n'irions-nous pas travailler ? interrogea-t-il, incrédule. A quoi ça rime ?

— Au point où nous en sommes, expliqua Dan, la moitié d'entre nous ne sont même pas sûrs d'être payés pour le restant de la semaine.

— Ce qui est contraire à toute coutume et à tout usage », fit remarquer Pierre Paris. C'était un argument de poids car la coutume et l'usage faisaient généralement force de loi.

« Au moins, proposa Jack au désespoir, mettez-vous au travail en attendant que j'essaie de convaincre Philip.

— Si nous travaillons, demanda Edward Deux Nez, peux-tu

412

nous garantir que tout le monde sera payé pour la semaine entière ? »

Étant donné la présente humeur de Philip, Jack ne pouvait pas se risquer à donner pareille garantie. L'idée le traversa de dire oui malgré tout et, s'il le fallait, de verser l'argent lui-même, mais il se rendit compte aussitôt que toutes ses économies ne suffiraient pas à couvrir une semaine de gages sur le chantier. « Je vais faire de mon mieux pour le persuader, répondit-il d'un ton qui manquait d'assurance, et je pense qu'il acceptera.

— Ça ne me suffit pas, affirma Dan.

— Ni à moi, déclara Pierre.

— Pas de garantie, pas de travail », conclut Dan.

Accablé, Jack ressentit comme une défaite l'approbation générale.

S'il continuait à leur faire front, il perdrait le peu d'autorité qui lui restait. « La loge doit agir comme un seul homme, reprit-il, utilisant une formule très employée. Sommes-nous tous d'accord pour un arrêt de travail ? »

Il y eut un chœur d'assentiment.

« Très bien, dit Jack d'une voix morne. Je vais en informer le prieur. »

L'évêque Waleran fit son entrée à Shiring escorté de sa petite armée de serviteurs. Le comte William qui l'attendait sur le portail de l'église, place du marché, fronça les sourcils. Il s'attendait à une simple rencontre sur le chantier, pas à une cérémonieuse visite officielle. Où voulait en venir le tortueux évêque ?

Avec Waleran, se trouvait un étranger montant un hongre bai. L'homme, un grand gaillard dégingandé, avec d'épais sourcils noirs et un nez au profil d'aigle, arborait un air méprisant qui semblait permanent. Il chevauchait auprès de Waleran, d'égal à égal, mais ne portait pas la tenue d'un évêque.

Dès qu'ils eurent mis pied à terre, Waleran fit les présentations. « Comte William, voici Peter de Wareham, archidiacre au service de l'archevêque de Canterbury. »

Aucune explication sur la présence de Peter, nota William. Waleran préparait sûrement quelque chose. L'archidiacre s'inclina. « Votre évêque m'a parlé de votre générosité envers notre sainte mère l'Église, lord William. »

413

Sans laisser à ce dernier le temps de répondre, Waleran désigna l'église paroissiale. « Cet édifice va être démoli pour faire place à la nouvelle église, archidiacre, dit-il.

— Avez-vous déjà désigné un maître maçon? » interrogea Peter.

William se demanda pourquoi un archidiacre de Canterbury portait un tel intérêt à l'église paroissiale de Shiring. Mais peut-être était-ce simplement par politesse.

« Non, répondit Waleran, je n'ai pas encore trouvé de maître. De nombreux bâtisseurs cherchent du travail, mais je ne trouve personne qui vienne de Paris. Il semble que tout le monde veuille bâtir comme Saint-Denis et les spécialistes de ce style sont très demandés.

— C'est important en effet, observa Peter.

— Il y a un bâtisseur susceptible de nous aider qui attend de nous rencontrer tout à l'heure », dit Waleran.

William une fois de plus, s'étonna : pourquoi Peter estimait-il important de bâtir dans le style de Saint-Denis?

« La nouvelle église, poursuivit Waleran, sera plus grande. Elle avancera davantage sur la place. »

William n'aimait guère les airs de propriétaire que prenait l'évêque. Il intervint : « Je ne veux pas que l'église empiète sur la place du marché. »

Waleran marqua sa désapprobation contre l'intervention de William. « Et pourquoi donc? fit-il.

— Chaque pouce de la place rapporte de l'argent les jours de marché. »

Waleran semblait prêt à discuter, mais Peter suggéra avec un sourire : « Ne tarissons pas la fontaine d'argent!

— C'est mon avis », dit William. Après tout, il finançait lui-même l'église. Par bonheur, la quatrième mauvaise récolte d'affilée n'avait pas changé grand-chose à son revenu. Les petits fermiers payaient leur loyer en espèces, et nombre d'entre eux avaient donné à William son sac de grains et sa paire d'oies, eux qui vivaient de soupes de glands. En outre, ce sac de grains avait quintuplé de valeur depuis cinq ans, et cette augmentation compensait largement les pertes causées par les fermiers insolvables et les serfs morts de faim. William avait encore les moyens de subvenir aux frais de la nouvelle construction.

Ils firent le tour pour arriver derrière l'église où se trouvait un

414

quartier qui rapportait un maigre revenu. « Nous pouvons bâtir de ce côté après avoir abattu toutes ces maisons, expliqua William.

– Mais la plupart sont des résidences cléricales, objecta Waleran.

– Nous trouverons d'autres logis pour le clergé. »

Waleran parut mécontent, mais n'insista pas.

Un peu plus loin, un homme aux larges épaules, âgé d'une trentaine d'années vint les saluer en s'inclinant. William jugea à son habit qu'il s'agissait d'un artisan. L'archidiacre Baldwin, le proche collaborateur de Waleran, déclara : « Voici l'homme dont je vous ai parlé, monseigneur l'évêque. Son nom est Alfred de Kingsbridge. »

Au premier abord, l'homme avait tout du bœuf, grand, fort et bête. Mais, en l'examinant de plus près, on remarquait sur son visage une expression rusée, qui évoquait plutôt le renard ou le chien rusé.

« Alfred, précisa l'archidiacre Baldwin, est le fils de Tom le bâtisseur, premier maître de Kingsbridge ; il a lui-même été maître quelque temps jusqu'au moment où sa place a été usurpée par son demi-frère. »

Le fils de Tom le bâtisseur. L'homme qui avait épousé Aliena, pensa William. Un mariage jamais consommé. William dévisagea le maçon avec un vif intérêt. Jamais on ne l'aurait cru impuissant. Il semblait sain, normal. Mais peut-être Aliena avait-elle un étrange effet sur les hommes.

« As-tu travaillé à Paris, demanda l'archidiacre Peter, et appris le style de Saint-Denis ?

– Non...

– Mais il nous faut une église bâtie sur ce modèle.

– Je travaille à présent à Kingsbridge, où mon frère est maître bâtisseur. Il a rapporté de Paris le nouveau style. Je l'ai appris avec lui. »

William se demanda comment l'évêque Waleran avait réussi à suborner Alfred sans éveiller de soupçons. Puis il se souvint que Remigius, le sous-prieur de Kingsbridge, était l'âme damnée de Waleran. C'était sans doute lui qui avait mené l'affaire.

« Votre toit ne s'est-il pas effondré ? dit-il à Alfred.

– Ce n'était pas ma faute, répliqua le bâtisseur. Le prieur Philip a insisté pour qu'on change les plans à la dernière minute.

415

– Je connais Philip, siffla Peter, du venin dans la voix. Un homme entêté, arrogant.

– Comment le connaissez-vous? demanda William.

– Voilà bien des années, j'étais moine à la communauté de Saint-John-de-la-Forêt quand Philip la dirigeait, reprit Peter d'un ton amer. J'ai critiqué sa mollesse et il m'a nommé aumônier pour se débarrasser de moi. » Le ressentiment de Peter était toujours vif : à coup sûr, un facteur d'importance dans le projet de Waleran, quel qu'il fût.

« En tout cas, continua William, je ne crois pas que j'aie envie d'engager un bâtisseur dont les toits s'effondrent, malgré toutes les excuses qu'il pourrait avoir.

– A part Jack Jackson, rétorqua Alfred, je suis le seul maître bâtisseur d'Angleterre à avoir travaillé sur une église du nouveau style.

– Peu m'importe Saint-Denis, répondit William, je crois que l'âme de ma pauvre mère sera tout aussi bien servie par une construction traditionnelle. »

L'évêque Waleran et l'archidiacre Peter échangèrent un regard, puis Waleran se tourne vers William : « Cette église pourrait devenir un jour la cathédrale de Shiring », dit-il sur le ton de la confidence.

Tout s'illumina dans l'esprit de William. Des années plus tôt, Waleran avait intrigué pour faire transférer le siège du diocèse de Kingsbridge à Shiring, mais le prieur Philip avait déjoué ses plans. Aujourd'hui Waleran revenait à la charge. Et cette fois, de façon plus subtile. Au lieu d'adresser une demande directe à l'archevêque de Canterbury, il commençait par bâtir une nouvelle église, assez grande et prestigieuse pour être une cathédrale, tout en s'assurant des alliés, comme Peter, dans l'entourage de l'archevêque. Ensuite seulement il formulerait sa demande. Très bien, mais William voulait, lui, simplement bâtir une église à la mémoire de sa mère, pour abréger son passage dans les feux éternels. Rien ne l'agaçait plus que de voir Waleran tenter de reprendre le projet pour parvenir à ses fins. D'un autre côté, quel avantage ce serait pour Shiring d'avoir une cathédrale, et dont William profiterait aussi !

« Il y a autre chose, poursuivit Alfred.

– Oui ? » Waleran affichait une curiosité polie.

William regarda les deux hommes. Alfred plus grand, plus fort et plus jeune que Waleran aurait pu d'une de ses grosses pattes assommer Waleran. Il se comportait pourtant comme le plus faible des deux. Autrefois, William n'aurait jamais supporté de voir un prêtre tout pâle et compassé dominer de la sorte un robuste gaillard, mais ce genre de choses ne le touchait plus : le monde était ainsi fait.

Alfred baissa la voix. « Je peux amener avec moi tous ceux qui travaillent à Kingsbridge. »

Les trois auditeurs concentrèrent leur attention sur le maçon.

« Répète-moi cela, dit Waleran.

— Si vous m'engagez comme maître bâtisseur, j'amènerai avec moi tous les artisans de Kingsbridge.

— Comment savons-nous, interrogea Waleran avec méfiance, si tu dis la vérité?

— Je ne vous demande pas de me croire, dit Alfred. Confiez-moi ce poste sous condition. Si je ne fais pas ce que je promets, je m'en irai sans réclamer d'argent. »

Pour des raisons différentes, ces trois interlocuteurs détestaient tant le prieur Philip qu'ils furent aussitôt séduits par la perspective de lui assener un coup fatal.

« Plusieurs de ces maçons, ajouta Alfred, ont travaillé à Saint-Denis.

— Mais comment les convaincras-tu? demanda Waleran, frémissant d'impatience.

— Peu importe. Disons qu'ils me préfèrent à Jack. »

William était convaincu qu'Alfred mentait à ce propos et Waleran semblait sceptique lui aussi, car il renversa la tête en arrière et toisa longuement Alfred.

« S'ils te suivent tous ici, reprit William, les travaux s'arrêteront à Kingsbridge.

— Oui, confirma Alfred. Complètement. »

William regarda Waleran et Peter. « Il faut en discuter plus à fond. Dînons tous ensemble. »

Waleran acquiesça. « Suis-nous jusqu'à ma maison, dit-il à Alfred. Elle est de l'autre côté de la place du marché.

— Je sais, répondit Alfred. C'est moi qui l'ai bâtie. »

Deux jours durant, le prieur Philip refusa de discuter la grève. Il était muet de rage et, chaque fois qu'il apercevait Jack, il tournait les talons et partait dans la direction opposée.

Le deuxième jour, trois charrettes de farine arrivèrent d'un des moulins du prieuré. Des hommes d'armes les escortaient : la farine en ce temps-là était aussi précieuse que l'or. Ce fut frère Jonathan, cellerier adjoint du vieux Cuthbert le Chenu, qui prit livraison du chargement. Jack le regarda compter les sacs. Il y avait quelque chose d'étrangement familier dans le visage de Jonathan, comme s'il ressemblait à quelqu'un que Jack connaissait sans pouvoir le nommer. Jonathan était grand et dégingandé, avec des cheveux châtain clair, pas du tout comme Philip – frêle, petit, et noir de cheveux. Mais, à part le physique, Jonathan tenait beaucoup de son père spirituel. Le jeune homme était ardent, déterminé, ambitieux et nourri de nobles principes. Les gens l'aimaient bien malgré son attitude un peu rigide moralement, tout comme ils aimaient bien Philip.

Puisque le prieur refusait de lui parler, le mieux pour Jack était d'avoir une conversation avec Jonathan.

Jack regarda Jonathan payer les hommes d'armes et les charretiers. Il était d'une efficacité tranquille et, quand les charretiers réclamèrent plus que leur dû, comme ils ne manquaient jamais de le faire, il leur opposa un refus calme mais ferme. Jack observa qu'une éducation monastique était une bonne préparation au commandement.

Le commandement. Les lacunes de Jack dans ce domaine s'étaient révélées plutôt brutalement. Il avait transformé un problème en crise à cause de sa maladresse. Chaque fois qu'il pensait à cette réunion, il se maudissait d'avoir si mal su négocier avec les hommes. Il était bien décidé à arranger les choses, d'une manière ou d'une autre.

Comme les charretiers s'en allaient en grommelant, Jack s'approcha d'un pas nonchalant. « Philip est absolument outré par la grève », dit-il à Jonathan.

Un instant, le jeune homme parut sur le point de dire quelque chose de désagréable – il était manifestement fort en colère lui-même –, mais son visage se détendit et il affirma : « Il paraît en colère, mais au fond il est blessé.

– Il prend la situation comme une insulte personnelle.

418

– Oui. Il a le sentiment que les artisans se sont retournés contre lui au moment où il aurait eu besoin de leur compréhension.

– Je pense que, dans une certaine mesure, c'est le cas, approuva Jack. Mais Philip a commis une grave erreur de jugement en essayant de changer autoritairement les habitudes de travail.

– Que pouvait-il faire d'autre?

– Commencer par discuter de la crise avec eux. Peut-être auraient-ils suggéré eux-mêmes quelques économies. Mais je suis mal placé pour faire des reproches à Philip, car j'ai commis la même erreur. »

Cette déclaration piqua la curiosité de Jonathan. « Comment cela?

– J'ai annoncé aux hommes le programme d'austérité avec autant de brusquerie et aussi peu de tact que Philip quand il m'en a parlé. »

Voilà. Il laisserait Jonathan méditer cet aveu, qui déjà semblait troubler le jeune homme. La graine était semée. Jack décida d'en rester là.

Il s'éloigna et revint à sa planche à tracer. L'ennui, se dit-il en reprenant son matériel de dessin, c'était que Philip jouait le rôle de pacificateur de la ville. En temps normal, c'était lui qui jugeait les délinquants et qui arbitrait les disputes.

On n'avait pas l'habitude de le voir impliqué en personne dans une querelle. Il faudrait donc que quelqu'un d'autre arbitre le conflit cette fois. Et le seul à qui Jack pouvait penser, c'était lui-même. En tant que maître bâtisseur, il était l'intermédiaire capable de s'adresser aux deux parties sans que l'on puisse mettre en doute ses mobiles : il voulait continuer à bâtir.

Il passa le reste de la journée à réfléchir. Une question revenait comme un leitmotiv à son esprit : qu'allait faire Philip?

Le lendemain, il se sentit prêt à affronter le prieur.

C'était un jour froid et humide. En début d'après-midi, Jack alla rôder sur le chantier abandonné, le capuchon de son manteau rabattu sur sa tête, faisant semblant d'examiner les fissures du triforium (un problème qui n'avait pas encore trouvé de solution), et attendit de voir Philip sortir du cloître pour gagner sa maison d'un pas rapide. Jack le suivit.

La porte du prieur étant toujours ouverte, Jack frappa et entra. Philip était agenouillé devant le petit autel dressé dans un coin. On aurait pu penser qu'il priait suffisamment à l'église presque toute la journée et la moitié de la nuit sans avoir à recommencer chez lui, songea Jack. Il n'y avait pas de feu dans la cheminée : Philip faisait des économies. Jack attendit en silence que le moine se lève. Puis il dit : « Il faut en finir. »

Des plis durs creusaient le visage habituellement aimable du prieur. « Je n'y vois aucune difficulté, dit-il d'un ton glacial. Les maçons peuvent reprendre le travail quand ils le voudront.

– A vos conditions. »

Philip ne répondit pas.

« Ils ne reviendront pas à vos conditions, continua Jack, et ils n'attendront pas éternellement que vous entendiez raison. » Il s'empressa d'ajouter : « Ou ce qu'ils croient être la raison.

– Ils n'attendront pas éternellement ? répéta Philip. Où iront-ils quand ils en auront assez d'attendre ? Ils ne trouveront de travail nulle part ailleurs. S'imaginent-ils que Kingsbridge est le seul endroit où on souffre de la famine ? C'est la même chose dans toute l'Angleterre. Pas un chantier qui ne réduise ses frais !

– Alors, demanda Jack, vous allez attendre qu'ils reviennent en rampant implorer votre pardon ?

– Je n'obligerai personne à ramper, dit le prieur en détournant les yeux. Je ne crois pas t'avoir jamais donné l'exemple d'une telle attitude.

– En effet, et c'est pourquoi je suis venu vous voir, enchaîna Jack. Je sais que vous ne voulez pas humilier ces hommes : ce n'est pas dans votre nature. D'ailleurs, s'ils revenaient pleins de ran-cœur et avec un sentiment de défaite, ils travailleraient mal. Alors, à mon point de vue comme au vôtre, nous devons leur permettre de sauver la face. Ce qui signifie faire des concessions. »

Jack retint son souffle. C'était maintenant ou jamais. Si Philip ne cédait pas, l'avenir s'annonçait mal.

Philip considéra longuement son interlocuteur. Jack vit la raison lutter avec les sentiments sur le visage du prieur dont l'expression enfin s'adoucit « Asseyons-nous. » dit Philip.

Maîtrisant un soupir de soulagement, Jack obéit. Il avait pré-paré ce qu'il dirait ensuite : il ne répéterait pas les fautes de tact qui avaient choqué les ouvriers. « Ce n'est pas la peine de modifier votre arrêt des achats de matériaux, commença-t-il. De même, le moratoire pour les nouveaux engagements peut être maintenu :

personne ne s'y oppose. Je pense aussi qu'on peut persuader les ouvriers d'accepter de chômer les jours de fête des saints, s'ils obtiennent des concessions dans d'autres domaines. » Il marqua un temps.

Philip hocha la tête. « Quelles concessions ? »

Jack prit une profonde inspiration. « Ils ont été extrêmement offusqués par votre proposition d'interdire les promotions. Ils estiment que vous essayez d'usurper l'antique prérogative de la loge.

— Je t'ai expliqué que ce n'était pas mon intention, répliqua Philip vivement.

— Je sais, je sais, s'empressa de dire Jack. Bien sûr que non. Et moi, je vous ai cru, mais pas eux. » Une expression peinée se peignit sur le visage de Philip. Comment pouvait-on ne pas le croire ? Jack ajouta précipitamment : « Mais c'est du passé. Je vais vous proposer un compromis qui ne vous coûtera rien. »

Philip haussa les sourcils.

« Laissez-les s'occuper des demandes de promotion, mais attendez un an pour augmenter le salaire correspondant.

— Accepteront-ils un tel arrangement ? interrogea Philip, sceptique.

— Ça vaut la peine d'essayer.

— Et si je ne peux toujours pas assurer les augmentations de paye d'ici un an ?

— Vous verrez bien quand vous y serez.

— Tu envisages de renégocier dans un an ?

— Si c'est nécessaire, dit Jack en haussant les épaules.

— Bon, murmura Philip. Autre chose ?

— Le grand scandale, c'est le licenciement immédiat des travailleurs d'été. » Jack parlait maintenant avec une totale franchise. L'heure n'était pas aux circonlocutions mielleuses. « Le licenciement immédiat n'a jamais été permis sur aucun chantier de la chrétienté. Le plus tôt, c'est la fin de la semaine. » Pour éviter à Philip de se sentir gêné, Jack ajouta : « J'aurais dû vous en prévenir.

— Tout ce que j'ai à faire, c'est de les employer deux jours de plus ?

— Je ne pense pas que ce soit suffisant aujourd'hui, objecta Jack. Si nous nous y étions pris autrement depuis le début, nous aurions pu nous en tirer. Maintenant, ils vont demander davantage.

421

– Tu as sûrement quelque chose de précis en tête. »

Il avait raison. C'était d'ailleurs la seule concession réelle que Jack comptait lui demander. « Nous sommes maintenant au début d'octobre. En général, on licencie les ouvriers d'été au début de décembre. Coupons la poire en deux et faisons-le au début de novembre.

– Autrement dit, je cède sur la moitié du terrain.

– Moins de la moitié. Vous bénéficierez encore de l'épuisement des stocks, du retard des augmentations de salaire pour les promotions et du chômage des jours fériés.

– Ce sont des broutilles. »

Jack se rassit, découragé. Il avait fait de son mieux. Il n'avait plus d'arguments à offrir à Philip, il avait épuisé ses flèches. Et Philip résistait toujours. Jack était prêt à s'avouer vaincu. Il contempla le visage impassible du prieur et attendit.

Philip se tourna longuement vers l'autel puis regarda de nouveau Jack : « Il va falloir que j'expose cela au chapitre. »

Jack se sentit un peu soulagé. Il n'obtenait pas la victoire, mais s'en rapprochait. Philip ne demanderait pas aux moines de réfléchir à une mesure qu'il n'approuvait pas lui-même et, le plus souvent, le chapitre se laissait guider par Philip. « J'espère qu'ils vont accepter », murmura Jack.

Philip vint poser une main sur l'épaule de Jack. Pour la première fois, il sourit. « Si j'expose l'affaire avec autant de conviction que toi, ils accepteront », dit-il.

Jack fut surpris de ce brusque changement d'humeur. « Plus tôt ce sera fini, reprit-il, moins cela aura d'effet à long terme.

– Je sais. J'étais très en colère, mais je ne veux pas me quereller avec toi. » Philip lui tendit la main.

Jack la serra, réconforté. « Dois-je dire aux bâtisseurs de venir demain matin à la loge pour entendre le verdict du chapitre ?

– Oui, s'il te plaît.

– J'y vais tout de suite. » Il sortit.

« Jack ! cria Philip.

– Oui ?

– Merci. »

Jack hocha la tête et s'éloigna sous la pluie, oubliant de mettre son capuchon. Il se sentait heureux.

Cet après-midi-là, il se rendit au domicile de chaque artisan pour leur annoncer la réunion du lendemain matin. Ceux qui n'étaient pas chez eux – les célibataires et les saisonniers, pour la plupart –, il les découvrit à la taverne. Le seul qu'il ne trouva pas, ce fut Alfred, qu'on n'avait pas vu depuis deux jours. Il ne réapparut qu'à la tombée du jour et entra dans le cabaret avec un sourire étrangement triomphant sur son visage bovin. Il ne dit pas où il était allé et Jack ne lui demanda pas. Il le laissa boire avec les autres et partit souper avec Aliena et les enfants.

Le lendemain matin, il commença la réunion avant l'arrivée du prieur Philip à la loge, car il voulait préparer le terrain. Tous les artisans étaient à l'heure. Quelques jeunes avaient l'œil rouge : Jack devina que la taverne était restée ouverte tard dans la nuit et que certains y avaient un moment oublié leur pauvreté. Sans doute les jeunes et les travailleurs temporaires allaient-ils se révéler les adversaires les plus coriaces. Les vieux artisans voyaient plus loin. Les quelques femmes employées sur le chantier se montraient toujours prudentes et prêtes à étudier toute possibilité d'arrangement.

« Le prieur Philip va nous proposer un compromis, commença Jack. Avant son arrivée, nous devrions discuter de ce que nous sommes prêts à accepter, ce que nous refuserons catégoriquement et les points sur lesquels nous sommes disposés à négocier. Philip doit comprendre que nous sommes unis. J'espère que vous êtes tous d'accord ? »

Il y eut quelques hochements de tête approbateurs.

« A mon avis, reprit Jack d'un ton tranchant, nous devons refuser absolument tout licenciement immédiat. » Il frappa du poing sur l'établi de manière à bien souligner sa détermination. Plusieurs voix s'élevèrent pour approuver bruyamment. Jack savait que c'était une demande que Philip ne formulerait certainement pas. Mais il excitait ainsi les têtes chaudes qui défendraient d'autant plus vigoureusement les anciennes coutumes. Puis, quand Philip céderait, leur victoire les calmerait.

« Nous devons aussi conserver à la loge la prérogative des promotions, car seuls les artisans peuvent juger des qualifications d'un des leurs. » Là encore, il concentrait leur attention sur le principe de la question dans l'espoir que, l'ayant emporté sur ce point, ils passeraient plus facilement sur les concessions financières.

« Quant à travailler les jours de fête des saints, j'hésite. Les congés sont en général sujets à négociation : il n'y a pas de coutume bien établie. » Il se tourna vers Edward Deux Nez. « Quelle est ton opinion sur ce point, Edward ?

— La pratique varie d'un chantier à l'autre », répondit Edward, fier d'être consulté. Jack acquiesça, l'encourageant à continuer. Edward évoqua les divers usages en vigueur. La réunion se déroulait exactement comme Jack le souhaitait. Une discussion prolongée sur un point secondaire épuiserait les énergies avant la confrontation réelle.

Le monologue d'Edward fut brusquement interrompu par une voix qui lança au fond de la pièce : « Tous ces bavardages sont sans intérêt. »

Jack reconnut Dan Bristol, un saisonnier. « Un à la fois, s'il vous plaît, fit-il. Laissons finir Edward. »

On ne se débarrassait pas si facilement de Dan. « Peu importe ces détails de fêtes de saints, insista-t-il. Ce que nous voulons, c'est une augmentation.

— Une augmentation ? » répéta Jack qui n'avait pas prévu du tout cette revendication.

Dan avait des partisans. « Parfaitement, une augmentation, renchérit Pierre. Regarde... une miche de quatre livres coûte un penny. Une poule qui autrefois coûtait huit pence en vaut maintenant vingt-quatre ! Je parie qu'aucun de nous n'a bu de vraie bière depuis des semaines. Tout augmente, mais la plupart d'entre nous continuent à toucher le même salaire qu'au jour de notre engagement, soit douze pence par semaine. Et nous devons nourrir nos familles avec ça ! »

Jack rassemblait ses esprits. Alors que tout se déroulait comme il l'espérait, voilà que cette interruption ruinait sa stratégie. Il se garda toutefois de heurter de front Dan et Pierre, car c'était le meilleur moyen de les braquer. Il opta pour l'ouverture. « Je suis d'accord avec vous », dit-il. Manifestement, les hommes ne s'attendaient pas à cette réaction. « La question est de savoir quelle chance nous avons d'obtenir un supplément de salaire à une époque où le prieuré est à court d'argent ? »

Personne ne répondit, sauf Daniel : « Il nous faut vingt-quatre pence par semaine pour survivre et même alors nous serons en déficit sur notre premier salaire.

Jack ne savait plus quoi dire. Pourquoi le débat lui échappait-il alors qu'il l'avait si bien mené jusqu'à présent ? Pierre enfonça le clou : « Vingt-quatre pence par semaine », et plusieurs têtes approuvèrent.

Jack pensa soudain que d'autres, comme lui, s'étaient préparés d'avance à la réunion. Lançant à Dan un regard sévère, il interrogea : « Avez-vous déjà discuté de tout cela ?

— Oui, hier soir à la taverne, riposta Dan d'un ton de défi. Il y a du mal à cela ?

— Certainement pas. Mais pour ceux d'entre nous qui n'ont pas eu le privilège d'assister à votre réunion, voudrais-tu en résumer les conclusions ?

— Entendu. » Les hommes qui n'étaient pas à la taverne faisaient grise mine mais Dan ne se démonta pas. Au moment où il ouvrait la bouche, le prieur Philip fit son entrée, apparemment de bonne humeur. Il aperçut Jack et lui adressa un hochement de tête presque imperceptible. Jack jubila intérieurement : les moines avaient donc accepté le compromis ! Il allait empêcher Dan de parler, mais il réagit une seconde trop tard. « Nous voulons vingt-quatre pence par semaine pour les artisans, clama celui-ci. Douze pour les manœuvres et quarante-huit pour les maîtres artisans. Voilà nos conclusions. »

La bonne humeur de Philip disparut en un éclair. Son visage se rembrunit. « Un instant, protesta Jack. Ce n'est pas l'avis de la loge. Il s'agit d'une demande fantaisiste, préparée par un groupe d'ivrognes à la taverne.

— Non, pas du tout, fit une voix nouvelle, celle d'Alfred. Tu vas t'apercevoir rapidement que la plupart des artisans soutiennent la demande. »

Jack l'aurait tué. « Il y a quelques mois, tu m'as supplié de te trouver du travail, affirma-t-il. Voilà maintenant que tu réclames double salaire. Belle récompense pour moi. J'aurais dû te laisser crever de faim !

— C'est ce qui vous attend tous si vous refusez d'entendre raison ! » intervint Philip.

Jack aurait tout fait pour éviter ce genre de remarque, mais la situation le dépassait complètement. Sa stratégie s'était effondrée.

« Nous ne retournerons pas travailler, répéta Dan, pour moins de vingt-quatre pence, un point c'est tout.

— Pas question, répliqua Philip avec colère. Vous êtes inconséquents. Je ne veux même pas en discuter.

425

– Nous ne discuterons rien d'autre, déclara Dan. Nous ne travaillerons pas pour moins, sous aucun prétexte. »

Quelle inconscience! pensa Jack. « Comment peux-tu prétendre que tu ne travailleras pas pour moins? Tu ne travailleras pas du tout, pauvre idiot. Tu n'as nulle part où aller!

– Ah non? » fit Dan.

Le silence tomba sur l'assistance.

Mon Dieu, pensa Jack au désespoir. Ils ont un atout caché.

« Justement, nous connaissons un autre endroit, déclara Dan ironiquement. Moi, j'y vais tout de suite.

– De quoi parles-tu? » demanda Jack.

Dan triomphait.

« On m'a offert de travailler sur un nouveau chantier, à Shiring, celui de la nouvelle église. Vingt-quatre pence par semaine pour les artisans. »

Jack, glacé de surprise, regarda autour de lui. « Quelqu'un d'autre a-t-il eu la même offre? »

Les têtes se baissèrent, honteuses.

« On a fait la même proposition à tout le monde », répondit Dan.

Jack se sentit vaincu. Un coup monté. On l'avait trahi. Il se sentait ridicule en même temps que lésé. Il n'avait rien compris à la situation. L'humiliation se transforma en colère, et il chercha du regard à qui s'en prendre. « Lequel d'entre vous? cria-t-il. Lequel d'entre vous est le traître? Qui vous a transmis cette offre de Shiring? hurla-t-il encore. Qui est le maître bâtisseur là-bas? » Son regard se posa sur Alfred. Bien sûr! Jack eut une nausée de dégoût. « Alfred? dit-il d'un ton méprisant. Vous me quittez pour Alfred? »

Il y eut un grand silence, que Dan rompit le premier. « Oui. »

Jack comprit qu'il avait perdu. « Ainsi soit-il, murmura-t-il d'un ton amer. Vous me connaissez, et vous connaissez mon frère, et vous choisissez Alfred. Vous connaissez le prieur Philip, vous connaissez le comte William, et vous choisissez William. Tout ce que j'ai à vous dire, c'est que vous méritez ce qui va vous arriver. »

3

« Raconte-moi une histoire, demanda Aliena. Tu ne m'en racontes plus jamais. Tu te souviens, autrefois ?

– Oui », répondit Jack.

Ils étaient dans leur clairière secrète au milieu de la forêt, l'automne touchait à sa fin ; aussi, au lieu de s'asseoir à l'ombre au bord du ruisseau, ils avaient fait du feu à l'abri d'un saillant rocheux. C'était un après-midi gris, froid et sombre, mais l'amour les avait réchauffés et le feu pétillait gaiement. Ils étaient nus sous leur manteau.

Jack écarta celui d'Aliena et la caressa doucement. Il ne semblait pas remarquer les signes de fatigue et de vieillissement sur son corps, moins ferme avec les années. Il l'aimait toujours autant.

« Une histoire de princesse qui vivait tout en haut d'un grand château. » Il l'embrassa. « Et d'un prince qui vivait dans un autre grand château. Chaque jour, ils se contemplaient l'un l'autre par la fenêtre de leur prison et mouraient d'envie de franchir la vallée qui les séparait. » Il s'interrompit pour caresser longuement Aliena, qui ferma les yeux. « Et tous les dimanche après-midi, ils se retrouvaient dans la forêt ! » Surprise par l'audace de ses caresses elle éclata de rire.

Ces dimanches après-midi étaient les heures dorées d'une vie de plus en plus difficile.

Les mauvaises récoltes et le tassement des prix de la laine avaient provoqué un désastre économique. Les marchands étaient ruinés, les habitants de la ville sans emploi et les paysans mouraient de faim. Jack, par bonheur, gagnait encore un salaire : avec une poignée d'artisans, il bâtissait lentement la première travée de la nef. Mais Aliena avait dû réduire à presque rien son entreprise de tissu. La situation, du comté était la pire dans tout le sud de l'Angleterre, en raison de la façon dont William administrait ses biens.

Aliena en souffrait profondément. William, avide de trouver l'argent nécessaire pour édifier sa nouvelle église à Shiring, cette église dédiée à la mémoire de son horrible mère à demi folle, avait expulsé un si grand nombre de ses fermiers pour leurs retards de loyer qu'une partie de la meilleure terre du comté demeurait maintenant en friche, ce qui aggravait la pénurie de grains. En dépit de cela, il avait stocké le blé pour faire monter les prix. Comme il avait peu d'employés et personne à nourrir, à court terme il profitait de la famine. Mais, à long terme, il préparait des dégâts irréparables dont le comté ne se remettrait jamais, pas plus que ses habitants. Aliena se rappelait le domaine à l'époque où son père le dirigeait : c'était une riche région de champs fertiles et de villes prospères. Ce souvenir lui brisait le cœur.

Pendant quelques années, elle avait laissé de côté la promesse que son frère et elle avaient faite à leur père mourant. Avec William Hamleigh nommé officiellement comte et alors qu'elle-même avait charge de famille, la perspective de voir Richard reprendre son héritage lui paraissait un rêve lointain. Richard, pour sa part, devenu officier du guet, avait épousé une enfant du pays, la fille d'un charpentier. Hélas! De santé fragile, elle était morte l'année précédente sans lui donner d'enfants.

Depuis le début de la famine, Aliena s'était remise à penser au comté. Si Richard retrouvait son titre, il pourrait faire beaucoup avec l'aide de sa sœur pour soulager les souffrances. Vaines élucubrations, se reprochait-elle souvent. William était bien en cour auprès du roi Stephen qui l'avait emporté dans la guerre civile, et on n'entrevoyait aucune perspective de changement.

Le seul moment où les tristes pensées s'éloignaient, c'était lorsque Aliena et Jack s'allongeaient sur l'herbe de leur clairière secrète. Depuis le premier jour – Aliena n'oublierait jamais ce matin merveilleux où elle avait découvert l'intensité de son désir –, ils s'aimaient avec autant d'ardeur, et ni ses trente-trois ans ni ses maternités n'avaient émoussé la ferveur de Jack. Leur dimanches après-midi étaient éblouissants.

Ils riaient encore du conte inventé par Jack comme prétexte à de nouvelles caresses lorsqu'ils entendirent une voix.

Ils se figèrent. Leur clairière était à une certaine distance de la route, dissimulée par un fourré. Ils n'étaient jamais interrompus que par un daim sans méfiance ou un renard audacieux. Retenant leur souffle, ils écoutèrent. La voix retentit de nouveau, une autre lui répondit. Tendant désespérément l'oreille, ils perçurent un bruit de feuillages froissés, comme si tout un groupe d'hommes se déplaçait dans la forêt.

Jack saisit ses bottes posées à côté de lui. Sans bruit, il se glissa jusqu'au ruisseau, emplit d'eau une des bottes et la vida sur le feu. Les flammes s'éteignirent avec un sifflement et un petit panache de fumée. Jack s'enfonça sans bruit dans les broussailles et disparut.

Aliena passa sa camisole, sa tunique et ses bottes, puis s'enveloppa de nouveau dans son manteau.

Jack revint, aussi silencieusement qu'il était parti. « Des hors-la-loi, annonça-t-il.

– Combien sont-ils ? chuchota-t-elle.

– Beaucoup. Je n'ai pas pu les voir tous.

– Où vont-ils ?

– A Kingsbridge. » Il leva la main. « Écoute. »

Aliena pencha la tête. Au loin la cloche du prieuré de Kingsbridge sonnait avec insistance pour avertir la population du danger. Elle sentit son cœur se serrer. « Jack... les enfants !

– Nous serons arrivés avant les hors-la-loi si nous passons par le Bout Crotto, et que nous suivons la rivière par le bois de châtaigniers.

– Vite ! »

Il la retint pour écouter encore un moment. Il savait entendre dans la forêt des bruits qui échappaient aux humains, car c'était là qu'il avait grandi. Il se détendit : « Je crois qu'ils sont tous passés. »

Ils quittèrent la clairière et parvinrent bientôt à la route. Personne en vue. Ils coupèrent à travers bois, suivant un sentier à peine visible. Aliena avait laissé Tommy et Sally avec Martha. L'idée la terrifiait qu'il pût leur arriver quelque chose avant son retour.

Ils dévalèrent la pente abrupte qui menait au Bout Crotto. Des

429

étrangers sans méfiance avaient trouvé la mort dans ce marécage, mais il était sans danger pour ceux qui le connaissaient bien. A l'autre extrémité, un gué permettait de passer la rivière et, après, c'était tout droit.

Comme ils approchaient de la ville, le tocsin leur parut sonner plus fort. Au moins les habitants étaient-ils alertés à temps, songea Aliena pour se réconforter. Ils débouchèrent de la forêt dans la prairie, en face de Kingsbridge, en même temps que vingt ou trente jeunes gens qui venaient de jouer au ballon dans un village voisin.

Ils se précipitèrent sur le pont. On avait déjà fermé les portes, mais les guetteurs des remparts les avaient reconnus et on leur entrebâilla une petite porte.

Hors d'haleine, ils remontèrent la grand-rue. Les habitants se rassemblaient sur les remparts avec des lances, des arcs et des provisions de pierres. On rassemblait les enfants qu'on conduisait au prieuré. Martha avait déjà dû y emmener Tommy et Sally, pensa Aliena qui entraîna Jack pour les y retrouver.

Dans la cour de la cuisine, Aliena aperçut, à sa totale stupéfaction, Ellen, la mère de Jack, aussi mince et brune, malgré ses cinquante-quatre ans et quelques rides autour des yeux. Elle parlait avec beaucoup d'animation avec Richard. Le prieur Philip, un peu plus loin, guidait les enfants dans la maison du chapitre. Il n'avait donc pas vu Ellen.

Aliena poussa un soupir de soulagement. Martha et les enfants étaient bien là.

« Mère! s'exclama Jack. Pourquoi es-tu ici?

— Pour vous prévenir qu'une bande de hors-la-loi est en route. Ils comptent piller la ville.

— Nous les avons vus dans la forêt », confirma Jack.

Richard dressa l'oreille. « Vous les avez vus? Combien sont-ils?

— Je n'en suis pas sûr, mais ils m'ont paru nombreux, au moins cent, peut-être plus.

— Quel genre d'armes?

— Des gourdins, des couteaux, une ou deux hachettes. Mais surtout des bâtons.

— Quelle direction?

— Au nord d'ici.

— Merci! » Il prit la direction des remparts.

« Martha, demanda Aliena, emmène les enfants dans la maison du chapitre. » Puis elle suivit Richard, ainsi que Jack et Ellen.

L'effervescence dans les rues était à son comble. Tout le monde voulait savoir ce qui se passait exactement. Richard était harcelé de questions. Il y répondait brièvement, sans ralentir le pas.

C'était dans ces moments-là que le jeune homme se montrait sous son meilleur jour, songea Aliena. Incapable de gagner son pain quotidien comme tout le monde, il faisait preuve, en cas d'attaque, d'une tête froide, d'idées claires et d'une compétence exceptionnelle.

Ils atteignirent le mur nord de la ville et grimpèrent par l'échelle jusqu'au parapet. On avait préparé à intervalles réguliers des tas de pierres. Des habitants armés d'arcs et de flèches prenaient déjà position aux créneaux. Depuis quelque temps, Richard avait persuadé la guilde de la ville d'organiser une fois par an des exercices d'alerte. L'idée avait tout d'abord rencontré une vive résistance, puis c'était devenu un rite, comme le spectacle du milieu de l'été, et tout le monde adorait y participer. On en voyait aujourd'hui les avantages : les habitants de Kingsbridge réagissaient avec promptitude et assurance dès que l'alerte était donnée.

Aliena jeta un regard inquiet jusqu'à la forêt, au-delà des champs. Rien.

« Vous avez pris beaucoup d'avance sur eux, dit Richard.

– Pourquoi choisissent-ils justement cette ville ? interrogea Aliena.

– A cause des magasins du prieuré, dit Ellen. C'est le seul endroit, à des lieues à la ronde, qui contienne encore des provisions.

– Bien sûr. » Ces hors-la-loi étaient des gens affamés, dépouillés de leurs terres par William, sans autre moyen d'existence que le vol. Dans les villages sans défense, il y avait peu, sinon rien, à voler : les paysans n'étaient guère mieux lotis que les hors-la-loi. Dans les granges des propriétaires, en revanche, on trouvait encore des vivres en abondance.

Tout à coup, elle les aperçut. Jaillissant du bord de la forêt comme des rats d'une meule de foin, ils se répandirent à travers les champs. Ils étaient vingt, trente, cinquante, cent, une petite armée. Sans doute avaient-ils espéré franchir par surprise les portes de la ville, mais le tocsin leur avait fait comprendre qu'on

431

les avait devancés. Ils tentaient quand même l'attaque, avec le désespoir des affamés. Quelques flèches partirent prématurément et Richard dut intervenir : « Attendez! Ne gaspillez pas vos flèches ! »

La dernière fois que Kingsbridge avait été attaquée, Tommy avait dix-huit mois, et Aliena qui attendait Sally s'était réfugiée au prieuré, avec les vieillards et les enfants. Cette fois, elle resterait sur les remparts pour défendre les abords du prieuré. La plupart des autres femmes en faisaient autant. Elles étaient presque aussi nombreuses sur les murs que les hommes.

Cependant, Aliena n'était pas tranquille. Si les attaquants faisaient une percée d'un autre côté et atteignaient le prieuré avant elle? Et si elle était blessée au combat? Jack et Ellen risquaient leur vie aussi. En cas de malheur, il ne resterait que Martha pour s'occuper de Tommy et de Sally. Aliena hésitait.

Les hors-la-loi étaient presque au bas des murs. Une pluie de flèches les accueillit, que cette fois Richard encouragea.

Les attaquants, sans armures, mal organisés, se comportaient comme des animaux affolés, qui se ruent tête baissée contre un mur. Et là, ils devenaient de parfaites cibles pour les habitants qui les bombardaient de pierres du haut des remparts. Quelques-uns attaquèrent la porte nord à coups de gourdin. Pendant ce temps, deux moines amenaient un chaudron d'eau bouillante sur la muraille au-dessus de la porte.

En contrebas de l'endroit où se trouvait Aliena, un groupe d'assaillants commença à former une pyramide humaine. Jack et Richard répliquèrent aussitôt par un bombardement de pierres. Aliena les imita et Ellen vint les rejoindre. Les hors-la-loi supportèrent quelque temps la grêle de pierres, puis l'un d'eux fut frappé à la tête, la pyramide s'écroula et ils renoncèrent.

Au même instant, on entendit des hurlements de douleur provenant de la porte nord : l'eau bouillante déversée sur la tête des attaquants faisait son effet.

C'est alors qu'un phénomène inattendu se produisit. Quelques brigands eurent l'idée que leurs morts et leurs blessés constituaient une proie plus facile que la ville de Kingsbridge et commencèrent à dépouiller les corps. Des rixes éclatèrent, des pillards rivaux se disputant les possessions des cadavres. Quelle boucherie, songea Aliena, quel spectacle répugnant, dégradant !

Elle se tourna vers Richard. « Ils sont trop désorganisés pour représenter une vraie menace, dit-elle.

— Ils pourraient être très dangereux parce qu'ils sont désespérés, répondit son frère, mais ils n'ont pas de commandement. »

Une pensée frappa Aliena. « En somme, c'est une armée qui attend un chef », dit-elle. Richard ne réagit pas, mais Aliena suivait son idée. Son frère était un bon chef sans armée. Les hors-la-loi étaient une armée sans chef. Or le comté était en train de s'écrouler...

Sous la pluie ininterrompue de pierres et de flèches, les hors-la-loi, décimés, commencèrent à battre en retraite comme une meute de chiens la queue entre les jambes. Puis quelqu'un ouvrit la porte nord et une foule de jeunes gens chargea, brandissant des haches et des épées, à la poursuite des traînards. La plupart des misérables parvinrent à s'enfuir, mais quelques-uns furent pris et massacrés.

Écœurée, Ellen détourna les yeux. « Richard, vous auriez dû empêcher ces garçons de leur donner la chasse.

— Les jeunes gens ont besoin de voir un peu de sang après une pareille attaque, répliqua-t-il. D'ailleurs, plus nous en tuerons cette fois-ci, moins nous en aurons à combattre la prochaine fois. »

Philosophie de soldat, se dit Aliena. A l'époque où elle sentait sa vie menacée chaque jour, elle aurait sans doute agi comme les jeunes gens et taillé en pièces les brigands. Maintenant, ce qu'elle voulait, c'était combattre les causes qui poussaient des gens à braver les lois, pas les gens eux-mêmes. D'ailleurs, elle venait de trouver une façon de les utiliser.

Richard ordonna de sonner la fin de l'alerte à la cloche du prieuré et de doubler la garde de nuit, les patrouilles et les sentinelles. Aliena alla au prieuré chercher Martha et les enfants et tout le monde se retrouva dans la maison de Jack.

Aliena se disait qu'il y avait là une vraie famille et en arrivait presque à oublier les étrangetés de sa vie : son père mort dans un cachot, son mariage encore valide avec le demi-frère de Jack, l'exclusion d'Ellen comme sorcière et hors-la-loi, et...

Elle secoua la tête. Non, ce n'était pas une famille normale.

Jack tira du tonneau une cruche de bière dont il emplit de grandes coupes. Après le danger, chacun se sentait tendu et excité.

433

Ellen alluma le feu et Martha tailla des navets pour commencer à préparer la soupe. Autrefois, elle aurait fait rôtir un demi-cochon, pour célébrer une journée comme celle-là.

Richard but sa bière d'un long trait, s'essuya la bouche et déclara : « Nous allons avoir d'autres alertes du même genre avant la fin de l'hiver.

— Ces malheureux devraient attaquer les magasins du comte William, dit Jack, pas ceux du prieur Philip. C'est William qui a privé de ressources la plupart de ces gens.

— A moins d'améliorer leur tactique, ils n'auront pas plus de succès contre William qu'il n'en ont eu contre nous. C'est une meute sauvage.

— Il leur faut un chef, suggéra Aliena.

— Prie le ciel qu'ils n'en aient jamais un! Là, ce serait dangereux.

— Un chef pourrait les conduire contre William... plutôt que contre nous.

— Je ne te suis pas, déclara Jack. Pourquoi un chef ferait-il justement ce choix?

— Il le ferait, si c'était Richard... »

Un silence stupéfait accueillit ces paroles.

L'idée qui avait jailli spontanément dans l'esprit d'Aliena prenait de plus en plus forme. La jeune femme était convaincue qu'elle pouvait donner des résultats. Si Richard détruisait William et devenait comte, le pays retrouverait la paix et la prospérité... et leur promesse serait enfin tenue. Plus elle y pensait, plus elle s'excitait. « Il y avait plus de cent hommes aujourd'hui », reprit-elle. Elle se tourna vers Ellen. « Combien d'autres vivent dans la forêt?

— Ils sont innombrables, répondit Ellen. Des centaines, des milliers. »

Aliena se pencha sur la table de la cuisine et regarda son frère dans les yeux. « Prends leur tête, lança-t-elle avec énergie. Organise-les. Enseigne-leur à se battre. Conçois des plans d'attaque. Puis jette-les dans l'action... contre William. »

Tout en parlant, elle se rendait compte qu'elle le poussait à risquer sa vie, et elle en tremblait. En fait de reconquérir le comté, il trouverait peut-être la mort.

Mais lui n'avait pas de telles angoisses. « Mais par Dieu, Aliena,

434

tu as peut-être raison, murmura-t-il. J'aurais une armée à moi et je la conduirais contre William! »

Aliena lut sur le visage de son frère la longue et tenace haine qui l'animait depuis le jour affreux... Ses yeux s'arrêtèrent sur la cicatrice de son oreille... Elle repoussa l'horrible souvenir.

Richard s'échauffait. « Je pourrais monter un raid contre les troupeaux de William, voler ses moutons, braconner son gibier, forcer ses entrepôts, rafler la farine de ses moulins! Mon Dieu, si j'avais une armée, je pourrais lui en faire voir à cette vermine! » Richard était un soldat dans l'âme, se dit Aliena, c'était son destin. Elle avait beau craindre pour sa sécurité, elle ne pouvait s'empêcher de rêver à ses succès.

Richard devint grave. « Mais comment entrer en contact avec les hors-la-loi? demanda-t-il. Ils sont introuvables.

— Je peux répondre, proposa Ellen. De la route de Winchester part un sentier envahi par les herbes qui mène à une carrière abandonnée. C'est leur cachette. On l'appelait la carrière de Sally.

— Mais je n'ai pas de carrière! » protesta Sally du haut de ses sept ans.

Tout le monde se mit à rire.

Richard, déterminé et plein d'entrain, conclut la réunion : « Très bien, dit-il, la gorge un peu serrée. La carrière de Sally. »

« Nous avions travaillé dur toute la matinée pour déraciner une grosse souche au flanc de la colline, dit Philip. A notre retour, mon frère Francis était là, dans l'enclos des chèvres, et il te tenait dans les bras. Tu étais né la veille. »

Jonathan écoutait, l'air grave. C'était pour lui un instant solennel.

Philip inspectait la communauté de Saint-John-de-la Forêt. On ne voyait plus beaucoup de bois aujourd'hui : au long des années, les moines avaient défriché bien des arpents et le monastère était entouré de champs. Il y avait de nouveaux bâtiments de pierre, une salle capitulaire, un réfectoire et un dortoir – auxquels s'ajoutait une foule de granges et d'étables en bois plus petites. Cela ne ressemblait guère à l'endroit qu'il avait quitté dix-sept ans avant. Les gens aussi avaient changé. Certains des jeunes moines d'autrefois occupaient maintenant à Kingsbridge des postes de responsabilité. William Beauvis, qui dissipait ses frères voilà si longtemps en bombardant de cire chaude le crâne chauve du maître des novices, était aujourd'hui le prieur de Saint-John. Certains étaient partis : Peter de Wareham le faiseur d'histoires se trouvait à Canterbury, où il travaillait pour un jeune et ambitieux archidiacre du nom de Thomas Becket.

« Je me demande à quoi ils ressemblaient, murmura Jonathan. Je veux dire, mes parents. »

Philip sentit son cœur se serrer. Lui-même avait perdu ses parents, mais à six ans seulement, et il se souvenait fort bien d'eux : sa mère calme et tendre, son père grand, barbu, brave et fort. Tandis que tout ce que Jonathan savait de ses parents, c'était qu'ils n'avaient pas voulu de lui.

« On peut deviner pas mal de choses à leur propos, reprit Philip.

– Vraiment? interrogea Jonathan avec ardeur. Quoi donc?

– Ils étaient pauvres, expliqua Philip. Les gens riches n'ont nulle raison d'abandonner leurs enfants. Et sans amis, les amis posent des questions si un bébé attendu disparaît. Et sans espoir, seuls les gens désespérés peuvent supporter de perdre un enfant. » Le visage de Jonathan se crispait de larmes retenues. Philip avait envie de pleurer, pour ce garçon qui – tout le monde le disait – lui ressemblait tant. Il aurait voulu pouvoir le consoler, lui parler avec chaleur de ses parents; mais comment prétendre qu'ils avaient aimé un enfant qu'ils avaient délibérément abandonné à la mort?

« Mais, insista Jonathan, pourquoi Dieu permet-il des choses pareilles? »

Philip saisit l'occasion. « Dès l'instant où tu commences à poser cette question, tu risques d'aboutir à la confusion totale. Mais, en l'occurrence, je crois que la réponse est claire. Dieu te voulait pour lui-même.

– Vous croyez vraiment?

– Ne te l'ai-je pas déjà dit? Je l'ai toujours cru. Je l'ai dit aux moines le jour où on t'a trouvé. Je leur ai affirmé que Dieu t'avait envoyé ici avec des intentions précises et que c'était notre devoir de t'élever à son service pour te rendre capable d'accomplir la tâche qu'Il t'avait assignée.

– Je me demande si ma mère le sait.

– Si elle est avec les anges, oui.

– A votre avis, quelle peut être ma tâche? »

– Dieu a besoin de moines écrivains, enlumineurs, musiciens et fermiers. Il a besoin d'hommes pour assumer les tâches difficiles : cellerier, prieur, évêque. Il lui faut des hommes pour faire le négoce de la laine, soigner les malades, instruire les écoliers et bâtir des églises.

– J'imagine mal qu'Il ait prévu un rôle exprès pour moi.

– Je ne crois pas qu'Il se serait donné autant de mal pour toi si ce n'était pas le cas, répliqua Philip avec un sourire. Mais ce pourrait ne pas être un grand rôle aux yeux du monde. Il souhaite peut-être simplement que tu deviennes un de ces moines silencieux, qui consacrent leur vie à la prière et à la contemplation.

– Peut-être, oui, fit Jonathan, sans enthousiasme.

– Mais je ne le crois pas, continua Philip en riant. Dieu ne ferait pas un couteau avec du papier, ni une camisole de dame avec du cuir à chaussures. Tu n'as pas ce qu'il faut pour une vie de quiétude, et Dieu le sait. Selon moi, Il veut que tu combattes pour Lui, pas que tu chantes pour Lui.

– Je l'espère bien.

– En tout cas, pour l'instant, je crois qu'Il veut que tu ailles trouver frère Leo pour savoir combien de fromages il a pour la cave de Kingsbridge.

– Très bien.

– Je vais aller m'entretenir avec mon frère dans la salle capitulaire. Et n'oublie pas... si un des moines te parle de Francis, sois le plus discret possible.

– Je ne dirai rien.

– Va maintenant. »

Jonathan traversa la cour d'un pas vif. Déjà son humeur grave avait cédé à son exubérance naturelle avant même qu'il n'arrive à la laiterie. Philip le regarda disparaître dans le bâtiment. J'étais tout à fait comme lui, se dit-il, mais peut-être pas aussi malin.

Il partit dans la direction opposée, vers la salle capitulaire. Francis avait fait parvenir un message à Philip lui demandant de le retrouver là discrètement. Pour les moines de Kingsbridge, Philip rendait à la communauté une visite de routine. On ne pouvait pas, naturellement, cacher cette rencontre aux religieux de Saint-John-de-la-Forêt, mais leur isolement les condamnait à n'en parler à quinconque. Seul le prieur venait de temps à autre à Kingsbridge et Philip lui avait fait jurer le secret.

437

Arrivés le matin, Francis et lui, dans l'impossibilité de prétendre que leur rencontre était accidentelle, faisaient tout au moins semblant de ne l'avoir organisée que pour le plaisir de se voir. Après avoir assisté à la grand-messe, ils avaient dîné avec les moines et tenaient enfin maintenant la première occasion de bavarder en tête à tête.

Assis sur un banc de pierre contre le mur, Francis attendait dans la salle capitulaire. Philip ne se voyait presque jamais dans un miroir – il n'en existait pas au monastère –, aussi ne mesurait-il son vieillissement qu'aux changements qu'il observait chez son frère, de deux ans son cadet. A quarante-deux ans, Francis montrait quelques fils d'argent dans ses cheveux noirs et un réseau de rides autour de ses yeux bleu clair. Il avait le cou plus fort et la taille plus épaisse que la dernière fois où Philip l'avait vu. J'ai sans doute davantage de cheveux gris et un peu moins de graisse, songea Philip, mais je me demande lequel de nous deux a le plus de rides?

« Comment vont les choses? lui demanda Francis, alors qu'il s'asseyait près de lui.

– Les barbares sont de nouveau au pouvoir, répondit Philip. Le prieuré est à court d'argent, nous avons pratiquement interrompu la construction de la cathédrale; Kingsbridge est sur son déclin, la moitié du comté meurt de faim et les routes ne sont pas sûres.

– C'est la même histoire dans toute l'Angleterre, acquiesça Francis.

– Peut-être les barbares demeureront-ils toujours au pouvoir, reprit Philip d'un ton lugubre. Et la cupidité continuera peut-être de l'emporter sur la sagesse dans les conseils des puissants, et la peur d'effacer toute compassion chez un homme armé d'une épée.

– Tu n'es pas si pessimiste d'ordinaire.

– Des hors-la-loi nous ont attaqués il y a quelques semaines. Pitoyable spectacle : à peine les habitants en avaient-ils tué quelques-uns que les assaillants se sont mis à se bagarrer entre eux. Mais quand ils ont décidé de battre en retraite, les jeunes hommes de notre ville ont poursuivi les pauvres diables et massacré tous ceux qu'ils ont pu attraper. Ecœurant!

– C'est difficile à comprendre, observa Francis en secouant la tête.

– Je crois que je comprends. Nos jeunes avaient eu peur et ne

438

pouvaient exorciser leurs craintes qu'en versant le sang de ceux qui les avaient effrayés. J'ai vu cela dans le regard des hommes qui ont assassiné nos parents. Ils tuaient parce qu'ils avaient peur. Mais comment supprimer cette peur?

— Par la paix, soupira Francis, la justice, la prospérité... Des choses difficiles à obtenir.

— C'est vrai, dit Philip en hochant la tête. Et toi, où en es-tu?

— Je travaille pour le fils de l'impératrice Maud. Il s'appelle Henry. »

Philip avait entendu parler de ce Henry-là. « Comment est-il?

— C'est un jeune homme très intelligent et déterminé. La mort de son père l'a fait comte d'Anjou. Il est aussi duc de Normandie, car il est le petit-fils aîné du vieux Henry, qui était roi d'Angleterre et duc de Normandie. Et, comme il a épousé Éleonore d'Aquitaine, il est en plus duc d'Aquitaine.

— Il règne sur plus de terres que le roi de France.

— Exactement.

— Oui, mais comment est-il, lui, personnellement?

— Instruit, travailleur, rapide, infatigable, volontaire. Il a un caractère épouvantable.

— Je regrette parfois que ce ne soit pas mon cas, observa Philip. Ça oblige les gens à faire attention. Mais tout le monde sait que je suis toujours raisonnable, alors on ne m'obéit pas tout à fait aussi vite qu'à un prieur capable d'exploser à tout instant.

— Reste donc comme tu es », dit Francis en riant. Puis il redevint sérieux. « Henry m'a fait comprendre l'importance de la personnalité d'un roi. Regarde Stephen : il a un fort mauvais jugement, il décide, puis il renonce; il est courageux jusqu'à l'idiotie et ne cesse de pardonner à ses ennemis. Les gens qui le trahissent ne risquent pas grand-chose, ils savent qu'ils peuvent compter sur sa miséricorde. Le résultat est qu'il se bat vainement depuis dix-huit ans pour gouverner un pays qui était un royaume bien uni quand il en a hérité. Henry contrôle déjà mieux sa collection de duchés et de comtés jadis indépendants que Stephen ses terres d'ici. »

Une idée soudain frappa Philip. « Pourquoi Henry t'a-t-il envoyé en Angleterre? interrogea-t-il.

— Pour inspecter le royaume.

— Qu'as-tu trouvé?

— Un pays sans loi et affamé, battu par les tempêtes et ravagé par la guerre. »

Philip hocha la tête d'un air songeur. Le jeune Henry était duc de Normandie, car il était le fils aîné de Maud, la seule enfant légitime du vieux roi Henry, lui-même duc de Normandie et roi d'Angleterre. Par ce lignage, le jeune Henry pouvait prétendre aussi au trône d'Angleterre.

Sa mère y avait prétendu aussi, mais en vain parce qu'elle était femme et son mari angevin. Mais le jeune Henry avait non seulement l'avantage d'être un mâle, mais celui, en outre, d'être à la fois normand par sa mère et angevin par son père.

« Henry va-t-il essayer d'obtenir la couronne d'Angleterre ? demanda Philip.

– Tout dépend de mon rapport, affirma Francis.

– Que vas-tu dire ?

– Que jamais il n'y aura meilleure occasion que maintenant.

– Dieu soit loué ! » murmura Philip.

4

En se rendant au château de l'évêque Waleran, le comte William s'arrêta au moulin de Cowford, qui lui appartenait. Le meunier, un homme vieillissant et peu aimable du nom de Wulfric, avait le droit de moudre tout le grain récolté dans les onze villages voisins. Il ne gardait comme rétribution que deux sacs sur vingt, un pour lui-même et un pour William.

William venait recueillir son dû. D'ordinaire, il ne le faisait pas lui-même, mais en ces temps de troubles, il devait fournir une escorte armée à chaque charrette transportant de la farine ou tout autre produit comestible. Profitant au maximum des circonstances, et dans un souci d'économie, il avait pris l'habitude d'emmener un chariot chaque fois qu'il se déplaçait avec son entourage de chevaliers, et de collecter ce qui se trouvait sur son passage.

L'augmentation de la criminalité découlait directement de son implacable politique à l'égard des mauvais payeurs. Les gens dépossédés de leurs terres se transformaient en voleurs. Ils ne réussissaient généralement pas mieux comme détrousseurs que comme fermiers. William comptait bien que la plupart d'entre eux ne passeraient pas l'hiver et, d'abord, ses prévisions se trouvèrent confirmées : les hors-la-loi s'attaquaient à des voyageurs isolés qui n'avaient pas grand-chose, ou bien lançaient des expéditions mal organisées sur des cibles trop bien défendues. Depuis quelque temps, toutefois, leur tactique s'était améliorée. Ils attaquaient maintenant avec au moins deux fois plus d'hommes que les défenseurs. Ils arrivaient au moment précis où les granges étaient pleines, signe qu'ils menaient avec soin leurs opérations de reconnaissance. Leurs attaques étaient brusques et rapides, animées du courage du désespoir. Ils ne prolongeaient jamais le combat, sitôt qu'ils avaient dérobé ce qu'ils convoitaient : moutons, jambons, fromages, sacs de farine ou d'argent. Inutile de les poursuivre, car ils se fondaient dans la forêt et se dispersaient dans toutes les directions. Si William les avait commandés, il aurait suivi exactement la même stratégie que celui qui les dirigeait actuellement.

Leurs succès humiliaient le comte, qui tournait au bouffon incapable de maintenir l'ordre dans son comté. Pour aggraver les choses, les hors-la-loi s'en prenaient rarement à quelqu'un d'autre. On aurait dit qu'ils le visaient lui tout spécialement. William ne détestait rien tant que les ricanements derrière son dos. Au prix de toutes les cruautés, il avait, sa vie durant, obligé les autres à le respecter – et cette bande de hors-la-loi était en train de saper tous ses efforts.

Le plus exaspérant, c'étaient les commentaires qui couraient partout et revenaient plus ou moins aux oreilles de William : c'était bien fait pour lui, il avait traité ses fermiers si durement qu'ils prenaient maintenant leur revanche, il n'avait que ce qu'il méritait. Ce genre de propos le mettait en rage.

Les villageois de Cowford regardèrent d'un air surpris et craintif William arriver avec ses chevaliers. Sous son œil menaçant, les visages maigres et inquiets qui le lorgnaient par l'entrebâillement des portes disparaissaient dans l'obscurité de leurs cabanes. Les malheureux avaient dépêché leur prêtre pour supplier qu'on les laissât moudre cette année leur propre grain, affirmant qu'ils ne pouvaient pas se permettre d'en céder un dixième au meunier. William avait failli faire arracher sa langue au prêtre pour insolence.

Le temps était froid, il y avait de la glace au bord de l'étang du moulin. La roue à aubes était immobile et la meule silencieuse. Une femme sortit de la maison la plus proche. Elle avait une vingtaine d'années, un joli visage et des boucles brunes. Malgré la famine, on lui devinait une poitrine généreuse et des hanches robustes. Son air effronté se transforma en méfiance dès qu'elle aperçut les compagnons de William. Elle s'empressa de rentrer chez elle. William sentit monter en lui une bouffée de désir.

442

Le groupe que William avait rassemblé autour de lui au début de la guerre civile avait subi quelques changements. Walter était toujours là, bien sûr, comme Gervase le Laid et Hugh la Hache; mais Gilbert, qui avait trouvé la mort dans une bataille aussi sanglante qu'imprévue contre les carriers, avait été remplacé par Guillaume; Miles avait laissé un bras dans un combat à l'épée après une partie de dés dans une taverne de Norwich, et Louis était une nouvelle recrue. Ce n'étaient plus des jeunes gens, mais ils parlaient et se conduisaient comme tels, riant et buvant, jouant et batifolant. William avait perdu le compte des tavernes qu'ils avaient saccagées, des Juifs qu'ils avaient tourmentés et des vierges qu'ils avaient déflorées.

Le meunier sortit. Son air sévère convenait à l'éternelle impopularité des gens de son métier. De plus, il paraissait inquiet. Tant mieux : William aimait voir les gens inquiets devant lui.

« Je ne savais pas que tu avais une fille, Wulfric, dit William avec un clin d'œil paillard. Tu me l'as cachée?

— C'est Maggie, ma femme, répondit-il.

— Foutaises. Ta femme est une vieille radasse, je me souviens d'elle.

— Ma pauvre May est morte l'année dernière, seigneur, je me suis remarié.

— Vieux dégoûtant! s'écria William en souriant. Celle-ci doit avoir trente ans de moins que toi!

— Vingt-cinq...

— En voilà assez. Où est ma farine? Un sac sur vingt!

— Tout est ici, seigneur. S'il vous plaît d'entrer... »

Pour aller au moulin, il fallait traverser la maison. William et les chevaliers suivirent Wulfric dans l'unique pièce. La nouvelle jeune épouse du meunier, agenouillée devant le feu, y disposait des bûches. Quand elle se penchait, sa tunique se tendait et modelait des fesses rondes. En tant que femme de meunier, elle souffrait moins de la famine que bien d'autres. A la vue de la jeune femme, les chevaliers ricanèrent, pour le plus grand embarras du meunier qui se dandinait d'un pied sur l'autre. La jeune femme se retourna, consciente qu'on la regardait, et se redressa toute confuse.

William lui lança une œillade et dit : « Maggie, apporte-nous de la bière... Nous avons soif. »

La troupe franchit la porte qui donnait accès au moulin. Les

443

sacs de farine s'entassaient sur le pourtour de l'aire. Il n'y en avait pas beaucoup : en général, les sacs s'empilaient plus haut qu'un homme. « C'est tout ? demanda William.

— La récolte a été si mauvaise, seigneur... répondit Wulfric, un peu nerveux.

— Où sont les miens ?

— Ici, seigneur, fit le meunier en désignant un tas de huit ou neuf sacs.

— Quoi ? interrogea William, devenant tout rouge. C'est tout ce qui me revient ? J'ai deux chariots dehors, et voilà ce que tu me proposes ? »

Le visage de Wulfric s'assombrit encore. « Je suis désolé, seigneur. »

William se mit à compter. « Neuf sacs seulement !

— C'est tout ce qu'il y a, expliqua Wulfric, au bord des larmes. Vous voyez les miens auprès des vôtres, et nous avons la même part...

— Chien de menteur, interrompit William avec colère. Tu l'as vendue...

— Non, seigneur, répéta Wulfric. C'est tout ce qu'il y avait. »

Maggie apparut sur le seuil avec six chopes de bière sur un plateau. Elle en offrit une à chacun des chevaliers qui burent avidement, sauf William, trop énervé pour boire.

« Qu'est-ce que c'est que tout ça ? interrogea brutalement William en désignant le reste des sacs, vingt-cinq ou trente, amassés le long des murs.

— Ils attendent, seigneur... Vous voyez la marque du propriétaire dessus... »

C'était vrai : chaque sac était frappé d'une lettre ou d'un symbole. Si c'était une supercherie, William n'avait aucun moyen d'établir la vérité, ce qui le rendait fou. En cas de doute, le comte préférait toujours accuser.

« Je ne te crois pas, déclara-t-il. Tu m'as volé. »

Bien que sa voix tremblât, Wulfric insista respectueusement. « Seigneur, je suis honnête.

— Un meunier honnête, ça n'existe pas.

— Seigneur..., reprit Wulfric, la gorge serrée, seigneur, je ne vous ai jamais trompé d'un grain de blé...

— Je suis sûr que tu m'as volé comme dans un bois ! »

Malgré le temps froid, la sueur ruisselait sur le visage de l'homme qui s'essuya avec sa manche. « Je suis prêt à jurer par Jésus et tous les saints...

– Tais-toi. »

Wulfric se tint coi.

William bouillait de colère, mais il n'avait toujours pas décidé ce qu'il allait faire. Il voulait impressionner Wulfric, lui flanquer une bonne peur qui lui serve de leçon.

Peut-être laisser Walter lui administrer une correction avec les gantelets renforcés de mailles ? Ou bien emporter partie ou totalité de la farine qui lui appartenait... Son regard tomba sur Maggie, qui tenait toujours le plateau avec la dernière chope, son joli visage crispé de peur, ses jeunes seins fermes gonflant sa tunique maculée de farine. Il avait trouvé le parfait châtiment pour Wulfric. « Attrape la femme, souffla-t-il à Walter. Et il jeta à l'adresse de Wulfric : Je vais te faire regretter tes mensonges. »

Maggie vit Walter se diriger vers elle, mais trop tard pour qu'elle pût s'échapper. Vif comme l'éclair, Walter l'empoigna par le bras et la tira vers lui. Le plateau tomba avec fracas, la bière se répandit sur le sol. Walter tordit le bras de Maggie derrière son dos et l'immobilisa, tremblante de frayeur.

« Non, s'écria Wulfric, affolé. Laissez-la, je vous en prie ! »

William eut un hochement de tête satisfait. Wulfric allait assister au viol de sa jeune femme par plusieurs hommes. Une autre fois, il veillerait à fournir assez de blé pour satisfaire son seigneur.

« Ta femme, proclama William, s'engraisse du pain fait avec de la farine volée, Wulfric, pendant que nous autres devons nous priver. Voyons un peu comme elle est dodue, hein ? » Il fit signe à Walter.

Le valet saisit la malheureuse par le col de la tunique et tira d'un geste sec. Le vêtement en se déchirant tomba sur le sol. Maggie portait dessous une chemise de toile qui lui arrivait aux genoux. Sa respiration haletante de peur soulevait ses seins ronds. William se plaça devant elle. Walter lui tordit le bras plus fort ; la douleur lui fit cambrer le dos et saillir la poitrine. Les yeux dans ceux de Wulfric, William prit dans ses mains les seins de la jeune femme. Ils étaient doux et lourds.

Wulfric fit un pas en avant, hors de lui. « Espèce de démon...

– Qu'on le maintienne », lança William. Louis agrippa le meunier par les deux bras.

445

William arracha la camisole de la jeune femme. La gorge sèche, il contempla son corps blanc et sensuel.

« Non, je vous en prie », supplia Wulfric.

William sentait son excitation croître de plus en plus vite. « Couchez-la par terre », ordonna-t-il.

Maggie se mit à hurler.

William déboucla son ceinturon et le laissa tomber sur le sol tandis que les chevaliers saisissaient Maggie par les bras et les jambes. Elle n'avait aucun espoir de résister à quatre robustes gaillards, mais elle continuait de se tordre en poussant des cris déchirants. William jubilait. Les seins de Maggie s'agitaient et ses cuisses, en s'ouvrant et se refermant, tour à tour exposaient et cachaient son sexe. Les quatre chevaliers la plaquèrent sur le sol d'un geste sec.

William s'agenouilla entre les jambes de la jeune femme et souleva le pan de la tunique qu'il portait. Il leva les yeux vers le mari. Wulfric était blême. Il fixait la scène avec horreur en marmonnant des implorations que couvraient les hurlements de Maggie. William savourait pleinement cet instant : la femme terrifiée sous la poigne des chevaliers, le mari spectateur obligé.

A cet instant, Wulfric tourna légèrement la tête. William flaira le danger. Tous les regards dans la pièce convergeaient sur lui et sur la fille. La seule chose qui pouvait détourner l'attention de Wulfric, c'était l'intervention d'un secours. William jeta un œil en direction de la porte.

Quelque chose de lourd et de dur s'abattit sur son crâne.

Il poussa un rugissement de douleur et s'effondra sur la jeune femme. Des hommes criaient, beaucoup d'hommes. Il aperçut vaguement que Walter s'écroulait, comme assommé lui aussi. Les chevaliers lâchèrent Maggie. William roula sur lui-même, laissant échapper la fille.

Au-dessus de lui, un homme fou furieux brandissait une hache de bûcheron. Il n'eut pas le temps de se demander qui c'était. Guillaume qui se relevait offrait son cou sans protection et la hache s'abattit, tranchant la nuque du chevalier qui trébucha et s'écroula sur William, éclaboussant de son sang la tunique de son maître.

William repoussa le cadavre. Le spectacle qui se présentait à lui était hallucinant. Une foule d'hommes en haillons, ébouriffés, crasseux, armés de gourdins et de haches, avait envahi le moulin. Ils étaient très nombreux.

Les choses tournaient manifestement très mal. Les villageois étaient-ils venus au secours du meunier ? Comment osaient-ils ? La journée ne se terminerait pas sans quelques pendaisons dans ce village. Furieux, William se remit debout et chercha son épée.

Il ne l'avait pas. Son ceinturon qu'il avait ôté pour violer la fille traînait quelque part dans la pièce.

Hugh la Hache, Gervase le Laid et Louis combattaient farouchement ce qui ressemblait à une horde de mendiants. Plusieurs corps jonchaient le sol, et malgré ces pertes, la troupe faisait inexorablement reculer les trois chevaliers dehors. William vit Maggie, toute nue, hurlant, se frayer un chemin à travers la mêlée, et, malgré la confusion et la peur qui étaient les siennes, il éprouva un élan de désir et de regret pour ces fesses rondes et blanches qui s'éloignaient. A sa grande surprise, il constata que Wulfric se battait comme un beau diable contre certains des attaquants. Pourquoi le meunier s'en prenait-il à ceux qui avaient sauvé son épouse ? Que diable se passait-il ?

Abasourdi, William découvrit son ceinturon gisant sur le sol, presque à ses pieds. Il le ramassa, dégaina son épée et fit trois pas en arrière pour observer l'état de la bataille. Il constata que la plupart des agresseurs ne se battaient pas, mais ramassaient les sacs de farine et détalaient avec. William commença à comprendre. Il ne s'agissait pas du tout d'une opération de sauvetage lancée par des villageois outragés. C'était un raid. Ces individus ne s'intéressaient ni à Maggie ni à William et à ses chevaliers. Ce qu'ils voulaient, c'était la farine de William.

Leur identité ne faisait aucun doute : des hors-la-loi. William eut une bouffée de chaleur. C'était enfin l'occasion pour lui de régler son compte à cette meute enragée qui terrorisait le comté et vidait ses granges.

Ses chevaliers résistaient mal à l'assaut : les attaquants étaient au moins vingt. William s'étonnait de leur courage. D'ordinaire, les paysans se dispersaient comme des poulets devant un groupe de chevaliers, même avec l'avantage du nombre. Mais ceux-là luttaient avec acharnement et ne se laissaient pas décourager quand l'un des leurs tombait. Ils semblaient prêts à mourir si nécessaire. A vrai dire, ils mourraient de toute façon de faim, à moins qu'ils puissent emporter la farine.

447

Louis combattait deux hommes en même temps lorsqu'un troisième surgit derrière lui et l'assomma avec un marteau de charpentier. Le chevalier s'écroula et ne se releva pas. L'homme lâcha son marteau pour s'emparer de l'épée du mort. Il restait deux chevaliers contre vingt hors-la-loi. Mais Walter, qui se remettait peu à peu du coup qu'il avait reçu sur la tête, dégaina son épée et se lança dans la mêlée. William brandit la sienne et vint le rejoindre.

Ils formaient à eux quatre une formidable équipe. Les hors-la-loi reculaient, parant désespérément les coups de lame avec leurs gourdins et leurs haches. William commença à espérer que leur moral faiblisse lorsqu'une voix cria : « Le comte légitime ! »

C'était comme un cri de ralliement. D'autres le reprirent et les hors-la-loi redoublèrent de violence. Le cri répété « Le comte légitime... le comte légitime ! » fit frissonner William. Cela signifiait que celui qui commandait la bande de hors-la-loi avait des prétentions sur le titre de William. Ce dernier rassembla ses forces et se jeta dans la mêlée comme si l'avenir du comté en dépendait.

En fait la moitié seulement des bandits se battaient. Les autres déménageaient la farine. Le combat tournait à l'échange régulier d'attaques et de parades, de coups et d'esquives. Comme des soldats qui savent qu'on va bientôt sonner la retraite, les hors-la-loi se repliaient sur un mode prudent et défensif.

Derrière eux, les autres emportaient les derniers sacs de farine. Leurs compagnons commencèrent à reculer par la porte menant de l'aire de battage à la maison. William constata que les voleurs avait raflé pratiquement toute la farine. En un rien de temps, le comté entier saurait qu'on l'avait volée sous son nez. Il allait être la risée du pays. Cette pensée l'exaspéra tellement qu'il se précipita sur son attaquant et, d'un coup d'estoc des plus classiques, lui plongea son épée dans le cœur.

En manière de réplique, un hors-la-loi assena à Hugh un coup qui toucha celui-ci à l'épaule droite, le mettant hors de combat. Il y avait maintenant deux hors-la-loi sur le seuil, tenant tête aux trois chevaliers survivants. C'était déjà assez humiliant ; mais, avec une incomparable arrogance, l'un d'eux congédia d'un geste son compagnon. L'homme disparut et le dernier voleur recula d'un pas, pénétrant dans l'unique pièce de la maison du meunier.

Un seul chevalier à la fois pouvait tenir dans l'encadrement de la porte pour combattre le hors-la-loi. William écarta de l'épaule

Walter et Gervase : cet homme-là, il le voulait pour lui. Comme leurs épées s'entrechoquaient, William comprit vite que son adversaire n'était pas un paysan ruiné : c'était un guerrier endurci, comme lui, William. Il le regarda vraiment pour la première fois et le choc fut si grand qu'il faillit en lâcher son épée.

Il avait devant lui Richard de Kingsbridge.

Le visage de Richard flamboyait de haine. William distinguait la cicatrice de son oreille mutilée. La violence de sa haine effrayait William encore plus que son épée étincelante. Lui qui croyait avoir écrasé Richard le trouvait dressé sur son chemin, à la tête d'une armée de loqueteux qui ridiculisaient le seul et unique comte de Shiring.

Profitant de cette stupeur, Richard fonça sur William. Celui-ci d'un bond esquiva un coup d'estoc, brandit son épée, para un coup de taille et recula. Richard avançait toujours, mais William était maintenant protégé par le chambranle qui limitait Richard dans ses assauts. Il parvint néanmoins à faire reculer encore William jusqu'au seuil de l'aire, tandis que lui-même restait dans l'encadrement de la porte. Mais Walter et Gervase l'attaquaient aussi. Pressé par les trois hommes, il recula encore. Sitôt qu'il eut franchi le seuil, Walter et Gervase furent évincés et ce fut de nouveau William contre Richard.

William estima que Richard était en mauvaise posture. Dès qu'il gagnait du terrain, il se trouvait opposé à trois hommes. Quand William serait fatigué, il pourrait céder la place à Walter. Il était impossible à Richard de faire face indéfiniment aux trois chevaliers. Il livrait une bataille perdue. Peut-être après tout la journée ne se terminerait-elle pas dans l'humiliation, pensa William. Peut-être allait-il enfin se débarrasser de son plus vieil ennemi.

Richard avait dû parvenir à la même conclusion. Mais il ne perdait rien de son énergie et de sa détermination. Il regarda William avec un sourire farouche que celui-ci jugea exaspérant, et plongea l'épée en avant. William esquiva le coup, trébucha. Walter se précipita pour protéger William du coup de grâce, mais, de façon inattendue, Richard tourna les talons et s'enfuit.

William se releva et se cogna à Walter tandis que Gervase essayait de se faufiler entre eux. Le temps qu'ils se dégagent tous trois, Richard avait traversé la petite pièce et s'était esquivé en claquant la porte que William se précipita pour rouvrir et constater que les hors-la-loi s'enfuyaient, comble d'humiliation, sur les chevaux des compagnons de William. Une fois dehors, William vit son cheval, un superbe destrier qui lui avait coûté une rançon de roi, filer, monté par Richard. C'était la seconde fois, songea William mortifié, que Richard lui volait son cheval. Il les regarda s'éloigner, une envie de meurtre au fond du cœur.

Le comte légitime, se répétait-il. Le comte légitime.

Il se retourna. Walter et Gervase se tenaient derrière lui, Hugh et Louis étaient blessés, peut-être gravement, et Guillaume était mort. Son sang tachait tout le plastron de la tunique de William. Celui-ci, effroyablement vexé, avait du mal à garder la tête droite.

Par bonheur, le village était désert, abandonné par les paysans qui s'étaient enfuis sans attendre de subir la colère de leur seigneur. Le meunier et sa femme avaient naturellement disparu eux aussi. Les hors-la-loi avaient emmené les chevaux, ne laissant que deux chariots et leur attelage de bœufs.

William se tourna vers Walter. « Tu l'as reconnu, le dernier ?
– Oui. »

Walter avait l'habitude de parler le moins possible quand son maître était en fureur.

« C'était Richard de Kingsbridge », jeta William.

Walter acquiesça d'un mouvement de tête.

« Et ils l'appelaient le comte légitime », insista William.

Walter ne pipa mot.

William regagna le moulin en traversant la maison.

Hugh était assis là, sa main gauche appuyée sur son épaule droite, très pâle.

« Comment ça va ? interrogea William.
– Ce n'est rien, répondit Hugh. Mais qui étaient ces gens ?
– Des hors-la-loi », répondit brièvement William. Il regarda autour de lui. Sept ou huit voleurs gisaient morts ou blessés sur le sol. Il aperçut Louis allongé sur le dos, les yeux grands ouverts. D'abord il le crut mort ; puis Louis cligna les yeux.

« Louis », s'écria William.

Louis souleva la tête, l'air égaré.

« Hugh, ordonna William, aide Louis à monter dans un des

450

chariots. Walter, mets dans l'autre le corps de Guillaume. » Il les laissa et ressortit.

Aucun des villageois ne devait posséder de chevaux, mais le meunier avait un bidet pommelé qui broutait l'herbe rare de la berge. William trouva la selle et la fixa sur la bête.

Quelques instants plus tard, il quittait Cowford avec Walter et Gervase conduisant les chariots à bœufs.

Sa fureur ne se calma pas durant le trajet. En fait, plus il ruminait les événements, plus sa colère s'amplifiait. C'était déjà intolérable que les hors-la-loi aient osé le défier; c'était pire qu'ils eussent à leur tête son vieil ennemi Richard; c'était scandaleux, enfin, d'appeler Richard le comte légitime. Si on ne les matait pas de façon décisive, très bientôt Richard les emploierait pour lancer contre William une attaque directe. Certes, ce serait totalement illégal de la part de Richard de s'emparer ainsi du comté; mais William avait le sentiment que des plaintes concernant une attaque illégale, venant de lui, ne trouveraient peut-être pas une oreille compatissante. Que William fût tombé dans une embuscade, qu'il eût été vaincu par les hors-la-loi et dépouillé, histoire dont toute la région allait bientôt faire des gorges chaudes, tout cela le vexait terriblement. Mais le plus grave, c'était que sa domination sur le comté était sérieusement menacée.

Il fallait tuer Richard. Mais où le trouver? Il réfléchit à la question durant tout le trajet qui le menait au château de Waleran et, lorsqu'il y arriva, il se prépara à interroger l'évêque qui détenait sans doute la clé du problème.

Le groupe qui se présenta au château avait tout d'un cortège comique se rendant à la foire, avec son bidet pommelé et son char à bœufs. William lança des ordres impérieux aux hommes de l'évêque, envoyant chercher un infirmier pour Hugh et Louis, quérir un prêtre pour s'occuper de l'âme de Guillaume. Gervase et Walter filèrent boire de la bière à la cuisine, puis William se présenta au donjon et fut aussitôt admis dans les appartements de Waleran. Il avait horreur de devoir demander quelque chose à l'évêque, mais il lui fallait son aide pour retrouver Richard.

Le prélat lisait un rouleau de comptes, une interminable liste de chiffres. Il leva les yeux et discerna la rage sur le visage de l'arrivant. « Que s'est-il passé? » demanda-t-il, avec ce ton de léger amusement qui exaspérait toujours William.

Celui-ci grinça des dents. « J'ai découvert qui organise et commande ces maudits hors-la-loi. »

Waleran haussa un sourcil.

« Richard de Kingsbridge.

– Ah ! » Waleran hocha la tête d'un entendu. « Évidemment, ça se comprend.

– C'est dangereux », riposta William, qui avait horreur de Waleran. « Ses sbires l'appelle " le comte légitime ". » Il braqua un doigt sur l'évêque. « Vous ne voulez certainement pas voir cette famille reprendre le comté : ces gens-là vous détestent ! De plus, ce sont des amis du prieur Philip, votre vieil adversaire.

– Allons, calmez-vous, dit Waleran avec condescendance. Vous avez tout à fait raison. Je ne peux pas laisser Richard de Kingsbridge reprendre le comté. »

William se rassit. Il avait des courbatures dans tout le corps. Depuis quelque temps, il ressentait les effets d'un combat plusieurs jours durant, comme jamais autrefois. Je n'ai que trente-sept ans, pensait-il, est-ce le début de la vieillesse ? « Il faut que je tue Richard, reprit-il tout haut. Quand il aura disparu, les hors-la-loi ne seront plus qu'une racaille impuissante.

– Je suis de votre avis.

– Le tuer, c'est facile. Le problème, c'est de le trouver. Mais vous pouvez m'aider.

– Je ne vois pas comment, répondit froidement Waleran.

– Écoutez, s'ils sont organisés, ils doivent bien se retrouver quelque part.

– Je ne comprends pas votre idée. Ils sont dans la forêt, naturellement.

– Inutile de battre la forêt pour courir après une troupe dispersée. La plupart des vagabonds qui y vivent ne passent pas deux nuits au même endroit. Mais si quelqu'un prétend organiser ces gens-là, il est bien obligé de les rassembler quelque part.

– Il faut donc découvrir la cachette de Richard.

– Exactement.

– Comment comptez-vous y arriver ?

– C'est là que vous intervenez. »

Waleran se referma instantanément.

« Je parie, poursuivit William, que la moitié des gens de Kingsbridge saurait le dire.

– Mais ils ne le feront pas. Tout le monde à Kingsbridge nous déteste, vous et moi.

– Pas tout le monde, protesta William. Pas tout à fait. »

Sally trouvait que Noël était un jour merveilleux.

Les plats traditionnels de la fête étaient pour la plupart sucrés : poupées en pain d'épice, bouillie de froment aux œufs et au miel; le poiré, le doux vin de poire qui lui faisait tourner la tête; enfin les tripes de Noël, bouillies pendant des heures, puis cuites dans une pâte à tarte. Le festin était moins abondant cette année, à cause de la famine, mais Sally se réjouissait quand même.

Elle adorait décorer la maison avec du houx et accrocher le gui; quand on s'embrassait dessous, elle pouffait de rire. Le premier homme à franchir le seuil porterait chance dès lors qu'il aurait les cheveux noirs : le père de Sally, lui, restait consigné chez lui tout le matin de Noël car ses cheveux roux porteraient malchance à ceux qu'il visiterait. A l'église, elle admirait les moines déguisés en rois orientaux, en anges et en bergers, et elle explosait de rire quand toutes les fausses idoles s'écroulaient à l'arrivée en Égypte de la sainte famille.

Le mieux de tout, c'était l'enfant-évêque. Le troisième jour après Noël, les moines habillaient le plus jeune novice en tenue d'évêque et chacun devait lui obéir. C'était l'occasion d'ordres fantaisistes qui amusaient tout le monde. Par exemple, il ordonnait aux citoyens les plus âgés et les plus dignes d'accomplir d'humbles tâches, comme la récolte du bois pour le feu ou le nettoyage des porcheries.

Les habitants de la ville attendaient devant le prieuré la sortie de l'enfant-évêque. Il apparut, l'air excessivement grave. C'était un garçon d'une douzaine d'années au sourire espiègle, vêtu d'une robe de soie violette et muni d'une crosse de bois. Deux robustes moines portaient son trône sur les épaules, suivis du reste du monastère. On l'applaudit et on l'acclama. Son premier geste fut de désigner le prieur Philip. « Toi, mon garçon! Va donc à l'écurie panser l'âne! »

L'assistance éclata de rire. Le vieil âne était connu pour son mauvais caractère et on ne le brossait jamais. Le prieur Philip répondit « Bien, monseigneur » avec un sourire amusé, et partit s'acquitter de sa tâche.

« En avant! » commanda le jeune évêque. La procession sortit de l'enclos; certains se cachaient derrière leur porte de crainte d'être désignés pour quelques tâches déplaisantes. Mais Sally et sa famille – son père et sa mère, son frère, Tommy, tante Martha et même oncle Richard, rentré inopinément hier soir – ne craignaient rien.

Le jeune évêque entraîna le cortège d'abord à la taverne, comme c'était la tradition. Là il demanda de la bière gratis pour lui et pour tous les novices. Le brasseur les servit de bonne grâce.

Sally se trouva assise sur un banc auprès de frère Remigius, l'un des plus vieux moines, un homme de haute taille, peu aimable, qui ne lui avait jamais adressé la parole. Or voilà qu'il lui souriait en disant : « C'est gentil que ton oncle Richard soit rentré pour Noël.

– Il m'a donné un petit chat en bois, expliqua Sally, qu'il a sculpté lui-même avec son couteau.

– C'est joli. Tu crois qu'il va rester longtemps?

– Je ne sais pas.

– Je pense qu'il devra repartir bientôt.

– Oui. Il habite dans la forêt maintenant.

– Tu sais où?

– Oui. Ça s'appelle la carrière de Sally. Comme moi! dit-elle en riant.

– Tiens, tiens, dit frère Remigius, comme c'est amusant! »

Quand ils eurent bien bu, l'enfant-évêque déclara : « Et maintenant Andrew le sacristain et frère Remigius vont faire la lessive de la veuve Poll. »

Sally éclata de rire en battant des mains. La veuve Poll était une femme ronde au visage rouge, blanchisseuse de son état. Les moines délicats détesteraient laver les chausses et les sous-vêtements malodorants dont les gens changeaient tous les six mois.

La foule quitta la taverne en procession pour gagner la maison de la veuve Poll au bord du quai. Andrew et Remigius y prirent un lourd panier de linge sale qu'ils transportèrent jusque sur la berge. Andrew ouvrit le panier et Remigius, avec une expression de profond dégoût, en tira la première pièce de vêtement. Une jeune effrontée cria : « Attention, frère Remigius, c'est ma chemise! » Remigius rougit. Au milieu de l'hilarité générale, les deux moines se mirent courageusement à leur lessive. Andrew trouvait la plaisanterie saumâtre, Sally le voyait bien, mais Remigius arborait un air étrangement satisfait.

454

Accrochée par une chaîne à un échafaudage, une grosse boule de fer pendait comme un nœud de bourreau à une potence. Une corde fixée à la boule, passant par une poulie, était maintenue au sol par deux manœuvres qui s'y cramponnaient. Quand les ouvriers tiraient sur la corde, la boule remontait jusqu'à la poulie et la chaîne s'allongeait à l'horizontale sur l'échafaudage.

Toute la population de Shiring assistait à la scène.

Les hommes lâchèrent la corde. La boule de fer tomba, se balança et vint s'écraser contre le mur de l'église. Il y eut un choc terrifiant dont William sentit la secousse dans le sol sous ses pieds. Comme il aurait aimé voir Richard cloué au mur à l'endroit où frappait la boule! Ecrasé comme une mouche!

Les manœuvres tirèrent de nouveau sur la corde, puis la lâchèrent; la boule se balança et cette fois ouvrit un trou dans le mur de pierres. La foule applaudit.

C'était un ingénieux mécanisme de démolition.

William était content de voir le travail progresser sur le site où allait se dresser la nouvelle église, mais il avait ce jour-là des problèmes plus pressants. Il chercha du regard l'évêque Waleran qu'il aperçut en conversation avec Alfred le bâtisseur. William s'approcha et prit l'évêque à part. « L'homme est-il là?

– Peut-être, dit Waleran. Venez chez moi. » Ils traversèrent la place du marché. « Avez-vous amené vos troupes? demanda l'évêque.

– Bien sûr. Deux cents hommes qui attendent dans les bois, à la sortie de la ville. »

En entrant dans la maison, William sentit une odeur de jambon bouilli qui lui mit l'eau à la bouche. La plupart des gens économisaient la nourriture, mais Waleran n'entendait pas laisser la famine changer son mode de vie. L'évêque n'avait jamais été amateur de ripailles, mais il aimait faire savoir qu'il était bien trop riche et puissant pour être touché par les mauvaises récoltes.

Waleran habitait une maison typique, à la façade étroite, avec une salle sur le devant, une cuisine derrière et une cour au fond comportant une fosse à purin, une ruche et une porcherie. William fut soulagé de voir un moine dans la salle.

« Bien le bonjour, frère Remigius, fit Waleran.

« – Bien le bonjour, monseigneur, répondit Remigius. Bonjour à vous, seigneur William. »

William dévisagea le moine, un homme nerveux, au visage arrogant, avec des yeux bleus un peu exorbités. Depuis des années il entendait dire qu'il s'agissait de l'espion de Waleran dans le camp du prieur Philip, mais c'était la première fois qu'il lui parlait directement. « Avez-vous des renseignements pour moi? interrogea-t-il.

– Peut-être bien », répliqua Remigius.

Waleran se débarrassa de son manteau bordé de fourrure et s'approcha du feu pour se réchauffer les mains. Un serviteur apporta du vin de sureau chaud dans des gobelets d'argent. William en but une gorgée, attendant avec impatience le départ du domestique.

Waleran sirotait son vin sans regarder personne. Une fois le serviteur sorti, il s'adressa sévèrement au moine : « Quelle excuse avez-vous donnée pour quitter le prieuré?

– Aucune », répondit Remigius.

Waleran haussa un sourcil.

« Je n'y retournerai pas, déclara Remigius sur le ton du défi.

– Comment? »

Remigius prit une profonde inspiration. « Vous bâtissez une cathédrale ici, n'est-ce pas?

– Ce n'est qu'une église.

– Elle va être très grande. Vous comptez bien en faire l'église cathédrale, non? »

Waleran hésita, puis dit avec impatience : « Imaginons, pour simplifier la discussion, que vous ayez raison.

– Il faudra que la cathédrale soit régie par un chapitre, soit de moines, soit de chanoines.

– Et alors?

– Je veux être prieur. »

Voilà qui expliquait tout, se dit William.

Waleran reprit d'un ton froid : « Vous êtes si sûr d'obtenir ce poste que vous avez quitté Kingsbridge sans la permission de Philip et sans le moindre prétexte? »

Remigius parut embarrassé et William ressentit une certaine sympathie pour lui, un Waleran de méchante humeur avait de quoi inquiéter n'importe qui. « J'espère ne pas m'être montré trop présomptueux, protesta Remigius.

« – Vous pouvez sans doute nous mener à Richard ?

– Oui.

– Excellent homme ! dit William, tout excité. Dites-moi où il est. »

Remigius garda le silence en attendant un signe de Waleran. « Allons, Waleran, continua William, accordez-lui le poste qu'il veut, au nom du ciel ! »

L'évêque hésitait. William savait qu'il avait horreur de se sentir forcé. Après un insupportable temps de réflexion, Waleran acquiesça : « Bon. Vous serez prieur.

– Alors, demanda William, où est Richard ? »

Remigius fixait toujours Waleran. « A compter d'aujourd'hui ?

– A compter d'aujourd'hui. »

Remigius se tourna alors vers William. « Un monastère n'est pas qu'une église entourée d'un dortoir. Il lui faut des terres, des fermes, des paroisses qui versent des dîmes.

– Dites-moi où est Richard et je vous donnerai pour commencer cinq villages avec leurs églises paroissiales, proposa William.

– Il nous faudra une charte en bonne et due forme.

– Vous l'aurez, promit Waleran, ne craignez rien.

– Allons, moine, continua William. J'ai toute une armée qui m'attend hors de la ville. Où est la cachette de Richard ?

– Dans un endroit nommé la carrière de Sally, juste à côté de la route de Winchester.

– Je connais ! s'exclama William. C'est une carrière désaffectée. Plus personne n'y va.

– Je me souviens, renchérit Waleran. On n'y travaille plus depuis des années. C'est une bonne cachette : on ne la trouve que si on la connaît.

– C'est une véritable souricière, reprit William, tout excité. Les parois sont abruptes sur trois côtés. Personne n'en réchappera. Je ne ferai pas de prisonniers, croyez-moi ! » Son enthousiasme l'emportait à mesure qu'il imaginait la scène. « Je les massacrerai tous. »

Les deux hommes de Dieu le regardaient avec froideur. « On se sent un peu dégoûté, frère Remigius ? ricana William avec mépris. La perspective d'un massacre tourne-t-elle l'estomac de monseigneur l'évêque ? » Il touchait juste. Ces religieux étaient de grands comploteurs, mais lorsqu'il s'agissait de verser le sang, ils

457

dépendaient entièrement des hommes d'action. « Heureusement que vous prierez pour moi », lança-t-il d'un ton sarcastique en sortant.

Son cheval l'attendait dehors, un étalon noir qui avait remplacé – sans l'égaler – le destrier volé par Richard. Il se mit en selle et quitta la ville.

Combien de hors-la-loi trouverait-il à la clairière de Sally? Deux cents? Cinq cents? Ses hommes à lui, William, risquaient d'être inférieurs en nombre, aussi lui faudrait-il tirer le meilleur parti de ses atouts. Le premier était la surprise. Un autre l'armement. Les hors-la-loi n'avaient guère que des gourdins, des marteaux, au mieux des haches. Aucun ne possédait d'armure. Mais le gros avantage, c'était que les hommes de William attaqueraient à cheval. Les hors-la-loi avaient peu de montures et selon toute probabilité il n'y aurait pas beaucoup de chevaux sellés au moment où William frapperait. Pour faire bonne mesure, il décida de poster quelques archers sur les flancs de la colline avec ordre de tirer sur la clairière, quelques instants avant l'assaut.

Le plus important était d'empêcher les hors-la-loi de s'échapper jusqu'à ce que Richard soit capturé ou tué. William résolut de charger une poignée d'hommes de confiance d'attendre derrière la première vague d'assaut pour ramasser les petits malins qui auraient réussi à s'esquiver.

Walter attendait en compagnie des chevaliers et des hommes d'armes là où William les avait laissés deux heures plus tôt. Ils avaient bon moral, prévoyant une victoire facile. Au signal du comte, ils se mirent à trotter sur la route de Winchester.

Walter chevauchait près de William, sans mot dire. Une des principales qualités de Walter, c'était sa capacité à garder le silence. William supportait mal les gens qui n'arrêtaient pas de lui parler, même quand ils n'avaient rien à dire, sans doute parce qu'il le rendait nerveux. Walter respectait William, mais ne le redoutait pas, ils se connaissaient depuis trop longtemps.

William ressentait un mélange familier d'ardente impatience et de fébrilité. Il vivait pleinement quand il risquait sa vie. Mais, cette fois, l'événement était spécial. Il tenait l'occasion de détruire l'homme qui depuis quinze ans enfonçait une épine dans sa chair.

Vers midi, ils firent halte dans un village assez important où ils trouvèrent une taverne. William acheta pour les hommes du pain et de la bière et ils firent boire les chevaux. Avant de repartir, il donna ses instructions à ses troupes.

Quelques lieues plus loin, ils quittèrent la route de Winchester. Le sentier où ils s'engagèrent était à peine visible, et William ne l'aurait pas remarqué s'il ne l'avait pas cherché. Une fois dessus, il put le suivre en observant la végétation : l'absence d'arbres d'âge mûr, sur une largeur de douze à quinze pieds, délimitait la piste.

Il envoya les archers en éclaireurs et fit ralentir le reste des hommes. Dans la claire journée de janvier, les arbres sans feuilles filtraient à peine l'éclat froid du soleil. Cela faisait des années que William ne s'était pas rendu à la carrière, et il ne savait plus à quelle distance elle se trouvait. Néanmoins, au bout d'une demi-lieue, il repéra des traces indiquant que le chemin était utilisé : végétation foulée, jeunes pousses brisées, terre piétinée. Remigius n'avait donc pas menti.

Il se sentait tendu comme un arc. Les traces devenaient de plus en plus nombreuses : le doute n'était plus permis. Les hors-la-loi étaient ici. La bataille allait commencer.

Leur cachette devait être toute proche maintenant. William tendit l'oreille. D'un instant à l'autre, ses archers allaient lancer l'attaque, il y aurait des cris, des jurons, des hurlements de douleur et le hennissement de chevaux terrifiés.

Le chemin débouchait sur une large clairière où William aperçut, à une centaine de toises devant lui, l'entrée de la carrière de Sally. Pas un bruit. Quelque chose d'étrange régnait dans l'atmosphère. Les archers ne tiraient pas. William sentit un frisson d'appréhension le parcourir. Était-il arrivé un imprévu? Ses archers étaient-ils tombés dans une embuscade et les sentinelles les avaient-elles liquidés sans bruit?

Mais il n'avait plus le temps de réfléchir. Il fallait attaquer. Il éperonna son cheval pour le mettre au galop. Ses hommes l'imitèrent et, dans un bruit de tonnerre, ils foncèrent vers la cachette. La peur de William se dissipa dans la griserie de la charge.

L'accès de la carrière formait un petit ravin tortueux dont on ne voyait pas le bout. Levant les yeux, il aperçut quelques-uns de ses archers juchés en haut de l'escarpement, immobiles. Pourquoi ne tiraient-ils pas? Il eut la prémonition d'un désastre; il aurait bien fait halte et tourné bride, sauf qu'on ne pouvait plus arrêter les chevaux dans leur charge. Son épée dans la main droite, tenant les rênes de la main gauche, le bouclier accroché à son cou, il déboucha au galop dans la carrière abandonnée.

Personne.

La déception le frappa comme un coup d'épée. Il fut sur le point d'éclater en sanglots. Il avait été si sûr de son affaire : tous les signes avaient concordé. A présent la frustration lui ravageait le ventre.

Tandis que son cheval ralentissait, il put observer les lieux et constater qu'en effet, c'était là jusque récemment la cachette des hors-la-loi. On voyait des abris improvisés faits de branchages et de roseaux, des vestiges de feu de camp et un tas de crottin. Dans un coin, une barrière faite de quelques piquets avait servi à enfermer les chevaux. Çà et là, William aperçut les vestiges d'une occupation humaine : des os de poulet, des sacs vides, une chaussure éculée, une cruche cassée. Un des feux fumait encore. Il eut un brusque espoir : peut-être venaient-ils tout juste de partir et pourrait-on les rattraper! Puis il aperçut une silhouette isolée, accroupie par terre auprès du feu. Il s'approcha. La silhouette se redressa. C'était une femme.

« Tiens, tiens, William Hamleigh, dit-elle. Trop tard, comme d'habitude.

— Vache insolente, je vais t'arracher la langue, menaça-t-il.

— Tu ne me toucheras pas, répliqua-t-elle avec calme. J'ai jeté ma malédiction sur de meilleurs que toi. » Elle porta la main à son visage en pointant trois doigts, comme une sorcière. Les chevaliers reculèrent et William se signa. La femme fixait sans crainte sur lui le regard de ses extraordinaires yeux dorés. « Tu ne me reconnais pas, William? Tu as essayé un jour de m'acheter pour une livre, ajouta-t-elle en riant. Tu as eu de la chance de ne pas avoir réussi. »

William se souvenait de ces yeux-là. Il avait devant lui la veuve de Tom le bâtisseur, la mère de Jack Jackson, la sorcière qui vivait dans la forêt. S'il avait pu, il aurait immédiatement fait demi-tour mais il devait d'abord la questionner.

« Eh bien, sorcière, déclara-t-il avec plus d'arrogance qu'il n'en était capable, est-ce que Richard de Kingsbridge était ici?

— Il y a encore deux jours.

— Où est-il allé, peux-tu me le dire?

— Oh oui! Je le peux, affirma-t-elle. Lui et ses troupes sont partis combattre pour Henry.

460

« – Henry? répéta William. Non, elle ne parlait pas de Henry...

– Le fils de Maud?

– Tout juste. »

William sentit son sang se glacer. Le jeune et énergique duc de Normandie pourrait bien réussir là où sa mère avait échoué. Si Stephen subissait une défaite maintenant, il entraînerait William dans sa chute. « Qu'est-il arrivé? reprit-il d'un ton pressant. Où est Henry?

– Il a traversé l'eau avec trente-six vaisseaux et débarqué à Wareham, expliqua la sorcière d'un ton uni. On dit qu'il amène avec lui une armée de trois mille hommes. Nous sommes envahis. »

5

Winchester était une ville encombrée, agitée et dangereuse. Les deux armées s'y trouvaient réunies. Les forces royales du roi Stephen étaient cantonnées au château et les rebelles du duc Henry – y compris Richard et sa bande – campaient devant les murs de la ville, sur la colline Saint-Giles, où se tenait la foire annuelle. L'accès de la ville elle-même était interdit aux soldats des deux camps, mais nombre d'entre eux bravaient cet arrêt et passaient leurs soirées dans les tavernes, assistant aux combats de coqs, et dans les bordels où ils s'enivraient, maltraitaient les femmes, se battaient et s'entre-tuaient à cause de parties de dés ou de cartes.

Stephen avait perdu tout esprit combatif depuis la mort de son fils aîné, au cours de l'été. Il séjournait au château royal, le duc Henry habitait au palais de l'évêque pendant que leurs représentants menaient les pourparlers de paix, l'archevêque Théobald de Canterbury parlant pour le roi et le vieux négociateur Henry, évêque de Winchester pour le duc Henry. Chaque matin, l'archevêque Theobald et l'évêque Henry tenaient conférence à l'évêché. A midi, le duc Henry traversait en cortège les rues de Winchester avec ses lieutenants – dont Richard – pour aller dîner au château.

La première fois qu'Aliena vit le duc, elle ne put croire que c'était là l'homme qui gouvernait un empire de la taille de l'Angleterre. Il n'avait qu'une vingtaine d'années, le teint hâlé et les taches de rousseur d'un paysan. Il portait une simple tunique sombre, sans broderie, et ses cheveux roux étaient coupés courts. On aurait dit le fils d'un gros fermier prospère. Mais on s'apercevait vite qu'il dégageait une sorte d'aura. Trapu, musclé, avec des

463

épaules larges et une grosse tête, il compensait cette impression de brutale force physique par des yeux gris au regard vif et pénétrant ; les gens qui l'entouraient ne s'approchaient jamais trop et le traitaient avec une familiarité un peu méfiante, comme s'ils redoutaient de lui voir décocher à tout moment un coup de griffe.

Aliena songeait que les dîners au château devaient être abominablement tendus puisque les chefs des armées adverses étaient assis à la même table. Elle se demandait comment Richard pouvait supporter le voisinage du comte William. Elle aurait à sa place volontiers plongé le couteau à découper dans le cœur de William plutôt que dans le rôti de gibier. Pour sa part, elle ne voyait son vieil ennemi que de loin, et de façon fugitive. Il paraissait anxieux et de méchante humeur, ce qui était bon signe.

Tandis que comtes, évêques et abbés se retrouvaient au donjon, les notables de moindre importance se rassemblaient dans la cour du château : chevaliers et shérifs, petits barons, hommes de justice et gouverneurs, tous ceux qui ne pouvaient rester éloignés de la capitale alors qu'on y décidait de leur avenir et de celui du royaume. Aliena retrouvait là presque chaque matin le prieur Philip. Les rumeurs les plus diverses couraient. Un jour, tous les comtes partisans de Stephen devaient être dépouillés de leurs titres (ce qui signifiait la fin de William) ; le lendemain, ils devaient conserver leur position, ce qui anéantissait les espoirs de Richard. Les châteaux forts de Stephen seraient démolis, puis ceux des rebelles, puis ceux de tout le monde, puis aucun. On racontait que chacun des partisans de Henry serait fait chevalier et qu'on lui donnerait cent arpents. Richard ne voulait pas de cadeau, il voulait son comté.

Le frère d'Aliena ne savait absolument pas quelles rumeurs étaient vraies, et si même toutes n'étaient pas fausses. Bien que fidèle lieutenant de Henry sur le champ de bataille, on ne le consultait pas sur le détail des négociations politiques. Philip, toutefois, semblait beaucoup plus au courant. Il refusait de dire d'où il tenait ses renseignements, mais Aliena se rappela qu'il avait un frère, lequel venait de temps en temps lui rendre visite à Kingsbridge et avait travaillé pour Robert de Gloucester et l'impératrice Maud : maintenant que Robert et Maud étaient morts, peut-être était-il au service du duc Henry.

Philip annonça que les négociateurs étaient sur le point d'aboutir. L'accord prévoyait que Stephen resterait roi jusqu'à sa mort, mais que Henry lui succéderait. Mauvaise nouvelle. Stephen pouvait vivre encore dix ans. Que se passerait-il pendant ce temps? On n'allait sûrement pas écarter les comtes de Stephen alors que leur roi continuait à régner. Comment les partisans de Henry – comme Richard – obtiendraient-ils alors leurs récompenses? Faudrait-il qu'ils attendent la fin de Stephen?

Philip connut enfin la réponse alors qu'ils étaient tous à Winchester depuis une semaine. Il envoya un novice chercher Aliena et Richard. Pendant leur trajet dans les rues animées jusqu'à l'enceinte de la cathédrale, Richard bouillait d'une violente impatience, mais Aliena tremblait.

Philip les attendait dans le cimetière. La conversation se déroula au milieu des tombes tandis que le soleil déclinait à l'horizon. « Ils sont parvenus à un accord, déclara Philip sans préambule. Mais c'est assez compliqué. »

Aliena ne pouvait supporter d'attendre davantage. « Richard regagne-t-il son comté? » demanda-t-elle d'un ton pressant.

Philip balança la main d'un côté et de l'autre, dans un geste qui voulait dire peut-être que oui, peut-être que non. « Ce n'est pas si simple. Selon le compromis, les terres prises par des usurpateurs seront restituées aux gens qui les possédaient au temps du vieux roi Henry.

– C'est exactement ce qu'il me faut! s'exclama Richard. Mon père était comte du temps du roi Henry.

– Tais-toi, Richard, intervint Aliena.

– Alors, où est la complication? continua son frère sans tenir compte de l'interruption.

– Il n'y a rien dans l'accord qui oblige Stephen à l'appliquer. Il n'y aura sans doute aucun changement avant sa mort et l'avènement de Henry. »

Richard était tout déconfit. « Je n'aurai rien?

– Pas vraiment, dit Philip. Tu es le comte légitime.

– Mais le comte légitime devra vivre en hors-la-loi jusqu'à la mort de Stephen – pendant que le comte illégitime, cet animal de William, occupera mon château, déclara Richard rageusement.

– Pas si fort, protesta Philip, car un prêtre les croisait. Tout cela est encore secret. »

Aliena enrageait. « Je n'admets pas cela, s'écria-t-elle. Je refuse

465

d'attendre la mort de Stephen. J'ai attendu dix-sept ans, j'en ai assez.

— Mais que pouvez-vous faire, à votre avis ? » objecta Philip.

Aliena se tourna vers Richard. « Tout le pays ou presque te considère comme le comte légitime. Stephen et Henry ont reconnu ta légitimité. Empare-toi du château et gouverne selon ton titre.

— Je ne peux pas m'emparer du château. William l'a sûrement laissé sous bonne garde.

— Tu as une armée, non ? lança-t-elle, emportée par la force de sa colère et de sa déception. Tu as droit à ce château. Vas-y. »

Richard secoua la tête. « En quinze ans de guerre civile, sais-tu combien j'ai vu de châteaux enlevés par un assaut de front ? Pas un. » Comme toujours, il manifestait autorité et maturité dès qu'il se mettait à parler de questions militaires. « Une ville parfois, mais pas un château fort. J'en ai vu tomber par lâcheté, par ruse ou par traîtrise, mais jamais par la force pure. »

Aliena n'entendait pas accepter ce qui lui paraissait dicté par le découragement. Elle ne pouvait se résoudre à d'autres années d'attente et d'espoir déçu. Que se passerait-il, demanda-t-elle, si tu amenais ta troupe au château de William ?

— Les officiers du guet lèveraient le pont-levis et fermeraient les portes avant que nous ayons pu entrer. Nous camperions sous les remparts. Puis William viendrait au secours de la garnison avec son armée et attaquerait notre camp. Même si nous l'emportions, nous ne prendrions pas le château. Ce sont des édifices difficiles à attaquer et faciles à défendre, c'est là leur utilité. »

Tandis qu'il parlait, une idée germait dans l'esprit agité d'Aliena. « Lâcheté, ruse ou traîtrise, murmura-t-elle.

— Quoi ?

— Tu as vu des châteaux pris par lâcheté, ruse ou traîtrise.

— Oh oui !

— A quoi William a-t-il eu recours lorsqu'il nous a pris le château autrefois ?

— Les temps étaient différents, intervint Philip. Sous le vieux roi Henry, le pays était en paix depuis trente-cinq ans. William a pris votre père par surprise.

— Il a employé la ruse, rappela Richard. Il s'est glissé à l'intérieur du château avec quelques hommes avant qu'on ait donné l'alarme. Mais le prieur Philip a raison : ces méthodes-là ne donneraient pas de résultat aujourd'hui. Les gens sont bien plus méfiants.

– Moi, je pourrais entrer, lança Aliena d'une voix vibrante, bien que son cœur cognât de crainte.

– Certes, tu pourrais... Tu es une femme, reconnut Richard. Mais une fois à l'intérieur? C'est pour ça qu'on te laisserait entrer. Tu es inoffensive.

– Ne joue pas les arrogants, cria-t-elle. J'ai tué pour te protéger, et c'est plus que tu n'en as jamais fait pour moi, ingrat, alors ne viens pas me dire que je suis inoffensive.

– Très bien, tu n'es pas inoffensive, rétorqua-t-il, vexé. Que ferais-tu une fois dans le château? »

La colère d'Aliena se calma. Qu'est-ce que je ferais? se demanda-t-elle, déconcertée. Par le diable, j'ai au moins autant de courage et d'esprit d'initiative que ce porc de William. « Qu'est-ce que William a fait, lui?

– Il a maintenu le pont-levis baissé et les portes ouvertes assez longtemps pour que le gros des attaquants puisse entrer.

– Alors, c'est ce que je ferai, assura Aliena.

– Mais comment? » Richard ne mordait pas au projet.

Aliena se rappela comment elle avait réconforté une jeune mariée de quatorze ans, effrayée par la tempête. « La comtesse me doit une faveur, dit-elle, et elle déteste son mari. »

Ils chevauchèrent toute la nuit, Aliena, Richard et cinquante hommes d'élite. A l'aube, parvenus aux environs d'Earlscastle, ils firent halte dans la forêt, juste à la lisière des champs qui entouraient le château. Aliena mit pied à terre, ôta son manteau de bonne laine des Flandres et ses bottes de cuir souple pour passer une grossière blouse de paysan et une paire de sabots. Un homme lui tendit un panier d'œufs frais tapissé de paille, qu'elle passa à son bras.

Richard l'examina de la tête aux pieds. « Parfait. Une petite paysanne apportant les produits de sa ferme à la cuisine du château. »

Aliena avait la gorge serrée. La veille, elle s'était sentie pleine de feu et d'audace, mais maintenant qu'elle était au pied du mur, elle avait peur.

Richard l'embrassa sur la joue. « Quand j'entendrai la cloche, je réciterai une fois lentement le Notre Père, puis l'avant-garde se mettra en marche. Tout ce que tu auras à faire, c'est de donner aux soldats un faux sentiment de sécurité, de façon que dix de mes hommes puissent traverser les champs et entrer dans le château sans causer d'alarme.

— Assure-toi seulement, précisa Aliena, que le gros de la troupe ne sorte pas à découvert avant que ton avant-garde n'ait franchi le pont-levis.

— C'est moi qui dirigerai le gros de la troupe, dit-il en souriant. Ne t'inquiète pas. Bonne chance.

— Toi aussi. »

Elle partit.

Au sortir des bois, elle s'avança à travers champs vers le château qu'elle avait quitté un jour affreux, seize ans plus tôt. En revoyant les lieux, elle retrouvait la mémoire vivace et terrifiante de cet autre matin-là, l'air encore humide après la tempête et le galop des deux chevaux fonçant à travers les champs détrempés par la pluie — Richard sur le destrier et elle sur un cheval plus petit, le frère et la sœur morts de peur.

Pour se calmer, elle évoqua les bons souvenirs : son enfance, entre son père et Richard, prospères et en sécurité. Elle jouait sur les remparts du château avec son frère, traînait dans la cuisine, grignotait des bouts de pâtisserie et prenait place auprès de son père aux dîners dans la grande salle. Je ne savais pas que j'étais heureuse, songea-t-elle. Je ne savais pas la chance que j'avais de n'avoir rien à redouter.

Mais ce bon temps-là reviendra dès aujourd'hui, se dit-elle. Si je réussis mon coup.

Elle avait prétendu avec assurance : *La comtesse me doit une faveur, et elle déteste son mari*, mais durant la longue chevauchée nocturne, elle avait pensé à tout ce qui pourrait mal tourner. D'abord, il n'était pas certain qu'elle puisse entrer dans le château. A supposer que quelque chose ait mis la garnison en alerte, les gardes se montreraient méfiants; elle pourrait aussi avoir la malchance de tomber sur une sentinelle entêtée. Et puis, même une fois à l'intérieur, rien ne disait qu'elle parviendrait à persuader Elizabeth de trahir son mari. Cela faisait déjà un an et demi qu'Aliena avait rencontré Elizabeth pendant l'orage. Avec le temps, les femmes s'habituaient aux hommes les plus abominables et peut-être celle-ci avait-elle fini par accepter son sort. Et enfin, même si Elizabeth était bien disposée envers elle, elle pourrait ne pas avoir l'autorité ni le cran de faire ce que lui demanderait Aliena. Lors de leur rencontre, elle ressemblait à une petite fille effrayée. La garde du château refuserait peut-être de lui obéir.

Aliena transpirait de peur en franchissant le pont-levis : elle voyait et elle entendait tout autour d'elle avec une clarté anormale. La garnison s'éveillait tout juste. Quelques gardes aux yeux encore rouges de sommeil traînaient sur les remparts, bâillant et toussant; un vieux chien se grattait, assis devant la porte, Aliena rabattit son capuchon pour dissimuler son visage, au cas où quelqu'un la reconnaîtrait, et elle passa sous la voûte.

La sentinelle nonchalante de service à l'entrée dévorait un gros quignon de pain, assise sur son banc. Il avait les vêtements en désordre et son ceinturon pendait à un crochet au fond de la pièce. Le cœur serré, avec un sourire qui dissimulait son angoisse, Aliena lui montra son panier d'œufs.

D'un geste impatient, il lui fit signe de passer.

Elle avait franchi le premier obstacle!

La discipline était relâchée. La garde, il est vrai, ne représentait qu'une force symbolique tandis que les meilleurs hommes allaient à la guerre.

Aliena traversa la basse cour, les nerfs tendus à craquer. C'était très bizarre d'arriver en étrangère dans cet endroit qui avait été sa maison, de se glisser subrepticement là où jadis elle circulait librement. Elle regarda autour d'elle, prenant soin de ne pas se montrer trop ouvertement curieuse. La plupart des bâtiments de bois avaient changé : les écuries étaient plus grandes, on avait déplacé la cuisine et il y avait une nouvelle armurerie en pierre. Tout semblait plus sale qu'autrefois. La chapelle était toujours là, la chapelle où Richard et elle s'étaient réfugiés pendant la terrible tempête. Une poignée de serviteurs commençaient leurs tâches matinales. Un ou deux hommes d'armes déambulaient dans l'enceinte. Ils avaient l'air menaçant... ou se faisait-elle des idées?

Si son plan réussissait, dès ce soir elle serait de nouveau maîtresse de ce château. Par moments, elle ne croyait plus à ce rêve impossible.

Elle entra dans la cuisine. Un garçon chargeait le feu tandis qu'une jeune fille coupait des carottes. Aliena leur fit un grand sourire en annonçant : « Deux douzaines d'œufs tout frais. » Elle posa son panier sur la table.

« Le cuisinier n'est pas encore levé, répondit le garçon. Il va falloir attendre pour te faire payer.

— Est-ce que je peux avoir un bout de pain pour mon déjeuner?

— Dans la grande salle.

— Merci. »

Elle laissa son panier et ressortit.

En passant le second pont-levis donnant accès à l'enceinte supérieure, elle sourit au garde de faction. Il avait les cheveux en bataille, les yeux injectés de sang. Il la toisa de la tête aux pieds. « Où vas-tu comme ça? fit-il d'un ton guilleret.

— Déjeuner, répondit-elle sans s'arrêter.

— J'ai quelque chose à manger pour toi, lui lança-t-il d'un air égrillard.

— Attention, je pourrais le croquer », répliqua-t-elle par-dessus son épaule.

Il ne la soupçonna pas un instant. Dans l'esprit des hommes, une femme ne pouvait pas être dangereuse. Quelle sottise! Les femmes étaient capables de presque tout ce que faisaient les hommes. Qui prenait tout en main quand les hommes étaient à la guerre ou en croisade? Il y avait des femmes charpentiers, teinturiers, tanneurs, boulangers et brasseurs. Aliena pour sa part avait été un des marchands les plus importants du comté. Les responsabilités d'une abbesse, à la tête d'un couvent de religieuses, étaient exactement les mêmes que celles d'un abbé. N'était-ce pas une femme, l'impératrice Maud, qui avait déclenché une guerre civile de quinze ans! Malgré cela, ces abrutis de gardes n'auraient jamais soupçonné une femme d'être un agent ennemi, parce que ce n'était pas normal dans leur monde d'hommes.

Elle monta en courant les marches du donjon et entra dans la salle commune. Il n'y avait pas de serviteur à la porte, sans doute parce que le maître était absent. A l'avenir, je m'assurerai de la présence d'un domestique à l'entrée, se promit Aliena, que le maître soit là ou pas.

Quinze ou vingt personnes déjeunaient autour d'une table. On lui jeta un coup d'œil indifférent. La salle était très propre, remarqua-t-elle, et on y observait une ou deux touches féminines : des

470

murs fraîchement passés à la chaux, des herbes odorantes mêlées à la paille sur le sol. Elizabeth avait modestement laissé sa marque. C'était encourageant.

Sans parler aux convives autour de la table, Aliena traversa la salle jusqu'à l'escalier du coin, comme si sa présence était la plus naturelle du monde, tout en s'attendant à être interpellée d'un instant à l'autre. Elle arriva au pied de l'escalier sans attirer l'attention. Puis, comme elle grimpait en courant vers les appartements du premier étage, elle entendit quelqu'un crier : « Hé! toi! Interdit d'aller là-haut! » Elle arriva à l'étage, hors d'haleine. Elizabeth dormait-elle dans la grande pièce qu'occupait autrefois le père d'Aliena? Ou bien avait-elle son lit dans l'ancienne chambre d'Aliena? Elle hésita un instant, le cœur battant. Elle supposa que William était lassé d'Elizabeth et qu'il la laissait dormir chez elle. Aliena frappa et ouvrit la porte.

Elle ne s'était pas trompée. Assise auprès du feu, Elizabeth, en chemise de nuit, se brossait les cheveux. Elle leva les yeux d'un air étonné, puis reconnut Aliena. « C'est vous! fit-elle. Quelle surprise! » Elle avait l'air enchanté.

Aliena entendit des pas lourds dans l'escalier derrière elle. « Je peux entrer? demanda-t-elle.

– Bien sûr... et bienvenue! »

Aliena se glissa dans la pièce et s'avançait vers Elizabeth lorsqu'un homme entra sur ses talons. « Dis donc, où est-ce que tu te crois? » et s'approchant d'Aliena fit mine de la prendre par le bras.

« Reste où tu es! » ordonna Aliena de son ton le plus autoritaire. L'homme hésita. « Je viens voir la comtesse avec un message du comte William et tu l'aurais su plus tôt si tu avais gardé la porte au lieu de te bourrer de pain de son. »

L'homme baissa la tête.

« Tu peux disposer, Edgar, intervint Elizabeth. Je connais cette dame.

– Très bien, madame. » Le garde sortit.

Voilà, songea Aliena, je suis entrée!

Elle examina les lieux, le temps que son cœur reprenne un rythme normal. La chambre n'avait pas beaucoup changé : il y avait des pétales séchés dans un bol, une jolie tapisserie au mur, des livres et un coffre à vêtements. Le lit était au même endroit – c'était d'ailleurs celui d'Aliena – et sur l'oreiller reposait une poupée de chiffon tout comme jadis la sienne. Aliena se sentit soudain vieille.

« C'était ma chambre, dit-elle.

– Je sais », répondit Elizabeth.

Aliena était surprise. Elle n'avait pas parlé à Elizabeth de son passé.

« J'ai tout appris de vous depuis ce terrible orage, expliqua la jeune comtesse. Je vous admire tant. »

Les choses commençaient bien.

« Et William? interrogea Aliena. Etes-vous plus heureuse avec lui? »

Elizabeth détourna la tête. « Oh! j'ai ma chambre maintenant et il est souvent absent. En fait, tout va beaucoup mieux. » Sur ces mots, elle éclata en sanglots.

Aliena s'assit au bord du lit et prit la jeune femme par les épaules. Entre deux sanglots, Elizabeth haletait : « Je... le... déteste! Je... voudrais... être... morte! »

Son chagrin était si pitoyable, elle était si jeune qu'Aliena elle-même sentait les larmes lui piquer les yeux. Dire que le sort d'Elizabeth aurait pu être le sien! Elle la berça comme elle l'aurait fait avec Sally.

Elizabeth finit par se calmer. Avec la manche de sa chemise de nuit, elle essuya son visage mouillé de larmes. « J'ai si peur d'avoir un bébé, murmura-t-elle. Je sais qu'il le maltraiterait horriblement.

– Je comprends », dit Aliena. Elle aussi jadis avait craint mortellement d'être enceinte de William.

Elizabeth la contemplait avec de grands yeux. « C'est vrai ce qu'on raconte... sur... ce qu'il vous a fait?

– Oui. J'avais votre âge quand c'est arrivé. »

Un moment, elles se regardèrent droit dans les yeux, unies dans un commun dégoût. Elizabeth n'avait plus l'air d'une enfant.

« Vous pourriez vous libérer de lui, si vous le voulez, Elizabeth. Dès aujourd'hui. »

La jeune comtesse s'arrêta de respirer. « C'est vrai? soufflat-elle avec une émouvante expression d'espoir. C'est vrai? »

Aliena acquiesça. « C'est pourquoi je suis ici.

472

– Je pourrais rentrer à la maison? demanda Elizabeth, les yeux pleins de larmes. Je pourrais rentrer à Weymouth, chez ma mère? *Aujourd'hui?*

– Oui. Mais il faudra du courage.

– Je ferai n'importe quoi, promit-elle. N'importe quoi! Vous n'avez qu'à me dire. »

Aliena lui avait expliqué un jour comment acquérir de l'autorité envers les domestiques de son mari, et elle se demanda si Elizabeth avait pu mettre en pratique ces bons principes. « Les serviteurs vous contestent-ils encore? interrogea-t-elle carrément.

– Ils essaient.

– Mais vous ne les laissez pas faire? »

Elizabeth se troubla.

« Quelquefois, si. Mais j'ai seize ans maintenant, je suis comtesse depuis plus de deux ans... J'ai essayé de suivre vos conseils et j'ai obtenu vraiment de bons résultats!

– Écoutez, Elizabeth. Le roi Stephen a conclu un pacte avec le duc Henry. Toutes les terres doivent être rendues à ceux qui les possédaient au temps du vieux roi Henry. Cela veut dire que mon frère Richard deviendra comte de Shiring... un jour. Mais lui veut son comté tout de suite. »

Elizabeth ouvrit des yeux étonnés. « Richard va attaquer William?

– Richard est actuellement tout près d'ici, assisté d'une petite troupe d'hommes. S'il peut s'emparer aujourd'hui du château, il sera reconnu comme comte et c'en sera fini de William.

– Je ne peux pas y croire, murmura Elizabeth. Je ne peux pas croire que ce soit vrai. » Son optimisme tout neuf était presque plus émouvant encore que sa misérable situation.

« Tout ce que vous avez à faire, expliqua Aliena, c'est de laisser entrer Richard dans les murs. Quand tout sera terminé, nous vous raccompagnerons chez vous. »

Elizabeth se tordit les mains. « Je ne suis pas sûre qu'on m'obéisse... »

C'était précisément le souci d'Aliena d'y veiller. « Qui est le capitaine de la garde?

– Michaël Armstrong. Je ne l'aime pas.

– Faites-le venir.

– Très bien. » Elizabeth se moucha, se redressa et se dirigea

473

vers la porte. « Madge ! » lança-t-elle d'une voix perçante. Aliena entendit une réponse au loin. « Va chercher Michaël. Dis-lui de venir ici tout de suite... J'ai besoin de lui parler d'urgence. Vite, je te prie. »

La jeune femme s'habilla rapidement d'une tunique par-dessus sa chemise de nuit et de bottes. Aliena lui donna de brèves instructions. « Dites à Michaël de sonner la grosse cloche pour convoquer tout le monde dans la cour. Dites que vous avez reçu un message du comte William et que vous voulez vous adresser à toute la garnison, hommes d'armes, serviteurs, tout le monde. Il ne vous faut que trois ou quatre hommes pour monter la garde pendant que les autres se rassembleront dans la basse cour. Racontez-lui aussi que vous attendez à tout moment l'arrivée de dix ou douze cavaliers porteurs d'un autre message et qu'il faudra les conduire à vous sans délai.

— Pourvu que je me rappelle tout ! balbutia Elizabeth.

— Ne vous inquiétez pas... Si vous oubliez, je vous soufflerai.

— Ne me quittez pas, surtout.

— Qui est ce Michaël Armstrong ?

— Il sent mauvais, il est désagréable et bâti comme un bœuf.

— Intelligent ?

— Non.

— Tant mieux. »

Justement, l'homme arrivait. Il avait un air maussade, un cou de taureau et des épaules massives, et sentait la porcherie. Il lança à Elizabeth un regard interrogateur, sans cacher son mécontentement d'être dérangé.

« J'ai reçu un message du comte », commença Elizabeth.

Michaël tendit la main.

Le sang d'Aliena ne fit qu'un tour : elle n'avait pas pris la précaution de fournir une lettre à Elizabeth ! Tout son plan risquait de s'effondrer à cause de cette erreur élémentaire. Elizabeth lui lança un regard désespéré. Aliena cherchait désespérément la parade. « Sais-tu lire, Michaël ? demanda-t-elle d'une voix ferme.

— Le prêtre me lira le message, répliqua-t-il d'un air hargneux.

— La comtesse sait lire, elle. »

Elizabeth, cachant mal son désarroi, enchaîna courageusement : « Je transmettrai moi-même le message à la garnison, Michaël. Fais sonner la cloche et rassemble tout le monde dans la cour.

474

Prends soin de laisser trois ou quatre hommes de garde sur les remparts. »

Comme Aliena l'avait craint, Michaël acceptait mal qu'Elizabeth prenne l'initiative. « Je peux bien leur parler, moi », ronchonna-t-il.

Aliena se rendit compte que la partie était plus difficile que prévu, qu'elle n'arriverait peut-être pas à imposer sa volonté à ce Michaël aussi prétentieux que borné. « J'ai apporté à la comtesse, déclara-t-elle avec autorité, d'importantes nouvelles de Winchester. Elle veut les annoncer elle-même.

– Qu'est-ce que c'est, ces nouvelles ? »

Aliena se trouva vers Elizabeth qui, blême, s'efforçait de garder sa contenance, mais paraissait prête à défaillir. Aliena n'avait pas pris la peine d'inventer ce que contenait ce message imaginaire, aussi Elizabeth était-elle dans l'impossibilité de répondre à Michaël. Ignorant tout simplement sa question, la jeune comtesse donna ses dernières instructions, la voix blanche : « Avertis les gardes, qu'ils guettent l'arrivée d'un groupe de dix ou douze cavaliers. Leur chef aura des nouvelles fraîches du comte William et il faudra me l'amener immédiatement. Maintenant, va sonner la cloche. »

Michaël, qui était manifestement d'humeur à discuter, ne bougea pas, l'air buté. Aliena en aurait hurlé. « D'autres messagers », répéta-t-il lentement, comme si les mots pénétraient avec difficulté son cerveau épais. « Cette dame avec un message et douze cavaliers avec un autre.

– Parfaitement... Maintenant va sonner la cloche ! » ordonna Elizabeth d'une voix un peu plus assurée.

Michaël se dandina lourdement. Il ne comprenait pas cette situation inhabituelle, mais il n'avait plus d'objection à formuler. Il finit par marmonner : « Très bien, madame » et il sortit.

Aliena poussa un profond soupir.

« Et maintenant ? interrogea Elizabeth.

– Quand les hommes seront rassemblés dans la cour, vous leur annoncerez que la paix a été signée entre le roi Stephen et le duc Henry. Cela distraira l'attention de tout le monde. Pendant que vous parlerez, Richard enverra une avant-garde de dix hommes. Les gardes croiront que ce sont les messagers attendus et ne réagiront pas immédiatement. Il faudra maintenir l'intérêt des hommes en racontant n'importe quoi le temps que l'avant-garde arrive au château. D'accord?

— Ensuite?

— Quand je vous en donnerai le signal, annoncez que vous avez livré le château au comte légitime, Richard. Au même instant l'armée de Richard apparaîtra et attaquera le château. Michaël voudra sans doute se battre, mais ses hommes hésiteront parce que vous leur aurez parlé de Richard comme du comte légitime. De toute façon, l'avant-garde sera déjà à l'intérieur du château pour empêcher qu'on referme les portes. » La cloche se mit à sonner. Aliena sentit la peur lui nouer l'estomac. « C'est le moment. Comment vous sentez-vous?

— Affreusement mal, murmura Elizabeth.

— Moi aussi. Allons-y. »

Elles descendirent l'escalier. Aliena reconnaissait la cloche du poste de garde. Quand elle était une fillette insouciante, elle aimait l'entendre carillonner. La même cloche, le même son, mais une autre Aliena, songea-t-elle. Elle savait qu'on l'entendait au-delà des champs, jusqu'à la lisière de la forêt. Richard était donc en train de réciter lentement le Notre Père avant de lancer son avant-garde.

Aliena et Elizabeth gagnèrent la cour inférieure. Elizabeth était d'une pâleur inquiétante, mais elle avait l'air décidé. Aliena lui sourit pour lui donner du courage, puis rabattit son capuchon sur sa tête. Elle était trop connue dans le pays pour que, tôt ou tard, quelqu'un ne l'identifie pas. En fait plusieurs personnes la dévisagèrent avec curiosité mais aucune ne lui adressa la parole.

Les deux jeunes femmes s'avancèrent au milieu de la cour. Comme le terrain était un peu en pente, Aliena voyait, par-dessus les têtes et au-delà de la porte d'entrée, les champs au loin. L'avant-garde aurait dû se mettre en route, mais elle n'en distinguait aucun signe. Oh! mon Dieu, se dit-elle avec un frisson glacé, pourvu qu'il n'y a pas de problème!

Il fallait qu'Elizabeth grimpe sur quelque chose pour s'adresser à ses gens. Aliena commanda à un serviteur d'aller chercher un escabeau à l'écurie. Pendant qu'on attendait son retour, une femme d'un certain âge examinait Aliena. Soudain elle dit bien haut : « Tiens, mais c'est dame Aliena! Comme je suis contente de vous voir! »

476

Le cœur d'Aliena s'arrêta de battre. La femme était une cuisinière qui avait travaillé au château avant l'arrivée des Hamleigh. Elle se força à sourire et répondit :

« Bonjour, Tilly, comment te portes-tu ?

– Hé ! dit Tilly en donnant un coup de coude à sa voisine, c'est lady Aliena qui revient après toutes ces années. Vous allez être notre maîtresse, madame ? »

Si Michaël Armstrong entendait ces paroles, c'était la fin de tout. Aliena jeta autour d'elle un regard inquiet. Par bonheur, Michaël n'était pas dans les parages. Toutefois, un de ses hommes d'armes qui avait entendu la conversation contemplait Aliena avec perplexité. Aliena feignait l'indifférence. L'homme était borgne – c'était sans doute pourquoi il était dispensé de combattre avec William – et Aliena trouva drôle d'être examinée avec tant d'insistance par un seul œil. Le fou rire la gagna et elle se rendit compte qu'elle était au bord de la crise de nerfs.

Le serviteur revenait avec l'escabeau. La cloche cessa de sonner et Aliena reprit son calme tandis qu'Elizabeth montait sur le tabouret. Le silence se fit dans l'assemblée.

« Le roi Stephen, annonça Elizabeth, et le duc Henry ont fait la paix. »

Les acclamations jaillirent de toute part. Aliena scrutait l'horizon au-delà de la porte. Maintenant, Richard, supplia-t-elle ; c'est le moment ou jamais, ne te mets pas en retard !

Elizabeth sourit et laissa les gens exprimer longuement leur joie, puis elle continua : « Stephen demeurera roi jusqu'à sa mort, ensuite Henry lui succédera. »

Aliena observa les sentinelles restées sur les tours et aux postes de guet. Elles paraissaient calmes. Où était donc Richard ?

« Le traité de paix, commenta Élizabeth, va apporter de nombreux changements dans nos existences. »

Aliena vit les gardes des remparts se raidir. L'un d'eux mit sa main en visière pour inspecter les champs, tandis qu'un autre se retournait vers la cour, comme s'il cherchait l'appui du capitaine. Mais toute l'attention de Michaël Armstrong était captée par Élizabeth.

« Le roi actuel et le futur roi sont convenus que les terres seront rendues à ceux qui les possédaient au temps du vieux roi Henry. »

Un brouhaha de commentaires accueillit ces paroles : on se

demandait si ces bouleversements affecteraient le comté de Shi-ring et chacun donnait son avis. Michaël Armstrong semblait pen-sif. Enfin, les chevaux de l'avant-garde de Richard passèrent le poste de garde. Vite, se dit-elle, vite! Mais ils allaient au petit trot pour ne pas alarmer les sentinelles.

« Nous devons rendre grâces à Dieu, poursuivait Elizabeth, de ce traité de paix. Prions pour que le roi Stephen règne sagement dans ses dernières années et que le jeune duc maintienne le royaume en paix jusqu'à ce que Dieu ait rappelé Stephen à lui... » Elle s'en tirait brillamment, mais son discours ne pourrait pas durer éternellement et, d'ailleurs, elle commençait à se troubler.

Les gardes à qui on avait annoncé l'arrivée de messagers et qui devaient amener aussitôt le chef à la comtesse surveillaient l'approche des cavaliers avec calme, mais non sans curiosité.

Le borgne promenait le regard de son œil unique d'Aliena au poste de garde et la jeune femme devina qu'il réfléchissait à la signification de cette coïncidence.

Soudain, l'une des sentinelles quitta le créneau et disparut dans un escalier.

La foule commençait à s'agiter. Elizabeth poursuivait son dis-cours tant bien que mal, mais on était avide de nouvelles concrètes. « Cette guerre, disait-elle, a commencé un an après ma naissance, et comme bien des jeunes gens dans le royaume, j'ai hâte de découvrir ce qu'est la paix. »

Le garde descendu des remparts déboucha du bas de la tour, traversa la cour d'un pas rapide et vint parler à Michaël Arm-strong.

Aliena jugea d'un coup d'œil que les cav_.iers avaient encore à une centaine de toises à parcourir avant le poste de garde. C'était trop! Elle n'arriverait pas à maîtriser beaucoup plus longtemps la situation.

Michaël Armstrong se retourna en fronçant les sourcils. Le borgne le tira par la manche et lui murmura quelque chose en désignant Aliena du doigt.

Comment empêcher Michaël de fermer les portes et de lever le pont-levis avant que Richard ait pu entrer? Aliena se demanda si elle aurait le courage de l'attaquer avant qu'il ait donné ses ordres. Elle avait toujours sa dague attachée à son bras gauche... Soudain Michaël Armstrong s'écarta de la foule d'un pas décidé. Aliena prit Elizabeth par le coude. « Arrêtez Michaël! » souffla-t-elle.

Elizabeth ouvrit la bouche pour parler, mais aucun son ne sortit. Elle était paralysée. Puis, elle prit une profonde inspiration et releva la tête. Son expression changea, elle lança d'une voix vibrante d'autorité : « Michaël Armstrong ! »

Il se retourna.

C'était le moment crucial, le point de non-retour. Richard n'était pas encore assez près, mais Aliena ne pouvait pas attendre davantage. « Maintenant ! Annoncez-leur maintenant ! » souffla-t-elle à Elizabeth.

La voix de la jeune comtesse s'éleva, forte et claire :

« J'ai livré ce château au comte légitime de Shiring, Richard de Kingsbridge. »

Michaël en ouvrit la bouche de stupeur. « Vous ne pouvez pas faire ça ! hurla-t-il.

— Je vous ordonne à tous, reprit Elizabeth imperturbable, de déposer vos armes. Je ne veux pas d'effusion de sang. »

Michaël fit un large geste du bras et cria : « Levez le pont-levis ! Fermez les portes ! »

Les hommes d'armes se précipitèrent pour exécuter ses ordres mais une seconde trop tard. A l'instant où ils arrivaient aux lourdes portes bardées de fer qui fermaient la voûte d'entrée, l'avant-garde de Richard franchit le pont-levis et surgit dans la cour. La plupart des hommes de Michaël ne portaient pas d'armures, certains n'avaient même pas leur épée. Ils se dispersèrent prestement devant les cavaliers.

« Restez calmes ! cria Elizabeth. Ces messagers vont confirmer mes ordres. »

Un cri s'éleva des remparts : une sentinelle mit ses mains en porte-voix et clama : « Michaël ! Attaque ! On nous attaque ! Par dizaines !

— Trahison ! » rugit Michaël en dégainant son épée. Mais deux des hommes de Richard bondirent aussitôt sur lui, lame au poing. Du sang jaillit et Michaël s'écroula. Aliena détourna la tête.

Quelques hommes de Richard avaient pris possession du poste de garde et de la chambre du treuil. Deux d'entre eux montèrent aux créneaux et les gardes de Michaël se rendirent sans lutte.

Par la porte grande ouverte, Aliena vit le gros de la troupe foncer à travers champs en direction du château et elle reprit confiance.

Elizabeth haranguait l'assistance à pleine voix : « C'est une capitulation pacifique. Personne ne sera blessé, je vous le promets. Restez simplement où vous êtes. »

Les gens, sous le coup de la stupeur, écoutaient le tonnerre des chevaux au galop déferlant vers le château. Les hommes d'armes semblaient désemparés et hésitants, mais aucun ne tenta de riposter : leur chef était tombé et leur comtesse leur avait ordonné de se rendre. Les serviteurs, hébétés, suivaient à peine la succession rapide des événements.

Richard, sur son destrier, passa la porte.

En cet instant solennel, Aliena sentit son cœur se gonfler d'orgueil. Richard glorieux, souriant, triomphait. « Le comte légitime ! » cria-t-elle. La troupe de Richard qui galopait sur ses talons répéta ce cri, qui, repris par la foule massée dans la cour, se transforma bientôt en clameur. Tant de gens détestaient William ! Au pas, Richard fit le tour de l'enceinte, saluant et répondant aux acclamations.

Aliena revivait toutes les épreuves subies pour en arriver là, à cette minute de gloire. A trente-quatre ans, elle avait passé la moitié de ses années à se battre pour son idéal. Toute ma vie adulte, voilà ce que j'ai donné. Elle avait bourré de la laine dans des sacs jusqu'à en avoir les mains rouges, gonflées, écorchées. Elle avait rencontré des êtres cupides, cruels et lubriques qui l'auraient tuée si elle avait donné le moindre signe de faiblesse. Elle avait endurci son cœur contre son cher Jack pour épouser Alfred ; des mois durant, elle avait dormi par terre comme un chien au pied du lit du maçon. Pourquoi ? parce qu'il avait promis de payer les armes et l'armure qui permettraient à Richard de se battre et de reprendre ce château. « Voilà, père », dit-elle tout haut, sans que personne lui prête attention. Il y avait dans son cœur autant d'amertume que de fierté. « C'est ce que vous vouliez. Je vous l'avais promis, j'ai tenu ma promesse. J'ai pris soin de Richard, il s'est battu bravement longtemps et nous voilà de nouveau chez nous. Richard est comte. Maintenant... » Sa voix s'enfla jusqu'à un cri, mais le vacarme, la cohue étaient tels que ses paroles s'y perdirent et que personne ne remarqua les larmes qui ruisselaient sur ses joues. « Maintenant, père, j'en ai fini avec vous, soyez heureux dans votre tombe et laissez-moi vivre en paix ! »

6

Même dans le besoin, Remigius gardait son arrogance. Il entra dans le modeste manoir du village de Hamleigh, la tête haute, avec un regard méprisant pour les grosses poutres sommairement taillées qui soutenaient le toit, les murs de claies et de torchis et l'âtre sans cheminée au milieu du sol en terre battue.

William l'accueillit sans un mot. Ma chance a peut-être tourné, mais pas autant que la tienne, songea-t-il en observant les sandales rapetassées du moine, sa robe crasseuse, son menton mal rasé et ses cheveux trop longs. Remigius n'avait jamais été gras, mais aujourd'hui les os lui trouaient la peau. L'expression hautaine de son visage ne dissimulait pas les traits creusés ni les cernes violacés sous ses yeux. Remigius n'était pas encore brisé, mais il était gravement atteint.

« Dieu vous bénisse, mon fils », dit-il à William.

William se moquait bien des bénédictions. « Que voulez-vous, Remigius ? » répliqua-t-il, choisissant délibérément d'insulter le moine en n'utilisant pas le titre de « père » ou de « frère ».

Remigius pinça les lèvres. Il n'avait pas dû subir beaucoup d'humiliations de ce genre depuis sa venue au monde, se dit William. Glacial, le moine reprit : « Les terres que vous m'avez données comme doyen du chapitre de Shiring ont été reprises par le comte Richard.

— Je n'en suis pas étonné, répondit William. Tout revient à ceux qui en étaient propriétaires au temps du vieux roi Henry.

— Cela me laisse sans moyen de subsistance.

— Vous et bien d'autres, observa sèchement William. Retournez donc à Kingsbridge. »

Remigius pâlit de colère. « Impossible, murmura-t-il d'une voix sourde.

– Pourquoi?

– Vous le savez bien.

– Philip vous reprocherait-il de tirer les vers du nez aux petites filles? Vous accuserait-il de l'avoir trahi en me révélant la cachette des hors-la-loi? Vous blâmerait-il d'être devenu le doyen d'une église qui devait remplacer sa propre cathédrale? En effet, je comprends que vous ne puissiez pas retourner là-bas.

– Donnez-moi quelque chose, supplia Remigius, toute honte bue. Un village. Une ferme. Une petite église!

– On ne récompense pas les perdants, moine, répliqua cruellement William, qui savourait la situation. Dans le monde où nous vivons, il n'y a pas de pitié. Les canards avalent les vers, les renards tuent les canards, les hommes abattent les renards et le diable poursuit les hommes. »

La voix de Remigius n'était plus qu'un murmure. « Que vais-je faire?

– Mendier », répliqua William en souriant.

Remigius, le dos raide, sortit. Toujours fier, se dit William, mais pas pour longtemps. Tu mendieras, moine!

Il trouvait une grande satisfaction à voir quelqu'un tombé plus bas que lui. Jamais il n'oublierait l'intolérable supplice qu'il avait subi lorsqu'on lui avait refusé l'entrée de son propre château. Déjà plein de soupçons en apprenant que Richard et quelques-uns de ses hommes avaient quitté Winchester, il avait éprouvé une véritable inquiétude à l'annonce du traité de paix. Rassemblant ses chevaliers et sa troupe, il avait filé à bride abattue vers Earlscastle. Quelques sentinelles seulement gardaient le château, aussi s'attendait-il à trouver Richard campé dans les champs, assiégeant la place. Le calme ambiant l'avait rassuré, il s'en voulait déjà d'avoir tremblé après la brusque disparition de Richard.

Cependant, il découvrit que le pont-levis était levé. Arrêtant son cheval au bord de la douve, il avait crié : « Ouvrez au comte! »

Stupéfaction! Richard était apparu au créneau. « Le comte est à l'intérieur », avait-il répliqué de toute sa hauteur.

William eut l'impression que le sol se dérobait sous ses pas. Il n'avait cessé de craindre Richard, qu'il avait toujours considéré comme un dangereux rival, mais il n'avait pas prévu que le danger était si proche. Il avait calculé que tout se déclencherait à la mort de Stephen, lorsque Henry monterait sur le trône, c'est-à-dire pas avant une dizaine d'années. Et là, assis dans un misérable manoir, il ruminait ses erreurs et se rendait compte avec amertume combien Richard avait été adroit. Il s'était glissé par une brèche si étroite qu'on ne s'en serait jamais méfié. La guerre n'étant pas terminée, on ne pouvait l'accuser de violer la paix du roi. Ses revendications sur le comté avaient été rendues légitimes par les termes même des accords de paix. Et Stephen vieillissant, las et vaincu, n'avait plus d'énergie pour de nouvelles batailles.

Magnanime, Richard avait libéré les hommes d'armes de William qui voulaient continuer à servir leur maître. Waldo le Borgne avait raconté à William la prise du château. La traîtrise d'Elizabeth le vexait mais le plus humiliant pour William, c'était le rôle joué par Aliena. L'adolescente sans défense qu'il avait violée, brutalisée et jetée à la porte de chez elle des années plus tôt s'était vengée. Chaque fois qu'il y pensait, son estomac le brûlait comme s'il avait bu du vinaigre.

Sa première réaction avait été de combattre Richard. Avec l'aide de son armée, il pouvait vivre sur le pays en extorquant des taxes et du ravitaillement aux paysans, de façon à entretenir une bataille incessante contre son rival. Mais Richard tenait le château. De plus, il avait le temps pour lui, car Stephen, le soutien de William, ne valait plus grand-chose en face du jeune duc Henry, futur second roi Henry et protecteur de Richard.

William avait donc résolu de limiter ses pertes. Retiré dans le village de Hamleigh, il occupait le manoir où il avait grandi. Hamleigh et les villages alentour ayant été donnés à son père trente ans auparavant et ne faisant pas partie du comté, Richard ne pouvait les revendiquer.

William comptait que, s'il ne se faisait pas remarquer, Richard se contenterait de la vengeance qu'il avait déjà obtenue et qu'il renoncerait à le harceler. Jusque-là, les faits lui donnaient raison. Mais William abhorrait le village de Hamleigh. Il détestait les petites maisons bien nettes, les canards qui cancanaient sur la mare, l'église de pierre gris pâle, les enfants aux joues rouges comme des pommes, les femmes aux hanches larges et les hommes robustes et brutaux. Il le haïssait pour sa médiocrité, sa monotonie, sa pauvreté, et parce qu'il symbolisait la déchéance de sa famille. Il tenait cour de justice dans la grande salle du manoir, traversée de courants d'air qui sifflaient par les trous des murs : il rendait des jugements sévères, imposait d'énormes amendes et gouvernait suivant son caprice. Mais rien ne lui donnait satisfaction.

Forcé et contraint, il avait abandonné la construction de la grandiose nouvelle église de Shiring. S'il ne pouvait se permettre de bâtir pour lui-même une maison de pierre, comment aurait-il édifié une église?

Les bâtisseurs ne recevant plus de salaire avaient cessé le travail et ce qu'il était advenu d'eux, il n'en savait rien; peut-être étaient-ils tous revenus à Kingsbridge travailler pour le prieur Philip.

Depuis quelque temps, aux obsessions de la journée s'ajoutaient les cauchemars. Toujours les mêmes. Sa mère errait au pays des morts, saignant des oreilles et des yeux, et, lorsqu'elle ouvrait la bouche pour parler, un flot de sang en jaillissait. Cette vision l'emplissait d'une mortelle terreur. En plein jour, il prenait un peu de recul et se raisonnait. Mais dès la nuit, quand son image revenait le hanter, la peur l'envahissait totalement, une terreur irrationnelle, aveugle. Un jour, dans sa jeunesse, il s'était aventuré dans un étang dont le fond soudain avait manqué sous ses pieds. Il s'était retrouvé sous l'eau, incapable de respirer. La sensation d'étouffement qu'il avait éprouvée restait un des souvenirs indélébiles de son enfance. Les cauchemars étaient infiniment pires. Tenter de fuir le visage ensanglanté de sa mère, c'était comme courir dans des sables mouvants. Il s'éveillait chaque fois hors de lui, claquant des dents, suant et gémissant. Walter accourait à son chevet avec une chandelle – William dormait dans la salle, séparé de ses hommes par un simple rideau, car il n'y avait pas ici de chambre à coucher. «Vous avez crié, seigneur», murmurait le valet. William, le souffle court, lui touchait la main, tâtait le mur, retrouvait la réalité tandis que le cauchemar perdait peu à peu de sa force. Mais il n'osait pas se rendormir. Et, le matin, les hommes le regardaient comme s'il était ensorcelé.

Quelques jours après sa conversation avec Remigius, l'évêque Waleran vint lui rendre visite.

Assis sur sa chaise dure, près de son âtre enfumé, William

sursauta. Il avait entendu des chevaux, mais il n'y avait prêté aucune attention, pensant que Walter revenait du moulin. Devant l'évêque, il perdit contenance. Waleran s'était toujours montré arrogant et à maintes reprises William s'était senti stupide, maladroit et grossier. Quelle humiliation pour lui que Waleran le découvre dans l'humble décor où il vivait maintenant!

William ne se leva pas pour accueillir son visiteur. « Que voulez-vous? » demanda-t-il sèchement. Il n'avait aucune raison d'être poli; plus vite Waleran aurait tourné les talons, mieux cela vaudrait.

L'évêque ne releva pas sa grossièreté. « Le shérif est mort », annonça-t-il.

William ne voyait pas l'importance de cette nouvelle.

« Qu'est-ce que ça me fait? répliqua-t-il brutalement.

– On va nommer un nouveau shérif. »

William faillit hausser les épaules, mais il réfléchit. Si Waleran se préoccupait du nouveau shérif et avait pris la peine de venir en parler à William, cela ne pouvait dire qu'une chose. L'espoir se leva dans son cœur, mais il le contint énergiquement. Waleran était maître dans l'art de décevoir les espérances. « A qui pensez-vous pour ce poste? demanda William aussi posément que possible.

– A vous. »

C'était la réponse que William n'osait espérer. Fallait-il y croire? Un shérif habile et impitoyable avait presque autant d'importance et d'influence qu'un comte ou qu'un évêque. Enfin le moyen de revenir à la richesse et à la puissance! Il s'obligea à garder la tête froide.

« Pourquoi le roi Stephen me nommerait-il?

– Vous l'avez soutenu contre le duc Henry, ce qui vous a valu de perdre votre comté. Je suppose qu'il aimerait vous récompenser.

– Personne n'agit par simple gratitude, répondit William, répétant une formule de sa mère.

– Stephen, insista Waleran, supporte mal que le comte de Shiring soit un de ses adversaires. Ce serait vraisemblable qu'il contrebalance l'autorité de Richard par un shérif de son parti. »

Vraisemblable, en effet. Malgré lui, William commençait à

s'exciter. Enfin il sortirait de ce trou qu'on appelait Hamleigh. Il aurait de nouveau une troupe respectable de chevaliers et d'hommes d'armes, au lieu de la pitoyable poignée qu'il entretenait maintenant. Il présiderait la cour du comté à Shiring et s'emploierait à contrecarrer Richard. « Le shérif vit au château de Shiring, murmura-t-il pensivement.

– Vous seriez de nouveau riche, ajouta Waleran.

– Oui. » Convenablement exploité, le poste de shérif assurerait des profits non négligeables. William collecterait presque autant d'argent que lorsqu'il était comte. Mais où était l'intérêt de Waleran dans cette affaire?

Comme s'il avait entendu la question, Waleran y répondit de lui-même.

« Dans ce cas, vous pourriez financer la construction de la nouvelle église. »

Voilà! Waleran n'agissait pas sans motif. William était prêt à accepter le marché. D'ailleurs, s'il élevait cette église à la mémoire de sa mère, peut-être les cauchemars cesseraient-ils. « Vous croyez vraiment qu'on peut espérer cette nomination? » demanda-t-il avidement.

Waleran acquiesça. « Avec de l'argent, bien sûr, je crois que c'est envisageable.

– De l'argent? interrogea William, soudain anxieux. Combien?

– Difficile à dire. Dans une ville comme Lincoln ou Bristol, le poste vous coûterait cinq ou six cents livres, mais les shérifs là-bas sont plus riches que des cardinaux. Pour une petite ville comme Shiring, si vous êtes le candidat que souhaite le roi – cela, je m'en occuperai –, vous pouvez sans doute avoir la charge pour cent livres.

– Cent livres! » Les espoirs de William s'effondrèrent. « Si j'avais cent livres, je ne vivrais pas comme ça! s'écria-t-il avec amertume.

– Vous pouvez les trouver, suggéra Waleran d'un ton désinvolte.

– Auprès de qui? Une idée le frappa. Vous me les donneriez?

– Ne soyez pas stupide, répliqua Waleran avec condescendance. Les Juifs sont faits pour ça. »

William dut admettre, avec ce sentiment trop connu d'espoir et de dépit, qu'une fois de plus l'évêque avait raison.

486

Depuis deux ans que les premières fissures avaient apparu, Jack n'avait toujours pas résolu le problème. Pire encore, des fentes identiques avaient surgi dans la première travée de la nef. Le défaut essentiel de la conception, assez solide pour soutenir le poids de la voûte, c'était son manque de résistance aux vents qui attaquaient si fort les grands murs.

Juché sur l'échafaudage, très haut au-dessus du sol, il examinait de près les failles, le front soucieux. Il fallait trouver un moyen de renforcer la partie supérieure pour l'empêcher de craquer sous le vent.

Comment la partie inférieure était-elle consolidée? Sur le mur extérieur du bas-côté se dressaient des piliers épais et robustes reliés à la paroi de la nef par des demi-arcs dissimulés dans le toit. Ce dispositif soutenait le mur comme des arcs-boutants, mais par le fait qu'il était dissimulé, la nef gardait un aspect léger et gracieux.

Pouvait-on concevoir un système similaire pour la partie supérieure? Si on construisait un bas-côté à deux étages en répétant simplement le système des arcs-boutants dissimulés, la lumière ne passerait plus par le triforium – alors que tout le principe du nouveau style était justement d'augmenter la lumière à l'intérieur de l'église.

Si seulement il pouvait bâtir des piliers et des demi-arcs pour supporter le triforium *sans* les incorporer aux bas-côtés, il aurait la solution à son problème.

D'en bas une voix l'appela. Il fronça les sourcils. Cette interruption avait chassé l'idée qu'il était sur le point de trouver. Il baissa les yeux. Le prieur Philip l'appelait.

Jack s'engouffra dans le clocheton et descendit l'escalier en spirale. Philip l'attendait en bas, hors de lui.

« Richard m'a trahi! dit-il sans préambule.

– Comment cela? »

Philip ne répondit pas tout de suite à la question. « Après tout ce que j'ai fait pour lui, tonna-t-il. J'ai acheté la laine d'Aliena quand tout le monde essayait de la tromper, sans moi, elle n'aurait pu débuter dans son négoce. Quand les cours de la laine se sont écroulés, j'ai trouvé pour Richard un poste d'officier du guet. En novembre dernier, je l'ai prévenu de l'imminence du traité de paix, ce qui lui a permis de s'emparer d'Earlscastle. Maintenant qu'il a récupéré son comté et qu'il règne dans toute sa splendeur, il me tourne le dos. »

Jack n'avait jamais vu Philip dans cet état. « En quoi Richard vous a-t-il trahi ?

— J'ai toujours su, reprit Philip sur sa lancée, que Richard était un faible. Pendant des années, il n'a jamais aidé Aliena, se contentant de lui prendre ce dont il avait besoin sans jamais penser à elle. Mais je ne le croyais pas ingrat et malhonnête.

— Qu'a-t-il fait exactement ? » répéta Jack.

Philip enfin répondit. « Il m'a refusé l'accès de la carrière. »

Jack poussa un cri d'indignation. C'était en effet un acte stupéfiant d'ingratitude. « Mais comment se justifie-t-il ?

— Toutes les propriétés sont censées revenir à ceux qui les détenaient au temps du premier roi Henry. Or c'est le roi Stephen qui nous a donné la carrière. »

La cupidité de Richard avait de quoi choquer, mais Jack n'arrivait pas à se fâcher aussi fort que Philip. La cathédrale maintenant était à demi bâtie, essentiellement avec de la pierre qu'il avait fallu payer, et elle se terminerait bien d'une façon ou d'une autre. « Je suppose que Richard est dans son droit le plus strict, observa-t-il.

— Comment peux-tu dire une chose pareille ? » s'écria Philip, de plus en plus outré.

Jack profita de l'occasion et, non sans une pointe d'insolence, répliqua au prieur :

« Vous-même, après que je vous ai amené la Vierge qui pleure, que je vous ai tracé un merveilleux plan pour votre nouvelle cathédrale et bâti une muraille pour vous protéger de William, vous m'avez refusé de vivre avec la femme que j'aime et qui est la mère de mes enfants. Voilà un bel exemple d'ingratitude aussi. »

Philip en resta un moment sans voix, puis il explosa. « C'est tout à fait différent ! s'écria-t-il. Je ne souhaite pas que vous viviez séparés, c'est Waleran qui a empêché l'annulation. Or la loi de Dieu dit qu'on ne doit pas commettre l'adultère.

— Je suis sûr que Richard trouverait un argument de même genre, insista Jack. Voyez-vous, ce n'est pas Richard qui a ordonné la restitution des propriétés, il ne fait qu'appliquer la loi. »

La cloche de midi se mit à sonner.

« Il y a une certaine différence entre la loi de Dieu et celle des hommes, observa Philip.

– Mais nous devons bien respecter les deux, n'est-ce pas?

– Permettez-moi maintenant d'aller dîner avec la mère de mes enfants. »

Il s'éloigna, laissant Philip fort troublé. Jack au fond de lui-même ne comparait pas Richard et Philip, loin de là, mais cela l'avait soulagé de s'exprimer ainsi. Il interrogerait Aliena à propos de la carrière. Peut-être pourrait-on persuader Richard de la céder au prieuré.

Il gagna la maison où il vivait avec Martha. Comme d'habitude, Aliena et les enfants se trouvaient dans la cuisine. La famine s'était terminée l'an passé grâce à une bonne récolte. Il y avait du pain de froment et du mouton rôti sur la table.

Jack embrassa les enfants. Aliena semblait nerveuse. Jack s'assit sur le banc auprès d'elle et annonça : « Philip est fou de rage parce que Richard ne veut pas lui donner la carrière.

– C'est une honte, dit Aliena. Quelle ingratitude de la part de Richard!

– Tu crois qu'on pourrait le convaincre de changer d'avis?

– Je ne sais vraiment pas, répondit-elle d'un air absent.

– Tu ne sembles pas tellement préoccupé par ce problème, remarqua Jack.

– Non, en effet. » Elle le regarda d'un air de défi.

« Dis-moi plutôt ce qui te préoccupe. »

Aliena se leva. « Allons dans la chambre. »

Avec un regard de regret pour le gigot, Jack suivit Aliena. Comme toujours, ils laissèrent la porte ouverte pour éviter toute accusation au cas où quelqu'un entrerait dans la maison. Aliena s'assit sur le lit et croisa les bras sur sa poitrine. « J'ai pris une importante décision », commença-t-elle.

Elle paraissait si grave que Jack commença à s'inquiéter.

« J'ai vécu presque toute ma vie adulte sous deux contraintes, dit-elle. L'une était la promesse faite à mon père mourant, l'autre, c'est ma relation avec toi.

– Maintenant, observa Jack, tu es libérée de la promesse faite à ton père.

– Oui. Et je veux me libérer aussi de l'autre fardeau. J'ai décidé de te quitter. »

489

Jack crut que son cœur s'arrêtait. Il savait qu'elle ne parlait pas à la légère. Il la dévisagea, muet de stupeur. Jamais il n'avait imaginé qu'elle pourrait l'abandonner. Il lança la première idée qui lui vint à l'esprit : « Il y a quelqu'un d'autre ?

— Ne sois pas idiot.

— Alors, pourquoi ?

— Parce que je ne peux plus supporter cette vie, répondit-elle, les yeux pleins de larmes. Voilà dix ans que nous attendons une annulation qui ne viendra jamais. Nous sommes condamnés à vivre ainsi pour toujours, Jack... à moins de nous séparer.

— Mais... » Il avait le cerveau en coton. Ce qu'elle venait de lui annoncer était si brutal, si douloureux qu'il n'avait même pas la force de discuter. Essaierait-on d'arrêter une inondation avec une cuiller ? Il balbutia : « Est-ce que ce n'est pas mieux que rien, mieux que la séparation ?

— Au bout du compte, non.

— Mais quel avantage trouveras-tu à partir ?

— Je pourrai rencontrer quelqu'un d'autre, tomber de nouveau amoureuse et mener une vie normale, dit-elle en sanglotant.

— Tu seras toujours mariée à Alfred.

— Mais personne ne le saura. Je pourrai être mariée par un prêtre de paroisse qui n'aura jamais entendu parler d'Alfred le bâtisseur.

— Je ne te crois pas.

— Dix ans, Jack. J'ai attendu dix ans pour vivre une vie normale avec toi. Je n'attendrai pas plus longtemps. »

Les mots lui dégringolaient dessus comme des coups. Elle continuait à parler, mais il ne l'entendait plus. Comment serait sa vie sans elle ? Il l'interrompit : « Tu sais, je n'ai jamais aimé personne d'autre que toi. »

Elle tressaillit, comme blessée, mais continua : « J'ai besoin de quelques semaines pour tout arranger. Je trouverai une maison à Winchester. Je veux que les enfants s'habituent peu à peu à l'idée du changement avant que leur nouvelle vie commence...

— Tu vas emmener mes enfants ? » dit-il stupidement.

Elle hocha la tête. « Je suis désolée... » Pour la première fois, sa résolution parut ébranlée. « Je sais que tu leur manqueras. Mais eux aussi ont besoin d'une vie normale. » A bout de résistance, Jack tourna les talons. Aliena le rappela.

490

« Ne t'en va pas, il faut que nous parlions davantage. Jack... »
Il sortit sans répondre.

Elle cria derrière lui : « Jack! »

Il traversa la salle commune sans regarder personne et quitta la maison. Flottant dans une sorte de brume, il repartit vers la cathédrale, machinalement. Les bâtisseurs étaient encore à dîner. Il n'arrivait pas à pleurer, son malheur était trop grand pour de simples larmes. Sans réfléchir, il grimpa l'escalier du transept jusqu'en haut et déboucha sur le toit.

Il y soufflait un vent assez fort, qu'au niveau du sol on percevait à peine. Jack baissa les yeux. S'il tombait d'ici, il échouerait sur le toit du bas-côté, le long du transept. Il mourrait probablement, mais pas sûrement. Il s'avança jusqu'à la croisée et s'arrêta au ras du toit. Si sa cathédrale rêvée ne tenait pas debout et si Aliena le quittait, il ne lui restait plus rien dans la vie.

La décision d'Aliena, en fait, n'était pas aussi soudaine qu'elle le paraissait. Depuis longtemps elle vivait frustrée ; d'ailleurs ils l'étaient tous les deux. Mais ils avaient fini par s'habituer à ne pas être heureux. La victoire d'Earlscastle avait secoué Aliena de sa torpeur et, en lui rappelant qu'elle était responsable de sa propre vie, avait déclenché la rupture – un peu comme la tempête provoquait des fissures dans les murs de la cathédrale.

Il regarda en bas. Il apercevait les lourds arcs-boutants jaillissant du mur du bas-côté, il se représentait le demi-arc, sous le toit, reliant la base du pilier au pied du triforium. Ce qui résoudrait le problème, avait-il pensé juste avant d'être dérangé par Philip, c'était un arc-boutant plus haut, peut-être de six ou sept mètres de plus, prolongé par un second demi-arc qui bondirait jusqu'au niveau du mur où apparaissaient les fissures. Ce soutien supplémentaire protégerait le mur supérieur contre la force du vent.

Ce serait une solution. En l'adoptant, il se heurtait à l'inconvénient de perdre de la lumière. S'il ne l'adoptait pas...

Et après? songea-t-il. Il était envahi du sentiment que rien ne comptait plus désormais puisque sa vie s'écroulait. Quelle importance, un arc-boutant de plus, dissimulé ou pas? Quel importance, beaucoup de lumière ou peu? Debout en haut du toit, il se représentait une rangée de robustes colonnes qui jailliraient du mur extérieur du bas-côté. Du sommet de chacune d'elles, un demi-arc franchirait le vide jusqu'au triforium. Peut-être oserait-il ajouter

491

un clocheton décoratif au faîte de chaque colonne, au-dessus de l'arc. Oui, ce serait plus beau.

C'était une idée révolutionnaire que de placer de gros éléments de soutien à un endroit où ils seraient totalement visibles. Mais cela faisait partie du nouveau style que de mettre en évidence l'architecture de soutien.

Son instinct lui disait qu'il avait raison. Plus il y pensait, plus l'idée lui plaisait. Je me demande, songea-t-il, je me demande si cela tiendrait.

Une soudaine rafale de vent lui fit perdre l'équilibre. Il trébucha au bord du toit. Il se vit projeté dans le vide et retrouva son équilibre au dernier moment, le cœur battant.

A pas prudents, il revint le long du toit jusqu'à la porte du clocheton et descendit.

7

Le travail avait complètement cessé à l'église de Shiring. Le prieur Philip s'en réjouissait secrètement. Après les heures qu'il avait passées à regarder d'un œil consterné son chantier de construction abandonné, il ne pouvait s'empêcher d'éprouver un certain plaisir à l'idée que la même chose arrivait à ses ennemis. Alfred le bâtisseur avait seulement démoli la vieille église et posé les fondations du nouveau chœur quand William avait été évincé de son titre. Plus d'argent, plus de cathédrale, Philip se reprocha de se réjouir de la ruine d'une église. Toutefois, il fallait reconnaître la manifeste volonté de Dieu que la cathédrale se construise à Kingsbridge et non à Shiring; la mauvaise fortune qui frappait le projet de Waleran semblait un signe fort clair des intentions divines.

A présent que la plus grande église de la ville était rasée, le tribunal du comté siégeait dans la grande salle du château. Philip gravit la colline, Jonathan à son côté. Il avait fait du jeune homme son assistant personnel, dans le grand remaniement qui avait suivi la défection de Remigius. Philip, quoique choqué par la perfidie de son sous-prieur, s'était en même temps trouvé ravi de le voir partir. Depuis la victoire de Philip sur Remigius à l'élection, le moine était comme une épine dans sa chair. Le prieuré était devenu plus agréable à vivre depuis son départ.

Milius, nouveau sous-prieur, continuait de tenir le rôle de trésorier, avec trois adjoints.

Philip éprouvait une profonde satisfaction à travailler avec Jonathan. Il se plaisait à lui expliquer la gestion du monastère, à lui apprendre le monde et à lui montrer comment se conduire avec les gens. Le garçon en général était assez aimé ; mais il lui arrivait de montrer une certaine sécheresse qui hérissait les sensibles. Jonathan avait un esprit vif qui surprenait souvent Philip. Le prieur se prenait parfois en flagrant péché d'orgueil quand il constatait combien Jonathan lui ressemblait.

Il l'avait emmené, cette fois, pour lui montrer comment fonctionnait le tribunal du comté. Philip voulait demander au shérif d'ordonner à Richard de permettre au prieuré l'accès de la carrière. Philip était certain que légalement Richard avait tort. La nouvelle loi sur la restitution des biens à leurs anciens propriétaires n'affectait pas les droits du prieuré. Elle avait pour objet de permettre au duc Henry de remplacer les comtes de Stephen par des hommes à lui, qui l'avaient soutenu et qu'il voulait récompenser ainsi. Les monastères n'étaient pas concernés. Philip avait bon espoir de remporter sa cause encore qu'il fallait tenir compte d'un facteur inconnu : le vieux shérif étant mort, on devait annoncer aujourd'hui même le nom de son remplaçant. Les noms qu'on citait le plus souvent étaient ceux des trois ou quatre notables de Shiring : David le marchand de soie ; Rees le Gallois, un prêtre qui avait travaillé à la cour du roi ; Gilles Cœur de Lion, un chevalier possédant quelques terres à la sortie de la ville ; ou bien Hugh le Bâtard, le fils naturel de l'évêque de Salisbury. Philip espérait la victoire de Rees, non parce que c'était un compatriote, mais parce qu'il serait le plus favorable à l'Eglise. En tout état de cause, Philip ne se faisait pas trop de souci, n'importe lequel des quatre, trancherait en sa faveur.

Ils entrèrent au château. Il n'était pas très puissamment fortifié car, le comte possédant un château en dehors de la ville, Shiring avait échappé aux combats pendant plusieurs générations. Ce château-ci était plutôt un centre administratif, avec des bureaux et des appartements pour le shérif et ses hommes, et des cachots pour les délinquants. Philip et Jonathan laissèrent leurs chevaux à l'écurie et entrèrent dans le plus grand bâtiment où se trouvait la salle commune.

On avait disposé différemment les tables à tréteaux qui d'ordinaire formaient un T. On avait conservé la barre du T, qu'on avait dressée sur une estrade. Les autres tables étaient alignées sur les côtés de la salle, de sorte que les différents plaignants se trouvaient séparés par l'allée centrale et donc empêchés de recourir à la violence physique.

La salle était déjà pleine. L'évêque Waleran présidait, perché sur son estrade, l'air malveillant. A la surprise de Philip, William Hamleigh était assis auprès de lui, chuchotant à l'oreille de l'évêque à mesure que les gens entraient. Que faisait-il donc ici ? Depuis neuf mois, il se terrait dans son village et Philip – avec bien d'autres gens du comté – avait nourri l'espoir qu'il y resterait toujours. Et voilà qu'il s'installait là, arrogant comme s'il était encore comte. Philip se demanda quelle machination vile, intéressée et dangereuse l'amenait aujourd'hui au tribunal du comté.

Philip et Jonathan s'assirent pour attendre le début de la session. Les gens semblaient affairés, certains optimistes. Maintenant que la guerre était enfin terminée, on se préoccupait de nouveau de créer des richesses. La terre fertile payait rapidement chacun de ses efforts : on attendait cette année une récolte exceptionnelle. Le prix de la laine avait monté. Philip avait réengagé presque tous les bâtisseurs partis au plus fort de la famine. Les survivants à ces années d'épreuves étaient les plus jeunes, les plus forts, les plus sains. Réunis dans la grande salle du château, ils symbolisaient l'espoir et le renouveau.

Tout le monde se leva quand l'adjoint du shérif fit son entrée, précédant le comte Richard. Les deux hommes prirent place sur l'estrade, puis l'adjoint commença la lecture du décret royal nommant le nouveau shérif. Tandis que se déroulaient les formules conventionnelles d'introduction, Philip examinait les quatre candidats présumés. Le vainqueur aurait besoin de courage pour faire respecter la loi à des notabilités aussi puissantes que l'évêque Waleran, le comte Richard ou lord William. D'ordinaire, le futur shérif se tenait auprès de l'adjoint pendant la lecture de la proclamation. Cette fois-ci, les seules personnes qui occupaient l'estrade étaient Richard, Waleran et William. Une pensée traversa l'esprit de Philip comme un coup de poignard : le roi aurait-il choisi Waleran ? Son inquiétude se transforma en stupeur lorsqu'il entendit : « ... nomme comme shérif de Shiring mon fidèle serviteur William de Hamleigh, et j'ordonne à tous de l'assister... »

Philip s'affaissa sur sa chaise : « William ! » répéta-t-il dans un souffle de désespoir.

Les habitants de la ville manifestèrent bruyamment leur surprise et leur désapprobation.

495

« Comment s'y est-il pris ? demanda Jonathan.

– Il a dû payer.

– Où aurait-il trouvé l'argent ?

– Il l'a emprunté, j'imagine. »

William se dirigea en souriant vers le trône de bois sous le dais. Il avait été beau, songea Philip en l'observant. Âgé d'à peine quarante ans, il paraissait plus vieux. Son corps était trop lourd et son teint rougi par le vin ; la force vigoureuse et l'optimisme qui font l'attrait des visages jeunes avaient disparu, remplacés par les marques fatiguées d'une vie désordonnée.

Comme William s'asseyait, Philip se leva.

Jonathan l'imita en chuchotant : « Nous partons ?

– Suis-moi », murmura Philip.

Le silence se fit dans la salle. Tous les regards convergeaient sur eux tandis qu'ils traversaient le tribunal. On s'écartait pour les laisser passer. Ils arrivèrent à la porte et sortirent.

« Nous n'avions aucune chance de réussir avec William en place ? demanda Jonathan.

– Pire encore, répondit Philip. Si nous avions présenté notre affaire, nous aurions pu y perdre nos autres droits.

– Mon Dieu, je n'y avais pas pensé. »

Philip hocha la tête d'un air sombre. « Avec William comme shérif, Waleran comme évêque et l'infidèle Richard comme comte, c'est tout à fait impossible pour le prieuré de Kingsbridge d'obtenir justice dans ce comté. Nous sommes à la merci du tribunal. »

Pendant qu'un palefrenier sellait leurs montures, Philip exposa son plan. « Je vais adresser une pétition au roi pour faire de Kingsbridge une commune. De cette façon, nous aurons notre propre tribunal et nous verserons nos impôts directement au roi. De ce fait, nous tomberons hors de la juridiction du shérif.

– Vous vous êtes toujours opposé à ce système jadis, observa Jonathan.

– Oui, parce qu'il rend la ville aussi puissante que le prieuré. Mais, dans les circonstances, je pense qu'on peut payer ce prix pour notre indépendance. C'est cela, ou William.

– Le roi Stephen nous accordera-t-il facilement le statut de commune ?

– Tout dépend du prix que nous y mettrons. S'il refuse, peut-être Henry acceptera-t-il lorsqu'il deviendra roi. »

496

Ils enfourchèrent leurs chevaux et s'éloignèrent, aussi abattus l'un que l'autre. Ils franchirent la porte et passèrent devant le tas d'ordures qui occupait le terrain vague, juste à la sortie de la ville. Quelques misérables cherchaient dans les détritus ce qu'ils pourraient manger, porter ou brûler pour se chauffer. Philip leur jeta machinalement un coup d'œil et subitement s'arrêta. Une haute silhouette familière se penchait sur un tas de chiffons.

« Regarde », dit Philip à Jonathan, qui suivit son regard. « Remigius ! » dit-il d'une voix étouffée. Waleran et William auraient jeté Remigius à la porte ? Bien sûr, en l'absence de fonds pour bâtir leur église, ils n'avaient plus besoin de lui. Remigius avait trahi Philip, trahi le prieuré et trahi Kingsbridge, dans le seul espoir de devenir doyen de Shiring. Mais la récompense qu'il convoitait s'était transformée en cendres.

Philip tourna bride et s'avança sur le terrain vague, Jonathan à sa suite. Une insoutenable puanteur se répandait comme un brouillard. Philip constata que Remigius était d'une maigreur squelettique. Son habit était raide de crasse et il avait les pieds nus. Il avait passé au prieuré de Kingsbridge toute sa vie adulte, jusqu'à soixante ans ; personne ne lui avait jamais appris à se débrouiller dans un monde difficile. Philip le vit tirer des détritus une paire de chaussures de cuir. Il y avait de grands trous dans les semelles, mais Remigius les contemplait avec l'expression d'un homme qui vient de trouver un trésor. Et il allait les essayer lorsqu'il aperçut Philip.

Il se redressa. On lisait sur son visage la lutte entre la honte et l'arrogance. « Alors, vous êtes venu vous réjouir du spectacle ? lança-t-il.

— Non », répondit Philip d'une voix douce. Son vieil ennemi offrait un tableau si pitoyable que Philip n'éprouvait pour lui que compassion. Le prieur mit pied à terre et tira une flasque de sa sacoche de selle. « Je suis venu vous offrir un verre de vin. »

Remigius aurait voulu refuser, mais la tentation était trop forte. Il n'hésita qu'un moment, puis saisit la flasque qu'il renifla avec méfiance avant de commencer à boire ; après quoi il ne s'arrêta que lorsque le flacon fut vide.

Philip lui reprit la flasque et la rangea dans sa sacoche. « Il vaut mieux manger un peu aussi », conseilla-t-il en lui tendant un morceau de pain.

497

Remigius ne se fit pas prier. De toute évidence il n'avait pas mangé depuis des jours et n'avait sans doute pas fait un repas convenable depuis des semaines. Philip l'observait avec tristesse. « Voulez-vous revenir ? » proposa le prieur simplement.

Il vit Jonathan sursauter. Comme la majorité des moines, Jonathan espérait bien ne jamais revoir Remigius. Il ne comprenait sûrement pas l'attitude de Philip.

L'ancien Remigius reparut avec toute son insolence lorsqu'il dit : « Revenir ? A quel poste ? »

Philip secoua la tête d'un air de regret. « Remigius, vous n'aurez jamais aucun poste dans mon prieuré. Revenez comme un simple et humble moine. Demandez à Dieu de pardonner vos péchés et consacrez le restant de vos jours, dans la prière et la contemplation, à préparer votre âme pour le paradis. »

Remigius renversa la tête en arrière et Philip attendit un refus méprisant. Le moine ouvrit la bouche, la referma et baissa les yeux. Philip, immobile et silencieux, se demandait ce qui allait sortir de cet être pétri d'orgueil. Il y eut un long silence. Quand Remigius releva la tête, il avait le visage ruisselant de larmes. « Oui, père, je vous en prie, dit-il. Je veux rentrer. »

Philip ne contint pas sa joie. « Alors venez, s'écria-t-il. Montez sur mon cheval. »

Remigius hésita, déconcerté.

« Père, protesta Jonathan, que faites-vous ?

— Allons, reprit Philip à l'adresse de Remigius, faites ce que je vous dis. »

Jonathan était scandalisé. « Mais, père, comment allez-vous voyager ?

— A pied, répliqua Philip avec entrain. Il faut bien que l'un de nous le fasse.

— Que Remigius aille à pied, alors ! riposta Jonathan.

— Qu'il aille à cheval, dit Philip. Aujourd'hui, il a fait plaisir à Dieu.

— Et vous ? N'avez-vous pas fait plaisir à Dieu plus souvent que Remigius ?

— Jésus a dit qu'il y a plus de joie au ciel pour un pécheur qui se repent que pour quatre-vingt-dix-neuf vertueux, répliqua Philip. Tu ne te rappelles pas la parabole du fils prodigue ? Lorsqu'il est rentré, son père a tué le veau gras. Les anges se réjouissent des larmes de Remigius. Le moins que je puisse faire, c'est de lui donner mon cheval. »

Il prit sa monture par la bride et la ramena sur la route. Jonathan suivait. Quand ils eurent regagné la chaussée, Jonathan sauta à terre. « Je vous en prie, mon père, prenez mon cheval et laissez-moi marcher ! »

Philip se tourna vers lui et lança d'un ton sévère : « Remonte sur ton cheval, cesse de discuter avec moi et *réfléchis* à ce qui est en train de se faire et pourquoi. »

Jonathan, le bec cloué, remonta en selle et se le tint pour dit.

Ils reprirent la route de Kingsbridge, qui se trouvait encore à huit lieues. Philip entama sa marche. Son âme flottait dans la joie. Le retour de Remigius compensait mille fois la perte de la carrière. Je n'ai pas gagné au tribunal, mais il ne s'agissait que de pierre. Ce que j'ai obtenu est infiniment plus précieux. Aujourd'hui, j'ai sauvé l'âme d'un homme.

8

Rouges et jaunes, des pommes mûres surnageaient dans le tonneau, dont l'eau étincelait au soleil. Sally, qui atteignait ses neuf ans, se pencha sur le bord, les mains croisées derrière le dos et essaya d'attraper une pomme avec ses dents. Elle s'éclaboussa, plongea, et échoua dans de grands éclats de rire. Aliena eut un pâle sourire et essuya le visage de la fillette.

En ce chaud après-midi de fin d'été, jour férié car c'était la fête d'un saint, les gens de la ville s'étaient rassemblés dans le pré de l'autre côté de la rivière pour le jeu des pommes. Habituellement Aliena adorait ces occasions de s'amuser, mais le fait que c'était sa dernière fête à Kingsbridge ne quittait pas son esprit et jetait une ombre sur son humeur. Depuis qu'elle avait pris la décision de quitter Jack, elle commençait à éprouver la souffrance de la séparation.

Tommy rodait auprès du tonneau. Jack cria : « Vas-y, Tommy... essaie!

— Tout à l'heure », répondit le gamin.

A onze ans, Tommy s'estimait plus malin que sa sœur et supérieur à la plupart de ses camarades. Il observa un moment la technique des joueurs qui réussissaient à attraper la pomme. Aliena avait un faible pour son fils. Jack avait à peu près cet âge-là quand elle l'avait rencontré pour la première fois, et Tommy ressemblait tant à Jack enfant...

Le garçon s'approcha du tonneau. Il se pencha et baissa lentement la tête, la bouche grande ouverte. Il poussa la pomme sous la surface jusqu'au fond du tonneau, plongeant la tête et le cou dans l'eau, puis il remonta, triomphant, la pomme entre les dents.

Tommy réussirait tout ce qu'il entreprendrait. Il tenait de son grand-père, le comte Bartholomew, une volonté très forte et un sentiment inflexible du bien et du mal.

Sally en revanche avait hérité du caractère insouciant et de l'anticonformisme de Jack. Les deux enfants avaient chacun la personnalité d'un de ses parents et l'aspect physique de l'autre : la désinvolte Sally possédait les traits réguliers et les boucles brunes d'Aliena ; Tom le décidé, les cheveux carotte, la peau blanche et les yeux bleus de Jack.

« Tiens, voilà oncle Richard ! » s'écria Tommy.

Aliena se retourna vivement. C'était bien son frère le comte qui traversait la prairie à cheval avec une poignée de chevaliers et d'écuyers. Comment avait-il le toupet de se montrer ici après sa conduite indigne envers Philip ?

Richard s'approcha du tonneau en souriant à la ronde et en serrant les mains qui se tendaient.

« Essaie d'attraper une pomme, oncle Richard ! » réclama Tommy.

Richard plongea la tête dans le tonneau et se redressa aussitôt, une pomme plantée entre ses dents blanches, sa barbe blonde dégouttante d'eau. Il avait toujours été plus adroit aux jeux que dans la vie réelle, se dit Aliena.

Elle n'allait pas le laisser se conduire comme si de rien n'était. Certains, intimidés parce qu'il était le comte, n'oseraient rien lui dire. Mais pour Aliena il n'était que son stupide petit frère. Comme il s'approchait pour l'embrasser, elle le repoussa. « Comment as-tu eu l'audace de voler la carrière au prieuré ? »

Jack, voyant venir une querelle, prit les enfants par la main et s'éloigna.

« Toutes les propriétés sont restituées à ceux qui les possédaient..., répliqua Richard, piqué au vif.

— Je t'en prie, interrompit Aliena. Après tout ce que Philip a fait pour toi !

— Cette carrière m'appartient de droit », dit-il. Il prit sa sœur à part et lui murmura à l'oreille : « D'ailleurs, tu sais, j'ai besoin de l'argent que me rapportera la vente des pierres.

— Si tu ne passais pas ton temps à chasser !

— Mais que veux-tu que je fasse ?

— Rentabiliser la terre ! Il y a tant de travail ! Réparer les dégâts

502

causés par la guerre et la famine, introduire de nouvelles méthodes de culture, déblayer les bois et assécher les marécages. Voilà comment ta fortune augmentera! Pas en volant la carrière que le roi Stephen avait donnée au prieuré de Kingsbridge.

– Je n'ai jamais rien pris qui ne soit à moi.

– Dis plutôt que tu n'as jamais rien fait d'autre!» s'écria Aliena. Sa colère l'entraînait malgré elle. « Tu n'as jamais travaillé par toi-même. Tu as pris mon argent pour acheter tes armes, tu as accepté le poste que t'a confié Philip, tu as repris le comté quand je te l'ai offert sur un plateau. Maintenant, tu n'es même pas capable de le gouverner sans voler les biens d'autrui!» Elle tourna les talons et s'éloigna.

Richard se précipita derrière elle, mais quelqu'un l'intercepta pour lui demander de ses nouvelles. Quand Aliena arriva au pont, elle se retourna et vit son frère en conversation. Il lui fit signe qu'il voulait lui parler, mais qu'il était retenu. Elle regarda ses enfants en train de jouer avec leur père au soleil. Comment pouvait-elle songer à les séparer?

Elle franchit le pont et entra dans la ville; elle éprouvait le besoin d'être seule.

Elle avait trouvé une maison à Winchester, vaste, comportant une boutique au rez-de-chaussée, une salle au premier étage, une chambre à coucher séparée et un grand entrepôt au fond de la cour pour son tissu. Plus la date de son déménagement approchait, moins elle en avait envie.

Les rues de Kingsbridge étaient chaudes et poussiéreuses, l'air plein du bourdonnement des mouches qui se nourrissaient aux innombrables tas de crottin. Dans la ville déserte, il n'y avait pas une boutique d'ouverte, les maisons elles-mêmes étaient closes. Tout le monde était dans la prairie. Elle se rendit à la maison de Jack. C'était là que les autres viendraient quand les jeux seraient terminés. La porte de la maison était grande ouverte. Elle fronça les sourcils. Qui avait oublié de la fermer? Enfin, il n'y avait pas grand-chose à voler. Aliena ne gardait pas son argent ici. Depuis des années Philip la laissait utiliser le coffre du trésor du prieuré. Ce n'était donc pas les voleurs qu'elle craignait, mais plutôt l'envahissement des mouches.

Elle entra. Il faisait frais et sombre.

Alfred était assis à la table.

Aliena poussa un petit cri de frayeur, puis se reprit et demanda :
« Comment es-tu entré?

– J'ai une clé. »

Il la gardait depuis fort longtemps, nota Aliena. Elle l'examina. Ses larges épaules osseuses pointaient sous sa tunique et son visage semblait creusé.

« Que fais-tu ici? interrogea-t-elle.

– Je suis venu te voir. »

Elle s'aperçut qu'elle tremblait, non de peur mais de rage. « Je ne veux pas te voir ici, ni maintenant ni jamais, lança-t-elle. Tu m'as traitée comme un chien. Ensuite, quand Jack a pris pitié de toi et t'a engagé, tu as trahi sa confiance et tu as emmené tous ses artisans à Shiring.

– J'ai besoin d'argent, annonça-t-il, avec dans la voix un mélange de supplication et de provocation.

– Travaille.

– Les travaux de construction ont cessé à Shiring. Je ne peux pas non plus trouver de travail à Kingsbridge.

– Eh bien, va-t'en à Londres... ou à Paris! »

Il poursuivit avec un entêtement bovin : « Je pensais que tu m'aiderais...

– Il n'y a rien pour toi ici. Pars.

– Tu n'as donc pas pitié? » implora-t-il.

Elle s'appuya à la table car elle vacillait d'énervement. « Alfred, tu ne comprends donc pas que je te *déteste*?

– Pourquoi? » répliqua-t-il. Il paraissait réellement blessé – et surpris.

Mon Dieu, se dit-elle, il est stupide. « Va au monastère si tu veux la charité, reprit-elle d'un ton sec. La capacité de pardon du prieur Philip est surhumaine. La mienne non.

– Mais tu es ma femme », protesta Alfred.

C'était trop fort. « Je ne suis pas ta femme, siffla-t-elle. Tu n'es pas mon mari. Tu ne l'as jamais été. Maintenant sors d'ici. »

A la surprise d'Aliena, Alfred la saisit par les cheveux. « Tu es ma femme », répéta-t-il. Il l'attira vers lui en contournant la table et, de sa main libre, lui saisit un sein qu'il serra avec violence.

Aliena fut totalement prise au dépourvu. C'était la dernière chose à quoi elle s'attendait de la part d'un homme qui avait dormi dans la même pièce qu'elle pendant neuf mois sans jamais réussir

504

à avoir avec elle le moindre rapport amoureux. Elle poussa un cri et voulut s'écarter, mais il lui tenait solidement les cheveux. « Il n'y a personne pour t'entendre crier, dit-il. Tout le monde est de l'autre côté de la rivière. » Alors la peur tomba sur elle comme une chape de glace. Ils étaient seuls et il était très fort. Après les lieues qu'elle avait parcourues sur les routes, les voyages où elle avait risqué sa vie, voilà qu'elle était attaquée chez elle par l'homme qu'elle avait épousé !

Alfred lut la panique dans son regard et en profita : « Tu as peur, n'est-ce pas ? Allons, sois gentille. » Il l'embrassa sur la bouche. Elle lui mordit les lèvres aussi fort qu'elle put. Il poussa un rugissement de douleur.

Elle ne vit pas le coup de poing arriver. Il explosa sur sa joue avec une telle force qu'elle crut un instant avoir les os fracassés. Le choc l'aveugla, elle perdit l'équilibre et se sentit tomber. La paille sur le sol adoucit sa chute. Elle secoua la tête et voulut prendre le couteau qu'elle portait au bras gauche. Avant qu'elle ait pu dégainer, ses deux poignets étaient prisonniers et elle entendit la voix d'Alfred : « Je connais cette petite dague. Je t'ai vue te déshabiller, tu te rappelles ? » Il lui lâcha les mains, la frappa de nouveau au visage et saisit le poignard.

Aliena essaya de se dégager. Mais il lui bloquait les jambes. Soudain, la pointe de la dague brilla à un pouce de son œil. « Reste tranquille ou je t'arrache les yeux », prévint-il.

Elle se figea. L'idée d'être aveugle la terrifiait. Elle avait vu des hommes punis de cette façon. Ils passaient dans les rues en mendiant, fixant les passants de leurs orbites vides. Les jeunes garçons les harcelaient, les pinçaient et les faisaient trébucher. Les malheureux tournaient comme des toupies en essayant vainement d'attraper leurs bourreaux, qui riaient de leur jeu. Ils mouraient en général très tôt.

« Je pensais bien que ça te calmerait », remarqua Alfred.

Pourquoi cette attitude nouvelle ? Il ne l'avait jamais désirée. Était-ce simplement une vengeance parce qu'elle représentait un monde qui l'avait rejeté ?

Il se pencha en avant, accroupi sur elle, les genoux enserrant ses hanches, le couteau toujours braqué sur son œil. « Maintenant, dit-il, sois gentille. » Il l'embrassa de nouveau. Il lui écorchait la peau avec sa barbe mal rasée. Son haleine sentait la bière et les oignons. Aliena gardait les lèvres serrées.

505

« Tu n'es pas tendre, lui reprocha-t-il. Rends-moi mon baiser. » Il l'embrassa. Lorsque la pointe du couteau lui toucha la paupière, Aliena écarta les lèvres. Le goût d'Alfred lui donna la nausée. Il força sa langue entre les lèvres entrouvertes. Elle se sentait sur le point de vomir et fit un effort désespéré pour se maîtriser, de crainte qu'il ne la tue.

Il s'écarta un peu, gardant toujours le couteau braqué sur elle. « Maintenant, fit-il, donne ta main. » Il la guida sous sa tunique. Elle toucha son sexe. « Prends-le », ordonna-t-il. Elle obéit. « Maintenant, caresse-le doucement. »

Elle s'exécuta. L'idée lui vint que, si elle pouvait le satisfaire ainsi, cela lui éviterait peut-être le pire.

Elle regarda son visage congestionné, ses traits grossiers. Il avait fermé les yeux. Elle s'appliquait, se souvenant que cette caresse rendait Jack fou.

Aliena se mit à pleurer : et si après ça elle ne pouvait plus jamais...?

Le couteau se rapprocha. « Pas si fort ! » dit Alfred.

La porte s'ouvrit.

Le cœur d'Aliena bondit dans sa poitrine. Un rai de lumière traversa la pièce et l'éblouit à travers ses larmes. Alfred se figea. Elle retira sa main.

Ensemble ils regardèrent vers la porte. Qui était-ce ? Aliena ne voyait rien. Mon Dieu, pria-t-elle, je vous en prie, faites que ce ne soit pas un des enfants ; je mourrais de honte ! Elle entendit un rugissement rageur. C'était une voix d'homme. Essuyant ses larmes, elle reconnut son frère Richard.

Pauvre Richard : il aurait presque mieux valu que ce fût Tommy. Richard, qui n'avait plus qu'une cicatrice au lieu du lobe de son oreille gauche pour lui rappeler l'horrible scène dont il avait été témoin à quatorze ans. Voilà maintenant qu'il était témoin d'une autre. Comment allait-il le supporter ?

Alfred se relevait, mais Richard fut plus rapide que lui. Aliena vit son frère traverser d'un bond la petite pièce et lancer en avant son pied botté, touchant en pleine mâchoire Alfred qui alla s'effondrer contre la table.

Richard se précipita sur lui, bousculant Aliena au passage sans s'en apercevoir, et bourra Alfred de coups de pied et de coups de poing. Aliena s'écarta. Le visage de son frère exprimait une fureur

506

démente. Il ne regardait pas Aliena. Il ne se souciait pas d'elle, elle s'en rendit compte. Il se vengeait de ce que William et Walter lui avaient fait à lui, Richard, dix-huit ans auparavant. Alfred reculait sous les coups qui pleuvaient, de plus en plus durs, sans réussir à se protéger de ses bras. Richard lui enfonça le menton d'un puissant coup de poing et Alfred s'écroula en arrière.

Il gisait sur la paille, terrifié. Aliena essaya de calmer son frère mais il la repoussa et s'avança pour continuer de frapper Alfred. Celui-ci s'aperçut soudain qu'il avait toujours à la main le poignard d'Aliena. Il esquiva le coup, se releva d'une détente et fonça avec le couteau.

Surpris, Richard fit un bond en arrière. Alfred en profita pour le faire reculer jusqu'au fond de la pièce. Les deux hommes se valaient en taille et en force. Richard était un guerrier, mais Alfred était armé. Aliena soudain eut peur pour son frère. Qu'arriverait-il si Alfred l'emportait? Elle se retrouverait à sa merci.

Des yeux, elle chercha une arme. Son regard s'arrêta sur la pile de bois auprès de l'âtre. Elle s'empara d'une grosse bûche.

Alfred se jeta de nouveau sur Richard qui esquiva avant de saisir par le poignet le bras tendu d'Alfred et de tirer violemment. Alfred trébucha en avant, perdant l'équilibre. Richard le frappa à plusieurs reprises, des deux poings, très vite, au corps et au visage. Alfred gémissait en essayant d'éviter les coups.

Richard reprit son souffle. Aliena pensa que le combat allait se terminer là. Mais Alfred attaqua de nouveau, avec une surprenante rapidité, et cette fois la pointe du poignard effleura la joue de Richard. Celui-ci sauta en arrière. Alfred poussa son avantage, brandissant la dague. Aliena comprit qu'Alfred était capable de tuer Richard. Elle bondit, abattit la bûche de toutes ses forces. Elle manqua la tête mais frappa Alfred au coude droit. On entendit le craquement de l'os et Alfred laissa tomber le poignard. Comme un éclair Richard ramassa la dague d'Aliena et du même élan passa sous la garde d'Alfred qu'il frappa en pleine poitrine avec une force terrible. Un hurlement retentit.

La lame s'enfonça jusqu'au manche.

Aliena, horrifiée, vit Richard retirer le couteau. Le sang jaillit en saccades de la plaie qu'Alfred avait à la poitrine. Il ouvrit la bouche pour crier encore, mais aucun son ne sortit. Son visage devint blanc, puis gris, ses yeux se fermèrent et il s'effondra sur le sol, dans la paille inondée de sang.

507

Aliena s'agenouilla. Alfred respirait encore, mais la vie le quittait. Elle leva les yeux vers Richard planté au-dessus d'eux, le souffle rauque. « Il se meurt », annonça-t-elle.

Richard acquiesça, sans émotion excessive. « J'en ai vu mourir de meilleurs, dit-il. Et j'en ai tué qui le méritaient moins. »

Aliena, choquée de cette cruauté cynique, ne répliqua cependant rien. Cette scène lui remettait en mémoire la première fois que Richard avait tué un homme. C'était au cours de leur fuite sur la route de Winchester. Elle avait obligé Richard, qui n'avait que quinze ans, à assener le coup de grâce au voleur qui les avait attaqués. S'il a perdu toute pitié, se dit-elle avec remords, à qui la faute ?

Alfred ouvrit les yeux et regarda Aliena. Elle s'en voulait d'éprouver si peu de compassion pour le mourant. Mais lui-même n'avait jamais été compatissant, ni indulgent, ni généreux. Toute sa vie il avait nourri ses rancœurs et ses haines et n'avait pris plaisir qu'à des actes malveillants. Ta vie aurait pu être différente, Alfred, songea-t-elle. Tu aurais pu être bon avec ta sœur, pardonner à ton demi-frère d'être plus intelligent que toi. Tu aurais pu te marier par amour et non par vengeance. Tu aurais pu rester loyal au prieur Philip. Tu aurais pu être heureux.

Les pupilles d'Alfred se dilatèrent et il murmura : « Dieu, que ça fait mal ! »

Puis il ferma les yeux.

« Ça y est », annonça Richard.

Alfred ne respirait plus.

Aliena se releva. « Je suis veuve », déclara-t-elle.

Alfred fut enterré dans le cimetière du prieuré de Kingsbridge. Ainsi l'avait souhaité sa sœur Martha, sa seule parente par le sang à lui survivre. Elle était aussi la seule à éprouver quelque tristesse. Alfred n'avait jamais été bon avec elle et elle avait toujours cherché auprès de Jack, son demi-frère, amour et protection, mais elle désirait néanmoins une sépulture assez proche pour pouvoir se rendre de temps en temps sur la tombe. Lorsqu'on descendit le cercueil dans la terre, Martha seule pleura.

Jack semblait soulagé de la disparition d'Alfred. Tommy, debout auprès d'Aliena, s'intéressait à tout : c'était son premier enterrement et les rituels de la mort étaient nouveaux pour lui. Sally, pâle et mal à l'aise, serrait la main de Martha.

Richard assistait à la cérémonie. Pendant le service, il glissa à Aliena qu'il était venu demander à Dieu pardon d'avoir tué son beau-frère. Non qu'il eût le sentiment d'avoir mal agi, s'empressat-il d'ajouter : il voulait simplement prendre ses précautions.

Aliena, dont le visage meurtri portait encore la trace du dernier coup de poing d'Alfred, se remémorait le mort tel qu'elle l'avait vu la première fois, à son arrivée à Earlscastle avec son père, Tom le bâtisseur, et Martha, Ellen et Jack. Alfred était déjà la brute de la famille, grand, fort et sournois, avec un fond de méchanceté. Si Aliena avait imaginé qu'elle devrait l'épouser un jour, elle se serait jetée du haut des remparts. Elle n'avait pas pensé revoir ces gens après leur départ du château. Mais la vie les avait réunis à Kingsbridge. Alfred et elle avaient créé la guilde paroissiale, devenue une institution si importante dans la vie de la ville. C'est à cette époque-là qu'Alfred l'avait demandée en mariage. Elle l'avait d'abord repoussé, mais il avait trouvé le moyen de la manipuler et l'avait persuadée de l'épouser en promettant d'aider Richard. En repensant à tout cela, Aliena se rendait compte qu'Alfred avait mérité la frustration et l'humiliation de leur mariage. Cette mort ne l'attristait pas, au contraire. Plus question maintenant pour elle de partir vivre à Winchester, Jack et elle allaient pouvoir se marier sans tarder. Elle prenait un visage grave approprié à la situation, mais son cœur éclatait de joie.

Philip, avec sa capacité sans limite de pardonner à ceux qui l'avaient trahi, consentit à enterrer Alfred. Les cinq adultes et les deux enfants faisaient cercle autour de la tombe ouverte quand Ellen arriva.

Philip se crispa. Ellen, ayant jeté la malédiction sur un mariage chrétien, n'était pas bienvenue dans l'enceinte du prieuré; mais il ne pouvait guère lui interdire d'assister à l'inhumation de son beau-fils. D'ailleurs, le service était terminé et Philip se retira rapidement.

Aliena se désolait. Pourquoi fallait-il que Philip et Ellen, tous deux généreux et bons, fussent ennemis? Au fond, ils se montraient aussi intolérants l'un que l'autre.

Ellen avait vieilli : les rides étaient plus nombreuses sur son visage tout comme les fils gris dans sa chevelure, mais ses yeux dorés brillaient de vivacité et d'ardeur. Elle portait une tunique de cuir grossièrement cousue et rien d'autre, pas même des chaussures. Ses bras et ses jambes étaient hâlés et musclés. Tommy et Sally se bousculèrent pour l'embrasser. Jack l'étreignit avec chaleur.

Ellen tendit sa joue à Richard. « Vous avez bien fait. N'éprouvez pas de remords », dit-elle.

Elle s'immobilisa au bord de la tombe. « J'étais sa belle-mère. Je regrette de n'avoir pas su comment le rendre heureux. »

Quand elle se retourna, Aliena la serra dans ses bras. Ils repartirent tous à pas lents. « Voulez-vous rester un moment et dîner avec nous ? proposa Aliena.

— Avec plaisir, dit-elle en ébouriffant les cheveux roux de Tommy. J'aimerais parler à mes petits-enfants. Ils grandissent si vite. La première fois que j'ai rencontré Tom le bâtisseur, Jack avait l'âge de Tommy aujourd'hui. » Ils approchaient de la porte du prieuré. « Quand on vieillit, les années passent plus vite. Je crois... » Elle s'interrompit au milieu de sa phrase et s'arrêta.

« Qu'y a-t-il ? » interrogea Aliena.

Ellen fixait le poste de garde du prieuré. Les portes de bois étaient grandes ouvertes. La rue était déserte, à l'exception d'un groupe de petits enfants qui regardaient de l'autre côté quelque chose qu'on ne distinguait pas d'ici.

« Richard ! s'écria Ellen. N'y allez pas ! »

Le groupe s'arrêta. Aliena vit ce qui avait alarmé Ellen.

Richard fut prompt à réagir. « C'est un piège ! » dit-il et, sans hésiter, il s'enfuit en courant.

Aussitôt, une tête casquée se montra. Elle appartenait à un robuste homme d'armes qui, en voyant Richard courir vers l'église, poussa un cri d'alarme. Trois, quatre, cinq autres lui emboîtèrent le pas.

Stupéfaite Aliena fut saisie de frayeur : qui oserait attaquer le comte de Shiring ouvertement, et dans un prieuré ? Elle retint son souffle en regardant passer les poursuivants de Richard. Celui-ci sauta par-dessus le muret que les maçons étaient en train de construire. Les hommes d'armes le talonnaient. Les maçons s'arrêtèrent de travailler, geste suspendu, en voyant la course passer devant eux. Un apprenti, plus vif que les autres ou plus espiègle, tendit un manche de pelle devant l'un des poursuivants qui s'étala

510

de tout son long. Richard arrivait à la porte donnant sur le cloître. L'homme brandit son épée et, pendant un terrible instant, Aliena crut que la porte était fermée à clé et que Richard ne pourrait pas entrer. L'homme abattit son épée. Elle frappa le bois tandis que Richard claquait la porte derrière lui.

Aliena reprit son souffle.

Les hommes d'armes se groupèrent devant la porte, échangeant des avis incertains. Tout à coup, ils parurent se rendre compte de l'endroit où ils se trouvaient. Les artisans leur lançaient des regards hostiles en agitant leurs marteaux et leurs haches. Ils étaient près d'une centaine contre cinq hommes d'armes.

Jack demanda brusquement : « Qui diable sont ces gens ? »

Une voix derrière lui répondit : « Ce sont les hommes du shé-rif. »

Aliena fit un bond. Elle ne connaissait que trop bien cette voix. Là, à la porte, monté sur un étalon noir, armé et revêtu d'une cotte de mailles, se dressait William Hamleigh. Le sang d'Aliena se figea.

« Disparais, méprisable insecte », lança Jack.

William rougit sous l'insulte, mais ne bougea pas. « Je suis venu procéder à une arrestation.

— Vas-y. Les hommes de Richard te mettront en pièces.

— Il n'aura plus d'hommes quand il sera en prison.

— Pour qui te prends-tu ? Un prévôt ne peut pas mettre un comte en prison.

— Il le peut, pour meurtre. »

Aliena tressaillit. « Il n'y a pas eu meurtre ! s'exclama-t-elle.

— Mais si, répliqua William. Le comte Richard a tué Alfred le bâtisseur. Il faut que j'informe le prieur Philip qu'il donne l'asile à un meurtrier. »

William éperonna son cheval et traversa la nef inachevée, se dirigeant vers la cour des cuisines où l'on recevait les laïcs. Aliena le suivit d'un regard incrédule. Sa méchanceté n'avait d'égale que sa perversité. Le malheureux Alfred, qu'on venait tout juste de mettre en terre, avait fait beaucoup de mal par petitesse d'esprit et faiblesse de caractère. Mais William était un véritable serviteur du diable. Quand, se demanda Aliena, serons-nous débarrassés de ce monstre ?

Les hommes d'armes rejoignirent le shérif dans la cour de la cuisine et l'un d'eux frappa à la porte du pommeau de son épée. Les bâtisseurs quittèrent le chantier et se regroupèrent, gros marteaux et ciseaux affûtés en main, pour surveiller d'un œil mauvais les intrus. Aliena demanda à Martha d'emmener les enfants à la maison; Jack et elle restèrent avec les maçons.

Le prieur Philip apparut à la porte de la cuisine. Il était plus petit que William et, dans son léger habit d'été, il semblait bien frêle auprès du grand gaillard à cheval, revêtu de sa cotte de mailles; mais il y avait sur le visage de Philip une expression qui le rendait beaucoup plus impressionnant que William.

« Vous abritez un fugitif..., commença celui-ci.

— Sortez d'ici! » interrompit Philip d'une voix glaciale.

William insista. « Il y a eu un meurtre...

— Sortez de mon prieuré! cria Philip.

— Je suis le shérif...

— Le roi lui-même ne peut amener des fauteurs de violence dans l'enceinte d'un monastère! Sortez! »

Les maçons commençaient à murmurer entre eux. Les hommes d'armes les regardaient nerveusement. « Comme tout le monde, reprit William, le prieur de Kingsbridge doit répondre au shérif.

— Pas dans ces conditions! Faites évacuer vos hommes! Laissez vos armes à l'écurie. Lorsque vous serez prêt à vous comporter comme un humble pécheur dans la maison de Dieu, vous pourrez entrer au prieuré; alors le prieur répondra à vos questions. »

Philip rentra dans la cuisine et claqua la porte.

Les bâtisseurs l'acclamèrent.

Aliena eut envie de les imiter. Depuis toujours, William représentait pour elle une image de puissance et de terreur. De le voir défié par le prieur Philip l'emplissait de joie.

Mais William ne s'avouait pas vaincu. Il descendit de son cheval. Lentement, il dégrafa son ceinturon et le tendit à l'un de ses hommes. Il leur adressa à voix basse quelques mots et ils se retirèrent, emportant son épée. William frappa de nouveau à la porte de la cuisine.

« Ouvrez au shérif! » cria-t-il.

Philip réapparut. Il toisa William qui se tenait maintenant désarmé dans la cour; puis il regarda les hommes d'armes groupés autour de l'entrée, au fond de l'enclos. « Eh bien? demanda-t-il.

— Vous hébergez un meurtrier au prieuré. Livrez-le-moi.

« Il n'y a pas eu de meurtre à Kingsbridge, répondit Philip.

— Le comte de Shiring a tué, voilà quatre jours, Alfred le bâtisseur.

— Faux, riposta Philip. Richard a bien tué Alfred, mais ce n'était pas un meurtre. Alfred a été surpris en pleine tentative de viol. »

Aliena frissonna.

« De viol? dit William. Qui a-t-il tenté de violer?

— Aliena.

— Mais elle est sa femme! s'exclama William, triomphant. Comment un homme peut-il violer sa femme? »

Aliena voyait la direction que prenait l'argumentation de William et la fureur bouillait en elle.

« Ce mariage, poursuivit Philip, n'a jamais été consommé, elle en a demandé l'annulation.

— Qui ne lui a jamais été accordée. Le couple a été marié à l'église. Il l'est toujours, d'après la loi. Il n'y a pas eu viol. Au contraire. »

William se retourna brusquement et désigna Aliena du doigt. « Voilà des années qu'elle cherche à se débarrasser de son mari et elle a fini par convaincre son frère de l'aider à le faire, en le poignardant à mort avec sa dague à elle! »

La main glacée de la peur serrait le cœur d'Aliena. L'histoire qu'on venait d'entendre était un abominable mensonge, mais pour quelqu'un qui n'avait pas vraiment vu ce qui s'était passé, elle collait aux faits de façon aussi plausible que la vérité. Richard se trouvait dans un mauvais pas.

« Le shérif, continua Philip, ne peut pas arrêter le comte. »

C'est vrai, se dit Aliena. Elle avait oublié ce point.

William tira un rouleau de parchemin de sa poche. « J'ai un décret royal. Je l'arrête au nom du roi. »

Aliena reçut un coup au cœur. Décidément, William avait pensé à tout. « Comment a-t-il réussi ce tour de force? murmura-t-elle.

— Il a été très rapide, répondit Jack. Il a dû galoper jusqu'à Winchester dès qu'il a appris la nouvelle. »

Philip tendit la main. « Montrez-moi ce décret. »

William le lui tendit. Ils étaient éloignés de quelques toises l'un de l'autre. Il y eut une brève hésitation, car aucun des deux ne voulait bouger; puis William céda et fit quelques pas pour remettre le parchemin à Philip.

513

Le prieur le lut et le rendit. « Cela ne vous donne pas le droit d'attaquer un monastère.

– Cela me donne le droit d'arrêter Richard.

– Il m'a demandé asile.

– Ah ! » William ne parut pas surpris. Il hocha la tête, comme s'il venait d'avoir confirmation de quelque chose d'inévitable, et recula de deux ou trois pas. Lorsqu'il reprit la parole, ce fut d'une voix plus forte, destinée à se faire entendre de tous. « Faites-lui savoir qu'il sera arrêté dès l'instant où il quittera le prieuré. Mes adjoints seront postés dans la ville et devant son château. N'oubliez pas..., ajouta-t-il en s'adressant à la foule assemblée, n'oubliez pas que quiconque s'attaque à un adjoint du shérif s'attaque à un serviteur du roi. » Il se retourna vers Philip. « Dites-lui qu'il peut rester en cet asile aussi longtemps qu'il lui plaît, mais que s'il veut partir il devra affronter la justice. »

Le silence se fit. William descendit lentement les marches et traversa la cour. Ses paroles avaient sonné aux oreilles d'Aliena comme une sentence d'emprisonnement. La foule s'écarta devant lui. En passant près d'Aliena, William lui lança un coup d'œil satisfait. Sous le regard de toute l'assistance devenue muette, il remonta à cheval, jeta un ordre et s'éloigna au trot, laissant deux de ses hommes en faction à la porte.

Quand Aliena se retourna, Philip était auprès d'elle, ainsi que Jack. « Allez jusqu'à ma maison, dit-il calmement. Nous devons discuter. » Il rentra dans la cuisine. Aliena eut l'impression qu'il était secrètement ravi.

L'incident terminé, l'agitation retomba et les bâtisseurs retournèrent au travail. Ellen regagna la maison pour voir ses petits-enfants. Aliena et Jack traversèrent le cimetière, évitant le site du chantier, et se rendirent chez Philip, qui n'était pas encore là. Ils s'assirent sur un banc pour l'attendre. Sentant l'anxiété d'Aliena, Jack la prit par les épaules d'un geste rassurant.

D'un coup d'œil autour d'elle, Aliena constata qu'année après année, la maison de Philip devenait un peu plus confortable. Quoique bien démunie comparée, par exemple, aux appartements d'un comte dans un château, elle n'était plus aussi austère que jadis. Devant le petit autel dans un coin, un tapis protégeait désormais les genoux du prieur durant les longues nuits de prière, et sur le mur derrière l'autel était accroché un crucifix d'argent incrusté de joyaux, coûteuse offrande d'un fidèle, sans doute.

Il arriva bientôt, suivi d'un Richard fort agité, qui prit aussitôt la parole. « William ne sait pas ce qu'il dit! C'est faux! J'ai trouvé Alfred en train d'essayer de violer ma sœur – il avait un couteau à la main. Il a failli me tuer!

– Calme-toi, dit Philip. Parlons posément et essayons de déterminer les risques, s'il y en a. Asseyons-nous, pour commencer. »

Richard obéit, sans s'arrêter de discourir. « Les risques? Il n'y a pas de risques. Un shérif ne peut emprisonner un comte pour aucun délit, même pour meurtre.

– Il va essayer, assura Philip. Il a des hommes en faction devant le prieuré. »

Richard eut un geste désinvolte. « Je suis capable de passer devant les hommes de William les yeux bandés. Ce n'est pas un problème. Jack m'attendra devant le mur de la ville avec un cheval.

– Et quand tu auras gagné Earlscastle? interrogea Philip.

– Même chose. Je peux me faufiler au nez et à la barbe des sbires de William. Ou bien demander aux miens de venir à ma rencontre.

– Admettons, dit Philip. Et ensuite?

– Ensuite? dit Richard. Rien. Que peut faire William?

– Eh bien, il détient un décret royal qui te commande de répondre à une accusation de meurtre. Il essaiera de t'arrêter chaque fois que tu quitteras le château.

– Je garderai partout une escorte permanente.

– Et quand tu tiendras tribunal à Shiring ou ailleurs?

– Même chose.

– Mais t'obéira-t-on, sachant que toi-même tu es un fugitif devant la loi?

– Je le conseille à tous, dit Richard d'un ton menaçant. On devrait se rappeler comment William faisait appliquer ses décisions lorsque c'était lui le comte.

– Les gens n'ont peut-être pas aussi peur de toi que de William. Ils pourraient penser que tu es moins sanguinaire et moins mauvais. J'espère qu'ils auront raison de le croire.

– Ne comptez pas là-dessus. »

Aliena se rembrunit. Le pessimisme n'était pas le genre de Philip – à moins qu'il n'eût un bon motif. Elle le soupçonna de préparer le terrain pour quelques plans qu'il gardait dans sa manche. Et pourquoi pas, songea-t-elle, l'histoire de la carrière?

515

« Mon principal souci, expliquait Philip, c'est le roi. En refusant de répondre à l'accusation, tu défies la couronne. Voilà un an, je t'aurais dit : vas-y, défie-la. Maintenant que la guerre est finie, ce ne sera plus aussi facile pour les comtes d'en faire à leur tête.

— J'ai l'impression, intervint Jack, que tu dois répondre à l'accusation, Richard.

— Surtout pas, protesta Aliena. Il n'a aucun espoir.

— Elle a raison, approuva Philip. L'affaire serait jugée devant le tribunal royal. Les faits sont déjà connus : Alfred a essayé de prendre Aliena de force, Richard est arrivé, ils se sont battus et Richard a tué Alfred. Tout dépend de l'interprétation. William, fidèle partisan du roi Stephen, déposant plainte, Richard, un des plus fidèles alliés du duc Henry, sera sans doute reconnu coupable. Pourquoi le roi Stephen a-t-il signé le décret? Sans doute parce qu'il a décidé de se venger de Richard qui l'a combattu. La mort d'Alfred lui fournit un prétexte parfait.

— Il faut demander au duc Henry d'intervenir », suggéra Aliena.

Ce fut à Richard d'objecter : « Je ne peux pas compter sur lui, car il réside en Normandie. Qu'il écrive une lettre de protestation, à quoi cela m'avancerait-il? Bien sûr, il pourrait traverser la Manche avec une armée, mais du coup il violerait le traité de paix. Je ne pense pas qu'il prenne ce risque-là pour moi. »

Aliena ne savait plus à quel saint se vouer. « Oh! Richard, te voilà pris dans un piège terrible, tout cela parce que tu m'as sauvée.

— Je le ferais encore, déclara-t-il avec son plus charmant sourire.

— Je le sais bien. » Elle le pensait. Malgré tous ses défauts, il était brave. Ce problème insoluble qui l'accablait juste après qu'il eut reconquis ses terres, c'était injuste. Dans son rôle de comte, il décevait Aliena, il la décevait terriblement. Mais il ne méritait pas cela.

« Eh bien, reprit-il, je n'ai guère de choix! Soit je reste au prieuré jusqu'à ce que le duc Henry devienne roi, soit je suis pendu pour meurtre. Je me ferais bien moine si les moines ne mangeaient pas tant de poisson!

— Il y a peut-être une autre solution », dit Philip.

Aliena le regarda. Elle se doutait qu'il avait un plan. S'il pou-

516

vait résoudre les difficultés de Richard, elle lui en serait reconnaissante à jamais.

« Tu pourrais faire une pénitence, continua Philip.

– Manger du poisson, peut-être ? » répliqua Richard avec insolence.

Philip ne releva pas.

« Je pense à la Terre sainte », dit-il.

Le silence tomba dans la pièce. La Palestine était gouvernée par le roi de Jérusalem, Baudouin III, un chrétien d'origine française, sans cesse attaqué par les pays musulmans voisins, notamment l'Égypte au sud et Damas à l'est. Un voyage de six mois à un an, l'engagement dans les rangs des armées défendant le royaume chrétien, voilà le genre de pénitence qui laverait l'âme d'un meurtrier. Aliena ne se sentit guère soulagée : on ne revenait pas toujours de Terre sainte. Pendant des années elle avait tremblé pour Richard. La Terre sainte n'était sans doute pas plus dangereuse que l'Angleterre. Elle rongerait son frein un peu plus longtemps.

« Le roi de Jérusalem a toujours besoin d'hommes », en effet, dit enfin Richard. Régulièrement, des émissaires du pape faisaient le tour du pays, évoquant les batailles et la gloire qu'on gagnait à défendre la chrétienté, s'efforçant d'inspirer chez les jeunes l'enthousiasme sacré. « Mais je viens à peine de retrouver mon comté, poursuivit-il. Qui s'occupera de mes terres pendant mon absence ?

– Aliena », dit Philip.

Aliena n'en crut pas ses oreilles. Philip proposait qu'elle prenne la place du comte et gouverne comme l'avait fait son père... La proposition la laissa un moment abasourdie, mais dès qu'elle eut repris ses esprits, elle sut qu'il avait raison. Quand un homme partait pour la Terre sainte, c'était généralement sa femme qui s'occupait du domaine. Il n'y avait pas de raison pour qu'une sœur ne remplît pas le même rôle. Elle régnerait sur le comté comme elle avait toujours pensé qu'il fallait le faire, dans un esprit de justice, d'ouverture et d'imagination. Elle ferait tout ce que Richard, hélas, n'avait pas su faire. Son cœur se mit à battre plus vite à cette perspective. Elle essaierait des idées nouvelles, elle labourerait avec des chevaux au lieu de bœufs, elle planterait des semailles de printemps d'avoine et de pois sur les terres en jachère. Elle défricherait les champs à l'abandon, elle installerait de nouveaux marchés et, enfin, elle rouvrirait la carrière à Philip...

517

Évidemment, le prieur y avait déjà pensé. De toutes les habiles machinations conçues par Philip au long des années, c'était sans doute la plus ingénieuse. D'un coup, il résolvait trois problèmes : il tirait Richard d'affaire, il confiait à quelqu'un de compétent la charge du comté et il obtenait enfin sa carrière.

« Je ne doute pas, reprit Philip, que tu ne sois le bienvenu auprès du roi Baudoin — surtout si tu pars avec des chevaliers et des hommes armés, inspirés par la vocation sacrée. Ce sera ta petite croisade. » Il marqua un temps. « Là-bas, William ne pourra jamais t'atteindre et tu reviendras en héros. Personne n'osera réclamer ta mort.

— La Terre sainte », murmura Richard dont les yeux se mirent à briller de rêves de gloire et de combats. Oui, c'était la bonne solution, songea Aliena. Il ne savait pas gouverner le comté. C'était un soldat qui avait besoin de se battre. Elle vit à l'expression lointaine de son regard qu'en esprit il était déjà là-bas, défendant contre une horde de païens une redoute sablonneuse, l'épée à la main, une grande croix rouge sur son bouclier, sous un soleil brûlant.

Il était heureux.

9

Toute la ville assista au mariage.

Aliena ne s'y attendait pas : la plupart des gens les traitaient pratiquement, elle et Jack, comme s'ils étaient déjà mariés et elle avait cru qu'ils considéreraient la cérémonie comme une simple formalité. Elle comptait sur un petit groupe d'amis, pour la plupart de son âge et quelques compagnons artisans de Jack. Mais hommes, femmes et enfants, tout le monde à Kingsbridge voulut être de la fête. Elle était touchée de leur présence. Ils paraissaient tous si heureux pour elle. Elle se rendit compte qu'ils avaient compati pendant des années à son triste sort, même s'ils avaient eu la discrétion de ne pas lui en parler. Et maintenant, ils partageaient sa joie de la voir épouser enfin l'homme qu'elle aimait depuis si longtemps. Elle traversa les rues au bras de son frère Richard, éblouie par les sourires qui la suivaient, ivre de bonheur.

Richard partait le lendemain pour la Terre sainte. Le roi Stephen avait accepté cette solution : en fait, il était soulagé d'être si facilement débarrassé de Richard. Le shérif William enrageait car il venait de perdre sa seule chance de déposséder Richard du comté. Quant à Richard lui-même, il avait hâte d'être parti.

Ce n'était pas ce que son père aurait souhaité pour ses enfants, pensait Aliena en pénétrant dans l'enclos du prieuré : Richard combattant en terre lointaine et Aliena jouant le rôle de comte. Mais elle ne se sentait plus obligée de dépendre des volontés paternelles. Bartholomew était mort depuis dix-sept ans. D'ailleurs, elle savait une chose qu'il n'avait jamais supposée : elle serait un bien meilleur comte que Richard.

Elle avait déjà pris les rênes du pouvoir. Les serviteurs du château, devenus paresseux après des années de gestion indolente, elle les avait réveillés. Elle avait réorganisé les magasins, fait repeindre la grande salle, nettoyé la boulangerie et la brasserie. La cuisine était si crasseuse qu'elle l'avait brûlée pour en bâtir une nouvelle. Elle avait commencé à payer elle-même les gages hebdomadaires, pour bien montrer qui commandait ; et elle avait congédié trois hommes d'armes pour ivresse persistante.

De plus, elle avait donné ordre qu'on construise un nouveau château, à une heure de cheval de Kingsbridge. Earlscastle était trop loin de la cathédrale. Jack avait élaboré le plan. Ils s'y installeraient dès que le donjon serait construit. En attendant, ils se partageraient entre Earlscastle et Kingsbridge.

Jack et Aliena avaient déjà passé plusieurs nuits ensemble, dans l'ancienne chambre d'Aliena à Earlscastle, loin du regard sévère de Philip. Comme de jeunes mariés, ils étaient emportés par une insatiable passion. Pour la première fois ils avaient une chambre dont la porte fermait à clé. Ce privilège était une extravagance de seigneurs. Les gens dormaient et faisaient l'amour dans la salle commune, en bas. Même les couples possédant une maison risquaient à tout instant d'être surpris par leurs enfants, leurs parents ou des voisins qui passaient : on ne fermait sa porte à clé que quand on sortait, pas quand on était à l'intérieur. Aliena avait fait comme tout le monde, mais elle découvrait maintenant le plaisir particulier de se savoir à l'abri des regards.

Jack l'attendait dans la nef inachevée de la cathédrale en compagnie de Martha, Tommy et Sally. Lors des mariages, les couples échangeaient leurs vœux sur le portail de l'église, puis entraient pour entendre la messe. Cette fois, la première travée de la nef tiendrait lieu de portail. Aliena éprouvait de la joie et de la fierté à se marier dans l'église que Jack construisait. Sa cathédrale serait comme lui : gracieuse, inventive, gaie, sans ressemblance aucune avait ce qu'on avait vu jusque-là.

Elle le regarda tendrement. Il avait trente ans. Il était si bel homme, avec sa crinière de cheveux roux et ses yeux bleus étincelants. Le vilain petit garçon était tombé amoureux d'elle dès le premier jour, il y avait presque vingt ans. Vingt années...

Peut-être n'aurait-elle jamais revu Jack sans le prieur Philip, qui entrait maintenant dans l'église, venant du cloître, et s'avançait en souriant dans la nef. Il avait l'air sincèrement ravi de ce dénouement. Elle repensa à leur première rencontre, elle en plein désespoir parce que le marchand de laine avait essayé de la tromper après tous les efforts qu'elle avait dépensés pour rassembler son sac de toisons. Elle se rappelait sa gratitude envers le jeune moine aux cheveux noirs qui l'avait sauvée. « Je vais vous acheter votre laine... » Ses paroles lui résonnaient encore aux oreilles. Le moine avait les cheveux gris aujourd'hui.

Il l'avait sauvée, puis il l'avait accablée en obligeant Jack à choisir entre elle et la cathédrale. Sa moralité était rigoureuse. Comme le père d'Aliena, il faisait une nette distinction entre le bien et le mal. Mais il avait tenu à célébrer lui-même le mariage.

Ellen avait jeté sur la première union d'Aliena une malédiction qui avait eu des résultats. Aliena s'en félicitait. Si son mariage avec Alfred n'avait pas été absolument insupportable, peut-être vivrait-elle encore avec lui. L'idée que la vie aurait pu prendre un cours différent lui donnait des frissons, comme un mauvais rêve. Elle se rappela la jolie petite Arabe de Tolède amoureuse de Jack : et s'il l'avait épousée ? Aliena serait arrivée à Tolède avec son bébé dans les bras pour trouver Jack installé dans une douillette vie domestique. Cette seule pensée la faisait défaillir.

Elle marmonna le Notre Père. Il lui paraissait inconcevable aujourd'hui de penser que, quand elle était venue s'installer à Kingsbridge, elle n'avait pas prêté plus d'attention à Jack qu'au chat du marchand de grains. Mais lui l'avait remarquée. Il avait deviné que pour toucher son cœur il valait mieux aborder la jeune fille en ami qu'en amant. A force de lui entendre raconter des histoires passionnantes, elle s'était mise à l'aimer sans s'en apercevoir. Elle se souvenait du premier baiser, si léger, qui lui avait brûlé les lèvres pendant des semaines. Et encore plus le second. Chaque fois qu'elle entendait le grondement du moulin à fouler, elle se souvenait de cette vague inconnue de désir qui avait déferlé en elle.

Comme elle s'en voulait encore d'avoir montré ensuite tant de froideur ! Jack l'aimait totalement et sincèrement. Avait-elle eu si peur ? Elle s'était détournée de lui, ce qui avait profondément blessé le garçon. La cicatrice demeurait, elle le sentait parfois à la façon dont il la regardait quand, au cours d'une querelle, elle adoptait un ton glacial. Les yeux de Jack disaient : « Oui, je te connais, je connais ta dureté. Tu peux me faire du mal. Il faut que je sois sur mes gardes. »

Qu'y avait-il dans ses yeux, maintenant, tandis qu'il promettait de l'aimer et de lui rester fidèle jusqu'à la fin de ses jours ? Les raisons ne lui ont pas manqué de douter de moi, songea-t-elle. J'ai épousé Alfred : quelle plus grande trahison pouvais-je commettre ? Tout de même, elle considérait qu'elle méritait le pardon, elle qui avait parcouru la moitié de la chrétienté pour retrouver Jack.

A son tour, elle prononça la promesse, répétant les mots après Philip et s'émerveillant de les trouver aussi beaux. Jack lui passa l'anneau au doigt. Voilà le moment que j'ai attendu toute ma vie, songea-t-elle. Leurs regards se croisèrent. Quelque chose en lui avait changé, elle le sentait. Elle comprit que jusqu'à cet instant il n'avait jamais été vraiment sûr d'elle. Maintenant, il semblait profondément satisfait.

« Je t'aime, dit-il. Je t'aimerai toujours. »

C'était sa promesse à lui. Le reste n'était que religion. Mais maintenant que les mots sacrés étaient échangés, Aliena se rendit compte qu'elle non plus, jusque-là, n'était pas sûre de lui.

Dans un instant ils allaient s'avancer dans la croisée pour entendre la messe; après, ils recevraient les félicitations et les vœux de bonheur des habitants de la ville qui les ramèneraient chez eux en cortège, leur prodigueraient nourriture et bière. Mais ce bref instant était pour eux seuls. Le regard de Jack disait : *Toi et moi, ensemble, toujours.* Aliena pensa : *Enfin!*

Un instant de paix parfaite.

SIXIÈME PARTIE
1170-1174

1

Kingsbridge se développait de plus en plus. La ville avait depuis longtemps débordé de ses murailles d'origine, qui n'abritaient maintenant qu'à peine la moitié des maisons. Cinq ans plus tôt, la guilde avait fait bâtir une nouvelle muraille, englobant les faubourgs qui s'étaient créés devant la vieille ville, et aujourd'hui d'autres s'étendaient devant le nouveau mur. La prairie, de l'autre côté de la rivière, où autrefois l'on fêtait traditionnellement le 1er août et le milieu de l'été, était maintenant un petit village du nom de Newport.

Par un froid dimanche de Pâques, le shérif William Hamleigh traversa Newport et franchit le pont de pierre menant à ce qu'on appelait aujourd'hui la vieille ville de Kingsbridge.

On allait le jour même consacrer la cathédrale récemment terminée. Il franchit les formidables portes des remparts et remonta la grand-rue qu'on venait de paver. Elle était bordée de chaque côté uniquement de maisons de pierre, constituées de boutiques surmontées d'appartements, Kingsbridge était plus grande, plus active et plus riche que Shiring ne l'avait jamais été, songea amèrement William.

Au bout de la rue, il tourna dans l'enceinte du prieuré. Là, devant ses yeux, se dressait ce qui expliquait l'ascension de Kingsbridge et le déclin de Shiring : la cathédrale.

Elle était extraordinaire.

La nef, d'une hauteur jamais atteinte, était soutenue par une rangée d'élégants arcs-boutants. La façade ouest comprenait trois énormes portiques et des rangées de hautes fenêtres en ogive, flan-

527

quées de tours élancées. La conception de l'édifice se devinait déjà dans les transepts, terminés dix-huit ans plus tôt, mais on pouvait maintenant contempler l'édifice dans son unité. Jamais on n'avait rien vu de pareil en Angleterre.

Le marché se tenait toujours tous les dimanches sur la pelouse devant l'église, bourrée d'éventaires. William mit pied à terre et laissa Walter s'occuper des chevaux. Il traversa en boitillant la place. A cinquante-quatre ans, il était gras et souffrait constamment de la goutte, ce qui le maintenait dans une mauvaise humeur permanente.

L'église était encore plus impressionnante vue de l'intérieur. La nef imitait le style des transepts, mais le maître bâtisseur avait raffiné en réalisant des colonnes encore plus minces et des fenêtres encore plus grandes. Ce n'était pas la seule innovation. William avait entendu parler de verres colorés préparés par des spécialistes que Jack Jackson avait fait venir de Paris.

William s'était toujours demandé pourquoi on en faisait tant de cas, car il imaginait une fenêtre colorée comme une tapisserie ou une peinture. Là, devant celles de la cathédrale, il comprenait maintenant l'admiration qu'elles suscitaient. La lumière de l'extérieur brillait à travers le verre de couleur en l'illuminant et l'effet était magique.

L'église était bondée pour la messe de Pâques. Comme toujours, le marché débordait jusqu'à l'intérieur de l'église et, pendant qu'il remontait le long de la nef, William se vit proposer de la bière fraîche, du pain d'épices bien chaud et une petite faveur rapide contre le mur pour trois pence. Le clergé s'obstinait à chasser les colporteurs des églises, mais en vain. William échangea vaguement des salutations avec les notables du comté, l'esprit occupé par ce qu'il voyait : les lignes fuyantes de l'arcade, les arcs et les fenêtres, les piliers avec leurs bouquets de colonnes, les nervures et les segments de la voûte, tout s'élançait vers le ciel, rappelant la raison même de l'édifice.

Le sol était dallé, les piliers étaient peints et chaque fenêtre avait ses vitraux. Kingsbridge et son prieuré étaient riches, la cathédrale proclamait leur prospérité. Dans les petites chapelles des transepts, on pouvait voir des chandeliers d'or et des croix rehaussées de joyaux. Les citoyens aussi faisaient étalage de leurs richesses, sortant des tuniques richement colorées, des broches et des boucles d'argent, et des anneaux d'or.

Le regard de William tomba sur Aliena.

Comme toujours, il eut un coup au cœur. Elle était aussi belle que jamais, bien qu'elle eût passé maintenant cinquante ans. La masse de ses cheveux bouclés était coupée plus courte et semblait d'un brun un peu plus clair, comme légèrement fané. Quelques charmantes rides se dessinaient au coin de ses yeux. Qu'elle était désirable! Elle portait un manteau bleu doublé de soie rouge et des chaussures de cuir rouge. Une foule déférente l'entourait. Bien qu'elle ne fût même pas comtesse, mais seulement la sœur du comte, pour l'heure en Terre sainte, tout le monde la traitait comme si elle portait le titre. Elle avait l'allure d'une reine.

Sa seule vision faisait jaillir la haine comme une poussée de bile dans le ventre de William. Il avait ruiné son père, il l'avait violée, il lui avait pris son château, brûlé sa laine et exilé son frère. Mais, chaque fois qu'il croyait l'avoir écrasée, elle se relevait pour atteindre à de nouveaux sommets de puissance et de richesse. William, vieillissant, gras et goutteux, se rendait compte qu'il avait passé sa vie victime d'un terrible enchantement.

Près d'elle se tenait un grand gaillard aux cheveux roux que William prit tout d'abord pour Jack. Mais il reconnut bientôt le fils de Jack, en tenue de chevalier et portant une épée. Jack était à côté, plus petit d'un ou deux pouces et les tempes un peu dégarnies. Plus jeune qu'Aliena d'environ cinq ans, si William avait bonne mémoire, lui aussi avait des rides autour des yeux. Il parlait avec animation à une jeune femme ressemblant à Aliena. Sa fille évidemment. Son abondante chevelure était sévèrement coiffée en tresses et elle était vêtue de façon très simple. Si un corps voluptueux se cachait sous cette tunique couleur de terre, elle ne voulait le faire savoir à personne.

La rancœur lui brûlait l'estomac tandis que William contemplait cette famille heureuse, prospère et digne. Tout ce qu'ils avaient aurait dû être à lui. Mais il n'avait pas perdu l'espoir de se venger.

Les voix de plusieurs centaines de moines s'élevèrent, noyant le brouhaha des conversations et les cris des marchands. Le prieur Philip pénétra dans l'église, en tête de la procession. Il n'y avait pas autant de moines autrefois, se dit William. Le prieuré s'était développé avec la ville. Philip, qui avait aujourd'hui plus de soixante ans, était presque complètement chauve et il avait un peu engraissé, si bien que son visage autrefois maigre s'était arrondi. Naturellement, il arborait un air de satisfaction : la consécration de cette cathédrale avait été son but depuis qu'il était arrivé à Kingsbridge, trente-quatre ans plus tôt.

Un murmure accueillit l'arrivée de l'évêque Waleran, vêtu de ses atours les plus somptueux. Son visage pâle et anguleux était figé dans une expression parfaitement neutre, mais William savait qu'il bouillonnait intérieurement. Cette cathédrale était le triomphant symbole de la victoire de Philip sur Waleran. William avait beau détester Philip, il se réjouissait quand même en secret de voir pour une fois humilié le dédaigneux évêque Waleran.

On voyait rarement l'évêque à Kingsbridge. On avait fini par construire une nouvelle église à Shiring – avec une chapelle dédiée à la mémoire de la mère de William – et, bien qu'elle fût loin d'être aussi vaste et impressionnante que cette cathédrale, Waleran en avait quand même fait son quartier général.

C'était, cependant, Kingsbridge qui demeurait l'église cathédrale, malgré tous les efforts de Waleran. Au long d'une guerre prolongée durant plus de trois décennies, Waleran avait fait tout ce qu'il pouvait pour détruire Philip. A la fin, c'était le prieur qui avait triomphé. Un peu comme dans le cas de William et Aliena. Ici comme là, la faiblesse et les scrupules avaient vaincu, au bout du compte, la force et la cruauté. William n'admettait pas cette réalité.

Waleran était obligé, en dépit de lui-même, d'assister à la cérémonie de consécration : son absence aurait semblé extrêmement bizarre, compte tenu des célébrités invitées. Plusieurs évêques des diocèses voisins s'étaient dérangés ainsi qu'un grand nombre d'abbés et de prieurs fort connus.

L'archevêque de Canterbury, Thomas Becket, ne paraîtrait pas. En pleine querelle avec son vieil ami, le roi Henry, une querelle âpre et farouche, l'archevêque avait dû fuir le pays pour se réfugier en France. Les deux hommes s'opposaient sur toute une série de points juridiques, mais le cœur de leur conflit était plus simple : le roi pouvait-il agir à son gré ou bien devait-il respecter des contraintes ? C'était la lutte que William lui-même avait eue avec le prieur Philip. William était d'avis que le comte avait tous les droits : c'était le privilège du titre justement. Henry était du même avis en ce qui concernait la royauté. Le prieur Philip et

Thomas Becket entendaient tous les deux restreindre le pouvoir des dirigeants.

L'évêque Waleran, quoique homme d'Église, penchait du côté des gouvernants. Pour lui, le pouvoir était fait pour être utilisé. Trente ans de défaites n'avaient pas ébranlé sa conviction d'être l'instrument de la volonté de Dieu, pas plus que son impitoyable détermination à accomplir son devoir sacré. William était certain qu'au moment même où il célébrait la messe de consécration de la cathédrale, il cherchait le moyen de gâcher la gloire de Philip.

William se promena durant toute la messe. L'immobilité le faisait souffrir plus que la marche. Lorsqu'il se rendait à l'église de Shiring, Walter lui apportait un fauteuil, ce qui lui permettait, d'ailleurs, de sommeiller un moment. Ici, il rencontrait des gens à qui parler, et nombre de fidèles profitaient de la messe pour mener leurs affaires. William circulait en se faisant bien voir des puissants en intimidant les faibles et en recueillant çà et là tous les renseignements possibles. Il n'inspirait plus la terreur à la population, comme autrefois, mais en tant que shérif, il jouissait encore d'un certain respect forcé.

La messe se prolongeait interminablement. Au cours d'un long intervalle, les moines firent le tour de l'église en aspergeant les murs d'eau bénite. Vers la fin de la cérémonie, le prieur annonça la nomination d'un nouveau sous-prieur : frère Jonathan, l'orphelin élevé au monastère. Jonathan avait maintenant la trentaine, il était grand et rappelait à William Tom le bâtisseur, qui lui aussi était une sorte de géant.

Une fois la messe terminée, les distingués invités s'attardèrent dans le transept sud, entourés de la petite noblesse du comté. William vint en boitillant les rejoindre. Jadis il avait traité des évêques comme ses égaux, mais il lui fallait aujourd'hui s'incliner et saluer bas les chevaliers et les petits propriétaires. L'évêque Waleran le prit à part. « Qui est ce nouveau sous-prieur ?

– L'orphelin du prieuré, répéta William. Il a toujours été le favori de Philip.

– Il me paraît bien jeune pour cette charge.

– Mais plus âgé que ne l'était Philip quand il est devenu prieur.

– L'orphelin du prieuré, reprit William d'un ton songeur. Rappelez-moi donc les détails.

– Quand Philip est arrivé ici, il a amené un bébé avec lui. »

Sa mémoire rafraîchie, le visage de Waleran s'éclaira.

« Mais oui, par la croix! J'avais oublié le bébé de Philip. Comment ai-je pu laisser une chose pareille me sortir de l'esprit?

– Trente ans ont passé. Et qui s'en préoccupe? »

Waleran gratifia William de ce regard méprisant que le shérif abhorrait tant, ce regard qui disait : *Pauvre sot, tu ne comprends donc pas quelque chose d'aussi simple?* Il ressentit un élancement dans le pied et prit appui sur une chaise. « Alors, poursuivit Waleran, d'où venait le bébé? »

William ravala son dépit. « Il a été découvert abandonné près de l'ancienne communauté de Philip dans la forêt, si je me souviens bien.

– De mieux en mieux », murmura Waleran.

William ne voyait toujours pas où l'autre voulait en venir. « Et alors? fit-il d'un ton maussade.

– Diriez-vous que Philip a élevé l'enfant comme si c'était son propre fils?

– Oui.

– Et maintenant il l'a nommé sous-prieur.

– Il a sans doute été élu par les moines. Je crois qu'il est très populaire.

– Un sous-prieur nommé à trente-cinq ans finit prieur. »

William, perdu dans l'incompréhensible raisonnement de Waleran, préféra se taire et attendre les explications de l'évêque.

« Jonathan, dit ce dernier, est de toute évidence le propre fils de Philip. »

William éclata de rire. Il s'attendait à une pensée profonde et voilà tout ce que Waleran avait trouvé! A la grande satisfaction de William, cette marque de mépris amena une légère rougeur sur les joues cireuses de l'évêque. William reprit : « Quiconque connaît Philip n'avalera jamais une chose pareille. Quelle idée! » Il en riait encore. Waleran se croyait peut-être malin, mais cette fois, il avait perdu tout sens des réalités.

Waleran continua d'un ton hautain et glacé : « Philip, à mon avis, avait une maîtresse lorsqu'il dirigeait ce petit prieuré au fond de la forêt. Puis, quand il est devenu prieur de Kingsbridge, il a dû abandonner la femme là-bas. Elle ne voulait pas du bébé si elle ne pouvait pas avoir le père, alors elle le lui a laissé sur les bras. Philip, comme c'est un sentimental, s'est cru obligé de s'occuper de lui. Il l'a fait passer pour un enfant trouvé.

– Incroyable, déclara William en secouant la tête. N'importe qui d'autre, oui. Philip, non.

– Si le bébé a été abandonné, insista Waleran, comment peut-il prouver ses origines?

– Il ne le peut pas », reconnut William. Il regarda vers le fond du transept, là où Philip et Jonathan côte à côte parlaient à l'évêque de Hareford. « Ils ne se ressemblent même pas.

– Vous ne ressemblez pas à votre mère, observa Waleran. Dieu merci.

– A quoi tout cela vous avance-t-il? interrogea William. Qu'avez-vous en tête?

– De mettre Philip en accusation devant un tribunal ecclésiastique », répliqua Waleran.

Voilà qui changeait les choses. Quiconque connaissait Philip n'accorderait une once de crédit à l'accusation ridicule de Waleran, mais un juge étranger à Kingsbridge risquait de la trouver plausible. William comprit, à contrecœur, que l'idée de Waleran n'était peut-être pas si stupide. Comme d'habitude, Waleran se montrait plus malin que William. Il arborait son air satisfait si agaçant, mais William pensait surtout à la perspective de faire tomber Philip « Par Dieu, s'écria-t-il. Croyez-vous que cela pourrait se faire?

– Ça dépend qui est le juge. Mais je dois pouvoir arranger quelque chose de ce côté-là. Je me demande... »

William tourna les yeux vers Philip, souriant et triomphant, son protégé auprès de lui. Les grands vitraux jetaient sur eux une lumière enchantée de couleurs, on aurait dit des personnages de rêve. « Fornication et népotisme, murmura William, ravi. Mon Dieu!

– Si nous arrivons à mettre notre affaire sur pied, dit Waleran avec délices, ce sera la fin de ce damné prieur. »

Aucun juge dans son bon sens ne pouvait déclarer Philip coupable. A dire vrai, le prieur n'avait jamais eu à lutter très fort contre le désir de chair. Il savait, pour avoir entendu des confessions, que certains moines combattaient désespérément leurs appétits charnels, mais lui non. Il y avait eu une époque, quand il avait dix-huit ans, où il avait souffert de rêves impurs, mais cette phase-là n'avait pas duré longtemps. Presque toute sa vie, il avait vécu naturellement chaste. Pas une fois il n'avait accompli l'acte sexuel et il était maintenant trop vieux.

L'Église, toutefois, prenait la situation très au sérieux. Philip devait être jugé par un tribunal ecclésiastique. Un archidiacre de Canterbury serait présent. Waleran aurait voulu que le procès se déroulât à Shiring, mais Philip s'y était opposé; il avait obtenu gain de cause et l'affaire serait donc jugée à Kingsbridge, qui était, après tout, la ville cathédrale.

Philip était en train de déménager ses affaires personnelles pour laisser sa maison à l'archidiacre qui y demeurerait le temps du procès. Il se savait innocent du crime de fornication, et il s'ensuivrait en toute logique qu'il ne pouvait être coupable de népotisme, car un homme ne peut pas favoriser ses fils s'il n'en a pas. Il fouillait néanmoins son cœur pour voir s'il avait à un moment mal agi en nommant Jonathan sous-prieur. Tout comme les pensées impures étaient un peu l'ombre d'un péché plus grave, peut-être le favoritisme envers un orphelin bien-aimé était-il l'ombre du népotisme. Les moines devaient renoncer aux consolations de la vie de famille, et pourtant Jonathan avait été comme un fils pour Philip. Le prieur l'avait nommé cellerier à un âge tendre avant de le promouvoir aujourd'hui au rang de sous-prieur. Ai-je fait cela pour mon orgueil et pour mon plaisir? se demanda-t-il.

Eh bien oui, se répondit-il.

Il avait éprouvé une énorme satisfaction à éduquer Jonathan, à le voir grandir et apprendre à gérer les affaires du prieuré. Mais même si Philip n'y avait pas trouvé une joie aussi intense, Jonathan aurait tout de même été le jeune administrateur le plus compétent du prieuré. Il était intelligent, dévot, plein d'imagination et consciencieux. Élevé au monastère, il ne connaissait pas d'autre vie et n'avait jamais soupiré après la liberté. Philip aussi avait été élevé dans une abbaye. Nous autres orphelins de monastères, nous faisons les meilleurs moines, songea-t-il.

Il glissa un livre dans une sacoche : l'Évangile selon saint Luc, un ouvrage plein de sagesse. Philip avait peut-être traité Jonathan comme un fils, mais il n'avait jamais commis de péché qui méritât sa comparution devant un tribunal ecclésiastique. L'accusation était absurde. Hélas! Maintenant qu'elle était formulée, le préjudice était assuré. L'autorité morale de Philip en pâtirait.

Jonathan arriva en trombe, hors d'haleine. Philip fronça les sourcils. Il ne convenait pas au sous-prieur de débouler tout essoufflé dans les appartements du prieur. Philip allait se lancer dans un discours sur la dignité des responsables monastiques, quand Jonathan annonça : « L'archidiacre Peter est déjà là!

– Très bien, très bien, répondit Philip d'un ton apaisant. De toute façon, j'ai presque fini. » Il tendit la sacoche à Jonathan. « Porte cela au dortoir, sans courir s'il te plaît. Un monastère est un lieu de paix et de calme. » Jonathan accepta tout à la fois la sacoche et la réprimande, mais il ajouta : « Je n'aime pas la tête de cet archidiacre.

– Je suis certain qu'il sera un juge équitable, c'est tout ce que nous souhaitons », assura Philip.

La porte s'ouvrit de nouveau et l'archidiacre entra. C'était un homme grand et mince, qui avait à peu près l'âge de Philip, avec des cheveux gris clairsemés et un air supérieur. Son visage semblait vaguement familier.

Philip lui tendit la main. « Je suis le prieur Philip.

– Je vous connais, répliqua l'archidiacre d'un ton aigre. Vous ne vous souvenez pas de moi? »

La voix rocailleuse réveilla la mémoire de Philip qui sentit son cœur se serrer. Son plus vieil ennemi. « Archidiacre Peter, murmura-t-il. Peter de Wareham. »

« Un véritable faiseur d'ennuis », expliqua Philip à Jonathan quelques minutes plus tard, lorsqu'ils eurent laissé l'archidiacre s'installer dans la maison du prieur. « Il se plaignait que nous ne travaillions pas assez dur, que nos repas soient trop bons ou les offices trop brefs. Il me reprochait d'être trop indulgent. Il aurait voulu être prieur lui-même, j'en suis sûr. Évidemment, ç'aurait été un désastre. Je l'ai nommé aumônier, si bien qu'il passait la moitié de son temps en voyage. J'en étais débarrassé. C'était la meilleure solution pour le prieuré et pour lui, mais je suis persuadé qu'il m'en veut encore, même après trente-cinq ans. » Il soupira. « J'avais entendu dire, quand toi et moi sommes allés à Saint-Jean-de-la-Forêt après la grande famine, que Peter se trouvait à présent à Canterbury. Quand je pense qu'il va me juger! »

Ils étaient dans le cloître. Le temps étant doux, une cinquantaine de garçons de trois classes différentes apprenaient à lire et à écrire dans l'allée. Le murmure assourdi de leur leçon flottait dans

535

l'air. Philip se rappelait l'époque où l'école ne comprenait que cinq élèves et un maître des novices sénile. Il pensait à tout ce qu'il avait réalisé : la construction de la cathédrale; la transformation du prieuré quasiment à la dérive en une institution riche, active et influente; le développement de la ville de Kingsbridge. D'où il était, il voyait les beaux vitraux chatoyants du triforium. Derrière lui, au fond, une bibliothèque en pierre contenait des centaines de livres de théologie, d'astronomie, de morale, de mathématiques. Les terres du prieuré, intelligemment gérées, nourrissaient non seulement les moines, mais des centaines de travailleurs agricoles. Allait-on lui retirer tout cela à cause d'un mensonge? Dieu m'a aidé à accomplir mon œuvre, songea-t-il; je ne peux croire qu'il veuille la rejeter au néant.

« Tout de même, dit Jonathan, l'archidiacre Peter ne peut pas vous juger coupable.

— Je pense qu'il y arrivera, répondit Philip avec accablement.

— En toute conscience, comment le peut-il?

— Je crois que toute sa vie, il m'en a voulu. Il a une chance de prouver que c'était moi le pécheur et lui le vertueux. Waleran, je ne sais comment, l'a découvert et s'est assuré que Peter serait nommé pour juger cette affaire.

— Mais il n'y a pas de preuves.

— Il n'a pas besoin de preuve. Il va entendre l'accusation et la défense; puis il priera le ciel de le guider et annoncera son verdict.

— Dieu le guidera peut-être sur le bon chemin.

— Peter n'écoutera pas Dieu. Il n'a jamais été très fort pour écouter quiconque.

— Que va-t-il arriver en cas de culpabilité?

— On va me déposer, reprit Philip d'un ton sombre. Peut-être me laissera-t-on vivre ici comme un moine ordinaire pour expier mes péchés, mais c'est peu probable. Selon toute probabilité, on me chassera de l'ordre pour m'empêcher de continuer à avoir la moindre influence ici.

— Mais que se passerait-il ensuite?

— Il y aura une élection, bien sûr. Hélas, la politique royale intervient maintenant dans le tableau. Le roi Henry est en désaccord avec Thomas Becket, l'archevêque de Canterbury, c'est pourquoi l'archevêque Thomas est exilé en France. La moitié de ses archidiacres est avec lui. L'autre moitié, ceux qui sont restés, ont

536

rallié le camp du roi contre leur archevêque. Peter, de toute évidence, appartient à cette faction-là. L'évêque Waleran aussi a pris le parti du roi. Il recommandera un prieur, appuyé par les archidiacres de Canterbury et par le roi. Ce sera difficile pour les moines d'ici de s'opposer à lui.

– Qui, à votre avis, serait le nouveau prieur?

– Sois en sûr, Waleran pense à quelqu'un. Ce pourrait être l'archidiacre Baldwin. Ou même Peter de Wareham.

– Mais il faut absolument faire quelque chose pour empêcher cela!» s'exclama Jonathan.

Philip hocha la tête. «Tout est contre nous. Il n'y a rien que nouis puissions faire pour modifier la situation politique. La seule possibilité...

– C'est laquelle?» interrogea Jonathan avec impatience.

Le cas semblait si désespéré que Philip ne voulait pas bercer de faux espoirs un Jonathan déjà trop souvent porté à l'optimisme et qui n'en serait que plus déçu ensuite. «Rien, reprit Philip.

– Qu'alliez-vous dire?»

Philip réfléchissait. «S'il y avait une façon de prouver mon innocence sans le moindre doute, Peter ne me déclarerait pas coupable.

– Évidement. Mais quelle preuve...?

– Justement. On ne peut pas prouver ce qui n'existe pas. Il nous faudrait découvrir ton vrai père.»

Jonathan aussitôt s'enthousiasma. «Mais oui! C'est ça! Voilà ce que nous allons faire!

– Doucement, poursuivit Philip. J'ai déjà essayé en vain, à l'époque. Ce ne sera probablement pas plus facile des années après.»

Jonathan refusait de se laisser décourager. «Il n'y avait donc aucun indice sur mes origines?

– Aucun, j'en ai peur.» Philip s'inquiétait à l'idée d'avoir fait naître chez Jonathan d'impossibles espérances. Bien que le jeune homme n'eût aucun souvenir de ses parents, ce geste d'abandon l'avait toujours troublé. Si seulement il pouvait résoudre le mystère et trouver quelque chose qui prouverait qu'ils l'avaient vraiment aimé! Mais comment?

«Avez-vous interrogé les gens qui habitent dans les parages? demanda Jonathan.

– Personne ne vivait dans les parages. Cette communauté est perdue au cœur de la forêt. Tes parents sont venus sans doute de loin, peut-être de Winchester. J'ai déjà exploré toutes ces pistes. »

Jonathan insista. « Vous n'avez rencontré aucun voyageur dans la forêt à l'époque?

– Non. » Philip fronça les sourcils. Au fait? Une idée fugitive lui passa dans l'esprit. Le jour où on avait trouvé le bébé, Philip avait quitté le prieuré pour se rendre au palais de l'évêque. En chemin il avait parlé à des gens. « Ma foi, oui, c'est vrai que Tom le bâtisseur et sa famille passaient par là! »

Jonathan resta stupéfait. « Vous ne m'en avez jamais parlé!

– Je n'y attachais pas d'importance. Pas plus maintenant, d'ailleurs je les ai rencontrés un ou deux jours plus tard. Je les ai questionnés, ils m'ont affirmé n'avoir vu personne qui aurait pu être la mère ou le père d'un bébé abandonné. »

Jonathan était tout dépité. Philip redoutait que cette enquête ne se révélât doublement décevante pour lui : il ne trouverait rien sur les parents de Jonathan et il ne parviendrait pas à prouver sa propre innocence. Mais rien n'arrêtait plus le jeune homme. « Que faisaient-ils dans la forêt? insista-t-il.

– Tom se rendait au palais de l'évêque. Il cherchait du travail. C'est pourquoi ils se sont retrouvés ici.

– Il faudrait les interroger de nouveau.

– Eh bien, Tom et Alfred sont morts. Ellen vit dans la forêt, Dieu sait quand elle réapparaîtra. Mais tu pourrais t'adresser à Jack ou à Martha.

– Ça vaut la peine d'essayer. »

Peut-être Jonathan avait-il raison. En tout cas, il avait l'énergie de la jeunesse. « Va, dit-il à Jonathan. Moi, je me fais vieux et je suis fatigué. Sinon, j'y aurais pensé moi-même. Parle à Jack, c'est un fil bien mince à quoi te cramponner. Mais c'est notre seul espoir. »

Le dessin de la fenêtre avait été tracé en grandeur nature et peint sur une table de bois lavée à la bière pour empêcher les couleurs de couler. Il représentait l'arbre de Jessé, une généalogie du Christ sous forme picturale. Sally prit un petit bout de verre épais couleur de rubis et le posa sur le dessin au-dessus du corps d'un des rois d'Israël – Jack ne savait pas trop lequel, il n'avait jamais pu se rappeler le symbolisme compliqué des images religieuses. Sally trempa un fin pinceau dans un bol de poudre de craie délayée d'eau et dessina sur le verre la forme du corps : les épaules, les bras et la robe.

Dans le feu, par terre auprès de sa table, se trouvait une tige de fer enfoncée dans un manche en bois. Elle le retira et, d'un geste vif mais minutieux, en passa le bout chauffé au rouge le long du contour qu'elle avait peint. Le verre se coupa nettement le long de la ligne. Son apprenti ramassa le morceau ainsi découpé et entreprit d'en limer les bords.

Jack adorait voir travailler sa fille. Elle était rapide et précise. Petite fille, fascinée par l'œuvre des verriers que Jack avait ramenés de Paris, elle disait toujours que c'était ce métier qu'elle ferait quand elle serait grande. Elle avait tenu promesse. En entrant dans la cathédrale de Kingsbridge, pour la première fois, les gens étaient plus frappés par les vitraux de Sally que par l'architecture de son père, songeait Jack avec une pointe d'envie.

L'apprenti lui tendit la petite plaque de verre et elle commença à peindre dessus les plis de la robe, utilisant une peinture faite de minerai de fer, d'urine et de gomme arabique. Le verre prit l'apparence d'un tissu drapé avec soin. Sally était très habile. Elle eut vite terminé, puis posa le verre peint à côté de quelques autres dans un poêlon de fer contenant de la chaux. Une fois plein, on le mettrait au four où la chaleur amalgamerait la peinture au verre.

Elle leva les yeux vers Jack, le gratifia d'un bref et éblouissant sourire, puis prit un autre morceau.

Jack s'en alla. Il aurait pu la regarder toute la journée, mais du travail l'attendait. Aliena le prétendait toqué de sa fille. Il ne cessait de s'étonner d'être responsable de l'existence de cette jeune femme si intelligente, si mûre. Qu'elle soit une telle artiste aussi le ravissait. L'ironie du sort voulait que Tommy qu'il avait tant poussé à devenir un bâtisseur (il avait même forcé le garçon à travailler deux ans sur le chantier) ne s'intéressait qu'à l'agriculture, aux chevaux, à la chasse et à l'escrime, toutes activités qui laissaient Jack parfaitement froid. Le père avait fini par s'avouer vaincu. Tommy, après avoir servi comme écuyer auprès d'un des seigneurs locaux, avait été fait chevalier. Aliena lui avait offert une petite propriété de cinq villages. Et c'était Sally qui s'était révélée, des deux, l'artisan doué. Tommy était marié aujourd'hui à une fille cadette du comte de Bedford, et ils avaient trois enfants. Jack était donc grand-père. Sally, à vingt-cinq ans, était toujours célibataire. Il y avait beaucoup chez elle de sa grand-mère Ellen, notamment une farouche indépendance.

Jack alla se poster devant la façade ouest de la cathédrale pour contempler les tours jumelles. Elles étaient presque terminées. Une énorme cloche de bronze était en route, venant de la fonderie de Londres. Ces temps-ci, le maître bâtisseur n'avait plus grand-chose à faire. Là où il avait jadis commandé une armée de robustes tailleurs de pierre et de charpentiers, pour la pose d'infinies rangées de blocs bien carrés et le montage des échafaudages, il ne disposait plus maintenant que d'une poignée de sculpteurs et de peintres effectuant des travaux précis et minutieux, taillant des statues pour les niches, bâtissant des clochetons décoratifs et dorant les ailes des anges en pierre. Il n'y avait plus grand-chose à dessiner, à part de temps en temps un nouveau bâtiment pour le prieuré – une bibliothèque, une salle capitulaire, de nouveaux logements de pèlerins, une blanchisserie supplémentaire ou encore une laiterie. Entre-temps, Jack s'était remis à sculpter la pierre pour la première fois depuis des années. Il avait hâte d'abattre le vieux chœur construit par Tom le bâtisseur et de terminer sa construction, mais le prieur Philip voulait d'abord profiter durant au moins un an de son église terminée avant d'entreprendre une nouvelle campagne de construction. Or Philip commençait à sentir les effets de l'âge et Jack craignait qu'il ne vive pas assez vieux pour voir le chœur refait à neuf.

Le travail se poursuivrait après la mort de Philip, de toute façon, songea Jack en voyant la gigantesque silhouette de frère Jonathan qui s'avançait vers lui, venant de la cour des cuisines. Jonathan ferait un bon prieur, peut-être même aussi bon que Philip. Jack était heureux de voir la succession assurée : cela lui permettait de formuler des plans pour l'avenir.

« Jack, commença Jonathan sans préambule, ce tribunal ecclésiastique m'inquiète.

– Je croyais, répondit Jack, que tout cela était beaucoup de bruit pour pas grand-chose.

– Moi aussi... Mais il se trouve que l'archidiacre est un vieil ennemi du prieur Philip.

540

– Bon sang. Quand même, ce n'est pas une raison pour le trouver coupable!

– Il peut faire ce qu'il veut. »

Jack secoua la tête, dégoûté. Il se demandait parfois comment des hommes comme Jonathan pouvaient continuer à croire à une Église tellement corrompue.

« Que vas-tu faire?

– La seule façon dont nous pouvons prouver son innocence, c'est de découvrir qui étaient mes parents.

– C'est un peu tard!

– C'est notre seul espoir. »

Jack fut ébranlé. « Par où vas-tu commencer?

– Par toi. Tu étais dans la région de Saint-John-de-la-Forêt au moment où je suis né.

– Vraiment? fit Jack ne voyant pas où Jonathan voulait en venir. J'ai vécu là jusqu'à l'âge de onze ans, et je dois avoir à peu près onze ans de plus que toi.

– Père Philip dit qu'il t'a rencontré avec ta mère, Tom le bâtisseur et les enfants de Tom, le lendemain du jour où l'on m'a trouvé.

– Je m'en souviens. Nous avons dévoré les provisions de Philip. Nous mourions de faim.

– Réfléchis bien. As-tu vu quelqu'un avec un bébé, ou une jeune femme qui aurait pu être enceinte, quelque part dans les parages?

– Attends un peu, fit Jack intrigué. Veux-tu me dire qu'on t'a trouvé près de Saint-John-de-la-Forêt?

– Oui... Tu ne le savais pas? »

Jack eut l'impression d'être frappé par la foudre. « Non, je l'ignorais », dit-il lentement. Les conséquences de cette révélation lui donnaient le vertige. « Quand nous sommes arrivés à Kingsbridge, tu étais déjà ici, et j'ai tout naturellement supposé qu'on t'avait trouvé dans le voisinage.

– As-tu vu quelqu'un dans la forêt?

– Mais oui, murmura Jack. Je ne sais pas comment te dire ça, Jonathan. »

Le jeune moine pâlit. « Tu sais quelque chose, n'est-ce pas? Quoi? Qu'as-tu vu?

– Je t'ai vu, toi, Jonathan, voilà ce que j'ai vu. »

541

Jonathan en resta bouche bée. « Quoi... Comment ?

– C'était l'aube. J'étais parti chasser le canard. J'ai entendu un cri. J'ai trouvé un nouveau-né, enveloppé dans le pan d'un vieux manteau, couché auprès des braises d'un feu mourant. »

Jonathan était suspendu à ses lèvres. « Rien d'autre ? »

Jack hocha lentement la tête. « Si. Le bébé était couché sur une tombe fraîchement creusée. »

Jonathan avait la gorge serrée. « Ma mère ? »

Jack acquiesça.

Jonathan, les larmes aux yeux, ne lâchait pas prise. « Qu'as-tu fait ?

– Je suis allé chercher ma mère. Mais, comme nous retournions à l'endroit où j'avais vu le bébé, nous avons vu un prêtre, monté sur un palefroi, avec le nouveau-né dans ses bras.

– Francis ! fit Jonathan d'une voix étranglée.

– Quoi ? »

Il avait du mal à parler, mais il expliqua « J'ai été trouvé par le frère de père Philip, Francis, le prêtre.

– Que faisait-il là-bas ?

– Il était en route pour rendre visite à Philip à Saint-John-de-la-Forêt. C'est là qu'il m'a emmené.

– Mon Dieu ! »

Jack regarda le grand moine dont les joues ruisselaient de larmes. « Tu n'as pas encore tout entendu, Jonathan, se dit-il.

– Tu n'aurais vu personne, insista Jonathan, qui aurait pu être mon père ?

– Si, déclara gravement Jack. Je sais qui était ton père.

– Dis-le-moi ! murmura Jonathan.

– Tom le bâtisseur.

– Tom le bâtisseur ? » balbutia Jonathan, qui tomba assis par terre. *Tom le bâtisseur était mon père ?*

– Oui, affirma Jack en hochant la tête. Je sais maintenant qui tu me rappelles. Toi et lui vous êtes les gens les plus grands que j'aie jamais rencontrés.

– Il s'est montré si bon avec moi quand j'étais enfant, poursuivit Jonathan d'un ton rêveur. Il jouait avec moi. Il m'aimait beaucoup. Je le voyais autant que le prieur Philip. » Ses larmes coulèrent à flots. « C'était mon père. Mon père. » Il leva les yeux vers Jack. « Pourquoi m'a-t-il abandonné ?

542

– Il te croyait de toute façon condamné à mourir. Il n'avait pas de lait à te donner. Lui et ses enfants mouraient de faim. Ils ne savaient pas que le prieuré était tout proche. Ils n'avaient rien à manger que des navets. Des navets t'auraient tué.

– Alors, ils m'aimaient quand même, malgré tout. »

Jack revoyait la scène comme si c'était hier : le feu mourant, la terre fraîchement retournée de la tombe, et le minuscule bébé rose remuant dans les plis du vieux manteau gris. Ce petit bout d'humanité était devenu ce géant qui pleurait, assis par terre devant lui. « Oh oui ! ils t'aimaient.

– Comment se fait-il que personne ne m'en ait jamais parlé ?

– Tom avait honte, bien sûr, expliqua Jack. C'était un sujet qu'il n'abordait jamais. Nous n'avons jamais fait clairement le rapprochement entre ce bébé et toi.

– Mais Tom, si, dit Jonathan.

– Oui.

– Je me demande pourquoi il ne m'a jamais repris ?

– Ma mère l'a quitté très peu après notre arrivée ici », expliqua Jack. Il eut un sourire mélancolique. « Comme Sally, elle n'avait pas un caractère facile. Tom aurait dû engager une nourrice pour s'occuper de toi. Alors il a préféré laisser son petit enfant aux soins du monastère. On s'est bien occupé de toi, là-bas.

– Grâce à ce vieux Johnny Huit Pence. Que Dieu donne le repos à son âme !

– Ce qui a permis à Tom de passer beaucoup de temps avec toi. Toute la journée, tu courais dans l'enclos du prieuré où il travaillait. S'il t'avait retiré du monastère pour te laisser à une nourrice, il t'aurait bien moins vu. J'imagine que, au fil des années et comme tu grandissais en orphelin du prieuré – comme tu semblais heureux ainsi –, il lui a paru de plus en plus naturel de te laisser là. D'ailleurs, les gens donnent souvent un enfant à Dieu.

– Dire que pendant tout ce temps je me suis demandé qui étaient mes parents, murmura Jonathan. J'essayais de les imaginer, j'ai prié Dieu de me les faire rencontrer, je me suis demandé s'ils m'aimaient, pourquoi ils m'avaient abandonné. Je sais maintenant que ma mère est morte en me mettant au monde et que jusqu'à la fin de ses jours mon père a vécu près de moi. » Il sourit à travers ses larmes. « Je ne peux pas te dire à quel point je suis heureux. »

543

Jack se sentit aussi au bord des larmes. Pour dissimuler son émotion, il dit : « Tu ressembles à Tom.

— C'est vrai?

— Tu ne te rappelles pas comme il était grand?

— Tous les adultes me semblaient grands.

— Il avait un beau visage, comme toi. Des traits réguliers. Si tu t'étais fait pousser la barbe, les gens auraient deviné le secret.

— Je me souviens du jour où il est mort, dit Jonathan. Il m'avait emmené à la foire. Nous avions regardé les montreurs d'ours et puis j'ai grimpé sur le mur du chœur. J'avais peur de redescendre, alors il est venu me chercher. Puis les hommes de William sont arrivés. Tom m'a emmené au cloître. C'est la dernière fois que je l'ai vu vivant.

— Je m'en souviens. Je l'ai vu redescendre en te portant dans ses bras.

— Il s'est assuré que j'étais en sécurité, remarqua Jonathan d'un ton pensif.

— Il prenait toujours soin d'autrui.

— Il m'aimait vraiment. »

Une idée soudain frappa Jack. « Ça va tout changer au procès de Philip, n'est-ce pas?

— J'avais oublié, s'écria Jonathan. Mais oui. Mon Dieu!

— Avons-nous une preuve irréfutable? réfléchit Jack. J'ai vu le bébé et le prêtre. Mais je n'étais pas là quand on a remis l'enfant au prieuré.

— C'est Francis qui l'a fait. Comme Francis est le frère de Philip, son témoignage ne vaut pas grand-chose.

— Ma mère et Tom sont partis ensemble ce matin-là, poursuivit Jack, fouillant dans sa mémoire. Ils ont dit qu'ils allaient chercher le prêtre. Je parie qu'ils sont allés jusqu'au prieuré pour s'assurer que le bébé était sauvé.

— Si Ellen consentait à raconter cela devant le tribunal, l'affaire serait réglée, s'exclama Jonathan.

— Philip pense que c'est une sorcière, remarqua Jack. La laisserait-il témoigner?

— Nous pourrions lui faire la surprise. Mais elle ne l'aime guère. Acceptera-t-elle de témoigner?

— Je ne sais pas, dit Jack. Demandons-lui. »

« Fornication et népotisme? Philip? s'écria Ellen en éclatant de rire. C'est trop absurde!

– Mère, fit Jack. C'est sérieux.

– Philip serait incapable de forniquer si on le mettait dans un tonneau avec trois prostituées, dit-elle. Il ne saurait pas quoi faire! »

Jonathan parut fort gêné. « Le prieur Philip est vraiment dans l'ennui, même si l'accusation est absurde, dit-il.

– Et pourquoi aiderais-je Philip? demanda-t-elle. Il ne m'a causé que des souffrances. »

Voilà ce que Jack redoutait. Sa mère n'avait jamais pardonné à Philip de les avoir séparés, Tom et elle. « Philip m'a puni comme toi. Si je peux lui pardonner, tu le peux aussi.

– Je ne suis pas du genre à pardonner, répondit-elle.

– Alors, ne le fais pas pour Philip... Fais-le pour moi. Je veux continuer à bâtir à Kingsbridge.

– Comment ça? L'église est terminée.

– J'aimerais démolir le chœur construit par Tom et le rebâtir dans le nouveau style.

– Oh! Pour l'amour du Ciel...!

– Mère, Philip est un bon prieur. Quand il ne sera plus là, Jonathan le remplacera... si tu viens à Kingsbridge dire la vérité au procès.

– J'ai horreur des tribunaux, protesta-t-elle. Il n'en sort jamais rien de bon. »

C'était exaspérant. Elle détenait la clé du procès de Philip, elle pouvait assurer son acquittement. Mais elle réagissait en vieille femme entêtée. Jack craignait sérieusement de ne pas réussir à la persuader.

Il décida de la piquer au vif. « Évidemment, c'est un long voyage pour quelqu'un de ton âge, murmura-t-il. Ça te fait combien, aujourd'hui... soixante-huit ans?

– Soixante-deux, et ne cherche pas à me provoquer, riposta-t-elle. Je suis en meilleure forme que toi, mon garçon. »

C'était bien possible, songea Jack. Elle avait les cheveux blancs comme neige et un visage profondément ridé, mais ses stupéfiants yeux dorés voyaient aussi bien qu'avant. En accueillant Jonathan, elle avait tout de suite compris qui il était et elle avait dit:

545

« Allons, je n'ai pas besoin de te demander pourquoi tu es ici. Tu as découvert d'où tu viens, n'est-ce pas? Par Dieu, tu es aussi grand que ton père et presque aussi large d'épaules. » Elle n'avait rien perdu de son indépendance.

« Sally te ressemble, dit Jack.

— Ah oui? fit-elle en souriant. En quoi donc?

— Elle est têtue comme une mule.

— Ah! répliqua Ellen furieuse : « Alors, elle se débrouillera très bien dans la vie. »

Jack se résigna à la supplier. « Mère, je t'en prie... Viens à Kingsbridge avec nous faire éclater la vérité.

— Je ne sais pas, murmura-t-elle.

— J'ai autre chose à vous demander », intervint Jonathan.

Jack ignorait ce que voulait Jonathan. Pourvu qu'il ne la heurte pas! Il retint son souffle.

« Pourriez-vous me montrer, demanda Jonathan, où ma mère est enterrée? »

Jack poussa un soupir de soulagement.

Elle renonça aussitôt à sa mauvaise humeur. « Bien sûr que je te montrerai, dit-elle. Je suis sûre de pouvoir retrouver l'endroit. »

Jack était contrarié de perdre du temps en recherches. Le procès allait commencer le lendemain matin et ils avaient un long trajet à faire. Mais il sentit qu'il devait laisser le destin suivre son cours.

« Tu veux y aller maintenant? demanda Ellen.

— Oui, s'il vous plaît, si c'est possible.

— Très bien. » Elle se leva, prit une cape en peau de lapin et la jeta sur ses épaules.

Ils quittèrent la grotte avec ses odeurs de pommes et de fumée de bois, et se frayèrent un chemin à travers les buissons qui en dissimulaient l'entrée, pour déboucher dans le soleil du printemps. Ellen avançait sans hésiter. Jack et Jonathan détachèrent leurs chevaux et lui emboîtèrent le pas. Ils devaient mener leurs montures par la bride, car le terrain était trop broussailleux pour chevaucher. Jack remarqua que sa mère marchait d'un pas plus lent qu'autrefois. Elle se portait moins bien qu'elle ne le prétendait.

Jack n'aurait pas pu retrouver l'endroit tout seul. Il y avait une époque où il circulait dans la forêt aussi facilement qu'aujourd'hui à Kingsbridge. Mais pour lui aujourd'hui, une clairière ressemblait à une autre, tout comme les maisons de Kingsbridge paraissaient identiques aux yeux d'un étranger. Sa mère suivit un réseau de pistes tracées par les animaux dans les épais sous-bois. De temps en temps, Jack retrouvait des réflexes d'enfance et, un instant, il savait où il était, puis de nouveau il perdait ses repères.

Ils parcoururent ainsi plusieurs lieues. Jack transpirait, mais sa mère demeurait drapée dans sa cape en peau de lapin. Vers le milieu de l'après-midi, elle fit halte dans une clairière ombragée. Jack remarqua qu'elle avait le souffle court et le visage un peu gris. Il était vraiment temps pour elle de quitter la forêt pour venir habiter avec Aliena et lui. Il résolut de l'en persuader.

« Ça va bien? demanda-t-il.

— Bien sûr! lança-t-elle. Nous y sommes. »

Jack regarda autour de lui. Il ne reconnaissait pas les lieux. « C'est ici? répéta Jonathan.

— Oui.

— Où est la route? demanda Jack.

— Par là. »

Quand Jack se fut orienté, la clairière commença à lui paraître familière et le passé lui revint d'un seul coup. Le grand châtaignier était toujours là, plein de fleurs dont les pétales s'égayaient sous la brise.

« Martha m'a raconté ce qui s'était passé, reprit Jack. Ils se sont arrêtés parce que ta mère ne pouvait pas aller plus loin. Tom a allumé du feu et a fait cuire des navets pour souper : il n'y avait pas de viande. Ta mère t'a mis au monde ici, à même le sol. Tu étais en parfaite santé, mais il lui est arrivé quelque chose, et elle est morte. » On distinguait une légère élévation, à quelques pieds de la base de l'arbre. « Regarde, dit Jack. Tu vois ce monticule? »

Jonathan hocha la tête, le visage crispé d'émotion.

« C'est la tombe. » Jonathan vint s'agenouiller auprès du petit tertre et se mit à prier.

Jack, silencieux, se souvenait du moment où il avait découvert sa famille à Cherbourg, un moment terrible et inoubliable. Ce que Jonathan éprouvait devait être encore plus intense.

Le jeune moine se releva. « Quand je serai prieur, promit-il solennellement, je bâtirai à cet endroit même un petit monastère, avec une chapelle et une hôtellerie, de façon qu'à l'avenir aucun voyageur passant par là n'ait jamais à dormir à la belle étoile par une glaciale nuit d'hiver. Je dédierai l'hôtellerie à la mémoire de ma mère. » Il se tourna vers Jack. « Je pense que tu n'as jamais su son nom, n'est-ce pas?

– Agnès, fit doucement Ellen. Ta mère s'appelait Agnès. »

L'évêque Waleran se montra convaincant.

Il commença par raconter au tribunal le développement précoce de Philip : cellerier de son monastère dès l'âge de vingt et un ans; prieur de la communauté de Saint-John-de-la-Forêt à vingt-trois; prieur de Kingsbridge à l'âge remarquablement jeune de vingt-huit ans. Il ne cessait de souligner la jeunesse de Philip et parvint à donner l'impression qu'il y avait une certaine prétention à accepter si tôt de telles responsabilités. Il décrivit ensuite Saint-John-de-la-Forêt, son éloignement, son isolement, et évoqua la liberté et l'indépendance du prieur. « Qui pourrait s'étonner, dit-il, qu'après cinq ans où il fut pratiquement son propre maître, soumis seulement à la plus légère, la plus lointaine surveillance, ce jeune homme inexpérimenté et au sang chaud ait eu un enfant? » La démonstration de Waleran était parfaitement crédible, si vraisemblable que Philip aurait voulu étrangler l'évêque.

Waleran poursuivit en expliquant comment Philip avait amené Jonathan et Johnny Huit Pence à Kingsbridge. « Les moines furent stupéfaits, poursuivit Waleran, de voir leur nouveau prieur se présenter avec un bébé et une nourrice. » Oubliant un instant son anxiété, Philip s'obligea à réprimer un sourire nostalgique.

Philip avait joué avec Jonathan enfant, il l'avait instruit, éduqué et, plus tard, fait de lui son assistant, continua Waleran, tout comme n'importe quel homme le ferait de son propre fils, à ceci près que les moines ne sont pas censés avoir d'enfants. « Jonathan était précoce, exactement comme Philip, souligna Waleran. Quand Cuthbert le Chenu est mort, Philip nomma cellerier Jonathan, alors à peine âgé de vingt et un ans. N'y avait-il personne d'autre à désigner comme cellerier, dans ce monastère comptant plus de cent moines? Personne d'autre qu'un garçon de vingt et un ans? Ou bien Philip donnait-il la préférence à la chair de sa chair? Quand Milius quitta le monastère pour devenir prieur de Glastonbury, Philip donna à Jonathan le poste de trésorier. Il a trente-quatre ans. Est-il le plus sage et le plus dévot de tous les moines de ce couvent? Ou bien est-il simplement le favori de Philip? »

548

Philip regarda le tribunal qui siégeait dans le transept sud de la cathédrale de Kingsbridge. L'archidiacre Peter occupait un grand fauteuil, orné de sculptures décoratives comme un trône. Tous les collaborateurs de Waleran étaient présents, ainsi que la plupart des moines de Kingsbridge. Le travail n'avancerait guère au monastère pendant le procès du prieur. Tous les ecclésiastiques importants du comté étaient là, et même quelques humbles prêtres de paroisse. On notait aussi des représentants des diocèses voisins. Toute la communauté cléricale du sud de l'Angleterre attendait le verdict de ce tribunal. La vertu de Philip n'intéressait personne. Ce qui passionnait les esprits, c'était l'ultime épreuve de force entre le prieur Philip et l'évêque Waleran.

Lorsque Waleran se rassit, Philip prêta serment puis commença à raconter l'histoire de ce matin d'hiver, tant d'années auparavant. Il décrivit d'abord le désordre provoqué par Peter de Wareham : il tenait à ce qu'on sache que Peter avait des raisons de lui en vouloir. Puis il appela Francis pour dire dans quelles circonstances celui-ci avait trouvé le bébé.

Jonathan était parti, après avoir laissé un message annonçant qu'il était sur la trace de nouveaux renseignements sur sa parenté. Jack avait disparu lui aussi, et Philip en avait conclu que l'expédition avait quelque chose à voir avec la mère de Jack, Ellen la sorcière. Jonathan n'avait pas averti Philip de ses projets, de crainte que le prieur lui interdise cette démarche. Ils devaient être de retour le matin même, mais on ne les avait pas encore vus. Philip ne comptait pas sur Ellen pour apporter du nouveau au récit de Francis.

Quand ce dernier eut terminé son témoignage, Philip reprit la parole. « Ce bébé n'était pas de moi, déclara-t-il avec simplicité. Je jure, ce n'était pas le mien, au péril de mon âme immortelle, je le jure. Je n'ai jamais eu de relations charnelles avec une femme et je demeure à ce jour dans cet état de chasteté que nous recommande l'apôtre Paul. Alors pourquoi, ainsi que le demande le seigneur évêque, ai-je traité le bébé comme s'il était mon fils ? »

Il parcourut l'auditoire du regard. Il avait décidé que sa seule chance était de dire la vérité en espérant que la voix de Dieu se ferait entendre assez fort pour vaincre la surdité spirituelle des juges. « Mon père et ma mère sont morts quand j'avais six ans, assassinés par des soldats du vieux roi Henry, au pays de Galles.

549

Mon frère et moi fûmes sauvés par l'abbé d'un monastère voisin et, à compter de ce jour, les moines s'occupèrent entièrement de nous. Je sais ce qu'est un orphelin de monastère. Je comprends comment l'enfant qui n'a pas de parents brûle de connaître la caresse d'une mère, même s'il adore les frères qui l'élèvent. Je savais que Jonathan se sentirait anormal, bizarre, illégitime. J'ai connu ce sentiment d'isolement, l'impression d'être différent de tous les autres parce qu'on n'a ni mère ni père. Comme lui, j'ai eu honte de dépendre de la charité des autres ; je me suis demandé en quoi j'étais coupable pour avoir été privé de ce que chacun considérait comme naturel. Je savais qu'il rêverait la nuit du sein tiède et parfumé, de la douce voix d'une mère qu'il n'avait jamais connue, de quelqu'un qui l'aimerait profondément et totalement. »

Le visage de l'archidiacre Peter ne reflétait pas plus de sentiment qu'une pierre. Il était de la pire espèce de chrétiens, se dit Philip, de ceux qui ne considèrent que les aspects négatifs de sa religion, les proscriptions, les interdits, le sévère châtiment de tout délit ; mais il ignorait la compassion du christianisme, en niait l'esprit miséricordieux, trahissait de façon flagrante sa morale d'amour et violait ouvertement les douces lois de Jésus. Un pharisien de plus, songea Philip. Le Seigneur, lui, avait préféré souper avec les publicains et les pécheurs.

Il poursuivit, le cœur serré, certain que rien de ce qu'il pourrait dire ne pénétrerait l'armure de vertu qui protégeait Peter. « Personne ne pouvait s'intéresser à ce garçon comme je l'ai fait, sinon ses propres parents, et ceux-là, nous n'avons jamais pu les trouver. Quelle indication plus claire de la volonté de Dieu... » Il ne termina pas sa phrase. Jonathan venait de pénétrer dans l'église, ainsi que Jack ; entre eux s'avançait la sorcière, la mère de Jack.

Malgré ses cheveux blancs et son visage sillonné de rides, elle avait toujours un port de reine, la tête haute, ses étranges yeux dorés flamboyants de défi. Philip était tellement surpris qu'il ne trouva rien à dire.

Le tribunal regarda silencieusement le groupe traverser le transept. Ellen s'immobilisa devant l'archidiacre Peter. D'une voix qui résonna comme un coup de tonnerre sous les voûtes de l'église bâtie par son fils, elle déclara : « Je jure par tout ce qui est sacré que Jonathan est le fils de Tom le bâtisseur, mon défunt mari, et de sa première épouse. »

Une clameur stupéfaite monta de l'assemblée. Pendant un moment, on ne s'entendit plus. Philip, abasourdi, bouche bée, regardait fixement Ellen. Tom le bâtisseur? Jonathan, le fils de Tom le bâtisseur? Mais bien sûr! Ils se ressemblaient, pas seulement de taille, mais de visage. Si Jonathan avait porté la barbe, l'évidence aurait éclaté aux yeux de tous.

Sa première réaction fut le déchirement : jusqu'alors il avait été pour Jonathan le meilleur des pères. Mais c'était Tom qui avait engendré Jonathan et, bien qu'il fût mort, cette révélation changeait tout. Philip ne pouvait plus se considérer en secret comme le père du jeune moine et Jonathan n'aurait plus le sentiment d'être son fils. C'était Tom son père, son vrai père. Philip l'avait perdu.

Le prieur se rassit lourdement. Quand la foule se fut un peu calmée, Ellen raconta comment elle avait entendu un cri et découvert un bébé nouveau-né. Philip l'écouta, stupéfait, expliquer que Tom et elle s'étaient cachés dans les buissons, aux aguets, tandis que Philip et les moines revenaient de leur travail matinal pour trouver Francis les attendant avec un nouveau-né que Johnny Huit Pence essayait de nourrir avec un chiffon trempé dans un seau de lait de chèvre.

Philip se souvenait très clairement de l'intérêt manifesté par le jeune Tom quand, un ou deux jours plus tard, ils s'étaient rencontrés accidentellement et que Philip lui avait parlé du bébé abandonné. Philip avait mis cette attention sur le compte d'un caractère généreux et compatissant. En fait, Tom venait d'apprendre que son enfant était en sûreté.

Toutes les années suivantes, Tom avait porté à Jonathan une affection toute spéciale. Le bébé était devenu un petit enfant, puis un garçon malicieux. Personne n'avait remarqué les soins de Tom à son égard : tout le monastère traitait Jonathan, en ce temps-là, comme un animal familier. Quant à Tom, il passait son temps dans l'enclos du prieuré, aussi son comportement n'avait-il rien d'exceptionnel. Maintenant, avec le recul, Philip se rendait compte que l'attention que Tom accordait à Jonathan avait un sens spécial.

Comme Ellen se rasseyait, Philip prit conscience qu'elle venait de l'innocenter. Ses révélations si bouleversantes avait failli faire oublier au prieur que c'était lui qu'on jugeait. Son récit de l'accouchement et de la mort d'Agnès, un récit rempli de désespoir et malgré tout d'espérance, d'amour, reléguait à l'arrière-plan la question de la chasteté de Philip. Même Peter de Wareham ne peut pas me déclarer coupable après un témoignage comme celui-ci, songea Philip. Waleran avait encore une fois perdu.

Mais l'évêque n'était pas prêt à s'avouer vaincu. Il braqua sur Ellen un doigt accusateur. « Tu prétends que Tom le bâtisseur t'a dit que le bébé amené à la communauté était le sien.

— Oui, répondit Ellen fermement.

— Mais les deux autres personnes qui auraient pu confirmer cela – les enfants Alfred et Martha – ne t'ont pas accompagnée au monastère.

— Non.

— Tom étant mort, nous n'avons donc que ta parole pour connaître les paroles de Tom. Ton récit est invérifiable.

— Quelles vérifications vous faut-il? répliqua-t-elle avec feu. Jack a vu le bébé abandonné. Francis l'a ramassé. Jack et moi avons rencontré Tom, Alfred et Martha. Francis a emmené le bébé jusqu'au prieuré. Tom et moi avons surveillé les abords du couvent. Combien de témoins voudriez-vous?

— Je ne te crois pas, déclara Waleran.

— Vous ne me croyez pas? lança Ellen, au comble de la colère. *Vous* ne me croyez pas? Vous, Waleran Bigod, que je sais être parjure? »

Au nom du ciel! Quoi encore? pensa Philip qui eut le pressentiment d'un cataclysme. Waleran avait pâli. Quelque chose fait peur à Waleran, constata Philip, quelque chose qui le rend vulnérable.

« Comment sais-tu, dit Philip à Ellen, que l'évêque est un parjure?

— Voilà quarante-sept ans, dans ce même prieuré, se trouvait un prisonnier du nom de Jack Shareburg, répondit Ellen.

— Ce tribunal, interrompit Waleran, ne s'intéresse pas à des événements si anciens.

— Mais si, riposta Philip. L'accusation portée contre moi se réfère, monseigneur, à un prétendu acte de fornication que j'aurais commis voilà trente-cinq ans. Vous avez exigé que je prouve mon innocence. Le tribunal n'en attendra pas moins de vous. » Il se tourna vers Ellen. « Continue.

— Personne ne savait pourquoi il était prisonnier, et lui pas davantage. Mais il fut libéré un beau jour et on lui remit une coupe ornée de joyaux, peut-être en compensation des années qu'il avait injustement passées en prison. Il ne voulut pas, naturellement, d'un pareil objet : il n'en avait pas l'usage et c'était une coupe trop précieuse pour la vendre sur un marché. Il l'abandonna donc ici, dans l'ancienne cathédrale de Kingsbridge. Peu après il fut arrêté – par Waleran Bigod, alors simple prêtre de campagne, humble mais ambitieux – et la coupe réapparut mystérieusement dans le sac de Jack Shareburg qui fut accusé faussement de l'avoir volée. Jack fut condamné grâce au témoignage sous serment de trois personnes : Waleran Bigod, Percy Hamleigh et le prieur James de Kingsbridge. Il fut pendu. »

Un silence stupéfait se fit dans la salle, puis Philip demanda : « Comment sais-tu tout cela ?

– J'étais la seule amie de Jack Shareburg, et il était le père de mon fils, Jack Jackson, le maître bâtisseur de cette cathédrale. »

Une clameur immense monta dans la grande église. Waleran et Peter essayaient tous deux de parler en même temps mais aucun ne parvenait à se faire entendre par-dessus le brouhaha des ecclésiastiques stupéfaits. Ils sont venus assister à une explication, se dit Philip, mais ils ne s'attendaient pas à celle-ci.

Peter finit par réussir à dominer le tapage : « Pourquoi trois citoyens respectueux des lois conspireraient-ils pour accuser faussement un étranger innocent ? interrogea-t-il avec froideur.

– Par appât du gain, répondit Ellen. Waleran Bigod devint archidiacre. Percy se vit offrir le manoir de Hamleigh, ainsi que plusieurs autres villages. Je ne sais pas quelle récompense reçut le prieur James.

– C'est une question à laquelle je peux répondre », dit une voix nouvelle.

Philip se retourna : Remigius ! Il avait largement dépassé les soixante-dix ans ; il avait les cheveux blancs et un peu tendance à radoter. Mais là, lorsqu'il se leva en prenant appui sur sa canne, ses yeux étaient brillants et son expression vive. Il était rare de l'entendre parler en public : depuis son retour au monastère, il menait une vie humble et discrète. Philip ne savait plus où donner de la tête. Dans quel camp Remigius allait-il se ranger ? Allait-il saisir une dernière occasion de poignarder dans le dos son vieil ennemi Philip ?

« Je peux vous dire la récompense que reçut le prieur James, répéta Remigius. Le prieuré se vit octroyer les villages de North-wold, Southwold et Cent-Arpents, plus la forêt d'Oldean. »

Philip était atterré. Comment le vieux prieur avait-il pu faire un faux témoignage, sous serment, pour le bénéfice de quelques villages ?

« Le prieur James n'a jamais été un bon gestionnaire, continua Remigius. Le prieuré étant en difficulté, il croyait que ce revenu supplémentaire nous aiderait. » Remigius marqua un temps puis ajouta d'un ton mordant : « Cela ne fit pas grand bien et beaucoup de mal. Ces nouvelles rentrées d'argent servirent quelque temps, mais le prieur James ne retrouva jamais sa dignité. »

En écoutant Remigius, Philip se rappelait la silhouette voûtée, l'air défait du vieux prieur et il comprenait enfin pourquoi.

« En réalité, continua Remigius, James ne s'était pas parjuré, il avait seulement affirmé que la coupe appartenait au prieuré ; mais quoique sachant Jack Shareburg innocent, il garda le silence. Il l'a regretté jusqu'à la fin de ses jours. »

Assurément, se dit Philip, c'était un péché bien lourd pour un moine. Le témoignage de Remigius confirmait le récit d'Ellen – et condamnait Waleran.

Remigius n'avait pas terminé. « Quelques-uns des anciens ici présents aujourd'hui se souviendront de l'état du prieuré voilà quarante ans : délabré, sans ressource, décrépit. C'était le résultat du remords qui pesait sur les épaules du prieur. En mourant, celui-ci a fini par me confesser son péché. Je voulais... »

Remigius s'interrompit. L'église, silencieuse, attendait. Le vieil homme poussa un soupir. « Je voulais prendre sa place et réparer les dégâts. Mais Dieu a choisi pour cette tâche un autre homme. » Son vieux visage se plissa dans une amère grimace tandis qu'il concluait. « Je devrais dire : Dieu a choisi un homme meilleur. » Il se rassit brutalement.

Philip était tout à la fois choqué, ahuri et reconnaissant. Deux anciens ennemis, Ellen et Remigius, avaient volé à son secours. La révélation de ces anciens secrets lui donnait le sentiment d'avoir vécu avec un œil fermé. L'évêque Waleran, pâle de rage, voyait s'effondrer toutes ses machinations. Penché vers Peter, il parlait à l'oreille de l'archidiacre tandis qu'un brouhaha de commentaires montait de l'assistance.

Peter se leva et cria : « Silence ! » On se tut. « L'audience est terminée ! proclama-t-il.

– Une minute ! Ça ne suffit pas ! cria Jack avec passion. Je veux savoir *pourquoi*. » Sans se soucier de lui, Peter se dirigea vers la porte qui menait au cloître et Waleran lui emboîta le pas.

Jack se précipita derrière eux. « Pourquoi avez-vous fait cela ? » lança-t-il à Waleran. Vous avez menti sous serment et un homme en est mort... Vous allez sortir d'ici sans un mot de plus ? »

L'évêque regardait droit devant lui, le visage livide, les lèvres serrées, tout son visage exprimant la rage. Au moment où il franchissait le seuil, Jack hurla : « Réponds-moi, menteur, lâche, prêtre corrompu ! Pourquoi as-tu tué mon père ? »

Waleran sortit de l'église et la porte claqua derrière lui.

2

La lettre du roi Henry arriva pendant la tenue d'un chapitre.

Jack avait bâti une nouvelle salle capitulaire, plus grande, pour abriter le conseil des cent cinquante moines, l'effectif le plus important pour un seul monastère de toute l'Angleterre. Le bâtiment, construit en rond, avait un plafond voûté et des rangées de marches servaient de sièges aux moines. Les dignitaires du couvent prenaient place sur des bancs de pierre, le long des murs, un peu au-dessus du niveau des autres; Philip et Jonathan occupaient des trônes de pierre sculptée, adossés au mur en face de la porte.

Un jeune moine lisait l'article sept de la règle de saint Benoît. « La sixième étape de l'humilité est atteinte lorsqu'un moine sait accepter le vil et le misérable. » Philip se rendit compte qu'il ne connaissait pas le nom du lecteur. Décidément, il vieillissait... ou bien le monastère accueillait tant de nouveaux qu'il ne les connaissait plus. « La septième étape de l'humilité est atteinte quand un homme non seulement profère clairement qu'il est inférieur à autrui, mais lorsqu'il en est persuadé au fond de son cœur. » Philip n'avait pas encore atteint ce stade-là. Il avait achevé beaucoup de choses en soixante-deux ans d'existence, grâce à son courage, à sa détermination et à son cerveau, mais il était obligé de se redire constamment que sa réussite, il la devait entièrement à Dieu, sans l'aide de qui tous ses efforts auraient été vains.

Auprès de lui, Jonathan s'agitait nerveusement. Le jeune homme s'accordait encore plus mal que Philip avec la vertu d'humilité. L'arrogance est le défaut des bons chefs. Jonathan

557

s'apprêtait à prendre la direction du prieuré – et il était impatient. Il avait hâte d'essayer les techniques agricoles qu'Aliena avait conçues et dont ils avaient parlé ensemble : utiliser des chevaux pour labourer, planter sur une partie des terres en jachère des pois et de l'avoine, qui assureraient une récolte de printemps. J'étais tout à fait comme lui quand je commençais à élever des moutons pour leurs laine, il y a vingt-cinq ans de cela, songea Philip.

Il était temps pour lui de transmettre son poste de prieur à Jonathan et de consacrer ses dernières années à la prière et la méditation. Il avait souvent conseillé ce choix à d'autres. Mais, maintenant que c'était son tour de se retirer, la perspective l'horrifiait. Il avait une santé excellente et l'esprit toujours aussi vif. Une vie de prière et de méditation le rendrait fou.

Toutefois, Jonathan n'attendrait pas indéfiniment. Dieu lui avait donné le talent de diriger un grand monastère et ce talent, il ne comptait pas le gaspiller. Au cours des années, il avait visité de nombreuses abbayes et laissé partout une bonne impression. Dès qu'on apprendrait la mort d'un abbé dans un monastère, les moines, qui le connaissaient, pousseraient Jonathan a se présenter à l'élection et ce serait difficile pour Philip de lui refuser sa permission.

Le lecteur inconnu de Philip terminait juste quand on frappa à la porte. Le portier entra. Frère Steven, le prévôt des novices, le foudroya du regard : comment osait-il distraire les moines en plein chapitre ? Le prévôt était responsable de la discipline et, comme tous ceux qui occupaient ce poste, Steven se montrait très à cheval sur la règle.

Le portier chuchota : « Il y a un messager du roi ! »

– Va voir, veux-tu ? dit Philip à Jonathan. Jonathan sortit, accompagné par les commentaires qu'échangeaient les moines à voix basse. « Reprenons, s'il vous plaît », annonça Philip d'une voix ferme. Tandis que commençaient les prières pour les morts, le prieur se demandait ce que le roi Henry avait à annoncer au prieuré de Kingsbridge. Sûrement pas de bonnes nouvelles. Le roi, depuis six longues années, était à couteaux tirés avec l'Église. La querelle avait éclaté à propos de la juridiction des tribunaux ecclésiastiques. L'entêtement du roi et le fanatisme de l'archevêque de Canterbury, Thomas Becket, empêchant tout compromis, la discussion avait tourné à la crise. Becket, depuis, vivait en exil.

558

L'Église d'Angleterre, hélas, n'apportait pas au prélat un soutien unanime. Certains évêques, dont Waleran Bigod, avait pris le parti du roi dans l'espoir d'une faveur en retour. Quant au pape, il harcelait Henry pour qu'il signe la paix avec Becket. La pire conséquence du conflit, c'était que par besoin de trouver un appui au sein de l'Église d'Angleterre, Henry donnait à des évêques avides de pouvoir comme Waleran une influence de plus en plus grande à la Cour. Dans ces conditions, une lettre du roi avait tout pour inquiéter Philip.

De retour, Jonathan tendit à Philip un rouleau scellé par un cachet de cire portant la marque du sceau royal. Les moines avaient interrompu leurs prières pour suivre attentivement les événements. Philip estima que dans ces circonstances c'était trop demander que de se consacrer aux prières à la mémoire des morts. « Nous reprendrons les prières tout à l'heure », déclara-t-il. Puis il brisa le sceau et ouvrit la lettre. Il n'y jeta qu'un coup d'œil avant de la tendre à Jonathan dont les jeunes yeux étaient meilleurs que les siens. « Lis tout haut, je te prie. »

Après les salutations d'usage, le roi écrivait : « Comme nouvel évêque de Lincoln, j'ai nommé Waleran Bigod, actuellement évêque de Kingsbridge... » La voix de Jonathan disparut dans le bourdonnement de commentaires qui accueillit ces paroles. Philip secoua la tête, dégoûté. Waleran avait perdu toute crédibilité dans la région depuis les révélations faites au procès de Philip. Comment pouvait-il conserver son titre d'évêque? Comment avait-il obtenu que le roi le nomme à Lincoln – un des plus riches évêchés du monde? Lincoln était le troisième diocèse du royaume, après Canterbury et York. De là, il n'y avait plus qu'un tout petit pas vers l'archevêché. Henry préparerait-il Waleran à remplacer Thomas Becket? Waleran, archevêque de Canterbury, chef de l'Église d'Angleterre! Philip en était malade.

Une fois la première réaction des moines passée, Jonathan poursuivit : « ... et j'ai recommandé au doyen et au chapitre de Lincoln de l'élire ». Ma foi, songea Philip, c'est plus facile à dire qu'à faire. Une recommandation royale n'était pas exactement un ordre. Si le chapitre de Lincoln s'opposait à Waleran, ou si les moines avaient leur candidat, le roi aurait à batailler. Il finirait par l'emporter sans doute, mais pas sûrement.

« Le chapitre du prieuré de Kingsbridge, continua Jonathan,

559

tiendra une élection pour désigner le nouvel évêque de Kings-bridge. Je vous recommande d'élire à ce poste mon fidèle serviteur Peter de Wareham, archidiacre de Canterbury. »

Un cri d'indignation unanime monta de l'assemblée des moines, Philip se sentait glacé d'horreur. Cet arrogant, ce rancunier, ce pharisien d'archidiacre Peter, tel était le choix du roi pour Kings-bridge! Peter était exactement le même genre d'homme que Wale-ran : d'une piété sincère et craignant Dieu, ils ne doutaient jamais d'eux-mêmes, si bien qu'ils identifiaient leurs propres volontés à la volonté divine; en conséquence, ils ne reculaient devant aucun moyen pour atteindre leur but, impitoyablement. Avec Peter comme évêque, Jonathan passerait sa vie de prieur à se battre pour la justice et la décence dans un comté gouverné d'une main de fer par un homme sans cœur. Et si Waleran devenait arche-vêque, ce serait pire.

Philip voyait venir une longue période sombre, aussi doulou-reuse que la guerre civile, où des comtes comme William impose-raient leurs caprices, tandis que des prêtres orgueilleux méprise-raient leur devoir de charité. Le prieuré, une fois de plus, subirait une oppression qui l'affaiblirait et l'appauvrirait. Cette pensée le hérissait.

Il n'était pas le seul. Steven se dressa, rouge de colère, et rom-pant avec la règle de modération que Philip imposait au chapitre, cria à pleine voix : « C'est inacceptable! »

Les moines l'acclamèrent vigoureusement. Jonathan d'un geste réclama le calme et, faisant preuve de sagesse, ramena le pro-blème à la base. « Que pouvons-nous faire ? demanda-t-il à l'assem-blée des moines.

— Repoussons la requête du roi! » proposa Bernard, le gros cui-sinier.

Les moines exprimèrent leur approbation.

« Écrivons au roi, reprit Steven, pour lui dire que nous élirons celui qui nous paraîtra le meilleur! » Après une pause, il ajouta humblement : « Avec l'inspiration de Dieu, bien sûr.

— Je ne pense pas que nous devions opposer un refus brutal, objecta Jonathan. Si le roi se sent attaqué, sa colère s'abattra sur nos têtes.

— Jonathan a raison, approuva Philip. On peut pardonner à un homme qui perd une bataille contre son roi, mais celui qui ose le défier publiquement est condamné.

– Mais alors, éclata Steven, vous cédez! »

Philip, malgré l'inquiétude et la crainte qui le tenaillaient, devait maîtriser la situation. «Steven, je vous en prie, calmez-vous, dit-il. Certes, nous devons lutter contre cette abominable nomination, mais avec prudence et habileté, en évitant toujours la confrontation ouverte.

– Qu'allez-vous faire? demanda Steven.

– Je ne sais pas encore », répondit Philip. Après le premier choc, il commençait à sentir renaître sa combativité. Toute sa vie, il avait lutté. Contre Remigius, ici au prieuré, pour le titre de prieur. Contre William Hamleigh et Waleran Bigod, dans tout le comté. Et maintenant contre le roi.

« Je crois que je vais me rendre en France, annonça-t-il. Pour rencontrer l'archevêque Thomas Becket. »

Dans les autres crises qu'il avait connues au long de sa vie, Philip avait toujours réussi à concevoir un plan. Chaque fois que lui-même, son prieuré ou sa ville s'étaient trouvés menacés par des forces brutales et sans loi, il avait imaginé une forme de défense ou de contre-attaque. Sans être constamment certain du succès, il n'avait jamais manqué de trouver une parade... jusqu'à maintenant.

Il méditait encore sa stratégie lorsqu'il arriva dans la ville de Sens, dans le royaume de France.

La cathédrale était la plus grande construction qu'il eût jamais vue. La nef devait avoir cinquante pieds de large. Auprès de la cathédrale de Kingsbridge, Sens donnait une impression d'espace, plus que de lumière.

En traversant une partie de la France pour la première fois de sa vie, Philip s'était rendu compte qu'il existait dans le monde plus de variétés d'églises qu'il ne l'avait imaginé, et il comprit l'effet créatif que les voyages avaient eu sur les réflexions de Jack Jackson. Philip n'avait pas manqué de visiter sur son chemin l'église abbatiale de Saint-Denis et il avait vu où Jack avait puisé certaines de ses idées. Il avait découvert aussi deux églises avec des arcs-boutants comme ceux de Kingsbridge : de toute évidence, d'autres maîtres maçons s'étaient heurtés aux problèmes qui se posaient à Jack et ils étaient arrivés à la même solution.

Philip alla présenter ses respects à l'archevêque de Sens, William les mains blanches, un jeune et brillant homme d'Église, neveu du défunt roi Stephen. Le prélat invita Philip à souper. Quoique flatté, celui-ci déclina l'invitation : il avait fait un long chemin pour voir Thomas Becket et, maintenant si proche du but, l'impatience le gagnait. Après avoir assisté à la messe à la cathédrale, il suivit le cours de l'Yonne en direction du nord, à la sortie de la ville.

Pour le prieur d'un des plus riches monastères d'Angleterre, il voyageait en modeste équipage : il n'emmenait que deux hommes d'armes pour assurer sa protection, un jeune moine du nom de Michaël de Bristol comme assistant et un cheval de bât chargé de livres saints, copiés et somptueusement enluminés au scriptorium de Kingsbridge, pour servir de cadeaux aux abbés et aux évêques qu'il visitait durant son voyage – cadeaux impressionnants qui contrastaient fort avec la modestie de l'entourage du prieur. Ainsi le voulait Philip : on devait respecter le prieuré et non le prieur.

Juste après avoir franchi la porte nord de Sens, il découvrit, au milieu d'une prairie ensoleillée au bord de la rivière, la vénérable abbaye de Sainte-Colombe, où l'archevêque Thomas vivait depuis trois ans. Un prêtre l'accueillit avec chaleur, appela des serviteurs pour s'occuper de ses chevaux et de son bagage et le conduisit à l'hôtellerie où séjournait l'archevêque. Les exilés étaient ravis de recevoir des visiteurs venant du pays, non seulement pour des raisons sentimentales, mais parce qu'ils y voyaient un signe de soutien.

On offrit à Philip et à son aide de la nourriture et du vin, on les présenta aux membres de la maison de Thomas – tous des prêtres, pour la plupart jeunes et, de l'avis de Philip, plutôt intelligents. Très vite, Michaël fut embarqué dans une discussion à propos de transsubstantiation. Philip écoutait sans prendre parti, en buvant à petites gorgées une coupe de vin. « Quelle est votre opinion, père Philip, lui demanda quelqu'un. Vous n'avez encore rien dit.

– Les questions théologiques les plus épineuses, déclara Philip en souriant, sont à mes yeux les problèmes les moins inquiétants.

– Pourquoi?

– Parce qu'elles trouveront toutes leur solution dans l'autre monde et qu'en attendant on peut sans risque les mettre de côté.

– Bien dit! » s'exclama une voix nouvelle. Philip, levant les yeux, aperçut l'archevêque Thomas de Canterbury.

Il eut aussitôt le sentiment de se trouver en présence d'un homme remarquable. Thomas était grand, mince et d'une exceptionnelle beauté, avec un front large, des yeux vifs, la peau claire et des cheveux sombres. Il avait une dizaine d'années de moins que Philip : cinquante ou cinquante et un ans. Malgré ses malheurs, il gardait une expression animée et joyeuse. C'était indiscutablement un homme très séduisant, ce qui expliquait en partie sa remarquable ascension depuis ses humbles débuts.

Philip s'agenouilla et baisa son anneau.

« Je suis si heureux, dit Thomas, de faire votre connaissance ! J'ai toujours voulu me rendre à Kingsbridge : j'ai tant entendu parler de votre prieuré et de la magnifique cathédrale qu'on vient d'y édifier. »

Philip, charmé et flatté, expliqua : « Je suis venu vous voir justement parce que tout ce que nous avons accompli se trouve mis en péril par le roi.

— Il faut me parler de cela tout de suite, répondit Thomas. Venez dans mon appartement. »

Philip le suivit à la fois enchanté et plein d'appréhension, car l'enjeu était gros.

Thomas le conduisit dans une pièce plus petite, meublée d'un somptueux lit de bois et de cuir, couvert de draps de toile fine et d'une couverture brodée. Philip aperçut aussi un mince matelas roulé dans un coin et il se rappela les histoires d'après lesquelles Thomas n'utilisait jamais le somptueux mobilier que lui fournissaient ses hôtes. Se souvenant du lit confortable que lui-même avait à Kingsbridge, Philip éprouva une pointe de remords en pensant qu'il connaissait le confort alors que le primat d'Angleterre dormait à même le sol.

« A propos de la cathédrale, dit Thomas, que pensez-vous de celle de Sens ?

— Étonnante, s'exclama Philip. Qui est le maître bâtisseur ?

— Guillaume de Sens. J'espère l'attirer un jour à Canterbury. Racontez-moi ce qui se passe à Kingsbridge. »

Philip parla à Thomas de l'évêque Waleran et de l'archidiacre Peter. Le prélat parut profondément intéressé par ce récit et posa quelques questions pertinentes. Outre du charme, il avait de la tête, deux atouts qui l'avaient mené à une position d'où il pouvait s'opposer à la volonté d'un des rois les plus forts que l'Angleterre

563

eût jamais connus. Sous sa robe d'archevêque, racontait-on, Thomas portait une haire; et sous cette apparence pleine de charme, Philip savait que se dissimulait une volonté de fer.

Quand Philip eut terminé son récit, Thomas avait l'air grave. « Il ne faut pas laisser faire cela, assura-t-il.

— Certes, répondit Philip encouragé par le ton ferme de Thomas. Pouvez-vous l'empêcher?

— Seulement si on me laisse regagner Canterbury. »

Ce n'était pas la réponse que Philip espérait. « Et, en attendant, pourriez-vous écrire au pape, par exemple?

— Je vais le faire, promit Thomas. Aujourd'hui même. Le pape ne reconnaîtra pas Peter comme évêque de Kingsbridge, je vous en donne ma parole. Mais nous ne pouvons pas empêcher qu'il s'installe dans le palais de l'évêque et nous ne pouvons pas non plus désigner quelqu'un d'autre. » Les propos résolument négatifs de Thomas démoralisèrent Philip. Pendant tout le chemin, il avait nourri l'espoir que Thomas trouverait un moyen de déjouer le plan de Waleran. Mais le brillant Thomas était hors jeu. Il ne lui restait rien que l'espoir d'être réintégré à Canterbury. Dans ce cas, certes, il aurait le pouvoir d'opposer son veto à toute nomination. Philip reprit d'un ton consterné : « Peut-on espérer vous voir revenir bientôt?

— Oui, si vous êtes optimiste, répliqua Thomas. Le pape a conçu un traité de paix auquel il nous pousse, Henry et moi, de donner notre accord. Je peux en accepter les termes : le traité m'accorde ce que je voulais obtenir en faisant campagne. Henry estime qu'il est acceptable pour lui aussi. J'ai insisté pour qu'il fasse la preuve de sa sincérité en me donnant le baiser de paix. Il refuse. » Tandis qu'il parlait, la voix de Thomas changeait, devenait monocorde; il avait l'air d'un prêtre en train de prononcer un sermon sur l'abnégation devant une congrégation indifférente. Toute vivacité avait disparu de son visage, Philip perçut dans son expression l'entêtement et l'orgueil qui l'avaient poussé à combattre durant toutes ces années. « Refuser ce baiser signifie qu'il compte m'attirer en Angleterre, puis revenir sur les termes de l'accord. » Philip acquiesça. Le baiser de paix, partie intégrante du rituel de la messe, était le symbole de la confiance, et aucun accord du contrat de mariage aux trêves de batailles n'était valable sans lui. « Que faire? » dit-il, s'adressant autant à Thomas qu'à lui-même.

564

« Retourner en Angleterre et faire campagne pour moi, proposa Thomas. Écrire des lettres à vos frères prieurs et abbés. Envoyer de Kingsbridge une délégation au pape. Adresser une pétition au roi. Prêcher des sermons dans votre célèbre cathédrale pour expliquer aux habitants du comté que l'aîné de leurs prélats a été écarté par le roi. »

Philip hocha la tête. Il n'allait rien faire du tout. S'il écoutait Thomas, il se retrouverait dans l'opposition au roi. Résultat qui ferait peut-être du bien au moral de Thomas, mais qui n'apporterait rien à Kingsbridge.

Le prieur avait une meilleure idée. Si Henry et Thomas étaient aussi proches, il n'en faudrait peut-être pas beaucoup pour les pousser dans les bras l'un de l'autre. Peut-être, se dit Philip avec espoir, pourrait-il agir utilement dans ce sens. L'idée aiguillonna son optimisme. Les chances étaient minces, mais il n'avait rien à perdre.

Après tout, il ne s'agissait que d'un baiser.

Philip sursauta en constatant combien son frère avait vieilli. Francis avait les cheveux gris, de lourdes poches sous les yeux et la peau comme desséchée. Par contre, à soixante ans, il avait toujours l'œil vif et l'esprit alerte.

Philip porta la main à son propre visage : avait-il des rides, lui aussi ? Ou des poches sous les yeux ? Depuis des années il ne s'était pas regardé dans un miroir. Comme d'habitude la vue de son frère, image de son propre vieillissement, réveillait chez le prieur l'angoisse de l'âge.

« Es-tu content de travailler pour Henry ? demanda Philip, curieux de connaître quelques détails sur le nouveau roi. Ressemble-t-il à Maud ?

— Elle était plus intelligente, répondit Francis, mais trop tortueuse. Henry est très ouvert. On sait toujours ce qu'il pense. »

Ils se tenaient dans le cloître d'un monastère, à Bayeux, où était descendu Philip, la cour du roi Henry étant cantonnée non loin de là. Francis dirigeait maintenant la chancellerie, le bureau qui rédigeait toutes les lettres et chartes royales : un poste important où l'on avait du pouvoir.

« Ouvert ? reprit Philip. Henry ? L'archevêque ne le pense pas.

– Encore une erreur de jugement de la part de Thomas »,
observa Francis d'un ton méprisant.

Philip, choqué que Francis se montre si dédaigneux envers
l'archevêque protesta : « Thomas est un grand homme!

– Qui voudrait être roi, riposta Francis.

– Et Henry archevêque! »

Les frères se mesurèrent du regard un moment. Si nous nous
disputons pour un rien, songea Philip, comment s'étonner de la
brouille entre Henry et Thomas. Il sourit. « Allons, dit-il, ne nous
querellons pas pour si peu... »

Le visage de Francis s'adoucit. « Non, bien sûr que non. Mais
cette dispute entre le roi et l'archevêque est la plaie de mon existence depuis maintenant six ans. Je n'ai pas le même détachement
que toi à ce propos. »

Philip acquiesça. « Pourquoi Henry refuse-t-il d'accepter le plan
de paix du pape?

– Il le fera, affirma Francis. Nous sommes à un doigt de la
réconciliation. Mais Thomas veut davantage. Il tient absolument
au baiser de paix.

– Si le roi est sincère, pourquoi refuse-t-il de donner le baiser de
paix comme gage de sa bonne foi? »

Francis haussa le ton. « Ce n'est pas dans le plan!

– Et alors? Y a-t-il besoin d'un plan? insista Philip.

– Il le ferait volontiers, expliqua Francis avec un soupir. Mais
un jour il a prêté serment, en public, de ne jamais donner à
Thomas le baiser de paix.

– Bien des rois ne tiennent pas leurs serments, fit remarquer
Philip.

– Des rois faibles. Henry ne reviendra pas sur une promesse
faite en public. C'est ce genre de détails qui le distingue d'un souverain comme Stephen.

– Alors l'Église de son côté ne devrait pas s'obstiner, observa
Philip, résigné.

– Mais pourquoi Thomas insiste-t-il tant sur le baiser? questionna Francis avec agacement.

– Parce qu'il n'a pas confiance. Qu'est-ce qui empêcherait le roi
de revenir sur leur accord? En supposant qu'il le dénonce, quel
moyen Thomas a-t-il de répliquer? Il n'aurait plus qu'à repartir en
exil. Ses partisans les plus résolus commencent à se lasser. Thomas

ne peut pas prendre un tel risque. Avant de céder, il lui faut des garanties de fer. »

Francis secoua la tête avec tristesse. « C'est devenu une question d'orgueil, murmura-t-il. Je sais que Henry n'a pas l'intention de tromper Thomas. Mais on n'arrivera pas à lui forcer la main. Il a horreur de se sentir obligé à quoi que ce soit.

— Même chose pour Thomas, à mon avis, dit Philip. Il a demandé ce gage et il ne peut plus reculer maintenant. » Il soupira avec lassitude. Il avait espéré que Francis suggérerait un moyen de rapprocher les deux hommes, mais la tâche semblait impossible.

« L'ironie, c'est que Henry donnerait volontiers le baiser de baix à Thomas *après* la réconciliation, ajouta Françis. Il refuse simplement qu'on le lui impose comme condition préalable.

— L'a-t-il dit formellement ?

— Oui.

— Mais ça change tout ! s'exclama Philip. Quelles sont ses déclarations exactes ?

— Il a dit : " Je baiserai sa bouche, je baiserai ses pieds et j'assisterai à sa messe – après son retour. " Je l'ai entendu moi-même.

— Je vais rapporter ces mots à Thomas.

— Crois-tu qu'il pourrait céder ? demanda anxieusement Francis.

— Je ne sais pas, mais c'est une si petite concession ! Il obtiendra son baiser juste un peu plus tard qu'il ne le demandait.

— Pour Henry, c'est une concession très minime aussi, reprit Francis avec un enthousiasme croissant. Il lui donne le baiser, volontairement et non sous la contrainte. Par Dieu, ça pourrait marcher !

— Ils se réconcilieraient à Canterbury. On annoncerait à l'avance le contenu de l'accord de façon qu'aucun des deux ne puisse rien y changer à la dernière minute. Thomas dirait la messe et Henry lui donnerait le baiser, là, dans la cathédrale. » Dès lors, poursuivit-il intérieurement, Thomas pourra faire échec aux plans maléfiques de Waleran.

« Je vais faire cette proposition au roi, déclara Françis.

— Et moi à Thomas. »

La cloche du monastère retentit. Les deux frères se levèrent.

« Sois persuasif, conseilla Philip. Si nous aboutissons, Thomas rentrera à Canterbury. Et, si Thomas rentre, c'en est fini de Waleran Bigod. »

Ils se rencontrèrent dans une jolie prairie, au bord d'une rivière séparant la Normandie du royaume de France, près des villes de Fréteval et de Viévy-le-Raye. Le roi Henry était déjà là avec son entourage, quand Thomas arriva, accompagné de l'archevêque Guillaume de Sens. Philip, qui faisait partie de l'escorte de Thomas, aperçut son frère Francis auprès du roi, à l'autre bout du champ.

Henry et Thomas étaient parvenus à un accord théorique. Tous deux avaient accepté le compromis selon lequel le baiser de paix serait échangé lors d'une messe de réconciliation après le retour de Becket en Angleterre. Mais il fallait une rencontre entre les deux hommes pour que l'accord fût conclu officiellement.

A cheval, Thomas s'avança au milieu du champ, laissant ses gens derrière lui, et Henry l'imita.

Des heures ils discutèrent.

Personne n'entendait ce qui se disait, mais on devinait qu'ils évoquaient la façon dont Henry avait offensé l'Église, comment les évêques anglais avaient désobéi à Thomas, l'exil de ce dernier, le rôle du pape... Philip tremblait de les voir ranimer leur querelle et se séparer plus ennemis que jamais. C'était déjà arrivé. Par orgueil, par intransigeance, ils avaient fait échouer un accord bien proche d'aboutir. Mais cette fois, plus ils parlaient, plus l'optimisme de Philip grandissait. Si les choses avaient dû craquer, ce serait déjà fait, estimait-il.

La chaleur de cet après-midi d'été commença de tomber, les ombres des ormes s'allongèrent en travers de la rivière. La tension était insupportable.

Enfin il se passa quelque chose : Thomas fit un geste. Allait-il repartir ? Non, il mettait pied à terre. Philip, haletant, ne quittait pas les deux hommes des yeux. A pied, l'archevêque s'approcha de Henry et s'agenouilla devant le roi.

Celui-ci sauta à terre et étreignit Thomas. Les courtisans dans les deux camps poussèrent des hurlements de joie en lançant leurs chapeaux en l'air.

Philip sentait les larmes lui venir aux yeux. Le conflit avait trouvé sa solution – dans la raison et la bonne volonté.

Peut-être était-ce un présage pour l'avenir.

3

Le roi était fou de rage et William Hamleigh avait peur. Il n'avait connu qu'une personne aussi coléreuse que le roi Henry : sa mère Regan. Henry était presque aussi terrifiant qu'elle. C'était d'ordinaire un homme intimidant, avec ses larges épaules, son torse puissant et sa grosse tête, mais lorsqu'il se mettait en colère, ses yeux gris-bleu s'injectaient de sang, son visage criblé de taches de rousseur s'empourprait et sa fureur évoquait celle d'un ours en cage.

En cette période de Noël, ils séjournaient à Bur-le-Roi, un pavillon de chasse de Henry, dans un parc proche de la côte normande. Henry aurait dû se réjouir : il adorait la chasse et ce lieu plus que tout. Mais il ne décolérait pas. La raison de cette fureur ? L'archevêque Thomas de Canterbury.

« Thomas, Thomas, Thomas ! Vous n'avez que ce nom à la bouche, bande de prélats pourris ! Thomas fait ceci... Thomas fait cela... Thomas vous a insultés... Thomas s'est montré injuste envers vous. J'en ai assez de Thomas ! »

William scruta furtivement le visage des comtes, évêques et autres dignitaires rassemblés autour de la table du dîner de Noël dans la grande salle. Tout le monde était visiblement très nerveux, sauf quelqu'un qui arborait un air satisfait : Waleran Bigod.

Waleran avait prédit que Henry ne tarderait pas à se quereller de nouveau avec Thomas. L'archevêque avait emporté une victoire trop inégale : le plan de paix du pape contraignait le roi à céder sur trop de points. Il y aurait d'inévitables disputes lorsque Thomas prétendrait obliger le roi à tenir ses promesses. Mais

Waleran ne s'était pas contenté d'attendre passivement les événements, il s'était donné beaucoup de mal pour aider sa prédiction à devenir réalité. Avec l'aide de William, Waleran ne cessait de rapporter à Henry des plaintes sur les agissements de Thomas depuis son retour en Angleterre : l'archevêque parcourait la campagne avec une armée de chevaliers, rendait visite à ses partisans avec lesquels il préparait des projets douteux, il punissait les membres du clergé qui s'étaient rangés à la cause du roi durant son exil. Certes Waleran enjolivait ses rapports avant de les transmettre au roi, mais ils contenaient une base de vérité. Toutefois, Waleran attisait de son mieux les flammes d'un feu qui brûlait déjà bien. Tous ceux qui avaient abandonné Thomas au cours des six années de sa querelle avec le roi vivaient maintenant dans la crainte de sa vengeance et ne demandaient qu'à le noircir aux yeux du souverain.

Aussi, plus Henry enrageait, plus Waleran se réjouissait. En réalité, il risquait de pâtir plus que d'autres du retour de Thomas. L'archevêque avait refusé d'entériner la nomination de Waleran comme évêque de Lincoln, et proposait son propre candidat à l'évêché de Kingsbridge : le prieur Philip. Si Thomas l'emportait, Waleran perdrait Kingsbridge sans gagner pour autant Lincoln. Ce serait sa ruine.

La situation de William souffrirait aussi. Avec Aliena tenant le rôle du comte, Waleran disparu, Philip évêque et, sans nul doute, Jonathan prieur de Kingsbridge, William se retrouverait isolé, sans un seul allié dans le comté. C'est pourquoi il avait rejoint Waleran à la cour royale pour participer à la destruction de la fragile concorde signée entre le roi Henry et l'archevêque Thomas.

Personne ne montrait beaucoup d'appétit pour les cygnes, les oies, les paons et les canards disposés sur la table. William, qui en général mangeait et buvait de bon cœur, se contentait pour l'instant de grignoter du pain et de boire à petits coups du posset, un breuvage fait de lait, de bière, d'œufs et de noix de muscade, afin de calmer ses brûlures d'estomac.

La crise de colère du roi avait été provoquée par une initiative de Thomas, qui avait dépêché une délégation à Tours – où se trouvait le pape Alexandre – afin de se plaindre de Henry : le roi ne respectait pas les obligations imposées par le traité de paix. Un des plus vieux conseillers du roi, Enjuger de Bohun, déclara sans ambages : « Il n'y aura pas de paix tant que vous n'aurez pas fait exécuter Thomas. »

William sursauta.

« C'est vrai ! » rugit Henry.

Non ! le roi ne parlait pas sérieusement ! Pourtant William eut le sentiment qu'Enjuger ne s'était pas exprimé à la légère.

Guillaume Malvoisin ajouta avec désinvolture : « Lorsque j'étais à Rome, en rentrant de Jérusalem, j'ai entendu parler d'un pape qu'on avait exécuté pour insolence. Du diable maintenant si j'arrive à me rappeler son nom.

– On dirait, renchérit l'archevêque d'York, qu'il n'y pas d'*autre* solution. Tant que Thomas vivra, il fomentera la sédition dans le pays et à l'étranger. »

William avait de plus en plus l'impression d'un coup monté. Il lança un regard à Waleran. Celui-ci, justement, intervenait : « Il est totalement inutile de faire appel au sens des convenances de Thomas...

– Taisez-vous, tous autant que vous êtes, rugit le roi. J'en ai assez entendu ! Tout ce que vous savez faire, c'est de vous plaindre. Quand proposerez-vous quelque chose de concret ? »

Il but une gorgée. « Cette bière a le goût de pisse ! » hurla-t-il. Il repoussa son fauteuil et, comme tout le monde s'empressait de se lever, il sortit en trombe de la salle.

Dans le silence anxieux qui suivit, Waleran observa : « Mes seigneurs, le message pourrait difficilement être plus clair. Nous devons nous secouer et réfléchir au cas de Thomas. »

William Mandeville, comte d'Essex, déclara : « Je pense qu'une délégation devrait rencontrer Thomas pour lui faire entendre raison.

– Et que ferez-vous s'il refuse d'écouter ? rétorqua Waleran.

– Je pense que nous devrions l'arrêter au nom du roi. »

On se mit à parler en même temps. L'assemblée se divisa en petits groupes. Ceux qui entouraient le comte d'Essex prévoyaient déjà le départ de leurs délégués pour Canterbury. William vit Waleran en conversation avec deux ou trois jeunes chevaliers. L'évêque surprit son regard et lui fit signe d'approcher.

« La délégation de William Mandeville, déclara Waleran, n'accomplira rien. Thomas n'en fera qu'une bouchée. »

Reginald Fitzurse, d'une voix sévère, affirma : « Certains

571

d'entre nous estiment que le moment est venu de prendre des mesures plus radicales.

– Que voulez-vous dire? interrogea William.

– Vous avez entendu les paroles d'Enjuger? »

Richard Le Bret, un garçon d'environ dix-huit ans, balbutia : « Exécution. »

Le mot glaça le cœur de William. Alors, c'était sérieux. Il dévisagea Waleran. « Allez-vous demander la bénédiction du roi?

– Impossible, répondit Reginald. Henry ne peut pas sanctionner une décision comme celle-là. » Il eut un sourire mauvais. « Mais il peut récompenser ensuite ses fidèles serviteurs.

– Eh bien, William, interrogea le jeune Richard, êtes-vous avec nous?

– Je ne sais pas, répliqua William tout à la fois excité et effrayé. Il faut que j'y réfléchisse.

– On n'a pas le temps de réfléchir, objecta Reginald. Nous devons partir maintenant. Il faut arriver à Canterbury avant William Mandeville, sinon ses gens se trouveront sur notre chemin. »

Waleran s'adressa à William. « Ils ont besoin avec eux d'un homme plus âgé pour les guider et préparer l'opération. »

William ne demandait qu'à accepter. Non seulement cela résoudrait tous ses problèmes, mais le roi lui donnerait sans doute un comté en récompense. « Tout de même, tuer un archevêque, c'est un terrible péché! protesta-t-il.

– Ne vous inquiétez pas pour cela, riposta Waleran, je vous donnerai l'absolution. »

La gravité de l'acte qu'ils se préparaient à commettre pesait sur William comme un nuage d'orage tandis que le groupe d'assassins faisait voile vers l'Angleterre. Il ne pensait à rien d'autre : il ne pouvait ni manger ni dormir, agissait comme un somnambule et tenait des propos confus. Quand le vaisseau atteignit Douvres, il était prêt à abandonner le projet.

Ils atteignirent le château de Saltwood, dans le Kent, un lundi soir, trois jours après Noël. Le domaine appartenait à l'archevêque de Canterbury mais, durant l'exil de ce dernier, il avait été occupé par Ranulf de Broc, qui avait refusé de le rendre. Une des plaintes que Thomas formulait auprès du pape était précisément que le roi Henry n'avait pas réussi à lui faire restituer le château.

Ranulf redonna du courage à William.

En l'absence de l'archevêque, il avait ravagé le Kent et se montrait disposé à tout faire pour conserver sa liberté d'agir. Il avait adopté avec enthousiasme le projet d'assassinat et accueilli avec joie l'occasion d'y prendre part. La façon pratique dont il analysait les problèmes dissipa le brouillard de crainte superstitieuse qui assombrissait la vision de William. Celui-ci se plut à imaginer qu'il retrouvait son titre de comte et sa liberté sans personne pour lui dicter sa conduite.

Ils veillèrent presque toute la nuit. Ranulf dessina sur la table, avec un couteau, un plan de l'enclos de la cathédrale et du palais de l'archevêque. Les bâtiments du monastère se trouvaient sur le côté nord de l'église. L'archevêché était rattaché à l'angle nord-ouest de l'église. On y pénétrait par la cour des cuisines. Tout en travaillant sur le plan, Ranulf envoya des cavaliers dans ses garnisons de Douvres, de Rochester et de Bletchingley, pour donner ordre à ses chevaliers de le retrouver au matin sur la route de Canterbury. A l'aube, les conspirateurs allèrent se prendre une heure ou deux de sommeil.

Après ce long voyage, William avait les jambes en feu. Il espérait que cette opération militaire serait la dernière à laquelle il participerait. Si ses calculs étaient exacts, il aurait bientôt cinquante-cinq ans et il devenait trop vieux pour ce genre d'exercice.

Malgré sa fatigue et l'influence réconfortante de Ranulf, il ne parvint pas à trouver le sommeil. L'idée de tuer un archevêque le terrorisait, même s'il avait été par avance absous de son péché.

Ils avaient conçu un bon plan d'attaque, certes, mais qui tournerait mal, il en était sûr : il y avait toujours quelque chose qui tournait mal. L'important, c'était d'avoir la souplesse nécessaire pour réagir à l'inattendu. Tout de même, ce ne serait pas très difficile pour un groupe de guerriers professionnels de maîtriser une poignée de moines efféminés.

La pâle lumière d'un gris matin d'hiver filtrait dans la pièce par les fenêtres en meurtrières. William se leva. Il essaya de dire ses prières, mais n'y parvint pas. Les autres s'étaient levés de bonne heure aussi. Ils prirent leur déjeuner ensemble dans la salle. Outre William et Ranulf, il y avait Reginald Fitzurse, dont William avait fait le chef du groupe d'attaque ; Richard le Bret, le benjamin de la troupe ; William Tracy, l'aîné ; et Hugh Morville, le plus élevé en grade.

Ils revêtirent leurs armures et partirent sur les chevaux de Ranulf. Il faisait un froid mordant et le ciel était assombri par des nuages gris et bas, comme s'il allait neiger. Le groupe suivit la vieille route qu'on appelait Stone Street. Au cours des deux heures et demie du trajet, il s'augmenta de plusieurs autres chevaliers.

Le point de rassemblement final était à l'abbaye Saint-Augustin, en dehors de la ville. L'abbé était un vieil ennemi de Thomas, selon Ranulf. Mais William n'en décida pas moins de lui dire qu'ils étaient venus arrêter Thomas, et non le tuer. C'était la version qu'ils devraient maintenir jusqu'au dernier moment : personne ne devait connaître le véritable but de l'opération, sauf William lui-même, Ranulf et les quatre chevaliers venus de France.

Ils atteignirent l'abbaye à midi. Les hommes que Ranulf avait convoqués les attendaient déjà. L'abbé leur offrit à dîner. Son vin était fort bon et ils en burent tous en abondance. Ranulf donna ses instructions aux hommes d'armes qui cerneraient l'enclos de la cathédrale pour empêcher quiconque de s'échapper.

Bien qu'il ne quittât pas l'âtre où brûlait le feu, William ne cessait de frissonner. Ce serait une opération simple, mais ils risquaient leur vie. S'ils réussissaient, le roi trouverait un moyen de justifier le meurtre de Thomas. Mais en cas d'échec, Henry en aucun cas ne pourrait appuyer la tentative d'assassinat : il nierait en avoir eu connaissance et ferait pendre les coupables. Comme shérif de Shiring, William avait pendu bien des gens, mais l'idée de son propre corps se balançant au bout d'une corde le faisait trembler.

Il s'obligea à penser au comté qui serait sa récompense en cas de victoire. Quel bonheur d'être de nouveau comte sur ses vieux jours, respecté et obéi sans contestation ! Peut-être le frère d'Aliena, Richard, mourrait-il en Terre sainte. Le roi Henry rendrait alors à William son ancienne propriété. Cette perspective le réchauffa plus que le feu.

Lorsqu'ils quittèrent l'abbaye, ils formaient une petite armée, qui n'eut aucun mal à entrer dans Canterbury. Ranulf contrôlait depuis six ans cette partie du pays et il n'avait pas encore perdu son autorité. Il avait même plus d'influence que Thomas, qui s'en était amèrement plaint au pape.

Sitôt dans la place, les hommes d'armes se dispersèrent autour de l'enceinte de la cathédrale et en bloquèrent toutes les issues.

L'opération avait commencé. Jusque-là on aurait pu encore théoriquement tout annuler, mais désormais, se dit William avec un frisson d'angoisse, les dés étaient jetés.

Tandis que Ranulf se chargeait du système de surveillance, William posta un groupe de chevaliers dans une maison située en face de la porte principale de l'enceinte. Pendant que Reginald Fitzurse et les trois autres conspirateurs pénétraient à cheval dans la cour des cuisines, comme des visiteurs officiels, William fit irruption dans le poste de garde et, avec l'aide de quelques soldats, maintint à la pointe de l'épée le portier terrifié.

L'attaque prenait tournure.

Comme un automate, William ordonna à un homme d'armes de ligoter le portier, puis rassembla dans le poste le reste de sa troupe et ferma la porte. Plus personne maintenant ne pouvait entrer ni sortir : il avait pris le contrôle armé d'un monastère.

William rejoignit les quatre conspirateurs dans la cour des cuisines. Il y avait des écuries au nord de la cour, mais les quatre acolytes avaient attaché leurs chevaux à un mûrier planté au centre. Ils se débarrassèrent de leurs ceinturons et de leurs casques pour préserver encore un moment l'aspect d'une délégation pacifique.

William à son tour abandonna ses armes au pied de l'arbre. Reginald l'interrogea du regard. « Tout va bien, annonça William. L'endroit est coupé du monde. »

Ils traversèrent la cour juqu'au portail du palais. William chargea un chevalier du nom de Richard d'y rester pour monter la garde. Les autres pénétrèrent dans la grande salle.

Les domestiques du palais étaient assis à dîner. Cela signifiait qu'ils avaient déjà servi Thomas, ainsi que les prêtres et les moines en sa compagnie. Un des serviteurs se leva. « Nous sommes les hommes du roi » déclara Reginald.

Le silence se fit dans la salle. L'homme qui s'était levé à leur entrée se présenta : « Bienvenue, mes seigneurs, je suis l'intendant, William Fitzneal. Veuillez vous installer, je vous prie. Voudriez-vous dîner ? »

Il était d'une courtoisie parfaite, songeant William, compte tenu du fait que son maître était en conflit avec le roi.

« Pas de dîner, merci, dit Reginald.

— Une coupe de vin, après votre voyage ?

— Nous avons un message du roi pour ton maître, répliqua Reginald avec impatience. Veux-tu nous annoncer sans tarder ?

– Très bien », dit l'intendant en s'inclinant.

Les visiteurs n'étant pas armés, l'intendant n'avait aucune raison de leur opposer un refus. Il quitta la table et se dirigea vers le fond de la salle.

William et les quatre chevaliers lui emboîtèrent le pas, suivis par les regards des serviteurs silencieux. William, tremblant comme autrefois avant une bataille, espérait que le combat allait bientôt commencer. Alors, seulement, il se sentirait bien.

Ils s'engagèrent dans un escalier menant à l'étage supérieur et débouchèrent dans une spacieuse antichambre, garnie de bancs sur tous les côtés. Au centre de l'un des murs, se dressait un grand trône. Plusieurs prêtres et moines en robe noire avaient pris place sur les bancs, mais le trône était inoccupé.

L'intendant s'approcha d'une porte ouverte. « Monseigneur archevêque, lança-t-il d'une voix forte, des messagers du roi. »

On n'entendit pas de réponse, mais l'archevêque avait dû lui faire un signe, car l'intendant invita le groupe à entrer.

Thomas Becket était assis au bord du lit, vêtu de sa robe d'archevêque. Assis à ses pieds, un moine écoutait l'archevêque. William croisa son regard et eut la surprise de reconnaître le prieur Philip de Kingsbridge. Que faisait-il ici? Sûrement qu'il quémandait une faveur. Bien qu'élu évêque de Kingsbridge, Philip n'avait pas encore été confirmé à ce poste. A présent, se dit William avec une joie sauvage, il ne le serait jamais.

Philip n'était pas moins stupéfait de rencontrer William. Thomas continua son discours, comme s'il n'avait pas remarqué les visiteurs. Attitude délibérément provocante, songea William. Les chevaliers s'assirent sur les tabourets et les bancs qui entouraient le lit, ce que William considéra comme une erreur : leur visite prenait un caractère mondain et il eut le sentiment que sa troupe avait un peu perdu de son élan. Peut-être était-ce justement le but de Thomas.

L'archevêque finit par lever les yeux sur eux. Il ne se leva pas pour les accueillir. Il les connaissait tous, à l'exception de William, et son regard s'arrêta sur Hugh Morville, le plus haut en grade. « Ah, fit-il, Hugh. »

William avait placé Reginald en charge de cette phase de l'opération. Ce fut donc Reginald et non Hugh qui répondit à l'archevêque : « Nous venons de la part du roi qui séjourne en Normandie. Voulez-vous entendre son message en public ou en privé? »

Le regard froid de Thomas alla de Reginald à Hugh pour revenir à Reginald. Son expression disait qu'il était offensé d'avoir affaire à un subalterne de la délégation. Il soupira. « Laissez-moi, Philip », dit-il au moine.

Philipe se leva et passa devant les chevaliers, l'air soucieux. « Mais ne fermez pas la porte », lui cria Thomas.

Quand Philip fut sorti, Reginald parla : « Je vous demande, au nom du roi, de venir à Winchester répondre des accusations portées contre vous. »

William eut la satisfaction de voir Thomas pâlir. « C'est donc cela », murmura l'archevêque. Il leva la tête. L'intendant rôdait près de la porte. « Fais entrer tout le monde, lui ordonna Thomas. Je veux que tous entendent. »

Les moines et les prêtres parurent aussitôt, le prieur Philip parmi eux. Certains s'assirent, d'autres restèrent debout, adossés aux murs. William n'éleva pas d'objection : au contraire, plus il y avait de gens présents, mieux cela vaudrait : l'objet de cette rencontre était d'établir devant témoins que Thomas refusait de se plier à un ordre du roi.

Quand ils furent tous installés, Thomas se tourna vers Reginald. « Alors ? interrogea-t-il.

— Je vous demande, au nom du roi, de vous rendre à Winchester pour répondre des accusations portées contre vous, répéta Reginald.

— Quelles accusations ? fit calmement Thomas.

— Trahison ! »

Thomas secoua la tête. « Je refuse d'être jugé par Henry, répondit-il avec calme. Je n'ai commis aucun crime, Dieu le sait.

— Vous avez excommunié des serviteurs du roi.

— Ce n'est pas moi, mais le pape, qui a fait cela.

— Vous avez suspendu d'autres évêques.

— J'ai offert de les réintégrer dans des conditions inspirées par la miséricorde. Ils ont refusé. Ma proposition demeure.

— Vous avez menacé la succession au trône en condamnant le couronnement du fils du roi.

— Je n'ai rien fait de tel. L'archevêque de York n'a nullement le droit de couronner qui que ce soit, et le pape l'a réprimandé pour son effronterie. Mais personne n'a prétendu que le couronnement n'était pas valable.

– Maudit imbécile, s'exclama Reginald exaspéré, l'un découle de l'autre.

– En voilà assez! s'écria Thomas.

– Nous en avons assez de vous, Thomas Becket, s'écria Reginald. Par les plaies de Dieu, nous en avons assez de vous, de votre arrogance, de vos duperies et de votre trahison. »

Thomas se leva. « Les châteaux de l'archevêque sont occupés par les hommes du roi, s'exclama-t-il. Les loyers dus à l'archevêque ont été encaissés par le roi. L'archevêque a reçu l'ordre de ne pas quitter la ville de Canterbury. Et vous osez dire que c'est *vous* qui en avez assez? »

Un des prêtres tenta d'intervenir : « Monseigneur, discutons cette affaire en privé.

– A quelle fin? répliqua Thomas. On exige de moi une chose que je ne dois pas faire et que je ne veux pas faire. »

Les éclats de voix avaient attiré tous les gens qui se trouvaient au palais et le seuil de la chambre était encombré d'auditeurs éberlués, constata William. La discussion avait assez duré : personne ne pouvait nier maintenant que Thomas refusait d'obéir à un ordre royal. William fit un signe à Reginald : un geste discret, mais que le prieur Philip remarqua en notant aussitôt que le chef du groupe n'était pas Reginald, mais William.

« Archevêque Thomas, déclara cérémonieusement Reginald, vous n'êtes plus sous la paix et la protection du roi. » Il se retourna pour s'adresser à l'assistance. « Evacuez cette chambre », ordonna-t-il.

Personne ne bougea.

« Moines, déclara Reginald, je vous ordonne au nom du roi de garder l'archevêque et de l'empêcher de s'enfuir. »

Ils n'en feraient rien, naturellement. William ne le souhaitait pas non plus, bien au contraire. Il espérait que Thomas tenterait une évasion qui leur donnerait l'occasion de l'abattre.

Reginald se tourna vers l'intendant, William Fitzneal, théoriquement le garde du corps de l'archevêque. « Je vous arrête », déclara-t-il. Il empoigna l'intendant par le bras et le fit sortir de la pièce. L'homme n'opposa aucune résistance. William et les autres chevaliers les suivirent.

Ils dévalèrent l'escalier et traversèrent la salle. Richard, le jeune chevalier, était toujours de garde sous le portail. William se

578

demanda que faire de l'intendant. « Es-tu avec nous ? » lança-t-il à brûle-pourpoint.

« Oui, si vous êtes avec le roi ! » répliqua l'homme, terrifié.

Il avait bien trop peur pour représenter un danger, quel que fût le camp dans lequel il se rangeait, estima William. Il se tourna vers Richard. « Gardez-le à l'œil. Que personne ne quitte le bâtiment. Maintenez le portail fermé. »

Avec les autres chevaliers, il traversa en hâte la cour jusqu'au mûrier. Ils reprirent précipitamment leurs casques et leurs épées. C'est l'heure, songea William, empli de frayeur. Nous allons revenir là-bas et tuer l'archevêque de Canterbury. Oh ! mon Dieu. William n'avait pas porté de casque depuis longtemps et la coiffe en cotte de mailles qui protégeait le cou et les épaules le gênait. Il maudit ses doigts maladroits. Il n'y avait pas de temps à perdre. Il aperçut un jeune garçon qui l'observait, bouche bée, et lui cria : « Eh ! Toi ! Comment t'appelles-tu ? »

Le garçon se tourna vers les cuisines, ne sachant s'il devait répondre à William ou s'enfuir. « Robert, seigneur, dit-il après un moment. On m'appelle Robert Pipe.

– Viens ici, Robert Pipe, et aide-moi. »

Le garçon hésitait toujours.

« Viens, ou bien je jure par le sang de Jésus que je vais te trancher la main avec cette épée ! » cria William à bout de patience.

Le jeune homme s'avança à contrecœur. William lui montra comment maintenir la cotte de mailles tandis qu'il coiffait son casque. Aussitôt après Robert Pipe détala. Il racontera cette histoire à ses petits-enfants, songea William.

Le casque était muni d'un ventail, protégeant la bouche, qu'on tirait et fixait avec une courroie. Les autres avaient déjà fermé les leurs, dissimulant leurs visages, si bien qu'on ne pourrait plus les reconnaître. William garda le sien ouvert encore un moment. Chaque chevalier tenait une épée dans une main et une hache dans l'autre.

« Prêts ? » interrogea William.

Ils acquiescèrent.

Désormais, on ne parlerait plus. Il n'y avait plus d'ordres à donner, plus de décisions à prendre. Ils allaient simplement remonter là-haut tuer Thomas.

William porta deux doigts à sa bouche et lança un violent coup de sifflet.

Puis il attacha son ventail. Un homme d'armes accourut au poste de garde et ouvrit toute grande la porte principale.

Les chevaliers que William avait postés dans la maison, de l'autre côté de la route, se précipitèrent en criant comme ils en avaient reçu l'ordre : « Service du roi ! Service du roi ! »

William repartit en courant vers le palais.

Le chevalier Richard et l'intendant William Fitzneal ouvrirent grand le portail devant lui.

Au moment où il entrait, deux des serviteurs de l'archevêque profitèrent du fait que Richard et William Fitzneal avaient la tête tournée pour claquer la porte menant à la grande salle.

William se jeta de tout son poids contre le montant, mais c'était trop tard : elle était bloquée par une barre. Il poussa un juron.

Les chevaliers attaquèrent la porte à coups de hache, mais sans grand succès car elle avait été conçue pour résister aux assauts. William sentait le contrôle des opérations lui échapper. Luttant contre un début de panique, il se précipita dehors pour chercher une autre entrée. Reginald le suivit.

Il n'y avait aucune issue de ce côté du bâtiment. Ils firent le tour du palais, passant devant les cuisines et traversant le verger. William poussa un grognement de satisfaction : là sur la façade sud un escalier menait à l'étage supérieur, une sorte d'entrée particulière donnant accès aux appartements de l'archevêque.

William se calma.

Reginald et lui coururent jusqu'au pied de l'escalier. Il était endommagé à mi-hauteur ; quelques outils et une échelle se trouvaient là, comme pour des réparations. Reginald appuya l'échelle contre le mur et grimpa, en enjambant les marches démolies. En haut, une porte donnait surune fenêtre à encorbellement, comme un petit balcon clos. William le vit secouer la porte : fermée à clé. A côté de la porte, une fenêtre aux volets clos, que d'un coup de hache, Reginald fit voler en éclats. Il passa le bras à l'intérieur, tâtonna, puis ouvrit la fenêtre et entra.

William se mit à monter l'échelle.

Philip s'était alarmé dès l'instant où il avait vu William Hamleigh, mais les prêtres et les moines de l'entourage de Thomas se montrèrent d'abord optimistes. Puis, en entendant cogner à la porte de la salle, plusieurs d'entre eux proposèrent d'aller chercher refuge dans la cathédrale.

« Chercher refuge ? fit Thomas avec mépris. Contre quoi ? Contre ces chevaliers ? Un archevêque ne s'enfuit pas devant quelques têtes brûlées. »

Philip lui donnait raison jusqu'à un certain point : le titre d'archevêque n'avait plus de sens si on se laissait effrayer par des chevaliers. L'homme de Dieu, fort de la certitude que ses péchés sont pardonnés, considère la mort comme un heureux passage vers un monde meilleur et ne craint pas les épées. Toutefois, il ne s'agissait pas non plus, par insouciance, de risquer sa sécurité. Philip, en outre, était bien placé pour connaître la méchanceté et la brutalité de William Hamleigh. Aussi, lorsqu'on entendit fracasser le volet du petit balcon, Philip décida-t-il de prendre le commandement.

Il ne pouvait voir par les fenêtres les chevaliers envahir le palais. Profondément inquiet, il comprit qu'il s'agissait d'un assaut soigneusement préparé dont les auteurs étaient prêts à commettre toutes les violences. Il s'empressa de fermer la porte de la chambre et d'y glisser la barre de sûreté. Les autres le regardaient, satisfaits de voir quelqu'un de décidé prendre l'initiative. L'archevêque Thomas ne perdait pas son attitude dédaigneuse, mais il n'essaya pas d'arrêter Philip. Planté près de la porte, Philip tendit l'oreille. Un homme passait par le balcon et pénétrait dans la salle d'audience. La porte de la chambre serait-elle solide ? se demanda Philip. Toutefois, au lieu de s'y attaquer, l'homme traversa la pièce et descendit l'escalier. Philip devina qu'il allait ouvrir de l'intérieur la porte du grand hall pour laisser entrer par là le reste des chevaliers.

Voilà qui donnait à Thomas quelques moments de répit.

A l'autre bout de la chambre se trouvait une autre porte en partie dissimulée par le lit. Philip la montra du doigt en demandant d'un ton pressant : « Où mène-t-elle ?

– Au cloître, répondit quelqu'un. Mais elle est fermée à clé. »

Philip essaya de la pousser. Elle était verrouillée. « Avez-vous une clé ? demanda-t-il à Thomas, ajoutant aussitôt : Monseigneur archevêque... »

Thomas secoua la tête. « Pour autant que je m'en souvienne, répliqua-t-il avec un calme imperturbable, ce passage n'a jamais été utilisé. »

La porte n'avait pas l'air bien robuste, mais Philip avait soixante ans et la force n'avait jamais été sa spécialité. Il recula et donna un coup de pied dans le montant. La porte trembla. Philip serra les dents et recommença, de toutes ses forces. La porte céda.

Philip regarda Thomas. Ce dernier ne semblait toujours pas décidé à fuir. Peut-être ne se rendait-il pas compte, comme Philip, que le nombre de chevaliers et le caractère organisé de leur opération témoignaient d'une intention sérieuse. Mais Philip savait qu'il serait vain d'invoquer la peur pour convaincre Thomas. Il se contenta de dire : « C'est l'heure des vêpres. Nous ne devrions pas laisser quelques têtes chaudes troubler l'ordonnance de l'office. »

Thomas sourit, comprenant qu'on utilisait contre lui ses propres arguments. « Très bien », approuva-t-il, et il se leva.

Philip ouvrit la marche, soulagé d'avoir réussi à faire bouger l'archevêque. Le passage descendait par une longue volée de marches, sans éclairage sinon celui qui venait de la chambre du prélat. Au bout du passage, une autre porte. Philip la traita comme la première, mais celle-ci était plus solide et résista. Il se mit à la marteler de coups en criant : « A l'aide ! Ouvrez la porte ! Vite, vite ! » Il perçut dans sa propre voix une note d'affolement et fit un effort pour rester calme, mais il avait le cœur battant et il savait que les chevaliers de William étaient déjà sur leurs talons.

Les autres le rejoignirent. Thomas éleva la voix : « De la dignité, Philip, je vous en prie », mais Philip n'y prêta pas attention. C'était la dignité de l'archevêque qu'il voulait préserver, la sienne ne comptait pas.

Soudain on entendit le bruit d'une barre qu'on tirait, d'une clé tournant dans la serrure et la porte s'ouvrit. Philip poussa un soupir de soulagement. Deux celleriers stupéfaits étaient plantés là. « Je ne savais pas, remarqua l'un d'eux, que cette porte menait quelque part. »

Philip les repoussa avec impatience. Il se trouvait dans les magasins du cellerier. Se glissant entre les barils et les sacs, il atteignit une autre porte qu'il franchit. Il était dehors.

Il se trouvait dans l'allée sud du cloître. Tout au bout, il aperçut, à son vif soulagement, la porte qui donnait sur le transept nord de la cathédrale de Canterbury.

Ils étaient sauvés, ou presque.

Il fallait emmener Thomas dans la cathédrale avant que William et ses hommes ne les rattrapent. Le reste du groupe sortit du magasin. « Dans l'église, vite ! s'écria Philip.

– Non, Philip, protesta Thomas. Pas vite. Nous entrerons dans ma cathédrale avec dignité. »

Philip eut envie de hurler, mais il répondit : « Bien sûr, monseigneur. »

Il entendait le bruit menaçant de pas lourds dans le passage inutilisé : les chevaliers avaient dû faire irruption dans la chambre et découvrir le couloir. Il savait que la meilleure protection de l'archevêque était sa dignité, mais c'était inutile de chercher les ennuis.

« Où est la crosse de l'archevêque ? interrogea Thomas. Je ne peux pas entrer dans l'église sans ma crosse. »

Philip poussa un gémissement de désespoir.

Un des prêtres intervint. « Je l'ai apportée. La voici.

– Tenez-la devant moi comme d'habitude, ordonna Thomas, je vous en prie. »

Le prêtre brandit bien haut la crosse et s'avança avec une précipitation mal contenue vers l'église.

Thomas le suivit.

L'entourage de l'archevêque le précéda dans la cathédrale, comme l'exigeait l'étiquette. Philip entra le dernier et tint la porte. Juste au moment où Thomas pénétrait dans l'église, deux chevaliers surgirent des magasins du cellerier et se précipitèrent dans l'allée du cloître. Philip ferma la porte du transept. Une barre était enfoncée dans un trou du mur auprès du chambranle. Il s'en empara et la poussa en travers du montant.

Il se retourna, soulagé, et s'adossa à la porte.

Thomas traversait l'étroit transept, se dirigeant vers les marches qui menaient au chœur. Lorsqu'il entendit la barre glisser en place, il s'arrêta et se retourna.

« Non, Philip », protesta-t-il.

Le moine sentit son cœur s'arrêter. « Monseigneur...

– C'est une église, pas un château fort. Otez cette barre. »

La porte était violemment ébranlée par les coups des chevaliers s'efforçant de l'ouvrir. « Je crains, observa Philip, qu'ils ne veuillent vous tuer !

– Alors, ils y réussiront sans doute, que vous barriez la porte ou non. Savez-vous combien d'autres portes il y a dans cette église ? Ouvrez-la. »

On entendit une série de chocs sourds, comme si les chevaliers

583

s'attaquaient aux montants à coups de hache. « Vous pourriez vous cacher, protesta Philip désespéré. Il y a des douzaines d'endroits possibles; l'entrée de la crypte est juste là – la nuit commence à tomber...

– Me cacher, Philip? Dans ma propre église? Le feriez-vous? »

Philip regarda longuement l'archevêque, puis finit par répondre : « Non, je ne le ferais pas.

– Ouvrez la porte. »

Le cœur lourd, Philip ôta la barre.

Les chevaliers surgirent dans la cathédrale : ils étaient cinq, le visage dissimulé derrière leur ventail, portant des épées et des haches. On les aurait dits jaillis de l'enfer.

Philip n'aurait pas dû avoir peur, il le savait, mais la lame aiguisée de leurs armes le paralysait.

« Où est Thomas Becket, traître à son roi et au royaume? cria l'un des agresseurs.

– Où est le traître? reprirent les autres. Où est l'archevêque? »

Il faisait très sombre maintenant dans la vaste église faiblement éclairée par les cierges. Tous les moines étaient en noir. D'autre part, leur visière empêchaient les chevaliers de bien y voir. Philip eut une brusque bouffée d'espoir : peut-être, dans l'obscurité, allaient-ils manquer Thomas. Mais au même moment, Thomas anéantit cette espérance en descendant les marches vers les chevaliers. « Me voici... non pas traître à mon roi, mais prêtre de Dieu. Que voulez-vous? »

Au moment où l'archevêque faisait face aux cinq hommes qui brandissaient leurs épées, Philip comprit avec certitude que Thomas allait mourir ici, sous ses yeux.

L'entourage de Thomas dut partager son sentiment, car les uns disparurent dans la pénombre du chœur, d'autres se dispersèrent dans la nef, tandis qu'un troisième ouvrait une porte dérobée et s'engouffrait dans un escalier en spirale. Philip était écœuré. « Priez au lieu de courir! » leur cria-t-il.

L'idée vint à Philip que lui aussi risquait d'être tué s'il ne s'enfuyait pas. Mais il ne pouvait abandonner sa place auprès de l'archevêque.

L'un des chevaliers lança à Thomas : « Renonce à ta traîtrise! »

Philip reconnut la voix de Reginald Fitzurse, qui avait parlé tout à l'heure.

584

« Je n'ai à renoncer à rien, riposta Thomas. Je n'ai commis aucune traîtrise. » Il était terriblement calme, mais son visage était blême et Philip se rendit compte que Thomas, comme tous les autres, savait qu'il allait mourir.

« Cours, cria Reginald à Thomas, tu es un homme mort ! »

Thomas ne bougeait pas.

Ils voudraient qu'il s'enfuie, songea Philip. Ils ne peuvent pas se décider à le tuer de sang-froid.

Peut-être Thomas l'avait-il compris aussi, car il restait impassible, mettant ses assassins au défi de le toucher. Un long moment, ils restèrent figés face à face, les chevaliers ne se décidant pas à faire le premier geste, le prélat trop fier pour s'enfuir.

Ce fut Thomas qui rompit le charme : « Je suis prêt à mourir, déclara-t-il, mais vous ne touchez à aucun de mes hommes, prêtres, moines ou laïques. »

Ce fut Reginald qui fit le premier geste. Il brandit son épée devant Thomas, en avança la pointe peu à peu près de son visage, comme s'il se mettait lui-même au défi de toucher le prêtre. Thomas demeura immobile comme une pierre, les yeux fixés sur le chevalier et non sur l'épée. Soudain, d'un vif mouvement du poignet, Reginald fit tomber la barrette de Thomas.

De nouveau Philip fut empli d'espoir. Il n'arrive pas à se décider, se dit-il ; il n'ose pas le toucher. Mais il se trompait. La résolution du chevalier parut renforcée par le geste stupide qu'il venait de faire ; comme s'il s'attendait après cette insulte à être frappé par la main de Dieu, puisqu'il n'en était rien, il pouvait faire pire. « Emmenez-le », ordonna Reginald.

Les chevaliers rengainèrent leur épée et s'approchèrent de l'archevêque.

L'un d'eux saisit Thomas par la taille et essaya de le soulever.

Philip était au désespoir. Ils l'avaient touché ! Ils étaient donc prêts à porter la main sur un homme de Dieu. Philip eut le vertige en mesurant la profondeur du mal qui les habitait. Ils devaient savoir dans leur cœur que leur acte leur vaudrait d'aller en enfer, et ils l'accomplissaient quand même.

Thomas perdit l'équilibre, agita les bras et voulut se débattre. Les autres chevaliers accoururent pour essayer de l'empêcher de fuir. Il ne restait de l'entourage de Thomas que Philip et un prêtre du nom d'Edward Grim. Tous deux bondirent pour l'aider.

Edward s'empara de son manteau et s'y cramponna. Un des chevaliers se retourna et frappa Philip de son poing ganté. Touché à la tempe, Philip s'écroula.

Lorsqu'il reprit ses esprits, les chevaliers avaient lâché l'archevêque qui se tenait debout, tête baissée, mains jointes dans une attitude de prière.

Philip, avant même de se relever, lança un long hurlement désespéré de protestation : « Non ! »

Edward Grim leva le bras pour détourner le coup.

« Je me recommande à D... », commença Thomas.

L'épée s'abattit.

Elle frappa du même coup Thomas et Edward. Philip s'entendit pousser un cri. La lame s'enfonça dans le crâne de l'archevêque et vint glisser sur le bras du prêtre. Tandis que le sang jaillissait de l'épaule d'Edward, Thomas tomba à genoux.

Eperdu, Philip contemplait l'horrible blessure que l'archevêque portait à la tête.

Il s'effondra lentement sur les mains, se soutint ainsi un instant, puis s'affala sur les dalles.

Un autre chevalier leva son épée et frappa à son tour. Philip poussa malgré lui un gémissement. Le second coup porté au même endroit que le premier trancha le haut du crâne de Thomas ; il fut asséné avec une telle violence que l'épée vint heurter la pierre et se brisa en deux. Le chevalier laissa tomber le morceau qui lui restait dans la main.

Un troisième chevalier commit alors un acte qui devait rester gravé dans la mémoire de Philip jusqu'à la fin de ses jours : il enfonça la pointe de son épée dans le crâne ouvert de l'archevêque pour répandre son cerveau sur le sol.

Accablé d'horreur, Philip s'effondra de nouveau. « Il ne se relèvera plus, dit le chevalier... Partons ! »

Ils tournèrent les talons et s'enfuirent.

Philip les regarda descendre la nef, agitant leurs épées autour d'eux pour disperser les curieux.

Quand les meurtriers eurent disparu, un silence glacé tomba dans l'église. Le corps de l'archevêque gisait face contre terre sur les dalles – le haut de son crâne, couvert de cheveux, détaché de sa tête comme le couvercle d'un pot. Philip enfouit son visage dans ses mains. C'était la fin de tout espoir. Les barbares l'ont emporté,

586

se répétait-il; les barbares ont gagné. Il éprouvait un vertige, l'impression de sombrer lentement dans un lac profond où il allait se noyer dans le désespoir. Il n'y avait plus rien à quoi se cramponner : tout s'effondrait.

Il avait passé sa vie à lutter contre le pouvoir arbitraire des méchants et voilà que, dans cette ultime épreuve, il était vaincu. Il se rappela le jour où William était venu tenter d'incendier pour la seconde fois Kingsbridge. Les habitants avaient en un jour bâti une muraille. Quelle victoire ç'avait été! La force pacifique de centaines de gens ordinaires était venue à bout de la cruauté du comte William. Il se souvenait du temps où Waleran Bigod avait voulu faire bâtir la cathédrale à Shiring afin de pouvoir la contrôler lui-même. Philip avait mobilisé la population de tout le comté. Des centaines de gens, plus d'un millier, étaient accourus à Kingsbridge en ce merveilleux dimanche de Pentecôte, trente-trois ans plus tôt, et la seule force de leur dévotion avait vaincu Waleran. Mais maintenant il n'y avait plus d'espoir. Tous les braves gens de Canterbury, toute la population même de la chrétienté ne suffiraient pas à ramener Thomas à la vie.

Agenouillé sur les dalles de la cathédrale, il revit les hommes qui avaient fait irruption chez lui pour massacrer sa mère et son père, cinquante-six ans auparavant. L'émotion qui étreignait alors cet enfant, ce n'était pas la peur ni même le chagrin. C'était la *rage*. Impuissant à arrêter les énormes gaillards assoiffés de sang, il avait conçu la formidable ambition de mettre aux fers ce genre d'hommes d'épée, d'émousser leurs armes, d'estropier leurs destriers et de les soumettre à une autre autorité, plus puissante que le règne de la violence. L'instant d'après, alors que les cadavres de ses parents gisaient sur le sol, l'abbé Peter était venu lui montrer la voie. Désarmé et sans défense, l'abbé avait aussitôt arrêté l'effusion de sang, sans rien d'autre que l'autorité de son Église et la force de sa bonté. Cette scène avait inspiré Philip toute sa vie.

Jusqu'à maintenant, il avait cru que lui et les gens comme lui étaient les vainqueurs. Ils avaient obtenu au cours du dernier demi-siècle quelques victoires notables. Mais aujourd'hui, à la fin de sa vie, ses ennemis lui prouvaient que rien n'avait changé. Ses triomphes n'avaient été que temporaires, ses progrès illusoires. Il avait remporté quelques batailles, mais la cause était définitivement perdue. Des hommes comme ceux qui avaient massacré sa mère et son père venaient d'assassiner un archevêque dans une cathédrale, comme pour prouver, au-delà de tout doute possible, qu'il n'existait aucune autorité plus forte que la tyrannie d'un homme armé d'une épée.

Philip ne pensait pas qu'on oserait tuer l'archevêque Thomas, surtout en pleine église, mais il n'avait jamais pensé non plus qu'on oserait tuer son père. Les mêmes hommes, assoiffés de sang, bardés de fer, lui avaient dans les deux cas démontré la sinistre vérité. Aujourd'hui, à soixante-deux ans, devant le corps mutilé de Thomas Becket, il était possédé de la même fureur puérile, irrésistible et irraisonnée d'un garçon de six ans devant le cadavre de son père.

Il se releva. Bouleversés, les gens commençaient à se rassembler autour du cadavre de l'archevêque. Prêtres, moines et citoyens de la ville approchaient lentement, abasourdis et terrifiés. Philip sentit que derrière leurs expressions d'horreur brûlait une rage comparable à la sienne. Certains murmuraient des prières ou gémissaient. Une femme se pencha rapidement pour toucher le corps, à la manière d'un porte-bonheur. Plusieurs autres l'imitèrent. Puis Philip vit la première femme recueillir furtivement un peu de sang du mort, comme si Thomas était un martyr.

Le visage ruisselant de larmes, le chambellan de l'archevêque, Osbert, prit un couteau, tailla une bande dans sa propre chemise, puis se pencha auprès du corps et maladroitement replaça le haut du crâne de Thomas sur sa tête, dans un pathétique effort pour redonner un peu de dignité à la personne horriblement mutilée de l'archevêque.

Des moines apportèrent une civière. Ils y déposèrent Thomas avec douceur. De nombreuses mains se tendirent pour les aider. Philip put voir que le beau visage de l'archevêque était paisible, le seul signe de violence étant un mince filet de sang qui le balafrait, de la tempe droite jusqu'à la joue gauche.

Comme on soulevait le brancard, Philip ramassa le bout d'épée brisée qui avait tué Thomas.

Les gens suivirent la civière, entraînés par une force invisible. Philip se mêla à la foule, en proie à ce bizarre élan qui les empoignait tous. Le cortège traversa le chœur et on déposa doucement la civière sur le sol, devant le maître autel. Tandis que les prières s'élevaient spontanément, un prêtre apporta un tissu propre pour panser la tête d'un nouveau bandage puis la recouvrir d'une barrette neuve.

Un moine s'approcha et ôta au mort son manteau noir souillé de sang. Il ne semblait savoir que faire du vêtement ensanglanté et, comme il s'apprêtait à le jeter de côté, un homme s'avança aussitôt et le lui prit des mains, tel un objet précieux. Dans l'esprit de Philip se précisa la pensée qu'on traitait déjà Thomas comme un martyr : on recueillait son sang et ses vêtements, comme s'ils possédaient les pouvoirs divins des reliques d'un saint. Philip considérait le meurtre comme une défaite politique pour l'Église, mais les fidèles y voyaient la mort d'un martyr. Or la mort d'un martyr, sous les apparences d'une défaite, finissait toujours par donner force et inspiration à l'Église.

Philip repensa à ces centaines de volontaires accourus à Kingsbridge pour bâtir la cathédrale ainsi qu'aux hommes, aux femmes et aux enfants qui avaient travaillé la moitié de la nuit pour élever le mur de la ville. Si l'on pouvait mobiliser aujourd'hui ces gens-là, songeait-il avec une excitation croissante, ils pousseraient un cri de rage si fort qu'on l'entendrait dans le monde entier.

Regardant les hommes et les femmes réunis autour du corps, le visage imprégné de chagrin et d'horreur, Philip comprit qu'il ne leur manquait qu'un chef.

Était-ce possible ?

Il reconnut quelque chose de familier dans cette scène. Un corps mutilé, une foule de spectateurs et des soldats au loin : où avait-il vu déjà cela ? On prévoyait ce qui se passerait ensuite ; un petit groupe de disciples du mort se dresseraient contre toute la puissance et l'autorité d'un formidable empire.

Bien sûr : c'était la naissance de la chrétienté !

Dès qu'il en eut pris conscience, il sut ce qu'il avait à faire.

Il s'avança devant l'autel et se tourna vers la foule, tenant toujours à la main l'épée brisée. Tous les regards étaient fixés sur lui. Le doute le saisit : en suis-je capable ? se demanda-t-il. Est-ce que je peux, maintenant, lancer un mouvement qui ébranlera le trône d'Angleterre ? Il scruta les visages. En même temps que la peine et que la colère, il décela sur plusieurs d'entre eux un soupçon d'espoir.

Il leva bien haut l'épée.

« Cette épée a tué un saint », commença-t-il.

Il y eut un murmure approbateur.

Encouragé, Philip reprit : « Ici, ce soir, nous avons été témoins d'un martyre. »

Les prêtres et les moines semblaient surpris. Comme Philip, ils n'avaient pas compris tout de suite la vraie signification du meurtre dont ils venaient d'être les témoins. Mais les gens de la ville, eux, s'en étaient rendu compte et ils exprimaient leur accord.

« Chacun d'entre nous devra raconter ce qu'il a vu. »

Plusieurs personnes acquiescèrent avec vigueur. Mais Philip en voulait davantage. Il voulait les inspirer. Prêcher n'avait jamais été son fort. Il n'était pas de ces hommes qui fascinent une foule, la font rire et crier, la persuadent d'aller n'importe où. Il ne savait pas faire trembler sa voix ni faire briller dans ses yeux la lueur de la gloire. C'était un homme pratique, terre à terre ; or maintenant il lui fallait parler comme un ange.

« Bientôt, chaque homme, femme et enfant de Canterbury saura que les hommes du roi ont assassiné l'archevêque Thomas dans la cathédrale. Mais ce n'est que le commencement. La nouvelle va se répandre dans toute l'Angleterre, puis encore dans toute la chrétienté. »

Il était en train de perdre leur attention, il le sentait. Il lisait sur certains visages la perplexité et la déception. Un homme lança : « Mais comment *faire* ? »

Ils avaient besoin de prendre sur-le-champ des mesures immédiates. On n'appelle pas à une croisade pour renvoyer les gens chez eux.

Une croisade, songea-t-il. C'était une idée.

« Demain, poursuivit-il, je porterai cette épée à Rochester. Après-demain, à Londres. Viendrez-vous avec moi ? »

La plupart des auditeurs parurent interloqués, mais une voix au fond cria : « Oui ! », suivie de quelques autres.

Philip haussa le ton. « Nous allons raconter notre histoire dans chaque ville et village d'Angleterre. Nous montrerons aux gens l'épée qui a tué saint Thomas. Nous leur ferons voir les taches de sang sur ses vêtements ecclésiastiques. » Il commençait à s'échauffer et laissait paraître sa colère. « Nous pousserons une clameur d'indignation qui se répandra à travers la chrétienté, oui, et même jusqu'à Rome. Nous dresserons l'ensemble du monde civilisé contre les barbares qui ont perpétré ce crime horrible, blasphématoire ! »

Cette fois l'assistance entière cria son assentiment. Elle attendait une façon d'exprimer son émotion, et Philip leur en offrait l'occasion.

« Ce crime, reprit-il lentement d'une voix qui monta jusqu'au cri, ne sera jamais, jamais oublié ! »

Une houle d'approbations lui répondit.

Il sut exactement ce qu'il devait faire. « Commençons aussitôt notre croisade ! proclama-t-il.

– Oui !

– Portons cette épée dans chaque rue de Canterbury !

– Oui !

– Et racontons à chaque citoyen ce que nous avons vu ici ce soir !

– Oui !

– Apportez des cierges et suivez-moi ! »

Brandissant l'épée, il s'avança au milieu de la cathédrale. Ils lui emboîtèrent le pas.

Exultant, il traversa le chœur, la croisée et descendit la nef. Des moines et des prêtres l'escortaient. Il n'avait pas besoin de se retourner : il entendait les pas de la foule derrière lui. Il sortit par la grande porte.

Là, il y eut un moment d'angoisse. Par-delà le verger plongé dans l'ombre, il aperçut des hommes d'armes occupés à piller le palais de l'archevêque. La croisade risquait de dégénérer en bagarre alors qu'elle avait à peine commencé. Il tourna brusquement et entraîna la foule dans la rue par la porte la plus proche.

L'un des moines attaqua un hymne. Derrière les volets des maisons, on voyait la lumière des lampes et la lueur des feux ; sur le passage de la procession, les gens ouvraient leurs portes. Les uns interrogeaient les marcheurs, les autres rejoignaient leurs rangs.

Au coin d'une rue, Philip vit William Hamleigh, debout devant une écurie, qui venait semblait-il d'ôter sa cotte de mailles et s'apprêtait à remonter à cheval pour quitter la ville. Il avait avec lui une poignée d'hommes, qui, ayant entendu les cantiques, se demandaient ce qui se passait.

Tandis que la procession approchait à la lueur des cierges, William leva un regard intrigué. Puis il vit dans la main de Philip l'épée brisée et il commença à comprendre. Il dévisagea le prieur un moment encore dans un silence pétrifié, puis il hurla. « Arrêtez ! Je vous ordonne de vous disperser ! »

591

Personne ne prit garde à lui. Ses compagnons manifestaient une inquiétude croissante. Même avec leurs épées, ils étaient vulnérables devant une cohue de plus de cent fidèles déterminés.

William s'adressa directement à Philip. « Au nom du roi, je vous ordonne d'arrêter ceci ! »

Philip passa devant lui sans ralentir, entraîné par la pression de la foule. « Trop tard, William ! lança-t-il par-dessus son épaule. Trop tard ! »

3

Les jeunes garçons arrivèrent de bonne heure pour la pendaison.

Ils étaient déjà là, sur la place du marché de Shiring, lançant des pierres aux chats, injuriant les mendiants et se battant entre eux lorsque Aliena apparut, seule et à pied, enveloppée d'un méchant manteau dont le capuchon rabattu cachait son identité.

Elle s'arrêta, regarda l'échafaud. Tout d'abord elle n'avait pas eu l'intention de venir. Elle avait assisté à trop de pendaisons durant les années où elle avait assumé le rôle de comte. Maintenant qu'elle n'avait plus cette responsabilité, elle croyait qu'elle n'aurait plus jamais envie de voir ce supplice. Mais celui-là, c'était différent.

Elle n'était plus le comte, car Richard avait été tué en Syrie — par une ironie du sort, non pas au combat mais dans un tremblement de terre. La nouvelle avait mis six mois à lui parvenir. Elle n'avait pas revu son frère depuis quinze ans et ne le reverrait jamais.

Au sommet de la colline, les portes du château s'ouvrirent. Le prisonnier sortit, suivi de son escorte et du nouveau comte de Shiring, le fils d'Aliena : Tommy. Richard était mort sans descendance, laissant son neveu pour seul héritier. Le roi, frappé et affaibli par le scandale du meurtre de Becket, avait rapidement confirmé Tommy dans son titre. Aliena avait volontiers passé le relais à la jeune génération. Elle était parvenue à ce qu'elle voulait. Le comté était à nouveau un domaine riche et prospère, une terre de moutons bien gras, de champs verdoyants et de robustes moulins. Certains propriétaires, amateurs de progrès, avaient suivi son exemple en utilisant le cheval pour labourer, des bêtes nourries avec l'avoine qui poussait suivant le système de rotation des cultures. Le domaine pouvait donc nourir encore plus de gens que sous le règne éclairé de son père.

Tommy ferait un bon comte. Il était né pour cela. Jack avait longtemps refusé de l'admettre, voulant faire de son fils un bâtisseur, mais il avait fini par reconnaître la vérité. Tommy, qui n'avait jamais été capable de tailler droit une pierre, était en revanche un chef né et, à vingt-huit ans, il était décidé, déterminé, intelligent et juste. Aujourd'hui, on ne l'appelait plus que Thomas.

Lorsqu'il avait succédé à sa mère, on s'attendait qu'Aliena reste au château pour y surveiller sa belle-fille et jouer avec ses petits-enfants. Elle avait ri de cette idée. Elle aimait bien la femme de Tommy – une jolie fille, une des cadettes du comte de Bedford – et elle adorait ses trois petits-enfants. Mais, à cinquante-deux ans, elle n'était pas prête à prendre sa retraite. Jack et elle s'étaient installés dans une grande maison de pierre près du prieuré de Kingsbridge – dans ce qui avait été jadis le quartier pauvre – et elle avait relancé le commerce de la laine, achetant et vendant, négociant avec toute son énergie d'antan. Elle faisait des affaires d'or.

Le groupe déboucha sur la place et Aliena sortit de sa rêverie. Elle regarda attentivement le prisonnier, qu'on traînait au bout d'une corde, les mains liées derrière le dos : c'était William Hamleigh.

Quelqu'un au premier rang cracha sur lui. La foule se pressait sur la place, car nombreux étaient ceux qui jubilaient d'assister à la fin de William. De plus, c'était un événement que la pendaison d'un ancien shérif, qui de surcroît avait participé au meurtre le plus célèbre de tous les temps.

On n'avait jamais vu, on n'aurait jamais imaginé la réaction qui avait suivi l'assassinat de l'archevêque Thomas. La nouvelle s'était répandue comme un feu de broussailles dans toute la chrétienté, de Dublin à Jérusalem et de Tolède à Oslo. Le pape avait pris le deuil. La moitié de l'empire du roi Henry située sur le continent avait été frappée d'interdit – les églises étaient fermées et on ne célébrait aucun service à l'exception des baptêmes. En Angleterre, les gens se rendaient en pèlerinage à Canterbury, tout comme à Saint-Jacques-de-Compostelle. Des miracles avaient lieu. De l'eau teintée du sang du martyr et des lambeaux du manteau qu'il por-

594

taît le jour de son meurtre guérissaient des malades, pas seulement à Canterbury, mais dans toute l'Angleterre.

Les sbires de William avaient tenté de voler le cadavre dans la cathédrale, mais les moines, alertés, l'avaient caché. Il reposait maintenant à l'abri, sous une voûte de pierre, et les pèlerins devaient passer la tête par un trou ménagé dans le mur pour baiser le cercueil de marbre.

Ce fut le dernier crime de William. Venu se réfugier à Shiring, il avait été arrêté par Tommy sous l'accusation de sacrilège. Le tribunal de l'évêque Philip l'avait bientôt reconnu coupable. Jamais en temps normal on n'aurait osé condamner un shérif, car c'était un officier de la couronne. Mais, dans le cas du meurtre de Becket, personne, pas même le roi, n'aurait osé, au contraire, défendre un des assassins.

William allait connaître une triste fin.

Le regard fixe et affolé, un peu de bave coulant de sa bouche ouverte, il poussait des gémissements incohérents. Une tache s'étalait sur le devant de sa tunique, là où il s'était mouillé.

Aliena regarda son vieil ennemi vaciller jusqu'à l'échafaud. Elle se rappelait le jeune homme arrogant et cruel qui l'avait violée trente-cinq ans plus tôt. Comment croire qu'il était devenu ce misérable, geignard et terrifié, qu'elle voyait maintenant?

En approchant de la potence, il commença à se débattre en hurlant. Les hommes d'armes le traînaient comme un porc qu'on conduit à l'abattoir. Aliena ne ressentait aucune pitié dans son cœur. Tout ce qu'elle éprouvait, c'était du soulagement. William ne terroriserait plus jamais personne.

Tandis qu'on le hissait sur le char à bœufs, il donna des coups de pied et poussa des cris, le visage rouge, sale et déchaîné, comme une bête. Il se démena si fort que le nœud se resserra avant l'heure. Il se tordait, étouffait, son visage gras virant au pourpre.

Aliena considérait la scène avec horreur. Même au plus fort de sa rage et de sa haine, elle ne lui avait pas souhaité une mort pareille. Devant cet homme pratiquement en train de s'étrangler lui-même, la foule restait muette. Même les jeunes garçons étaient réduits au silence par cet abominable spectacle.

Quelqu'un frappa le flanc du bœuf et la bête avança. William tomba enfin mais la chute ne lui rompit pas le cou et il resta pendu, s'asphyxiant lentement. Ses yeux ouverts regardaient

Aliena – du moins en avait-elle l'impression – et la grimace qui lui crispait le visage, tandis qu'il se tordait au bout de la corde, dans son agonie, lui semblait familière. C'était cette expression-là qu'il avait quand il l'avait violée, juste avant d'atteindre l'orgasme. Malgré ce souvenir douloureux comme un coup de couteau, Aliena ne détourna pas les yeux.

La foule garda le silence durant l'interminable supplice. Le visage de William vira au violet. Ses contorsions faiblirent. Ses yeux roulèrent dans leurs orbites, ses paupières se fermèrent, il s'immobilisa et puis, dans une macabre exhibition, sa langue apparut, gonflée, entre ses lèvres noires.

Il était mort.

Aliena se sentait épuisée. William avait marqué sa vie – à un moment, il l'avait même ruinée – et voilà qu'il était mort. Plus jamais il ne lui ferait de mal, ni à personne d'autre.

La foule commença à se disperser. Les jeunes garçons s'amusèrent à imiter l'agonisant aux prises avec la mort, roulant des yeux et tirant la langue. Un homme d'armes monta sur l'échafaud et coupa la corde qui retenait William.

Aliena croisa le regard de son fils. Il parut surpris de la voir. Il vint aussitôt vers elle et se pencha pour l'embrasser. Mon fils, songea-t-elle, mon grand fils. Le fils de Jack. Elle se souvenait comme elle avait craint mortellement de porter l'enfant de William. Allons, elle avait eu une certaine chance...

« Je croyais que tu ne voulais pas venir aujourd'hui, dit Tommy.

– Il le fallait, répondit-elle. Il me fallait le voir mort. »

Apparemment, il ne comprenait pas. Pas vraiment. Tant mieux. Elle espérait que jamais il n'aurait à comprendre ces choses-là.

Il la prit par les épaules et ils repartirent ensemble.

Aliena ne se retourna pas.

Par une chaude journée de plein été, Jack dînait avec Aliena et Sally dans la fraîcheur du transept nord, assis sur le plâtre tout griffé de sa planche à tracer. Ils avaient des côtes d'agneau froides avec du pain blanc frais et une cruche en pierre de bière blonde. La rumeur des moines chantant l'office de sexte faisait un sourd murmure, comme la course d'une lointaine cascade. Jack avait passé la matinée à esquisser le plan du nouveau chœur qu'il

596

commencerait à bâtir l'année prochaine. Sally examinait le dessin tout en plantant ses jolies dents blanches dans une côtelette. Dans un instant, il le savait, elle allait émettre une critique. Il jeta un coup d'œil à Aliena. Elle aussi s'attendait aux observations de Sally. Ils échangèrent un regard complice et sourirent.

« Pourquoi veux-tu que la façade est soit arrondie? interrogea la jeune fille.

– Je me suis inspiré du dessin de Saint-Denis, répondit Jack.

– Mais quel est l'avantage?

– Les pèlerins circulent plus facilement.

– Et tu ne prévois que cette rangée de petites fenêtres? »

Jack pensait bien que le problème des fenêtres se poserait vite, car Sally était vitrière. « Petites, mes fenêtres? fit-il en feignant l'indignation. Ces fenêtres sont énormes! La première fois que j'ai mis des fenêtres de cette taille-là dans l'église, les gens pensaient que tout le bâtiment s'effondrerait faute de soutien.

– Si le chœur se terminait sur une façade droite, tu aurais un immense mur plat, insista Sally. Tu pourrais y mettre des fenêtres vraiment grandes. »

Elle n'avait pas tort, se dit Jack. Avec cette construction en arrondi, tout le chœur devait avoir la même élévation continue, divisée sur tout le pourtour en trois couches traditionnelles : arcade, galerie et triforium. Une façade plane donnerait l'occasion de changer cela. « On pourrait trouver un autre moyen pour permettre aux pèlerins de circuler, reprit-il d'un ton songeur.

– Et le soleil levant brillerait par les grandes ouvertures », renchérit Sally.

Jack l'imaginait fort bien. « Il y aurait une rangée de hautes ogives à lancettes, comme les lances dans un râtelier.

– Ou bien, proposa Sally, une grande fenêtre ronde comme une rose. »

Quelle idée extraordinaire! A celui qui se tiendrait debout dans la nef, contemplant toute la longueur de l'église jusqu'à l'est, la fenêtre ronde semblerait un énorme soleil explosant en innombrables éclats de somptueuses couleurs. Jack la voyait très bien. « Je me demande quel thème choisiraient les moines.

– La loi et les prophètes », répliqua Sally.

Il haussa les sourcils. « Rusée renarde, tu as déjà discuté de cette idée avec le prieur Jonathan, n'est-ce pas? »

Elle prit un air coupable, mais elle n'eut pas à répondre, sauvée par l'arrivée de Peter le Ciseau, un jeune sculpteur sur pierre, timide et gauche, avec des cheveux blonds qui lui tombaient sur les yeux. Ce garçon faisait des sculptures magnifiques et Jack était enchanté de travailler avec lui. « Que puis-je faire pour toi, Peter ? demanda-t-il.

— En fait, expliqua Peter, je cherchais Sally.

— Eh bien, tu l'as trouvée. »

Sally se levait déjà, époussetant les miettes de pain sur le plastron de sa tunique. « A tout à l'heure », lança-t-elle, avant de s'en aller avec Peter.

Jack et Aliena se regardèrent.

« Est-ce qu'elle a rougi ? fit Jack.

— J'espère bien, riposta Aliena. Bonté divine, il est temps qu'elle tombe amoureuse. Elle a vingt-six ans !

— Eh bien. J'avais perdu tout espoir. Je croyais qu'elle comptait rester vieille fille. »

Aliena secoua la tête. « Pas Sally. Elle a le sang aussi chaud qu'une autre. Simplement, elle est difficile.

— Tu trouves ? Les filles du comté ne se bousculent pas pour épouser Peter le Ciseau.

— Les filles du comté adorent les grands et beaux gaillards comme Tommy, qui peuvent faire brillante figure à cheval et portent des manteaux doublés de soie rouge. Sally est différente. Elle préfère quelqu'un d'intelligent et de sensible. Peter est exactement ce qu'il lui faut. »

Jack hocha la tête. Il sentait d'instinct qu'Aliena avait raison. « Elle est comme sa grand-mère, murmura-t-il. Ma mère est tombée amoureuse d'un excentrique.

— Sally tient de ta mère et Tommy de mon père », conclut Aliena.

Jack lui sourit. Elle était plus belle que jamais. Des fils gris couraient dans ses cheveux et la peau de sa gorge n'avait plus sa douceur d'autrefois. Mais, en vieillissant, elle perdait les rondeurs de la maternité et la fine ossature de son ravissant visage apparaissait mieux. Elle retrouvait une beauté épurée. Jack tendit la main et suivit le contour de son visage. « Comme mes arcs-boutants », dit-il.

Elle sourit.

Il laissa sa main glisser le long du cou d'Aliena et sur son corsage. Ses seins avaient changé aussi. Je les aimerai toujours quand même, songea-t-il. Il se pencha pour embrasser sa femme sur les lèvres.

« Jack, protesta-t-elle, tu es dans une église.

— Et alors? » répliqua-t-il, en lui caressant la hanche.

Il y eut un bruit de pas dans l'escalier. Il se redressa d'un air confus.

Elle eut un petit sourire, « C'est le jugement de Dieu qui te poursuit, déclara-t-elle solennellement.

— A tout à l'heure », chuchota-t-il d'un ton faussement menaçant.

Les pas atteignirent le haut de l'escalier et le prieur Jonathan apparut. Il salua gravement le couple. « Il y a quelque chose que je voudrais te montrer, Jack, dit-il. Veux-tu venir jusqu'au cloître?

— Bien sûr », dit Jack en se levant.

Jonathan regagna l'escalier.

Jack s'arrêta sur le seuil et pointa sur Aliena un doigt menaçant. « A plus tard, répéta-t-il.

— Promis? » lança-t-elle en souriant.

Jack redescendit avec Jonathan et le suivit à travers l'église jusqu'à la porte du transept sud qui donnait sur le cloître. Ils prirent l'allée, passèrent devant les écoliers qui écrivaient sur leurs tablettes de cire, et s'arrêtèrent au coin. D'un mouvement de la tête, Jonathan désigna un moine, assis tout seul sur une corniche de pierre. Son capuchon baissé dissimulait son visage. Comme ils s'arrêtaient, l'homme leva les yeux et détourna rapidement la tête.

Malgré lui Jack fit un pas en arrière.

Le moine était Waleran Bigod.

« Que diable fait-il ici? interrogea Jack d'une voix tendue.

— Il s'apprête à rencontrer son Créateur, répondit Jonathan.

— Je ne comprends pas.

— C'est un homme brisé, expliqua Jonathan. Il n'a pas de position, pas de pouvoir et pas d'amis. Il a compris que Dieu ne voulait pas de lui comme évêque. Il a reconnu ses erreurs. Il est venu ici à pied, supplier qu'on l'admette comme un humble moine, afin qu'il consacre le restant de ses jours à implorer de Dieu le pardon de ses péchés.

— J'ai du mal à le croire, remarqua Jack.

– Comme moi au début, dit Jonathan. Mais j'ai fini par comprendre que cet homme avait toujours sincèrement craint Dieu. »

Jack paraissait sceptique.

« Je crois vraiment qu'il était profondément religieux. Il n'a fait qu'une erreur cruciale : il a cru que la fin justifiait les moyens au service de Dieu, ce qui l'autorisait à faire n'importe quoi.

– Y compris conspirer pour le meurtre d'un archevêque! »

Jonathan leva les mains dans un geste de défense. « C'est Dieu qui doit le punir... pas moi. »

Jack haussa les épaules. Il croyait entendre Philip. Il ne voyait aucune raison de laisser Waleran vivre au prieuré; toutefois, c'était aux moines d'en décider. « Pourquoi voulais-tu que je le voie?

– Il veut te dire pourquoi on a pendu ton père. »

Jack sentit un froid glacial l'envahir.

Waleran était assis, immobile comme une statue de pierre, le regard perdu dans le vide, pieds nus sous l'ourlet de son habit de laine grossière. On apercevait les fragiles chevilles blanches d'un vieillard. Jack se rendit compte que Waleran n'avait plus rien de redoutable. Il était faible, vaincu et triste.

Jack s'approcha lentement et s'assit sur le banc, à trois pas de Waleran.

« Le vieux roi Henry était trop fort, commença Waleran sans préambule. Certains des barons supportaient mal d'être trop bridés. Ils voulaient un successeur moins puissant. Mais Henry avait un fils, William. »

Tout cela était de l'histoire ancienne. « C'était avant ma naissance, interrompit Jack.

– Ton père est mort avant que tu ne viennes au monde, repliqua Waleran, retrouvant un instant son air supérieur de jadis.

– Continuez, dit Jack, soudain attentif.

– Un groupe de barons décida de tuer William, le fils de Henry. D'après leur raisonnement, en cas de problème de succession, ils auraient plus d'influence sur le choix du nouveau roi. »

Jack scruta le visage pâle et maigre de Waleran y cherchant des traces de ruse. Le vieil homme paraissait simplement fatigué, abattu et débordant de remords. S'il préparait un mauvais coup, Jack n'en voyait pas de signes. « Mais William est mort dans le naufrage du *Vaisseau blanc*, reprit Jack.

600

– Ce naufrage n'était pas un accident. »

Jack accusa le coup. Était-ce vrai? L'héritier du trône assassiné, parce qu'un groupe de barons souhaitaient une monarchie faible? Au fond, ce n'était pas plus choquant que le meurtre d'un archevêque. « Et alors? dit-il. Je vous écoute.

– Les hommes des barons sabordèrent le navire et s'enfuirent dans un canot. Tous les passagers du bateau se sont noyés, à l'exception d'un seul qui, cramponné à un bout de mât, surnagea jusqu'au rivage.

– C'était mon père », dit Jack. Il commençait à voir où l'autre voulait en venir.

Le visage blanc, les lèvres exsangues, Waleran parlait d'une voix unie, évitant le regard de Jack. « La mer l'a rejeté près d'un château qui appartenait à l'un des conspirateurs, et on l'a pris. L'homme n'avait nullement l'intention de dénoncer quiconque. A vrai dire, il ne s'était même pas rendu compte que le vaisseau avait été sabordé. Mais il avait vu des choses qui auraient fait éclater la vérité si on l'avait laissé partir, libre de parler de son aventure. Et donc on l'enleva, on l'emmena en Angleterre et on le remit à la garde d'hommes de confiance. »

Jack était bouleversé. Tout ce que son père voulait, d'après Ellen, c'était distraire les gens. Mais il y avait un détail étrange dans le récit de Waleran. « Pourquoi ne l'ont-ils pas tué tout de suite? demanda Jack.

– Ils auraient dû, répondit Waleran sans montrer la moindre émotion, mais c'était un innocent, un troubadour, quelqu'un qui donnait du plaisir à tout le monde. Ils n'ont pas pu se résoudre à le faire. » Il eut un rire sans joie. « Même les gens les plus impitoyables ont parfois des scrupules.

– Pourquoi ont-ils donc changé d'avis?

– Parce qu'il a fini par devenir dangereux, même ici. Au début, il ne menaçait personne : il ne savait même pas l'anglais. Mais il a appris, naturellement, et il a commencé à se faire des amis. Alors on l'a enfermé dans le cachot, sous le dortoir. Puis les gens se sont mis à demander pourquoi on l'avait enfermé. Il devenait gênant. Les barons ont compris qu'ils ne connaîtraient jamais le repos tant qu'il était vivant. Ils ont fini par nous ordonner de le tuer. »

C'était si facile..., se dit Jack. « Pourquoi leur avez-vous obéi?

– Nous étions ambitieux tous les trois, Percy Hamleigh, le

601

prieur James et moi », expliqua Waleran ; et, pour la première fois, son visage exprima l'émotion, tandis que sa bouche se crispait dans une grimace de remords. « Ta mère a dit la vérité : nous avons tous eu notre récompense. Je suis devenu archidiacre et ma carrière dans l'Église a pris un magnifique départ. Percy Hamleigh a reçu d'importants domaines. Le prieur James a vu le prieuré s'agrandir de quelques bonnes terres.

— Et les barons ?

— Après le naufrage, Henry, au cours des trois années suivantes, fut attaqué par Fulk d'Anjou, Guillaume Clito en Normandie et le roi de France. Un moment, il parut très vulnérable. Mais il vainquit ses ennemis et régna dix ans encore. Pourtant, l'anarchie que souhaitaient les barons a pris le dessus, au bout du compte, lorsque Henry est mort sans héritier mâle et que Stephen est monté sur le trône. Pendant les deux décennies suivantes où la guerre civile faisait rage, les barons régnèrent en maîtres absolus sur leurs territoires, sans autorité centrale pour réfréner leurs appétits.

— Mon père est mort à cause de ces appétits...

— La situation a fini par tourner à l'aigre. La plupart des barons sont morts au combat et certains de leurs fils aussi. Les mensonges que nous avions inventés pour faire tuer ton père sont revenus nous hanter. Ta mère nous a maudits après la pendaison, et sa malédiction a produit son effet : le prieur James fut anéanti par le remords de ses actes ainsi que Remigius l'a raconté au procès du prieur Philip. Percy Hamleigh est mort avant que la vérité ne se fasse jour, mais son fils a été pendu. Regarde-moi : près de cinquante ans plus tard, on m'a reproché mon parjure, et ma carrière a pris fin. » Épuisé, le teint gris, Waleran ne se maîtrisait qu'au prix d'un terrible effort. « Nous avions tous peur de ta mère, car nous n'étions pas sûrs de ce qu'elle savait. Tout compte fait, ce n'était pas grand-chose, mais cela a suffit. »

Jack se sentit aussi dénué de forces que Waleran. Enfin, il savait la vérité sur son père, cette vérité qu'il avait cherchée toute sa vie. Il n'éprouvait ni colère, ni désir de vengeance. Si Jack n'avait jamais connu son vrai père, en revanche, Tom l'avait élevé et lui avait donné l'amour des bâtiments, la seconde passion de sa vie.

Il se leva. Tous ces événements étaient trop enfouis dans le passé pour le faire pleurer. Il était arrivé tant de choses depuis lors, et de bonnes choses pour la plupart.

Il considéra le vieil homme accablé. Par une ironie du sort, c'était Waleran qui souffrait maintenant l'amertume du regret. Jack le plaignait. Comme c'est terrible, songea Jack, d'être vieux et de savoir qu'on a gâché sa vie. Waleran leva la tête et leurs regards pour la première fois se croisèrent. Waleran tressaillit comme si on l'avait giflé. Un instant, Jack put lire dans les pensées du vieil homme et il comprit que Waleran avait vu de la pitié dans ses yeux.

Or, pour Waleran, la pitié de ses ennemis était la pire des humiliations.

4

Philip attendait à la porte ouest de la vieille cité chrétienne de Canterbury, revêtu de la somptueuse tenue d'apparat d'un évêque anglais et portant une crosse ornée de bijoux qui aurait pu payer la rançon d'un roi. Il pleuvait à verse.

Philip avait soixante-dix ans. La pluie glaçait ses vieux os. C'était la dernière fois qu'il s'aventurait si loin de chez lui, mais il n'aurait pas manqué ce jour-là pour un empire. D'une certaine façon, la cérémonie qui se préparait couronnerait l'œuvre de sa vie.

Il s'était écoulé trois ans et demi depuis le meurtre historique de l'archevêque Thomas. Dans ce bref laps de temps, le culte mystique de Thomas Becket avait envahi le monde. Philip ne s'était pas douté de ce qu'il lançait en conduisant cette petite procession aux cierges dans les rues de Canterbury. Le pape avait fait de Thomas un saint avec une rapidité presque choquante. Il existait même un nouvel ordre de moines chevaliers en Terre sainte : les chevaliers de Saint-Thomas d'Acre. Le roi Henry n'avait pas pu lutter contre un mouvement populaire d'une telle puissance. Aucun individu n'aurait pu y résister.

Pour Philip, l'importance du phénomène, c'était ce qu'il révélait sur le pouvoir de l'État. La mort de Thomas avait montré que, dans un conflit opposant l'Église et la couronne, le monarque pouvait toujours l'emporter en recourant à la force brutale. Mais le culte de saint Thomas fournissait la preuve qu'une telle victoire sonnerait toujours creux. Le pouvoir d'un roi n'était pas absolu : la volonté du peuple était plus forte. Ce changement était né du vivant de Philip. Il n'en avait pas seulement été le témoin, il avait aidé à le faire apparaître, et la cérémonie d'aujourd'hui allait commémorer cela.

Un petit homme rablé avec une grosse tête s'avançait sous la pluie vers la ville. Il ne portait ni bottes ni chapeau. A quelque distance derrière lui, suivait un groupe de gens à cheval.

C'était le roi Henry.

La foule gardait un silence absolu tandis que le roi trempé de pluie marchait dans la boue jusqu'à la porte de la ville.

Selon le protocole prévu, Philip vint se placer sur la route de manière à précéder le roi, pieds nus, en direction de la cathédrale. Henry suivait, la tête basse, contrôlant sévèrement son pas d'ordinaire très vif, l'image même de la pénitence. Impressionnés, les habitants contemplaient en silence le roi d'Angleterre s'humiliant sous leurs yeux. L'entourage du monarque suivait à distance.

Lentement, Philip conduisit le souverain jusqu'au seuil de la cathédrale. Les impressionnantes portes de la magnifique église étaient grandes ouvertes. Ils y pénétrèrent, procession solennelle de deux personnes seulement, qui marquait l'aboutissement de la crise politique du siècle. La nef était pleine à craquer. La foule s'écarta pour les laisser passer. Les gens chuchotaient, abasourdis de voir le plus fier roi de la chrétienté, dégoulinant de pluie, entrer dans l'église comme un mendiant.

Ils traversèrent à pas lents la nef et descendirent les marches menant à la crypte. Là, auprès de la nouvelle tombe du martyr, les moines de Canterbury attendaient, en compagnie des plus grands et des plus puissants évêques et abbés du royaume.

Le roi s'agenouilla sur les dalles.

Ses courtisans pénétrèrent à sa suite dans la crypte. Devant tous, Henry d'Angleterre, second du nom, confessa ses péchés et déclara qu'il avait été la cause indirecte du meurtre de saint Thomas.

Sa confession terminée, il se dépouilla de son manteau, sous lequel il portait une tunique verte et un cilice. Il s'agenouilla de nouveau, courbant le dos.

L'évêque de Londres courba le jonc qu'il tenait en main.

Le roi allait être fouetté.

Il recevrait cinq coups de chaque prêtre et trois de chaque moine présents. Les coups seraient symboliques : comme il y avait quatre-vingts moines dans le cathédrale, une vraie correction l'aurait tué.

L'évêque de Londres effleura de la badine à cinq reprises le dos du roi. Puis il la tendit à Philip, évêque de Kingsbridge.

Philip fit un pas en avant. Il allait fouetter le roi. Il était heureux d'avoir vécu jusque-là. Après cet instant, songea-t-il, le monde ne serait jamais plus tout à fait le même.

Achevé d'imprimer par la
SOCIÉTÉ NOUVELLE FIRMIN-DIDOT
Mesnil-sur-l'Estrée
pour le compte des Éditions Stock
23, rue du Sommerard, 75005 Paris
en novembre 1995

Imprimé en France
Dépôt légal : novembre 1995
N° d'édition : 2052 - N° d'impression : 32691
ISBN : 2-234-0226-30
54-05-3904-04/7